Les Américains

ROGER PEYREFITTE

AVANT-PROPOS

Comme pour d'autres de mes livres qui représentent à la fois une expérience personnelle et l'étude d'un milieu extérieur, j'ai donné à celui-ci l'apparence d'un roman. Mais tous les personnages sont réels, à l'exception du héros principal, et tous les faits sont exacts, qu'ils soient d'ordre privé ou public.

Les mois que j'ai passés aux Etats-Unis, l'an dernier, me semblent des années, tant ce séjour fut riche de rencontres et de découvertes. Je le dois à la qualité des guides que j'y ai eus, et ces guides, je les devais à mes livres précédents. *Les Américains* en sont donc la suite naturelle, outre-Atlantique.

Jamais la trame d'un de mes ouvrages n'a été plus étroitement liée à l'actualité. Au fur et à mesure que je travaillais, j'y ai ajouté, sans effort, les faits tout récents qui pouvaient s'y rapporter. Ils ne l'ont pas dérangée, peut-être parce qu'elle était assez solide. Mais le titre de roman m'a dispensé de suivre une chronologie rigoureuse. Le déroulement des choses appartient à la destinée des hommes ou des peuples et n'a que faire du calendrier, quand tout est vu, comme dans ce livre, sous l'angle d'une année — l'année dernière, l'année d'avant, l'année présente et celle de demain.

Mes livres tâchent d'être tout ensemble un divertissement et un enseignement. Aucun, à cet égard, ne m'a paru plus nécessaire, car il s'agit, cette fois, d'éclairer et, autant que possible, d'amuser le lecteur sur le plus grand sujet et le plus grand pays dont on puisse parler. Alors que le monde libre n'existerait pas, si les Etats-Unis n'existaient pas, il est inconcevable que, en Occident, les esprit soient égarés à leur propos par de faux prophètes. Je souhaite que ce livre, écrit sans complaisance, mais avec sympathie, apprenne quelque chose aux esprits libres.

R. P.

PREMIÈRE PARTIE

1

Au vingt-neuvième étage de ce gratte-ciel de Dallas, Mr Hunt, l'homme le plus riche du monde, est assis devant moi. Le visage rose, les yeux célestes, les cheveux blancs autour d'un front dégarni, le lobe des oreilles collé, le nez un peu busqué, les dents éblouissantes de tous nos compatriotes, le menton plus fuyant qu'on ne l'aurait attendu pour un « self-made man » de ce calibre, il portait un costume bleu défraîchi, un nœud de cravate tout fait bleu et blanc, une chemise blanche aux poignets un peu usés et n'avait pas la moindre bague.

Le roi de ces archimilliardaires du pétrole, pour lesquels notre langue a inventé le terme d' « oillionnaires », représentait le sommet de notre société américaine, plus que le président Johnson. Il s'était penché sur son bureau pour relire ma fiche :

— Ainsi, me dit-il, vous vous appelez John Montague, vous êtes fils du contre-amiral en retraite Nicholas Montague, vous habitez à Beverly Hills (Californie), vous avez été élevé à la Phillips Academy à Andover (Massachusetts) — une de nos « high schools » les plus aristocratiques —, vous êtes gradué en sociologie de Berkeley (Californie), vous y préparez votre licence, vous êtes membre de la fraternité

Sigma Alpha Epsilon et vous avez vingt-trois ans, ce qui est l'âge limite pour devenir l'un de mes « Jeunes orateurs de la liberté ».

Il releva la tête, retira les lunettes à monture en plastique blanche qu'il avait mises pour lire et les replaça dans la pochette de son veston :

— J'aime beaucoup les amiraux. Notre C.I.A. ne s'est réveillée de son long sommeil après vingt ans, que sous l'amiral Raborn. Et vous êtes un digne fils d'amiral en voulant lutter contre le communisme, qui est l'ennemi de notre pays et de notre civilisation. J'avais justement besoin d'une base au campus de Berkeley.

Je lui dis que j'en avais assez d'y voir s'agiter le Club communiste DuBois, l'Alliance des Jeunes Socialistes, les Etudiants pour une Société Démocratique, le Mouvement Travailliste Progressiste, le Comité de Coordination des Etudiants Non-Violents et autres forcenés d'extrême-gauche, qui semblaient faire la loi. Il y avait aussi des groupes de droite, tels que les Jeunes Républicains et même les Nazis Américains, mais beaucoup de mes amis désiraient autre chose et m'avaient délégué, à la faveur de ces vacances, auprès de Mr Hunt. Sa personnalité offrait toutes les garanties pour une entreprise patriotique de grande envergure. Nous avions lu dans la presse les articles de deux cent cinquante ou de trois cent quatre-vingts mots qu'il y publiait régulièrement et nous avions entendu les discours de cinq ou de quinze minutes que quatre cent soixante et onze stations de quarante-six Etats diffusaient chaque jour, sous les auspices de la fondation qu'il patronnait : « Ligne de Vie ».

Il m'écoutait, légèrement renversé en arrière dans son fauteuil tournant, et tapotait du bout des doigts son bureau d'acajou. Nous étions dans le building de la First National Bank et, par la large baie hermétiquement close de cette pièce que rafraîchissait l'air conditionné, sa silhouette était découpée sur les gratte-ciel de deux autres banques, dont l'un, gainé d'aluminium, portait l'image d'un puits de pétrole : tous les symboles de la fortune semblaient réunis autour de Mr Hunt. Il me regarda du coin de l'œil :

— Combien voulez-vous par mois ?

Je sursautai :

— Je ne veux pas d'argent, Mr Hunt.

Il sourit et son sourire, à la fois ironique et paternel, me charma :

— Croyez-vous que l'on combatte le communisme uniquement avec des mots ? Il faut de l'argent pour tout, mon cher Jack, et d'abord pour cela. Ce qui nous assure la suprématie que nous gardons encore, c'est que le budget annuel de notre service secret est de quatre millions de dollars et que celui des Soviets n'est que de deux millions. Nous avons dépensé dix-sept milliards de dollars avec le plan Marshall pour l'Europe occidentale, et l'U.R.S.S. n'a pu dépenser que sept milliards de dollars pour les pays communistes. Nous devons maintenir partout cet avantage et il sera maintenu, tant que des hommes qui ont un peu d'argent, comme moi, en consacreront une partie à la défense de la liberté. Le nerf de la guerre, qu'elle soit chaude ou qu'elle soit froide — en ce moment elle est tiède —, c'est « de l'argent, encore de l'argent, toujours de l'argent ». Vous n'en voulez pas, mais vous accepterez bien que je vous offre votre passage de Dallas à Los Angeles ?

Je le remerciai : mon billet de retour était pris et, du reste, je ne venais pas de loin, puisque j'étais en visite chez ma sœur, mariée à Houston.

— Ah ! fit-il, vous avez déjà un pied au Texas.

J'ajoutai que mon beau-frère était un des ingénieurs de la N.A.S.A. qui préparaient le voyage dans la lune. J'avais foulé, près des immenses bâtiments de cet organisme, les scories de lave où les astronautes s'essaient à marcher et qui figurent le sol lunaire.

— Tout cela est très bien, dit Mr Hunt, mais nous sommes sur la terre. Je me méfie de ceux qui ne veulent pas être payés. J'ai passé toute ma vie à payer... depuis l'âge où je n'ai plus été payé. A vrai dire, j'avais juste le vôtre, quand j'ai commencé de payer autrui. Jusque-là, je n'avais pas été, comme vous, dans les écoles ou du moins je n'y avais passé que quelques semaines. A quinze ans, j'étais plongeur de nuit dans le restaurant d'une petite gare du Kansas, puis bûcheron dans le Texas, j'ai cultivé la betterave à sucre dans le Colorado, j'ai gardé les moutons et les chèvres des Mormons dans l'Utah, j'ai été muletier à San José de Californie, jardinier à San Francisco. Là, j'ai échappé à deux dangers : être embarqué de force sur un baleinier, d'où je me sauvai à grand-peine, et périr dans le tremblement de terre, dont je fus préservé, étant à Reno pour un match de base-ball. Vous voyez que j'ai de vieux souvenirs de votre Californie. A vingt-trois ans, après avoir exercé tous ces métiers, j'achetai une plantation de coton dans l'Arkansas et, du même coup, saisis la Fortune au vol. J'ai connu avec elle des hauts et des bas, mais je ne l'ai plus lâchée. Le coton n'avait été qu'un point de départ : je fus bien inspiré de l'arracher, car je trouvai du pétrole. Il me semble voir encore la petite tour Eiffel de mon premier puits ; je lui en ai adjoint un certain nombre, qui feraient ensemble une plus belle forêt que les vingt-sept mille de Kilgore (Texas).

« Au soir de ma vie, je serais en droit de me reposer, en estimant que j'ai fait assez pour la patrie : j'ai fourni aux Alliés, durant la Seconde Guerre mondiale, plus de pétrole et de gaz naturel que n'en produisaient les puissances de l'Axe et les pays qu'elles occupaient, Roumanie comprise. Je pourrais m'amuser à construire des châteaux, comme les Vanderbilt et les Rockefeller de la bonne époque, ou en acheter dans quelques pays d'Europe, comme Paul Getty, que l'on appelle « l'homme le plus riche du monde » et qui veut bien rectifier que c'est moi qui le suis. Je crois qu'il continue de travailler, malgré son âge ; moi aussi d'ailleurs, qui suis de peu son aîné, mais enfin j'ai passé le flambeau à mes fils et à mes gendres, sans avoir à craindre les sordides procès que lui font ses héritiers. Il vit comme un ours, me dit-on, faisant des pensions misérables à ses cinq femmes successives, entretenant chichement ses maîtresses, entouré de collections auxquelles il ne connaît rien, gardé par des chiens policiers, fuyant ce pays auquel il doit sa fortune et où il n'ose revenir, de peur d'être kidnappé. Vous n'avez pas vu de gorilles dans mon antichambre, mais uniquement de charmantes secrétaires. La porte de ma maison, qui est en pleine campagne, est ouverte toute la journée. Je n'ai pour domestique qu'un couple noir : telle est la protection de ma femme et de mes deux filles non mariées. Or, nous sommes dans l'Etat du crime, le Texas. Cela vous prouve que le patriotisme, le dévouement à la cause publique, sont une armure suffisante. Mais cela ne me dit pas combien je dois vous donner.

— Vous me faites déjà l'honneur, Mr Hunt, de me donner beaucoup de votre temps.

— J'en suis prodigue pour la cause qui vous amène ici. Je n'ai accordé que peu d'interviews dans ma vie, car rien n'est plus inutile ; il y a des journalistes de Dallas qui attendent de m'interviewer depuis cinq ans. Ce qui m'importe, c'est de former des équipes sérieuses de jeunes convaincus, mais les convictions se payent. La rubrique qui a précédé « Life Line » à la radio, s'appelait « les Faits du forum » et m'a coûté quelques millions de dollars. Ils ont été bien placés, ce qui ne veut pas dire qu'ils ont tous été placés dans des poches. Vous recevrez trois fois par semaine le texte imprimé des allocutions de Ligne de Vie ; il s'en vend d'ailleurs trois millions d'exemplaires chaque année : c'est un geste généreux de ceux qui approuvent mon œuvre. Vous la verrez aussi rassemblée dans les quelques livres de moi qui reproduisent ces articles. Je suis même l'auteur d'un projet de constitution qu'il vous sera loisible de méditer, et j'en avais fait un pour la charte des Nations Unies, qui aurait peut-être rendu cette assemblée moins redoutable pour les intérêts américains. Mais j'attends toujours de savoir combien d'argent il vous faut.

Je répétai à Mr Hunt que je n'en avais pas besoin pour avoir des convictions. Je lui dis combien j'étais heureux de connaître un homme comme lui, qui était l'exemple le plus parfait du vrai Américain : il montrait ce que notre pays était capable de faire d'un homme, et comment un homme, qui était unique, pouvait rester fidèle à lui-même. Je me permis de lui demander s'il avait jamais quitté l'Amérique.

— Deux fois, répondit-il. C'était il y a une dizaine d'années, lorsque je cherchais à obtenir une concession de pétrole au Koweit et les cinq mois que j'y ai passés en deux voyages, avec étapes à Londres et à Paris, mériteraient un historien. Ces nappes, différentes de celles qui sont affermées par Getty, se trouvent en bordure de l'Arabie Séoudite et les principales compagnies du monde se les disputaient. C'était à qui graisserait le plus grand nombre possible de pattes et, chez la même personne, les pattes semblaient plus nombreuses que chez certaines déesses d'Extrême-Orient. J'avais gagné de haute lutte la confiance de son altesse le sheik, des membres de sa famille (ils étaient quatre-vingts) et de ceux de son conseil suprême (ils étaient vingt) ; bref, l'affaire était dans le sac : on pariait sur moi à quinze contre un. Je télégraphiai à mon fils aîné le mot clé qui devait indiquer ma victoire, le mot qui est ma devise : « Constructivement ». Hélas ! pour une fois, j'avais construit sur le sable et savez-vous à qui furent accordés les gisements ? A la délégation japonaise. Pourquoi ? Alors que les Américains et les Européens présents au Koweit étaient de simples particuliers comme moi, le Japon avait envoyé son ancien Premier ministre Yamashita et son ministre des Affaires étrangères Okazaki. Ils avaient offert beaucoup moins que nous tous réunis, mais ils garantissaient la sécurité politique et militaire. Le jour même que j'avais télégraphié à Dallas, un autre télégramme nous était arrivé de Bagdad : l'émir Feiçal avait été assassiné et le corps de son Premier ministre traîné dans les rues. Or, l'émir était le protégé de l'Angleterre et de l'Amérique. Le sheik avait compris que, pour le défendre, les Japonais auraient les mains plus libres que nos gouvernements démocratiques : aujourd'hui, en dehors des Israéliens, seuls des Jaunes n'hésiteraient pas à tirer sur des Arabes.

Après m'avoir fait ce petit tableau d'histoire, Mr Hunt me demanda si j'avais vu et entendu, en chair et en os, l'un de ses orateurs. Sur ma réponse négative, il décrocha le téléphone :

— Envoyez-moi Larry tout de suite. Avertissez le directeur de la Mercantile Bank que c'est urgent.

J'admirai, pendant tout cet entretien, que nul appel téléphonique n'eût résonné dans un pareil bureau et j'en fis l'observation. Mr Hunt sourit :

— Avec quatre secrétaires et six étages de bureaux, j'ai des remparts plus que suffisants. Vous allez voir un garçon de votre âge, qui est un de mes plus actifs « Youth Freedom Speakers ». Vingt-trois ans, quel bel âge !

Il regarda une photographie encadrée sur un mur et qui était l'unique décoration de cette pièce :

— Voilà mon fils aîné. Il se nomme Hassie. C'est un garçon génial. Je l'ai émancipé à dix-neuf ans, sans lui prêter aucun argent pour ses entreprises et, à vingt-trois ans, il produisait dix mille barils de pétrole par jour. Il possède autant de flair que moi ; jamais il n'a fait creuser un puits qui soit sec. Il y a pour cela des appareils spéciaux et même les calculs savants des computers, mais rien ne remplace ce que j'appelle le flair et que d'autres appelleraient la chance.

« Pendant la guerre, Hassie fut chargé de forer des puits de pétrole en Chine et tenta, mais en vain, de reprendre aux Soviets les équipements que les Etats-Unis leur avaient fournis pour leurs puits de Sibérie. Il arriva néanmoins à bâtir une raffinerie qui fut transportée pièce à pièce en avion, au milieu des montagnes. Le pétrole était envoyé sur une rivière, avec des outres gonflées sous les radeaux pour que ceux-ci ne fussent pas brisés par les rochers ou dans les rapides. Ces opérations peu banales fatiguèrent mon fils au point qu'il dut être rapatrié pour troubles mentaux. On le mit dans un hôpital psychiatrique du Maryland, où il avait d'extraordinaires éclairs de divination. Je l'emmenai à Washington pour Noël 1942. Nous étions en voiture, la nuit, par un beau clair de lune :

« — Daddy, fit-il, tu vois la lune ? Il y en aura bientôt d'autres lancées par les hommes, qui transmettront des renseignements de toutes sortes. Dès qu'elles seront hors de la zone d'attraction terrestre, elles tourneront sans difficulté. Et un astronaute tournera avec l'une d'elles dans vingt-six ans...

« Je lui demandai pourquoi pas dans vingt ou trente. Il me répéta :

« — Dans vingt-six ans. »

Personne encore, à ma connaissance, n'avait parlé de satellites. Je fus si frappé de cette déclaration que je la fis enregistrer par un notaire. Tel est l'homme que l'on dit fou et qui a subi sans broncher une opération au crâne et deux cents chocs d'insuline. Il vaut à lui seul deux cent cinquante millions de dollars. Je suis tellement persuadé de sa guérison prochaine que je laisse son bureau inoccupé et son nom sur la porte.

Une sémillante secrétaire annonça Larry. Je vis entrer un beau jeune homme de haute taille, rasé de frais, peigné de frais, parfumé à la lavande. Mr Hunt fit des présentations rapides, sans oublier mon titre de futur orateur de la liberté. Il ne pria pas Larry de s'asseoir, mais de réciter un des discours du programme.

— Combien de mots, Mr Hunt ? demanda le jeune homme. Cinq cent cinquante ou neuf cent dix ?

— Cinq cent cinquante. Cela fait trois minutes. Il n'en faut pas plus pour frapper les esprits.

— Un discours de chiffres ?

— Non, un discours moral. Tout ce qui est moral est anticommuniste.

— Voulez-vous : « Apathie et Contentement de soi » ?

— O. K.

Larry me regarda et commença le discours :

— « L'apathie et le contentement de soi, chez les jeunes et même chez les adultes, sont deux des plus grands problèmes des Etats-Unis. Je peux le comprendre, parce que je n'étais pas dominé, il y a encore peu de temps, par le problème essentiel des libertés américaines. Je considérais comme dû tout ce que j'avais et je ne me souciais pas d'y penser. La menace qui pèse sur mon pays ne m'était pas encore apparue. Je n'avais pas pensé au mot d'Emerson : « Il faut choisir entre la vérité et le repos. » Il faut choisir également entre le repos et la liberté... »

Mr Hunt, renversé dans son fauteuil de cuir craquelé, les yeux au plafond, écoutait ces paroles comme une délicieuse musique. Son visage respirait la béatitude. Tout à coup, il regarda l'orateur et murmura, en l'interrompant :

— Il vaut mieux, quand on parle de choses sérieuses, ne pas avoir une main dans la poche de son pantalon.

En retirant sa main, tandis que Mr Hunt contemplait de nouveau le plafond, le jeune homme laissa apparaître une énorme turgescence qui soulevait l'étoffe. Il se tourna légèrement vers moi pour la dissimuler. Il sembla d'abord assez gêné, mais sa gêne n'avait aucun effet sur son état, et il avait encore plusieurs centaines de mots à faire entendre. Finalement, il couvrit d'un petit sourire ironique cette preuve de « contentement de soi » plutôt que d' « apathie ». Voulait-il me convaincre que les jeunes orateurs de la liberté ne se recrutaient pas chez les eunuques ?

— ... « Notre pays, poursuivit-il, a été fait grand par des gens qui avaient le courage moral et intellectuel de défendre ce à quoi ils croyaient. Pour être dignes de nos prédécesseurs, nous devons avoir sans cesse sous les yeux leur exemple, chrétien et patriotique. Ce pays ne survivra pas, si nous nous désintéressons de son sort et l'abandonnons aux esprits faux... »

— Bon ! dit Mr Hunt en se réveillant comme d'un

rêve. Larry, tu vas regagner ton bureau et moi je vais déjeuner. Nous nous retrouverons ce soir à l'hôtel Baker pour la réunion du groupement. Notre nouveau compagnon nous y rejoindra et verra quelques-uns de nos films.

Je me levai, pensant que c'était une formule de congé, mais Mr Hunt me retint :

— Voulez-vous partager mon repas ? Je vous avertis qu'il est frugal et rapide.

Je crus ne pouvoir refuser. Il ouvrit un tiroir de son bureau, où il prit un sac de papier, dont il vida le contenu sur une serviette de papier : deux sandwiches au jambon, deux sandwiches à la salade, deux morceaux de fromage, deux sachets de raisins secs et deux bananes Chiquita, portant l'étiquette de l'United Fruit.

— Ne croyez pas, dit-il, que les deux portions soient pour moi. Presque chaque jour, j'invite un ami de passage ou l'un de mes collaborateurs.

Il commanda, par téléphone, une bouteille de Poland Water, qui fut apportée par une seconde secrétaire, et nous commençâmes le repas.

— Naturellement, dit-il, jamais de vin ni d'alcool. Mon alimentation est diététique. Le pain est fait chez moi avec le blé d'un comté voisin, dont l'eau est riche en fluor ; la salade a le plus fort contenu de vitamines ; le jambon est sans tissu mammaire. Je n'ai pas de cigarette ni de cigare à vous offrir : j'ai renoncé au tabac le jour où j'ai calculé que je perdais trois cent mille dollars par an, rien qu'à ouvrir les paquets ou les étuis.

Je dis que sa simplicité ne cessait de me charmer et qu'elle dépassait même celle que j'imaginais chez un grand homme.

— Récemment, dit-il, un journaliste de New York a téléphoné chez moi pour demander ce que je prenais au petit déjeuner. C'est l'une de mes filles qui a répondu et elle se trouvait justement dans la cuisine en train de le préparer : deux verres d'eau tiède, deux verres de jus d'orange, un verre de jus de carotte, un

16

verre de jus de prune, une purée de melon et six amandes d'abricot — les amandes d'abricot sont le secret de longue vie d'une peuplade de l'Himalaya. La recette a été publiée sous ce titre : « Petit déjeuner d'un schizophrène. »

Nous étions au dessert.

— La banane, dit Mr Hunt, est le fruit du capitalisme. Chez les Soviets, il n'y a de bananes que pour les touristes — un dollar la pièce.

« Le capitalisme ! quel mot absurde ! L'an dernier, les grandes compagnies américaines ont versé à leurs employés deux cent cinquante milliards de dollars et dix-sept milliards à leurs actionnaires. Les employés perçoivent quatre-vingt-treize *cents* de chaque dollar de dividende. Cela prouve que la propriété n'est pas le vol. D'ailleurs, elle change constamment de mains. Sauf dans des cas exceptionnels, elle ne reste guère dans une famille plus de trois générations. Je ne suis donc même pas sûr de défendre l'argent de mes petits-fils. Je défends un principe. Et je suis heureux que des jeunes le défendent.

« Je vous ai pressé d'accepter de l'argent. Mais comme vous avez refusé, vous devenez un ami. Après la séance au Baker, je vous emmènerai chez moi et j'espère que nous aurons un bon dîner.

Notre repas était fini. Je regardai l'homme le plus riche du monde ramasser les miettes dans la serviette de papier et la remettre dans le sac.

2

Suivant son conseil, je pris un taxi pour aller passer l'après-midi au Musée de cire. C'est là, m'avait-il dit, qu'il avait prononcé un des discours dont il était le plus content : au dévoilage de la statue du général MacArthur. Le vainqueur du Japon est l'homme qu'admirait le plus, dans l'histoire contemporaine, celui qui avait été vaincu par le Japon à Koweit. Il l'appelait « l'homme du siècle » — l'homme qui, non seulement, avait vaincu le Japon, mais en avait été le réorganisateur, l'homme qui, si on l'avait laissé faire, aurait vaincu la Chine, après avoir unifié la Corée, l'homme qu'il aurait voulu porter à la présidence des Etats-Unis, l'homme pour lequel il avait dépensé à cet effet cent cinquante mille dollars, mais inutilement, puisque le général n'avait pas voulu poser sa candidature et avait été remplacé par Eisenhower. J'avais charmé Mr Hunt en lui disant que mon père avait assisté, sur le « Missouri », à la reddition du Japon — MacArthur et les autres officiers américains en manches de chemise, les diplomates japonais en jaquette.

Pendant que je roulais vers ce musée, qui est fort loin du centre de l'immense Dallas, je rapprochais les observations que m'avait faites Mr Hunt, sur le seuil de sa porte, avec celles que mon père faisait souvent. Theodore Roosevelt avait déjà annoncé « l'ère du Pacifique », et le génie de MacArthur avait été de comprendre que cette ère était arrivée : l'avenir de notre pays n'était plus tourné vers l'Europe, mais vers l'Asie — l'Asie avec ses centaines de millions d'hommes, ses ressources illimitées, son fanatisme, ses traîtrises, ses séductions. Elle nous avait infligé à Pearl Harbor la plus grande défaite de notre histoire ; elle avait même obligé MacArthur à évacuer les Philippines, mais il avait dit en partant le mot historique : « Je reviendrai. » Et d'étranges noms de victoires s'étaient inscrits alors dans notre palmarès : Guadalcanal, Okinawa, Tarawa... Ils semblaient l'apport des citoyens américains d'origine japonaise ou chinoise, comme les noms des batailles de Normandie ou, à la Première Guerre mondiale, ceux de Château-Thierry et du Bois Belleau semblaient se référer aux citoyens américains d'origine française, tels que moi. Mais pour moi, comme pour mes autres compatriotes « à trait d'union » — Anglo-américains, Germano-américains, Italo-américains... —, MacArthur était plus célèbre à cause de ses victoires en Asie qu'Eisenhower à cause des siennes en Afrique et en Europe. Notre guerre au Vietnam n'était qu'une suite malheureuse, mais courageuse, de cette politique, pour laquelle il n'y avait malheureusement plus de MacArthur.

Mon père m'avait raconté la scène capitale qui avait changé notre destin, en amenant cette suite d'années troubles d'où nous finirions bien par sortir. Eisenhower, alors président, avait pour MacArthur le même respect que l'immense majorité des Américains et celui-ci crut pouvoir faire réparer la funeste erreur commise par Truman qui l'avait empêché d'avancer en Corée : « Je t'apporte, lui dit-il, la Chine dans la main. » Eisenhower était assis à son bureau, penché sur la carte, MacArthur debout derrière lui à sa droite, le secrétaire d'Etat Foster Dulles debout à sa gauche. Eisenhower se sentait dominé par son compagnon d'armes ; la décision de laquelle dépendait le sort du monde allait être prise. Hostile au projet, Foster Dulles se contenta de dire : « Le général MacArthur peut se tromper là, comme il se trompa en soutenant le sénateur Taft contre vous pour la candidature à la présidence. » Eisenhower dit qu'il avait à réfléchir et leva la séance, qui ne fut pas rouverte. Jamais sans doute plus petite cause n'avait eu plus grand effet : la Chine aurait été subjuguée avant d'avoir la bombe atomique et mon père avait vu les plans déjà dressés par le général Kenney, ancien chef des forces aériennes dans le Pacifique, pour neutraliser les installations nucléaires de l'U.R.S.S. C'est parce que cela n'avait pas été fait que nous pataugions aujourd'hui dans les rizières du Vietnam. Le plus beau rêve de la super-puissance américaine était désormais au Musée de cire.

Ces hautes pensées et ces visions belliqueuses ne m'empêchaient pas de regarder le paysage que je traversais. J'aimais cette ville de Dallas où je me trouvais pour la première fois, comme j'aimais Houston et Los Angeles : ces villes fantastiques dont les rues, dès qu'on est hors du centre commercial, sont une suite de villas élégantes et entourées de verdure, presque toujours sans barrière — ces « cinquante faubourgs à la recherche d'une âme », selon une romancière française marxiste (1), pour laquelle il ne saurait y avoir qu'une âme collective et des phalanstères, tandis que, dans notre pays, chacun peut avoir son âme et sa maison.

On me dépose enfin, au parc de la Foire d'Etat du Texas, devant le Musée de cire. Le premier personnage qu'il offre à ma vue est un de mes ex-compatriotes, le corsaire Jean Laffite, qui, selon l'inscription, « rendit des services considérables au gouvernement des Etats-Unis et en reçut le pardon de ses crimes ». Le mot « crimes » vous salue dès l'entrée. Suit la figure héroïque du colonel Travis à la bataille du Fort Alamo ; puis le général Houston, président de l'éphémère république du Texas — le seul de nos Etats qui pût se vanter de ses « six drapeaux » : l'espagnol, le français, le mexicain, le sien propre, le confédéré et celui de l'Union.

La patrie de mes aïeux paternels a d'autres recommandations au Texas que le souvenir d'un corsaire. C'est Cavelier de la Salle qui explora ces régions sous Louis XIV. Une poignée de généraux et de grognards de Napoléon y fonda la colonie « Champ d'Asile ». Mais le même Napoléon, lorsqu'il n'était encore que Bonaparte, avait vendu la Louisiane aux Etats-Unis et les frontières étaient si vagues que nous eûmes plus tard un prétexte pour y ajouter le Texas. Enfin, c'est le roi Louis-Philippe qui avait été le premier à reconnaître l'indépendance texane et son envoyé, le vicomte de Saligny, fut accueilli en triomphe à Austin, capitale de l'Etat. Quelques années après, l'utopiste français Cabet arriva avec quinze cents disciples, qui

(1) Simone de Beauvoir.

ne tardèrent pas à repartir, « privant ainsi les Comanches de scalps philosophiques » dit un historien.

Une fois, j'avais accompagné ma sœur et mon beau-frère aux fêtes de l'Indépendance texane, qui se célèbrent à Austin avec beaucoup plus d'éclat que celles de l'Indépendance américaine. On nous avait relaté un trait malencontreux, dont avait été le témoin, à ces mêmes fêtes, l'année précédente, l'illustre Français Pierre Mendès-France. Comme il faisait une tournée de conférences (je l'avais entendu à Berkeley), il fut invité au sommet de la tour du campus pour voir la reconstitution de la bataille de San Jacinto qui décida de l'indépendance du Texas. Les étudiants costumés en Mexicains furent sur le point de mettre en déroute les étudiants costumés en Texans et il fallut arrêter la bataille, pour ne pas renverser la vérité historique. Bref, bien qu'Américain depuis quatre générations, j'avais le droit de me sentir chez moi sous le drapeau français du Texas.

Je fus ramené à un autre aspect de l'histoire texane par une série d'affiches placardées aux murs : « 3 000 dollars de récompense pour la capture de Richard Perkins qui s'est échappé de prison la nuit du 9 juillet 1876, accusé de vol à main armée sur la route. Il a environ 5 pieds de haut, pèse environ 170 livres, allure lourde, teint cuivré, cheveux châtains, yeux bleus, traînant la jambe, très brave, d'une intelligence au-dessus de l'ordinaire. » Je souris de cet hommage rendu à l'intelligence et à la bravoure d'un bandit, hommage qui était bien dans le style américain. A côté de ce genre d'affiches, celle qui proposait « 100 000 dollars de récompense pour la capture du meurtrier de notre bien-aimé président Lincoln, plus 50 000 dollars payés par le département de la Guerre et d'autres sommes offertes par de nombreuses municipalités », évoquait l'assassinat du président Kennedy à Dallas.

La figure de deux chefs indiens, dont l'un, l'Apache Geronimo, a été popularisé par les films, rappelait les luttes des autochtones contre ceux qui les dépossédèrent. L'inscription parlait de leur courage, mais aussi de leur loyalisme, puisqu'ils avaient défilé dans la parade de Theodore Roosevelt, et nos présidents se considèrent sans doute comme les successeurs légitimes de ces scalpeurs de têtes, puisque l'aigle américain, dans le sceau présidentiel, porte une coiffe de plumes.

A ces Indiens qui n'avaient pas toujours été de tout repos, succédaient les bandits annoncés par les affiches : « la belle Stairs, reine des outlaws », un revolver à la main ; la scène d'une bataille entre bandits en pleine ville, trois tués et trois tueurs ; le bandit Fisher qui « tua douze hommes et devint un respectable vice-shérif » ; Billy le Kid, « venu de New York, qui tua vingt et un hommes » ; un autre, qui « tua trente-deux hommes » ; un autre qui en « tua quarante-trois avant d'avoir vingt-six ans » — « condamné à dix-sept ans de prison, il vécut ensuite en citoyen respectueux des lois, mais fut tué par un de ses amis ».

Il était juste qu'après cette brochette de bandits et le dénombrement de leurs victimes, on nous fît voir un cimetière. Dans une vaste salle, des tombes portaient des inscriptions aussi peu rassurantes : « George Johnson, pendu par erreur » ; un tel, « qu'il soit damné ! » ; un tel, « tué par un tel » ; un tel, « mort de ses blessures » ; un tel, « enlevé à la prison du comté et lynché par la foule » ; une telle, « poignardée par un tel ». L'épitaphe la plus circonstanciée : « Ici gît Lester Moore. 4 balles de 44. Ni plus ni moins. » L'épitaphe la plus discrète : un tel, « mort soudainement ». Les mots vengeurs se lisaient souvent sur les bras de la croix. Tout autour de la salle, des vitrines exposaient des armes à feu : « le pistolet de Geronimo » ; « la winchester qui tua Billy le Kid en 1881... »

Je pensais à cet étudiant d'Austin, qui avait tué seize personnes en tirant du haut de la tour du campus, belvédère des fêtes de l'Indépendance, et à d'autres exemples de folie homicide, encouragée par la libre vente des armes. L'opinion était assez divisée sur le maintien de cette liberté, qui était garantie par le deuxième amendement de la constitution. L'Association nationale du Fusil, qui compte sept cent mille membres, avait fait échouer jusqu'ici les tentatives du congrès de revenir sur cet amendement et ce n'est que cette année que le département de la Défense lui avait retiré une subvention d'un million de dollars par an. Ne savais-je pas dès mon enfance quelle est la passion des armes à feu parmi nous ? À Andover, il y avait un Rifle Club, mais je n'en avais jamais fait partie.

Dernièrement, ma sœur et moi, nous étions allés, près de Houston, voir un puits de pétrole que mon beau-frère venait d'acheter. Tout le monde, au Texas, se doit d'avoir un puits de pétrole, ne serait-ce que pour se croire un Mr Hunt en miniature ; la plupart le creusent dans leur jardin ; d'autres l'achètent où ils peuvent. Celui de mon beau-frère n'était pas surmonté d'un de ces derricks que Mr Hunt avait comparé à de petites tours Eiffel : il n'y avait qu'un grand balancier, animé d'un mouvement silencieux et qui ressemblait, de loin, à une énorme sauterelle pliant sur ses pattes. Cette pompe en pleine campagne, au bord de la route, était en face de la maison d'un armurier qui avait même écrit sur sa vitrine : « Vente à crédit » — et cela nous rappelait que, si le Texas, avec mille crimes par an, a la primauté entre nos Etats, Houston la détient au Texas (deux cent quarante-quatre crimes l'an dernier pour un million d'habitants... plus que toute l'Angleterre, qui a quarante-six millions d'habitants). La curiosité nous fit entrer. On vendait à crédit, non seulement des revolvers de tous calibres et des fusils de tous modèles, mais des mitraillettes et même un mortier. L'acheteur essayait la mitraillette sur des sacs de sable, derrière la maison. Le marchand nous déclara que ces armes provenaient des surplus militaires, mais qu'elles en sortaient « désarmées » : il suffisait de remplacer une pièce pour les remettre en état de fonctionnement.

23

Il nous montra, dans ses réserves, un fusil à lunette, « comme celui qui avait servi à tuer Kennedy », des bazookas et ajouta en souriant qu'il se faisait fort de nous procurer un char d'assaut... « désarmé ». C'est sans doute un canon antichar, venu d'un arsenal semblable, qui avait servi à des gangsters, il y a quelque temps, pour percer les blindages d'une banque de Syracuse (New York).

Et voilà que je me trouvais devant Lee Harvey Oswald, qui, embusqué derrière une fenêtre, à côté de laquelle étaient des cartons de livres, tenait, disait l'inscription, « un fusil exactement semblable » à celui qu'il employa pour tirer les trois coups dont deux atteignirent le président Kennedy et le troisième le gouverneur Connally. Mes souvenirs de Houston me permettaient d'assurer qu'il n'y avait pas tromperie sur la marchandise. Cette figure de cire avait un grand succès auprès des enfants qui visitaient le musée. Ils ne se lassaient pas de regarder et de commenter. C'était une histoire toujours présente, même dans la génération en herbe, grâce aux enquêtes, suppléments d'enquêtes, livres, discours, illustrés par la télévision — et l'action intempestive de Garrison, procureur de La Nouvelle-Orléans, venait de raviver tout cela. D'ailleurs, la belle Jacqueline Kennedy gardait la vedette des journaux et, s'il n'est pas certain que Mrs Johnson lui ait dit, après l'assassinat : « Nous ne voulions pas cela », il est connu que le président Johnson l'a nommée membre du Comité pour la Conservation de la Maison-Blanche. L'Amérique était encore le succube de Kennedy.

Pour nous permettre de respirer, on nous montrait ensuite le savant nègre Carver, « fils d'anciens esclaves, qui avait trouvé 300 utilisations de l'arachide et 118 de la pomme de terre », et le nègre Handy, « fils d'un pasteur, compositeur de blues ». Une autre figure de cire inspirait d'autres réflexions : Joiner, « créateur des puits de pétrole du Texas, mais à qui de nombreux procès ne laissèrent que des conditions d'existence modeste » — il avait eu moins de chance que Mr Hunt et pourtant c'est à lui que Mr Hunt devait l'origine de sa fortune. (Il m'avait donné une courte notice biographique, où j'avais lu qu'il avait acheté « les champs de Joiner ».) Un stand proclamait, par des chiffres et quelques figures représentatives, les mérites du Texas dans la Deuxième Guerre mondiale : « 750 000 de ses habitants avaient été dans les services armés ; 155 furent généraux, y compris Eisenhower, chef des forces alliées en Europe, 12 amiraux, parmi lesquels Nimitz, commandant de la flotte du Pacifique, ainsi que le soldat le plus décoré de la guerre, et la seule femme colonel. »

J'arrivai enfin au général MacArthur et m'inclinai devant ce héros de Mr Hunt et de mon père. Je songeai au discours qu'il avait prononcé devant le Congrès, après que Truman l'eut rappelé de Corée, et qui me semblait une des belles pièces d'éloquence de notre époque, avec celui qu'il avait prononcé en faisant ses adieux à l'Ecole militaire de West Point. C'est dans le premier qu'il avait eu cette phrase célèbre : « Rien ne remplace la victoire » — allusion à ce qu'avait dit son successeur en Corée, le général Clark, sur le triste privilège d'être « le premier chef d'une armée américaine à signer un armistice sans victoire ». Aux cadets de West Point, il cita le mot de Platon : « Seuls les morts ont vu la fin d'une guerre. »

Les deux stands qui terminaient la visite semblaient unir toutes les ombres et toutes les lumières du Texas. On voyait l'avion numéro un d'Air Force atterrir à Love Field — quel joli nom, ce « Champ d'amour », aussi trompeur que Champ d'Asile ! Le président John F. Kennedy, Mrs Kennedy et le gouverneur Connally s'avançaient, le sourire aux lèvres, « acclamés, disait l'inscription, par 5 000 personnes et ensuite par plus de 200 000 le long du parcours, lorsqu'au moment où les voitures approchaient du triple passage souterrain, trois coups de feu furent tirés. Deux frappèrent le président, qui mourut trente minutes plus tard, et une balle toucha le gouverneur ». C'était notre quatrième président assassiné, après Lincoln, Garfield et McKinley — et il y avait eu aussi des attentats contre Jackson, les deux Roosevelt et Truman. De l'autre côté, Lyndon Baines Johnson, « quatre-vingt-dix-huit minutes après la mort de Kennedy, prêtait serment entre les mains d'une femme, Sarah Hughes, juge fédéral ». Mrs Johnson était près de son mari.

Entre les deux scènes, se déployait sur le mur le grand blason des Etats-Unis : l'aigle armé d'or, un rameau d'olivier et treize flèches d'argent pointées d'or.

3

Dans le hall de l'hôtel Baker, je trouvai une foule de gentlemen qui portaient, au revers de leur veston, une étiquette en plastique, indiquant le nom et le congrès auquel ils participaient. Nos multiples congrès d'affaires, avec ce déploiement d'exhibitionnisme et souvent tout un cortège familial, sont un sujet de stupeur pour les étrangers. Ces messieurs étaient du congrès de l'Association des Propriétaires fonciers du Texas. Le Guide du mois, que l'on m'avait donné à mon hôtel Sheraton (je descends toujours dans les hôtels de cette chaîne, parce que mon père en est actionnaire), me signalait que, les jours à venir, il y aurait le congrès des Clubs de Bridge de Dallas, du Conseil des Médecins du Middle West, de l'Association des Banquiers du Texas, de celle des Masseurs du Texas, des Infirmières diplômées du Texas, des Propriétaires de Garages indépendants du Texas, des Restaurateurs du Texas, des Avocats du barreau d'Etat du Texas, et la réunion nationale de la fraternité Phi Tau Omega. J'évoquai un congrès des Shriners — cet ordre maçonnique si renommé pour sa bienfaisance —, au milieu duquel j'avais buté dans le hall d'un autre Sheraton. Ils affectaient de justifier leur réputation de bruyante gaieté. Coiffés de grands fez et vêtus de robes arabes, ils choisissaient le titulaire de certaine charge : le vainqueur devait être celui qui les aurait fait le plus rire par ses attitudes, ses gestes et ses grimaces. Ce ne fut pas le président Truman, qui est pourtant membre du temple Ararat du Shrine à Kansas City (Missouri).

En me frayant un passage à travers les propriétaires fonciers du Texas, j'aperçus Mr Hunt au milieu d'eux. Il n'avait aucune étiquette à sa boutonnière : son nom lui suffisait. Mon salut courtois l'aida à me reconnaître et il quitta aussitôt ses compagnons pour venir à moi. Ils me regardèrent avec surprise et même avec respect, me prenant sans doute pour l'héritier d'un grand propriétaire, mais ils sourirent lorsqu'il m'eut dit : « Montons vite, la séance des Youth Freedom Speakers est commencée. » Mes propriétés venaient de fondre en une seconde au soleil du Texas : je n'étais plus, pour les vrais propriétaires, que l'un des innocents « hobbies » de Mr Hunt. En tout cas, son empressement me confirmait l'intérêt qu'il avait pour son œuvre patriotique. Quelques propriétaires fonciers nous accompagnèrent jusqu'à l'ascenseur.

Au neuvième étage, une flèche indiquait, sur une pancarte : « Youth Freedom Speakers ». La porte du numéro 901 était ouverte devant une suite de pièces. Dans la première étaient exposés, en piles savantes, des boîtes, des tubes et des flacons où se lisait le nom de Mr Hunt. Je n'ignorais pas que le plus grand producteur de pétrole et de gaz naturel des Etats-Unis était aussi le fabricant de produits de régime et autres, dont il vendait, me précisait-il, pour plus de trente millions de dollars par an. Il alliait le sens des affaires à celui de la politique ; on lisait cette inscription : « Achetez des produits dont on fait la réclame sous les enseignes de la liberté. » Je lui dis que j'avais déjà goûté de son « miel pour athlète », mais il me montra avec orgueil des farines pour bébés, des onguents vitaminés, des suppositoires à la glycérine, des sauces pour le barbecue, des lotions contre le « lierre empoisonné », des pâtes dentifrices, des pots de moutarde, des shampooings, et me mit dans les poches plusieurs rouleaux de comprimés d' « Amaze Aid ».

— Avec cela, dit-il, vous n'aurez jamais mal à l'estomac. C'est un de mes meilleurs produits.

La contemplation de cet étalage, dont chaque objet était timbré « H. L. Hunt », semblait lui causer une joie enfantine et lui faisait oublier le film dont nous parvenait l'écho lointain.

— Vous voyez, dit-il, je n'ai pas été jaloux, comme Paul Getty, d'attacher mon nom à une société de pétrole — il a la Getty Oil —, mais si je possède bien des sociétés dont le nom finit par Oil, j'ai préféré nommer du miel et des farines pour bébés.

A force de les voir reproduits, je lui demandai quels étaient ses deux prénoms. Il me pria de les deviner.

— Henry Leonard, dis-je, au petit bonheur.

— Haroldson Lafayette. A propos, j'ai vu sur votre carte de visite que vous n'aviez qu'un prénom. Est-ce pour imiter Washington ?

Je dis que c'était un usage dans ma famille, mais que nous ne prétendions pas nous distinguer. Nos seuls rapports avec George Washington étaient, pour mon père et pour moi, d'avoir été élevés à la Phillips Academy, dont le fondateur, le juge Samuel Phillips, était son ami. Il lui avait confié ses neveux et venait les visiter à cheval.

— Truman, dit Mr Hunt, est le dernier de nos présidents à un prénom. Toutefois, pour se plier à la coutume, il ajouta, après Harry, un S suivi d'un point, mais qui est une fausse initiale. Vous ferez de même quand vous serez président. J'ai augmenté les chances de tout le monde, parce que j'ai obtenu le vote du vingt-deuxième amendement, qui interdit de remplir trois fois cette charge. Je voulais nous épargner le tour que nous a joué Franklin D. Roosevelt qui semblait président à vie. Une vraie démocratie doit éviter la formation de familles présidentielles et de camarillas politiques. Vous vous demandez comment j'ai obtenu ce vote ? Un amendement voté par le Congrès doit être approuvé, dans un certain délai, par un certain nombre d'Etats. On avait l'intention de laisser mourir cet amendement-là et c'est moi qui, par mon insistance auprès des sénateurs de plusieurs Etats, le fis adopter à temps.

« Prenez donc de l'Amaze Aid : Pierce, notre quatorzième président, mourut d'une maladie d'estomac.

Il baissa le ton pour ajouter :

— Je suis un peu agacé en ce moment par les « Hunt Foods », qui n'ont rien à voir avec les « H. L. Hunt Products ». Le président de cette société, Norton Simon, est celui qui vient d'acheter deux millions trois cent mille dollars le portrait du fils de Rembrandt pour votre musée de Los Angeles, mais il a eu le tort d'acheter aux Soviets onze mille tonnes d'huile de soja. D'où bacchanal épouvantable, et enquête auprès du département de la Défense pour savoir si cette huile soviétique est incorporée dans les « aliments Hunt » fournis à notre armée au Vietnam. Naturellement, je reçois des lettres indignées de gens qui confondent les « produits » et les « aliments » de même nom et qui me demandent si je joue le double jeu. Cela n'est pas sans importance, car les associations patriotiques annoncent le boycottage des « Hunt Foods ». Une de mes secrétaires passe ses journées à répondre à toutes ces lettres, bien que la rectification ait été déjà faite dans la presse.

Je lui dis qu'en effet la confusion pouvait être assez fréquente, du fait que mon père, outre des actions de l'hôtel Sheraton, en avait des « Hunt Foods » en croyant soutenir Mr Hunt, même d'une manière modeste.

— Votre père aurait dû savoir, me dit-il sévèrement, que je ne me suis jamais associé avec personne et que, par conséquent, il n'y a d'actions « H. L. Hunt » en quoi que ce soit. Tout est partagé entre ma famille et moi — ma famille, treize pour cent, et moi, quatre-vingt-sept.

Nous traversâmes l'antichambre pour gagner la pièce obscure où se faisait la projection. A l'entrée, Larry nous attendait respectueusement, mais non plus sous les armes. Dès qu'apparut Mr Hunt, on ralluma un instant pour lui faire honneur. Il s'assit sur un canapé entre deux secrétaires, et moi près de Larry. Il y avait là une vingtaine de personnes. Le film montrait une jeune fille de dix-sept ou dix-huit ans, fort jolie et fort convaincue. Elle rappela, pendant sept minutes, que le communisme, qui comptait quarante mille adhérents en 1917, tenait aujourd'hui sous son joug neuf cents millions d'individus, qu'il avait fait périr des millions et des millions d'hommes, que, tout en se prétendant un progrès économique, il était incapable de nourrir ses peuples puisqu'ils étaient obligés de demander du blé aux Etats-Unis, qu'il était le tombeau de toutes les libertés, y compris celle de la presse, puisqu'il y avait un journal en U.R.S.S. pour trois cent mille personnes et en Chine pour huit cent cinquante mille — pour cent mille aux Etats-Unis. La caméra soutenait ce discours par de gros plans qui mettaient en valeur l'oratrice — sa coiffure, ses yeux, sa bouche, les fossettes de ses joues. Je regardai Mr Hunt entre ses deux voisines : dans chacune de ses mains, ouvertes sur ses genoux, il avait mis une boîte de bonbons Hunt où elles puisaient discrètement ; mais lui, la tête renversée en arrière comme ce matin durant l'autre discours, il se laissait bercer par ces paroles enchanteresses qui étaient devenues l'âme de sa vie.

Un jeune homme succéda à la jeune fille. On le présentait comme un junior de l'Université Méthodiste du Sud, la principale de Dallas. On nous disait à quelle fraternité il appartenait et qu'il était membre de la Société nationale des honneurs, etc. Il était le prototype du « Straight A », — l'étudiant qui a partout la meilleure note. On nous apprenait, de plus, que pour payer ses études, il travaillait dans une affaire de Mr Hunt. Son discours ne comportait pas de chiffres, mais des citations inquiètes, prises pour la plupart dans les textes de Gus Hall, chef du parti communiste américain. Je retins celle-ci de Lénine : « Nous prendrons d'abord l'Europe orientale, puis les masses de l'Asie. Nous entourerons les Etats-Unis, qui seront le dernier bastion du capitalisme. Nous n'aurons pas à l'attaquer : il tombera comme un fruit mûr entre nos mains. » On ralluma ; jeunes gens et jeunes filles distribuèrent des jus de fruits Hunt.

Une dame exprima son indignation des livres que répandait dans les églises de Dallas une prétendue Presse de l'Amitié. Ces livres, destinés aux enfants, ne tendaient qu'à leur inspirer le mépris de la loi, pour en faire de futurs objecteurs de conscience et des émeutiers. L'histoire de la Passion était racontée en ces termes : « Le gouverneur Pilate a demandé au F.B.I. de surveiller les disciples de Jésus. On craignait leur activité séditieuse... De nombreux chrétiens furent arrêtés parce qu'ils bravaient des coutumes qu'ils jugeaient mauvaises. Beaucoup furent attaqués avec des pompes à incendie et des chiens policiers. » (C'était une allusion au moyen que la police avait employé, dans le Sud, contre les Noirs révoltés.) Mr Hunt déclara que la fameuse photographie, publiée partout, qui montrait un Noir dont un chien policier arrachait le bas du pantalon, était une scène à la fois véritable et truquée : le Noir avait à demi détaché la jambe de son pantalon avec une lame de rasoir et, dès la première morsure, le photographe aux aguets immortalisait cette preuve de nos « brutalités policières ». Je me dis que si cette explication n'était pas tout à fait vraisemblable, elle était bien trouvée.

La dame rapporta un autre passage d'un de ces livres. On y décrivait une « marcheuse de la paix », à qui la police mettait des plots électriques sur les jambes et sur les cuisses « pour lui ôter l'envie de marcher ». « Les jeunes hommes en colère », tels que Jésus, disait l'auteur, ne sont pas tolérés longtemps par la société : ils doivent être déportés, chassés ou crucifiés... Est-ce que, pour chasser les marchands du temple, Jésus aurait dû écrire une lettre au surintendant ou au directeur du journal de la ville ? Aurait-il dû faire faire des « piquets » autour d'eux, envoyer des protestataires s'asseoir dans le temple ? Ou bien l'approuvez-vous d'avoir réglé la question par ses propres moyens et fait ce qu'il a fait ? A votre tour, aidez à renverser les tables dans les temples sacro-saints de la société. »

— Vive la Presse de l'Amitié ! s'écria Mr Hunt. Les communistes ont vraiment toutes les audaces. Ils entrent même au temple. Heureusement que nous avons Billy Graham, avec sa Jeunesse pour le Christ, ennemi farouche des communistes, et le Dr Criswell, pasteur de la première église baptiste de Dallas, qui a doublé le nombre de son auditoire depuis qu'il prêche contre eux. Le même succès est obtenu dans mon église presbytérienne.

Je me sentais un petit mouvement de vanité en apprenant que Mr Hunt n'était que presbytérien, comme Eisenhower : j'étais épiscopal, c'est-à-dire du dessus du panier, comme Washington... et comme Mrs Johnson. Il est vrai que les sentiments religieux de Mr Hunt me paraissaient plus vifs que les miens.

Quelqu'un fit observer que le manuel des officiers de réserve de l'armée de l'Air contenait des précisions sur le communisme dans les églises américaines. Je rappelai que la peste communiste était propagée dans les universités par les trois mille cinq cents professeurs communisants des Etats-Unis et que plusieurs de mes camarades de Berkeley avaient manifesté violemment contre la réunion à San Francisco de la commission de la chambre sur les Activités non américaines.

— D'où l'importance extraordinaire de votre futur groupe, me dit Mr Hunt. Il est pénible de voir notre jeunesse égarée par de mauvais bergers.

Larry osa prendre la parole pour faire observer qu'il y avait quatre mille organisations de droite aux Etats-Unis.

— Mais il y a dix mille organisations pro-communistes, dit Mr Hunt. Même si elles sont fictives et ne groupent que quelques membres, cela leur permet de jeter la poudre aux yeux du public et du Congrès. De plus, elles sont unies, tandis que les nôtres ne le sont pas. Voyez les attaques dont je suis l'objet dans la National Review, et pourtant son animateur, Buckley, est un oillionnaire du Venezuela. Mais le pétrole ne garantit pas plus l'orthodoxie que l'argent ne garantit le patriotisme. Pensez à l'industriel et banquier progressiste Cyrus Eaton, auquel Khrouchtchev a plaisamment promis sa protection, « quand le communisme régnerait sur le monde », c'est-à-dire quand il n'y aura plus d'industriels ni de banquiers.

Jeunes gens et jeunes filles nous raccompagnèrent à l'ascenseur, comme les propriétaires fonciers, mais aucun ne le prit avec nous. Le hall de l'hôtel était vide. Devant la porte attendait un coupé Ford Shelby, avec un chauffeur blanc — le comble du luxe —, et je crus que c'était la voiture de Mr Hunt. La simplicité de sa tenue et de ses déjeuners pouvait ne pas exclure un somptueux moyen de transport. Mais le chauffeur ne se dérangea pas.

— Je conduis ma voiture moi-même, dit Mr Hunt. Je déteste demander les services que je peux remplir. A l'hôtel Ritz à Londres, on se moquait de Paul Getty parce qu'il lavait ses chaussettes. Je ne vais pas jusque-là, mais je me coupe les cheveux avec un peigne à rasoir. Je n'ai jamais eu d'avion privé ni de yacht ni d'écurie de courses. Un reporter a écrit que je couvrais ma femme de bijoux, que je n'avais sur moi que des billets de mille dollars, que je vendais mes Cadillac dès qu'elles avaient une éraflure : un autre, que je devais être un inverti sexuel, pour vivre entouré de jeunesse. C'est quelque chose de curieux que la façon dont les gens, qui ne vous ont jamais vu, se représentent votre personne et votre existence.

« D'autres ont écrit que j'avais gagné les champs de Joiner dans une partie de poker. Ma principale partie de poker, je l'ai jouée, à seize ans, sur la frontière du Texas et du Mexique. Mon camp de bûcherons était séparé d'un camp d'Indiens mexicains par un bois. Un soir, j'allai jouer chez ces Indiens et leur gagnai tout leur argent — tout leur or. Je le mis dans un sac et me jetai dans le bois, où je restai tapi des heures, en les entendant qui me cherchaient. Je vous jure qu'à l'aube j'eus vite rejoint les bûcherons. Ce fut ma première petite fortune.

Cette histoire m'encouragea à lui demander quel était le chiffre de sa grande fortune.

— Quelquefois, dit-il, je le vois publié dans les journaux. Cela varie : un milliard de dollars, un milliard deux cents millions, un milliard cinq cents millions. Un milliard, c'est déjà un cent quatre-vingt-cinquième du budget des Etats-Unis. Mais le propre d'être riche, c'est d'ignorer le chiffre de sa fortune.

Je dis que celle de Paul Getty était généralement estimée à un milliard. Mr Hunt eut un petit geste nerveux :

— Alors, la mienne doit être un milliard deux cents millions.

Je me sentais assez intimidé et en même temps un peu inquiet de me promener dans une rue de Dallas, à côté d'une masse si fabuleuse de dollars. Personne pourtant ne nous regardait : personne n'avait l'air de connaître Mr Hunt. C'est seulement lorsque nous traversâmes, à un feu rouge, qu'il fut salué par un policeman.

— Brave police! dit-il. La John Birch Society, dont j'approuve beaucoup d'idées mais dont je ne suis pas membre, mérite notre reconnaissance par sa campagne : « Soutenez votre police locale. » Dieu nous préserve, en effet, de la police fédérale !

Je lui demandai s'il n'y avait pas eu de troubles noirs à Dallas.

— Pas le moindre jusqu'à présent, et justement grâce à notre bonne police, ainsi que grâce à quelques bons citoyens. On est allé trouver les Noirs, et on leur a dit, très doucement, en faisant des moulinets avec un gros bâton — système prôné jadis par Theodore Roosevelt : « Vous avez ce que vous voulez. Vous aurez ce que vous voulez, dans la mesure de votre travail et de vos capacités. Par conséquent, inutile de nous casser la tête ou de mettre le feu à nos maisons, parce que vous n'aurez plus ni maisons ni têtes. » C'est un langage énergique, mais qui n'est pas celui du Ku Klux Klan.

« Ma légende prétend que je subventionne tous les groupes de droite, y compris le Ku Klux Klan. Ils sont assez nombreux, n'est-ce pas, pour que je me contente de subventionner le mien. Mais n'a-t-on pas dit que je subventionnais même les Musulmans noirs ? Je n'encouragerai jamais la violence. Ceux qui me connaissent ne me demandent pas de subventions. Les premières fois que j'assistais aux congrès du parti démocrate ou du parti républicain, j'étais le plus entouré des congressistes ; bientôt, je fus le plus isolé : on s'était aperçu que je ne distribuais pas de chèques. La seule chose que je distribue, dans les hôtels où se tiennent ces congrès, ce sont les allocutions de Ligne de Vie : je les glisse sous les portes des chambres.

Nous arrivions au garage où il avait sa voiture. Des jeunes gens, blonds et hirsutes, y arrivaient aussi, à bord d'une auto sur laquelle on lisait cette banderole : « Etudiants finlandais visitant l'Amérique. »

— Brave Finlande ! dit Mr Hunt, c'est le seul pays qui nous paie les dettes de la Première Guerre mondiale. Rien d'étonnant aussi qu'elle soit un des pays que nous aimions — quatre-vingt-cinq pour cent de la cote d'amour au dernier gallup. Cette enquête sur les divers pays prouve l'horreur que nous avons du communisme : seulement dix-neuf pour cent des voix sont allées à la Russie (ce qui est encore trop), sept pour cent au Nord-Vietnam, six à Cuba, cinq à la Chine. Le Canada est en tête, puis la Suisse — ce qui montre que nous ne nous désintéressons pas de l'Europe, quand elle a des banques sérieuses. L'Angleterre et l'Allemagne ont remonté. Mais quelle chute de la France ! En dix ans, elle est passée de soixante-huit à quarante-neuf.

Un employé noir amena devant nous une vieille Oldsmobile. Mr Hunt donna un pourboire et nous nous assîmes sur des coussins défraîchis.

— Il y a deux ans que ce nègre veut m'acheter cette voiture, dit-il. Je la lui vendrai bientôt. Alors, il aura une voiture de huit ans et moi j'en achèterai une de deux ans. Ma femme et mes filles ont des voitures plus neuves, mais quelconques.

Il conduisait assez vite, mais avec une grande sûreté, donnant un brusque coup de frein pour me montrer quelque chose au passage : un restaurant japonais, une boîte de nuit, le seul théâtre construit par Wright. Nous suivions maintenant des avenues bordées de châteaux, de villas, de temples grecs, entre des allées de mimosas et les bouquets roses du « crepe myrtle ». Devant une maison flottait un drapeau sur un mât.

— C'est ici qu'habite le général Walker, le grand patriote, le valeureux compagnon du maréchal Mac-Arthur en Corée, me dit Mr Hunt. Il y eut contre lui un attentat, six mois avant celui qui coûta la vie à Kennedy et Oswald en fut soupçonné. J'aime ces déploiements du drapeau, symbole du patriotisme ; j'en ai un, moi aussi, devant ma maison. Nos adversaires cherchent à nous ridiculiser en disant que nous agitons des drapeaux : ils ne sont contents que lorsqu'on agite le drapeau rouge.

Avant de prendre la route du lac de White Rock, sur les bords duquel il habitait, Mr Hunt voulut me faire visiter le Centre d'achat du Parc du Nord. J'admirai ces galeries immenses où pourrait défiler une armée, et le long desquelles ouvraient des boutiques, larges et profondes, illuminées à giorno. Des palmiers, des fleurs, une fontaine ajoutaient à la splendeur de cet ensemble. Mr Hunt me désigna le magasin de Neiman-Marcus.

— Son propriétaire, dit-il, suffirait à prouver que les juifs sont de grands Américains. Il vient d'offrir un million de dollars pour Israël, mais il est généreux pour toutes sortes d'œuvres qui ne sont pas juives. J'ai versé mon obole pour les blessés israéliens, et, comme j'ai des intérêts pétroliers en Libye, j'en ai versé une également pour les blessés arabes. A Berkeley, ne manquez pas de recruter quelques juifs et quelques Noirs. On veut faire à tous les gens de droite le reproche d'être fascistes et racistes, qu'il faut prévenir. Choisissez même des juifs très typés, des Noirs bon teint — « chocolat jusqu'à l'os ».

« Je vous ferai envoyer les articles du journaliste noir George Schuyler, anti-démagogue intelligent, et les allocutions que prononça à Life Line le rabbin Louis Mann, de Chicago, dont la disparition récente est une perte pour la cause de la liberté. Il ne doit y avoir ni antisémitisme ni antiracisme, mais il y a, dans toutes les races, des patriotes et des antipatriotes. Un de mes amis juifs, Martin Stone, qui s'occupait de la Foire Mondiale de New York, me fit offrir une concession de un million de dollars, que j'acceptai, pour exposer mes produits. Et un juif plus important, Robert Moses, me la fit retirer. Savez-vous sous quel prétexte ? Parce que je voulais faire reproduire des motifs trop patriotiques pour une foire internationale : le fort d'Alamo, le hall de l'Indépendance, la maison de Washington. Mais quel bon juif que l'attorney général Katzenbach ! Il continue la chasse aux communistes subversifs ; il a même défendu d'enterrer au Cimetière National d'Arlington, où repose Kennedy, un vétéran de la Deuxième Guerre mondiale, qui était communiste.

4

En haut d'une pente de gazon, limitée par des arbres magnifiques, s'élevait la maison de Washington ou plutôt de Mr Hunt. Cette réplique de la célèbre demeure du mont Vernon n'avait pas été construite par lui. Il l'avait acquise depuis une trentaine d'années et c'est la seule possession dont il était fier. Il disait que les journalistes la prétendaient deux ou trois fois plus grande que celle de notre héros national : à peine un quart, précisait-il.

Si belle qu'elle fût, cette maison à un étage, avec son portique de colonnes, ses neuf fenêtres de façade, ses deux mansardes minuscules et son belvédère, ne témoignait en rien une fortune auprès de laquelle celle de George Washington eût paru bien peu de chose. Le drapeau étoilé flottait sur une pelouse, comme devant la maison du général Walker.

Après avoir garé sa voiture, Mr Hunt me fit voir d'abord la maison des hôtes ; elle était vide bien que la porte fût ouverte. L'électricité y était restée allumée et il l'éteignit.

— Je n'ai pas de visiteurs en ce moment, dit-il ; ce sont mes filles qui viennent jouer là.

Les meubles de cette maison sans étage étaient des plus simples. En face, une grande piscine aux pavements bleus, des chaises longues, un énorme ballon à tranches multicolores. Mr Hunt me fit remarquer la limpidité de l'eau, qui était filtrée et constamment renouvelée. Près du bord, un cafard renversé sur le dos s'évertuait à se redresser pour ne pas se noyer. Mr Hunt se pencha pour regarder les efforts de la bestiole.

— Un indépendant ! dit-il. Pour être indépendant il faut avoir un milliard de dollars.

Je fus interloqué lorsqu'il ajouta :

— Et maintenant nous allons voir Hassie. Sa maison est de l'autre côté et je lui fais une visite chaque soir. Cela le réconforte. En dehors de moi il ne voit personne. Comme il aimait la France, je dirai que vous êtes un Américain de Paris : cela lui produira peut-être un choc. Il vit seul avec une femme mormon ; probablement que nous ne la verrons pas. D'ailleurs elle ne parle pas.

Je suivis Mr Hunt dans une allée semée de sable fin, au milieu de grasses prairies. La maison, silencieuse, semblait abandonnée. C'était pourtant l'heure où toute demeure américaine fait entendre un son de télévision. Le couloir était éclairé.

— Hassie ! cria Mr Hunt.

Personne ne parut. Nous pénétrâmes dans une grande cuisine, vide, mais également éclairée. Il y avait quelques boîtes des produits Hunt et, chose plus étrange, des photographies encadrées, disposées tout autour. Mr Hunt me les présenta :

— Hassie à quinze ans dans sa high school, à dix-huit en tenue de base-ball, à vingt-trois quand il valait déjà cinquante millions de dollars, en lieutenant devant le Capitole à Washington, puis auprès de Chang Kai-Chek.

Jeune garçon, jeune homme et soldat, c'étaient le visage et les yeux clairs de son père. Avant de quitter la cuisine, Mr Hunt éteignit, comme il avait fait dans le couloir.

— Hassie ! cria-t-il de nouveau.

Cette fois, les aboiements de deux petits chiens lui

répondirent. Il ouvrit une porte, qui donnait sur l'escalier, et deux pékinois se précipitèrent à nos pieds en jappant.

— Poo ! poo ! leur dit Mr Hunt.

Précédés par les deux chiens, nous nous engageâmes dans un escalier de bois dont les marches craquaient. Cette partie de la maison était obscure. Mr Hunt chercha à tâtons le commutateur et ne le trouva pas. Les craquements de cet escalier sans tapis, cette solitude, ce vaste silence humain faisaient penser à une maison hantée. Arrivé sur le palier, mon guide fit jaillir la lumière. Une porte s'entrouvrit, par laquelle on aperçut une femme brune qui referma aussitôt. Mr Hunt tourna la poignée d'une autre porte :

— Hassie, c'est moi. Je t'amène un Américain de Paris, Mr John Montague.

Il n'alluma pas et la pièce, dont la porte resta ouverte, ne recevait que les dernières lueurs du jour et le reflet du palier. Dans un grand lit, un homme encore jeune, au beau visage impassible, était couché. Son buste, adossé à des oreillers et vêtu d'un pyjama rose, sortait des draps blancs. Il inclina la tête dans ma direction mais ne prononça pas un mot. Il était soigneusement peigné et rasé et tenait contre son nez un mouchoir de soie. Il regardait le lac, qui s'étendait devant une large fenêtre sans rideau. Quelques magazines étaient à son chevet. Les murs étaient nus. Il n'y avait pas d'autres meubles que le lit, une commode et une chaise. Un pas furtif fit craquer le palier : la femme mormon poussa une chaise jusqu'à l'entrée et s'éclipsa. Nous nous installâmes chacun d'un côté du lit.

— Te souviens-tu de ton voyage en France ? demanda Mr Hunt.

Hassie restait immobile, les yeux rivés sur le lac, le mouchoir contre le nez.

— Rappelle-toi, reprit Mr Hunt : Paris, le gai Paris...

Il continua, en s'adressant à moi :

40

« Je n'aime pas les Américains qui vont dépenser leur argent à l'étranger : deux milliards de dollars par an pour aller voir des gens qui nous détestent, c'est beaucoup. Kennedy avait engagé nos concitoyens à « visiter l'Amérique », et Johnson fait plus que les y exhorter : je l'ai félicité de frapper d'une taxe nos voyageurs impénitents. Hassie avait voulu voir la France parce que j'ai le prénom de Lafayette.

Il s'adressa de nouveau à son fils :

— Quel est ce restaurant dont tu étais si content ? Ah ! c'est *Maxim's*, comme à Houston. Et puis, cet hôtel où l'on regardait ton chèque avec suspicion, et tu dis au caissier : « Si vous voulez, je peux acheter l'hôtel et la rue... »

Après un long silence, Hassie répondit :

— Je ne me rappelle pas.

Sa voix, légère et pointue, était comme une voix de l'autre monde. Quelques minutes passèrent sans un bruit. Au-dehors chantait l'oiseau moqueur. Mr Hunt se pencha vers un chien, auquel il dit : « Poo ! poo ! »

Et soudain son fils, de cette voix extraordinaire et les yeux toujours fixés sur le lac, dit ces mots très lentement :

— Je me rappelle... oui, je me rappelle. Paris, dix-huit mille six cent soixante-dix-huit habitants, dans le comté de Lamar, à cent miles de Dallas. J'y avais une usine d'huile de graine de coton. Au-delà, il y a de hautes montagnes, comme en Chine.

— Nous allons te laisser, dit Mr Hunt en se levant. La conversation te fatigue.

Je saluai d'un signe de tête et nous redescendîmes, suivis par les pékinois aboyants. Mr Hunt éteignait et éclairait de proche en proche. Je revis les photographies étalées dans la cuisine. Et la nuit tiède du Texas nous enveloppa jusqu'à la maison du mont Vernon.

— Hello ! cria Mr Hunt.

Mrs Hunt, souriante et élégante, descendait l'escalier qui avait un tapis. Ses seuls bijoux étaient des boucles d'oreilles où étaient gravés en émail les deux mots : Life Line. J'avais noté aussi cette inscription, en lettres blanches, sur la boîte aux lettres qui était au bas de la pelouse.

Mr Hunt, avec la courtoisie qu'il me témoignait, me fit faire le tour du propriétaire. Le vestibule, la salle à manger et les trois salons étaient cossus mais sans faste. Un tableau représentant des Indiens, une aventureuse copie du « Blue boy » par Mrs Hunt, un beau portrait de « lady Ramsay » par Raeburn étaient les principaux ornements. Mr Hunt me fit remarquer un grand tapis d'Orient qui, me dit-il, avait été fort admiré par le frère du shah de Perse. Il ajouta :

— C'est un cadeau de son altesse le sheik... un cadeau qui m'a coûté cher. Peut-être vous attendiez-vous à voir chez moi des collections, poursuivit-il. Je ne connais pas celles de Paul Getty, mais je connais celles qu'un autre milliardaire, Meadows, a léguées au musée de l'Université Méthodiste du Sud, à Houston.

Je m'empressai de dire que je les connaissais aussi.

— Vous savez, par conséquent, ce qu'il en est advenu : les Rembrandts, les Goyas, les Titiens, précipités dans les oubliettes, ont laissé de grands carrés vides sur les murs. Le seul tableau de maître qui ait résisté aux expertises porte triomphalement l'étiquette de la galerie Wildenstein de New York. Il y a également une aimable fessée d'un peintre espagnol et on l'a surnommée « la Fessée de Meadows ».

Je dis que j'avais visité les collections de Pierpont Morgan et de Lehman à New York, qui avaient eu certainement de meilleurs conseillers que Mr Meadows.

— Je me demande, dit Mr Hunt, ce que les Américains peuvent aller voir en Europe quand ils ont chez eux tant de trésors de l'Europe, y compris les faux. Le cloître des Rockefeller à New York, celui de Hearst en Californie, le château des Vanderbilt en Caroline du Sud, même si ce n'est que la copie d'un château français, suffisent à ma curiosité.

Nous gagnâmes la salle à manger où je fus étonné de ne voir que deux couverts. Je le fus encore davantage lorsque ce fut Mrs Hunt qui nous servit. Mr Hunt était au bout d'une grande table d'acajou et moi à sa droite. L'argenterie, la porcelaine, les cristaux étaient de qualité. Le papier peint, à scènes champêtres américaines, qui tapissait les murs, était clair et gai. Le menu, cela va sans dire, était strictement diététique. Le poulet, délicieux, venait d'une ferme de Mr Hunt dans le Wyoming — une ferme de deux cent soixante-quinze mille acres.

Sur la cheminée, un trophée attira mon attention : la tête d'un homme rude, coiffé d'un casque.

— C'est une des récompenses qui m'ont fait le plus de plaisir, dit Mr Hunt : le buste en bronze du chef Roughneck, un des pionniers de l'industrie pétrolière, buste que décerne l'Association des Producteurs de pétrole indépendants : j'en suis le douzième titulaire et, soit dit par parenthèse, il n'a pas été encore attribué à Paul Getty. Ce nom symbolique dit bien ce qu'il veut dire : il faut avoir la « nuque forte » pour se lancer dans cette industrie.

« La médaille qui est à côté du buste est une récompense d'une autre espèce : elle est offerte par l'Ordre de La Fayette à ceux qui se sont distingués en combattant le communisme. Voilà aussi une association très honorable et très méritante, dans la « ligne de vie » des choses qui nous intéressent. Elle a été fondée par le colonel Hamilton-Fish, l'ancien président de la commission des Affaires étrangères de la chambre, qui, entre les deux guerres, fut un des premiers Américains à réagir contre le danger communiste. Cette médaille fut donnée avant moi au général MacArthur, au président Hoover, au cardinal Spellman, à l'ambassadeur Robert Murphy, au président Eisenhower, à Mrs Booth Luce... et, ce qui est peut-être excessif, au soldat américain inconnu.

« D'ordinaire, nous écoutons tous en famille, à cette heure-ci, les émissions de Life Line. Je vous en dispense ce soir puisque vous avez déjà entendu assez de discours dans la journée. Notre action est indispensable pour tenir le pays en éveil. Il est le plus puissant et le plus riche du monde, mais le monde, autour de lui, est hérissé de barrières hostiles. A cent soixante-dix miles de la Floride règne l'épouvantable Castro. Et même ce grand général qui gouverne la France nous met son petit bâton dans les roues. Son nom m'échappe. Comment s'appelle-t-il donc ?

Mrs Hunt, qui déposait devant nous des salades panachées s'écria gaiement :

— Goldfinger.

— Il est vrai, dit Mr Hunt, que ce Français a tout l'air de reprendre à son compte l'opération que James Bond fit manquer à Goldfinger et qui tendait à s'emparer de l'or de Fort Knox.

Je ne voulus pas déflorer le calembour de Mrs Hunt en rappelant que beaucoup de nos journaux surnommaient désormais « Gaullefinger » le général de Gaulle. Mais le lapsus de mémoire de Mr Hunt me donnait la mesure de l'Europe pour un Américain, même s'il prétendait ne pas être indifférent à son sort. Le président Johnson, à la veille de recevoir le président de la République italienne, avait demandé comment il s'appelait.

— La France, continua Mr Hunt, oublie que nous l'avons sauvée deux fois et remise sur pied grâce au plan Marshall. Elle oublie, en dansant avec l'ours soviétique, qu'il avait fait un pacte d'amitié avec son ennemi Hitler pour écraser sa vieille alliée la Pologne. Les pays occidentaux ont été tranquilles jusqu'au jour où, l'un après l'autre, ils ont reconnu la République des Soviets. La date la plus funeste de notre Histoire est le 26 novembre 1933, quand, à minuit, « l'heure du crime », Roosevelt et Litvinov signèrent, à la Maison-Blanche, l'accord de reconnaissance. A quoi cela a-t-il servi ? L'Association du Barreau américain, qui est composée de patriotes, a calculé que « durant les derniers vingt-cinq ans les Etats-Unis ont eu trois mille quatre cents réunions avec l'U.R.S.S., les négociateurs ont prononcé cent six millions de mots, ces négociations ont conduit à cinquante-deux accords importants et l'U.R.S.S. en a violé cinquante ». Je comprends la John Birch Society qui a formé un comité pour demander le retrait de l'accord de reconnaissance. Heureusement qu'il y a d'autres moyens de lutter contre le communisme.

« Nous sommes au pays des chiffres et il est juste qu'ils signifient quelque chose. Nos communistes se vantent de pouvoir faire expédier cinquante mille lettres à Washington en soixante-douze heures — les lettres, moyen si efficace de pression sur le Président ou le Congrès ! Dès que leur offensive m'est annoncée, je fais expédier cent mille, deux cent mille lettres. Ils seront toujours battus ! c'est une question d'arithmétique. La Chine rouge est restée à la porte grâce à un comité qui avait recueilli un million de signatures.

« J'ai dû vous faire sourire en vous parlant de mon projet de charte des Nations unies. Mais songez que l'un des principaux auteurs de la vraie charte fut l'espion Alger Hiss : cet Américain, dont le nom évoque le sifflement du serpent, était diplômé de Harvard, une lumière de notre diplomatie, président de la dotation Carnegie pour la paix internationale et conseiller très écouté de Roosevelt. Il entendait la paix internationale à sa façon. Lorsqu'on nous dit que nous sommes des fanatiques du patriotisme, nous pouvons répondre que nous avons quelque raison de l'être. S'il n'y avait pas aux Etats-Unis des fanatiques de l'anti-patriotisme, nous n'aurions pas aidé Castro à La Havane et Mao à Pékin.

Mrs Hunt, en nous apportant des coupes de fruits, me demanda si je me souvenais du détail extraordinaire qui avait permis de démasquer Alger Hiss devant la commission secrète d'enquête du Sénat. J'avouai que non : mon père m'avait parlé de ce procès retentissant, qui datait de mon enfance, mais ne m'en avait pas donné tous les détails.

— Whittaker Chambers, communiste repenti, dénonciateur d'Alger Hiss et qu'Alger Hiss assurait n'avoir pas connu, dit à la commission qu'un jour qu'il était chez ce traître, dans sa maison au bord du Potomac, celui-ci, ornithologue dilettante, avait capturé un oiseau très rare, le « prothonotary warbler ». Le sénateur Richard Nixon, en interrogeant Alger Hiss sur ses recherches d'ornithologie, lui demanda s'il avait jamais vu un prothonotary warbler. « Oui, répondit Alger Hiss étonné, une seule fois : c'est un merveilleux oiseau à tête jaune. » Cet oiseau le conduisit en prison.

— Hélas ! poursuivit Mr Hunt, Alger Hiss avait déjà fait son œuvre et planté sur le couvre-chef de l'oncle Sam la tête jaune d'un prothonotary warbler. C'est lui qui, à Yalta, avait décidé Roosevelt à accepter, malgré Churchill, les conditions de Staline pour le partage de l'Europe et, chose incroyable, à accorder, dans l'assemblée générale des Nations unies, trois voix à l'U.R.S.S., alors que nous n'y en avons qu'une. Ne parlons pas de nos secrets atomiques qui filaient vers le Kremlin, comme nous le révéla l'explosion de la première bombe soviétique, le 23 septembre 1949.

« Il est aisé, après cela, de se moquer du sénateur Joe McCarthy et de sa « chasse aux sorcières ». Entraîné par sa chasse, il alla évidemment trop loin en accusant Eisenhower et Marshall eux-mêmes d'être les suppôts des Soviets. Certes, le fait que Eisenhower ait laissé les armées soviétiques arriver à Berlin et à Prague, et donné l'ordre aux nôtres de s'arrêter, pouvait être interprété dans un sens fâcheux : Eisenhower, loyalement, ne faisait qu'obéir aux instructions de Roosevelt, de Truman... et d'Alger Hiss.

· Je comprenais que l'ancien commandant des forces alliées en Europe eût conservé du respect et de la reconnaissance pour les armées soviétiques qui avaient collaboré à la victoire. Mon père, si anti-communiste qu'il fût, m'avait dit avec quelle anxiété les chefs militaires se penchaient à ce moment-là sur la carte du front de l'Est européen, autant que sur celle du front d'Extrême-Orient.

— Marshall mit également contre lui bien des apparences, poursuivait Mr Hunt : il supprima d'un trait de plume les trente-neuf divisions de Chang Kai-Chek ; et son fameux plan aida souvent le communisme en ayant l'air de le combattre. Toutefois, il avoua ensuite que ses intentions avaient été trahies. Le contraire eût été surprenant, au milieu des traîtres.

« Alger Hiss n'est plus là, mais certains de ses amis y sont toujours : le nègre Ralph Bunche, autre diplômé de Harvard, prix Nobel de la Paix, que Eisenhower a eu la naïveté de qualifier « le plus grand citoyen des Etats-Unis » (toujours cette emphase pour les nègres), est sous-secrétaire des Nations unies, et Dean Rusk est secrétaire d'Etat.

Je suppliai Mr Hunt d'épargner Dean Rusk, qui était membre, comme mon père, de l'illustre fraternité Phi Bêta Kappa.

— Il était un si bon président de la fondation Rockefeller ! dit Mr Hunt. S'il y était resté, notre département d'Etat aurait peut-être un meilleur titulaire. Je n'ai jamais compris qu'un homme aussi intelligent que Johnson eût gardé ce piètre héritage de Kennedy. C'est d'ailleurs de cet héritage qu'il supporte les responsabilités au Vietnam. On croit parfois que c'est la franc-maçonnerie qui lui a imposé Dean Rusk parce que lui-même appartient à la loge de Johnson City (Texas) ; mais, bien que la maçonnerie ne soit pas toujours difficile dans le choix de ses affiliés, elle n'a jamais voulu de Dean Rusk.

Je suppliai Mr Hunt de ne pas dire du mal de la maçonnerie, dont mon père est un haut dignitaire, comme l'avait été MacArthur.

Il me demanda si moi-même étais maçon. Je répondis que j'avais appartenu, dans ma prime jeunesse, à l'Ordre juvénile de Molay qui, sans être maçonnique, est patronné par des maçons (le président Franklin Roosevelt en fut grand maître honoraire, comme l'est aujourd'hui le président Truman) ; mais je m'en étais détaché, faute de temps à lui consacrer.

— Peut-être avez-vous raison, me dit-il. Moi, je suis trop libre pour appartenir à quoi que ce soit... sauf à l'Association des Propriétaires fonciers du Texas et à celle des Producteurs de pétrole indépendants. Je me donne pour démocrate et souvent je vote républicain. Je ne suis membre d'aucun club et j'admire, dans le *Who's who*, la liste de ceux de Paul Getty. Il y a juste un an que je figure dans le « dictionnaire des personnes notables » et je n'y occupe encore que sept lignes : Getty en a vingt-six, mais sept pour ses femmes. Ce genre d'inscription a parfois son utilité : ma femme, à qui je vous avais annoncé, a été éblouie en vous voyant dans le *Social Register*, dont nous ne sommes pas jugés dignes.

Je déclarai en riant que l'absence de son nom prouvait l'importance toute relative de cette liste mondaine.

— Il en est des gens de la société comme des juifs, des Noirs et des francs-maçons, fit Mr Hunt. Certains honorent leur catégorie, d'autres la rendraient odieuse ou suspecte. En tant que patriote, vous estimez certainement que beaucoup d'arrêts de la Cour Suprême ébranlent les colonnes de notre pays, en dédouanant le parti communiste, en restreignant les pouvoirs de la police, en permettant la pornographie et en supprimant l'obligation des prières dans les écoles publiques, alors que notre devise est : « In God we trust. » Or, le chef de la Cour, Earl Warren, qui lui a donné cette impulsion redoutable depuis 1953, est un 33e de la maçonnerie écossaise, et l'un des rares juges qui s'en désolidarisent de plus en plus, Hugo Lafayette Black — Lafayette comme moi —, est 32e.

48

Je rappelai que Edgar J. Hoover, chef du F.B.I. et 33e, était l'ennemi déclaré du communisme. Mais Mr Hunt, qui, en vérité, semblait ferré sur toutes choses, me fit observer que la C.I.A., échelon supérieur du F.B.I., était plus discrète à l'égard de la maçonnerie : Allen Welsh Dulles, frère de l'ex-secrétaire d'Etat Foster Dulles, qui l'avait dirigée si longtemps, n'avait jamais été maçon, ni McCone, qui fut son successeur ; l'amiral Raborn, qui vint ensuite, était maçon, mais Richard M. Helms, qui lui a succédé ne l'est pas.

Pendant que nous prenions une infusion de fleurs exotiques, je tirai de ma poche un fascicule violet portant le sceau de l'aigle à deux têtes et le titre : « La Foi des hommes libres ». C'était le texte du discours prononcé par Mr Hoover devant le Suprême Conseil, lorsqu'il avait reçu la grand-croix de l'ordre écossais, des mains du souverain grand commandeur Luther Smith. Je m'en étais muni à tout hasard, comme d'une recommandation supplémentaire et qui serait agréable à Mr Hunt. Il regarda la photographie de l'illustre frère, dont le masque énergique reflétait les fonctions et qui était, comme lui mais d'une autre façon, l'un des hommes les plus importants de notre pays : depuis trente-sept ans qu'il dirigeait le F.B.I., il avait résisté à sept présidents et à je ne sais combien d'attorneys généraux. Son discours, digne du titre, était une attaque à fond contre tout ce qui est communiste. « Nous devons choisir entre la loi et l'anarchie, la liberté et le chaos », concluait-il.

— Il a réussi pendant deux ans, dit Mr Hunt, à empêcher la ratification du traité consulaire russo-américain. Mais l'ombre d'Alger Hiss a été la plus forte, ce qui va nous valoir huit cents espions de plus. E. Hoover a déclaré, devant la commission de Sûreté intérieure du Sénat, que presque tout le personnel diplomatique de la Russie et des pays satellites, tant à Washington qu'aux Nations unies, était un ramassis d'espions déguisés. Ce sont les espions de la main tendue et du sourire. Je ne sais aucune histoire illustrant mieux les sentiments des Soviets à notre égard que celle que je vais vous raconter.

« Mon ami Fred C. Koch, qui est un des principaux oillionnaires du Kansas et qui se consacre, lui aussi, à la lutte contre le communisme — il est membre du bureau de la John Birch Society —, est allé en Russie, après la Première Guerre mondiale, pour y installer des raffineries de pétrole. On lui donna comme guide un juif nommé Livshitz, qui avait quitté la Russie après la révolution de 1905 et qui s'était réfugié aux Etats-Unis jusqu'en 1917, mais ne nous en aimait pas davantage. Son plus grand plaisir était de faire admirer à Koch, le soir, l'inscription électrique qui se lisait alors sur les murs du Kremlin : « Au capitalisme, nous apportons non la paix, mais le sabre. » Il n'était heureux que sur la place Rouge, sans savoir qu'elle ne portait pas ce nom à cause du drapeau qui lui était cher, mais depuis des siècles, à cause des incendies qui s'y produisaient et qui se sont malheureusement communiqués à la moitié du monde. Koch sauva Livshitz de la mort en le retirant de dessous une voiture renversée et cet ardent communiste lui demanda avec surprise pourquoi il avait été si généreux. Puis notre compatriote quitta la Russie, accompagné jusqu'à l'avion par ce même personnage : il se retourna une dernière fois pour lui dire adieu et Livshitz balançait sa main dans un geste amical. Koch se retourna encore une fois : Livshitz ne balançait plus la main, mais le poing. J'ajoute, pour l'histoire, qu'il a été fusillé. Il aurait mieux fait de rester chez nous.

« Ces purges, ces horreurs dont la Russie est coutumière, montrent ce qu'est cette prétendue civilisation. Pensez à Vorochilov, président du praesidium du Soviet suprême, avouant à notre ambassadeur Bullitt qu'il avait fait exécuter avec leur fils onze mille officiers tsaristes de Kiev, après avoir obtenu leur reddition sur promesse de la vie, et qu'il avait fait mettre leurs femmes et leurs filles dans les bordels de l'armée. Nous ne connaissons des histoires semblables que chez les nazis. Pourquoi n'avons-nous pas laissé se dévorer ces deux monstres, Hitler et Staline, au lieu de soutenir ce dernier en lui avançant onze milliards de dollars et en partageant le monde avec lui ?

Mrs Hunt vint avertir en hâte son mari : Garrison, le procureur de La Nouvelle-Orléans, allait passer à la télévision.

— Diable ! fit Mr Hunt en se levant. Il ne faut pas manquer ça.

Nous traversâmes le grand salon pour aller dans un plus petit où se trouvait le poste. Une jeune fille était assise sur le tapis, adossée au canapé, et regardait l'écran. Présentations rapides : Miss Hunt avait des boucles d'oreilles semblables à celles de sa mère, pour proclamer l'activité de son père. Il prit place sur le canapé et moi sur un fauteuil, à côté de celui de Mrs Hunt. Je retrouvais Kennedy, dont j'avais vu l'assassin au Musée de cire.

On nous montra d'abord un policier de Dallas qui répéta la version officielle de l'attentat, puis un adjoint du procureur de La Nouvelle-Orléans et enfin ce magistrat. « C'est un excellent homme », avait dit Mr Hunt du policier, dont la physionomie sereine paraissait justifier la devise : « Soutenez votre police locale. » Il ne dit rien des deux autres qui étaient d'ailleurs moins représentatifs. Je songeai que la télévision desservirait leur cause, de même qu'elle avait desservi Joe McCarthy : l'adjoint du procureur avait l'air hagard et le procureur fanatique. Ils parlèrent d'une conspiration ourdie par des communistes cubains, des membres de la C.I.A., des néo-nazis et des oillionnaires texans. Je dressai l'oreille à ce dernier mot, tout en me disant que cela faisait beaucoup de monde pour trois coups de fusil. Le procureur reprocha même au sénateur Robert Kennedy, frère du Président, d'avoir contribué à étouffer cette affaire, pour ses intérêts personnels.

Mr Hunt ordonna à sa fille de fermer le poste. Elle en profita pour disparaître, après avoir dit un gracieux bonsoir, et Mrs Hunt nous servit du jus de papaye.

— Vous vous doutez bien, me dit Mr Hunt, que les oillionnaires texans c'est moi. Il est inouï que de pareilles choses puissent se dire et se répéter impunément. Mais, quand on aime la liberté, il faut se résigner à subir les intempérances de langage. Certains ont accusé le président Johnson d'avoir fait le coup de feu. Et comme on ne prête qu'aux riches, j'en ai reçu le contrecoup. Quelques minutes après l'attentat, une de nos politiciennes progressistes, Maurine Neuberger, sénateur de l'Oregon, déclarait que j'étais, sinon le coupable, au moins le responsable : c'est une de ces bonnes patriotes que font enrager les émissions de Life Line.

« J'avais attaqué violemment Kennedy pour sa politique démagogique et mon second fils le faisait attaquer, le matin même du crime, dans un journal de Dallas. Ensuite, on trouva un texte de Life Line dans la poche de Ruby, l'assassin de l'assassin. Quelques-uns ajoutaient que j'avais des raisons personnelles de haïr Kennedy, parce qu'il voulait supprimer le dégrèvement de vingt-sept et demi pour cent que l'on accorde aux producteurs de pétrole et aux autres exploitants de ressources naturelles, afin de compenser l'épuisement progressif de ces ressources. Je crois qu'il en faudrait davantage pour me ruiner. Mais comme ces bruits tendancieux circulèrent tout de suite, le F.B.I. me conseilla de m'éloigner aussitôt de Dallas. J'étais dans mon bureau, à la First National Bank, et même sur le toit pour regarder passer le cortège. Ma femme avait déjà reçu des coups de téléphone menaçants. Je gagnai directement Love Field où elle me rejoignit avec mes filles, et nous prîmes le premier avion. Nous restâmes quelque temps chez un de nos parents en Virginie ; puis, d'accord avec des sénateurs de mes amis, nous partîmes pour Washington où nous nous logeâmes ostentatoirement au Mayflower. Ici, notre maison était gardée par la police. Hassie était seul, devant le lac, avec la femme mormon, à côté de ce drame.

Je n'avais rien su d'un tel incident et dis à Mr Hunt ma stupeur. J'ajoutai que les francs-maçons, dont je connaissais l'idéal, avaient été jadis aussi absurdement accusés d'avoir fomenté les assassinats des présidents Lincoln, Garfield et McKinley. Toutefois, j'admirai le hasard qui m'avait placé ce soir-là devant cet écran, et au milieu de cette famille, la première du pays par la fortune, et qui avait été mêlée de si bizarre façon à ce triste événement historique.

— Tout cela va être remué de nouveau, dit Mr Hunt, quand aura lieu, l'an prochain, le procès intenté par ce Garrison à de prétendus conspirateurs de La Nouvelle-Orléans. Comme nous en avons assez de ce fou et de cette histoire, nous allons faire tourner un film pour réhabiliter Dallas. Le procureur de notre ville, les officiers de police, les témoins et plus de cinquante de nos concitoyens participeront à cette reconstitution minutieuse et authentique de l'assassinat. Je me suis récusé, naturellement, mais non pas de ma poche — on a déjà recueilli cinq cent mille dollars.

« J'ai combattu la politique de Kennedy, continua Mr Hunt, mais c'était mon droit. Du reste, je n'ai plus fait campagne contre lui pour son élection, à partir du moment qu'il décida de prendre Johnson pour vice-président. Quant au dégrèvement, il songeait d'autant moins à l'effectuer que sa famille a des intérêts dans le pétrole, et je ne sache pas que celle de Johnson y en ait aucun.

Il me montra, dans un cadre, une photographie du Président, assis sur un banc dans son ranch avec sa femme, ses deux filles et son petit-fils, ses deux gendres debout derrière lui.

— Bien qu'il ne représente pas toujours mes idées, dit Mr Hunt, j'admire son sens politique, son habileté, son patriotisme. J'ai applaudi à son programme de « la grande société », mais j'applaudis moins à son programme « anti-pauvreté » qui n'est qu'un gaspillage inutile, déjà soldé par un échec, et son « aide à l'étranger », qui est un autre gaspillage, alors que nous avions déjà, depuis la guerre, distribué à travers le monde cent quatorze milliards de dollars. Je l'ai applaudi d'avoir envoyé des troupes à Saint-Domingue pour empêcher un coup d'Etat communiste, mais il a eu le tort d'en éloigner le seul général dominicain capable de maintenir l'ordre. Je l'applaudis de poursuivre et d' « escalader » les opérations au Vietnam, mais je lui reproche de ne pas décréter le blocus de Haïphong et de continuer cette guerre comme s'il ne voulait pas la gagner. Il s'acharne à croire en McNamara, qui mène une guerre industrielle dans un pays de guérillas. Le secrétaire à la Défense est encore un héritage de Kennedy, dont les collaborateurs n'étaient pas moins prétentieux que médiocres, et ils finiront par faire trébucher Johnson s'il n'a pas le courage de se débarrasser d'eux tous jusqu'au dernier.

Je dis que j'étais, moi aussi, un admirateur du président Johnson. J'avais vu à la télévision sa rencontre à Glassboro avec le Premier ministre soviétique Kossyguine : l'assurance, la dignité de Johnson étaient frappantes, autant que la nervosité et l'air traqué de son interlocuteur.

— Les communistes vitupèrent son entourage et parlent de la « foire d'empoigne des Texans », dit Mr Hunt. Certes, le Président a le sens de l'amitié — « Friendship » est la devise de notre drapeau, parce que le mot indien Texas signifie ami —, mais tous les présidents ont amené au pouvoir des « businessmen » de leur Etat et quelquefois avec excès : il y eut « le gang de l'Ohio » sous Harding et sous le très pur Kennedy, la « mafia du Massachusetts ». Que les usines du Texas aient bénéficié de nombreuses commandes pour la guerre ou pour l'aéro-espace ou pour toute autre chose, c'est assez naturel puis-

54

que le Texas est devenu le troisième Etat de notre pays en importance économique.

« A propos, n'est-il pas remarquable que cet Etat soit à la fois celui des plus grandes fortunes et celui où la vie est à meilleur marché ? Entre toutes nos capitales, c'est à Austin que le Bureau du Travail donne cette dernière palme. Et Houston le dispute à Dallas pour la plus forte concentration de milliards. Quelle terre bénie où il en pousse tous les jours ! Une de nos amies court au milliard en vendant des graines de melon. On a cru longtemps que les histoires du Texas étaient des exagérations et l'on a fini par s'apercevoir qu'elles sont des vérités. Toutes les vérités américaines semblent des exagérations.

« Après les émeutes noires de Detroit, qui ont fait un million de dollars de dégâts, Johnson a dit une phrase qui m'a plu et qui, en même temps, m'a inquiété : — « Nous réparerons tout cela, parce que nous sommes riches. » Il est bon d'avoir le sentiment de ses richesses, mais il ne faut pas oublier qu'elles s'épuisent comme le sol. Le Mississipi n'est pas le Pactole.

« On se moque volontiers de nous à l'étranger, parce que nous faisons reposer notre civilisation, notre bonheur, notre estime, sur le dollar. Il est évidemment plus facile de faire reposer la civilisation sur des mots. Les Etats-Unis se sont fondés sur deux choses et dureront tant que ces deux choses dureront : la liberté et l'argent. C'est pourquoi je défends la libre entreprise, qui est le meilleur stimulant du progrès et le seul moyen de gagner de l'argent. Si nous n'avions pas été plus riches que les puissances de l'Axe, nous n'aurions pas eu avant elles la bombe atomique, qui nous a coûté deux millions de dollars. Si nous n'avions pas été riches, nous n'aurions pu dépenser les trois cent quatre-vingt-sept milliards de dollars qui nous ont permis d'armer nos douze millions d'hommes et d'aider nos alliés. C'est toujours la même chose, c'est toujours une question d'argent : l'Allemagne a été vaincue parce qu'elle n'a pu dépenser que deux cent soixante-douze milliards de dollars.

« Les chiffres étant les chiffres, cela suffit à montrer le bluff de la France, qui prétendait être un des « grands » après la guerre, alors qu'elle n'y a dépensé que quatorze milliards de dollars — neuf pour s'y préparer à capituler et cinq après le débarquement. L'Angleterre a dépensé cent vingt milliards de dollars, la Russie, cent quatre-vingt-douze — toutes deux avec grande contribution de notre part. Voilà ce que c'est d'être riche.

J'admirais sa mémoire où étaient gravés tant de milliards de dollars, et je comprenais que ces chiffres étaient pour lui un exercice et un excitant : ils lui donnaient confiance en l'Amérique et en lui-même. Ils étaient un terme flatteur de comparaison avec son milliard minimum de dollars. Que pouvait bien représenter la France qui n'arrivait, pour se défendre, qu'à dépenser quatorze fois plus qu'il ne possédait ? Il aurait pu dire aussi que le chiffre d'affaires de la General Motors — vingt milliards de dollars — équivalait au budget de la France. Mais il y avait d'autres chiffres qui n'intéressaient pas Mr Hunt, mais que j'avais retenus : les sept millions cinq cent mille morts de l'Union Soviétique, les deux millions huit cent mille de l'Allemagne, les quatre cent mille de l'Angleterre, les trois cent mille des Etats-Unis, les deux cent mille de la France. Le poids des hommes et des dollars n'était pas toujours équilibré.

— Lorsque j'étais à Washington, attendant le signal de revenir à Dallas, continua Mr Hunt, j'allai visiter le Musée de cire. Il est aussi curieux que le nôtre. On y apprend beaucoup plus de choses qu'à la National Gallery. Sur l'inscription de la scène qui montre l'achat de la Louisiane à la France, je lus que cette province et toutes ses dépendances avaient été payées quinze millions de dollars — « l'une des meilleures affaires financières de l'Histoire », ajoute le texte. Cela m'a rendu curieux de savoir combien nous avions payé d'autres achats de cette espèce : cinq millions de dollars pour la Floride à l'Espagne, quinze millions au Mexique pour la Californie, l'Arizona, le Colorado et le Nevada (la somme était faible, mais c'était à la suite d'une guerre victorieuse), dix millions de plus pour un ajustement de frontières dans le Nouveau-Mexique et l'Arizona ; sept millions à la Russie pour l'Alaska. Imaginez la rage des Soviets de penser que, si le tsar Alexandre II n'avait pas eu besoin de sept millions, ils auraient à côté de nous un pareil territoire, dont la superficie est un cinquième des Etats-Unis. Voilà ce que c'est d'être riche.

« On a dit que nous avions dépouillé les Indiens. Nous ne les avons pas dépouillés, nous les avons payés. Evidemment, vingt-quatre dollars pour Manhattan, autrement dit, pour New York, c'était peu. Toutefois, ces dernières années nous avons apuré nos comptes avec les anciens possesseurs de notre pays : trente et un millions de dollars aux Indiens de l'Utah, quinze millions aux Cherokees, dix millions aux Crow, trois millions aux Nez Percés. Voilà ce que c'est d'être riche.

Avec son gratte-ciel de chiffres, son visage rose, ses yeux bleus, ses cheveux blancs, Mr Hunt était l'image de la bonne conscience de l'Amérique, pavée de dollars. Mais il y avait là le petit écran où venait de passer l'ombre de l'assassinat, et là-bas un fils chéri, milliardaire et paranoïaque.

5

Je ne devais regagner Houston que le lendemain au soir, ce qui me laissait encore une journée à Dallas. Larry m'avait aimablement invité à déjeuner. Je ne comptais pas revoir Mr Hunt et j'avais, pour la matinée, un emploi du temps qui l'aurait choqué. Il est vrai que je n'agissais pas pour moi, mais pour mon meilleur ami.

Jim était non seulement mon ancien camarade d'école à Andover, mais mon camarade à Berkeley. Nous avions longtemps partagé la même chambre et parfois le même lit. Les privautés que nous avions eues nous avaient semblé naturelles puisqu'elles remplaçaient ce que nous ne pouvions faire avec des filles. J'y avais mis fin, dès mes premières « dates » ; mais Jim, qui avait pourtant les siennes, continuait de s'intéresser au sujet, si ce n'est à la chose. Il achetait les innombrables revues de nudités masculines et prétendait qu'un beau garçon nu était toujours agréable à regarder. Je l'accusais d'être un « fruit écrasé », c'est-à-dire un homosexuel qui ne s'avoue pas. Il s'en défendait jusqu'à la mort ; mais sachant que je viendrais à Dallas — il habite New York —, il m'avait prié de faire pour lui quelques achats dans un célèbre studio de photographies de garçons. J'avais écrit à ce studio pour annoncer mon arrivée et j'avais trouvé un message de bienvenue à mon hôtel.

En cela, je n'imaginais pas manquer à la confiance de Mr Hunt. Quelque respect que j'eusse pour lui et pour son œuvre, je ne les adoptais pas au complet. Je faisais mienne une cause patriotique qui me semblait indispensable pour le salut de notre pays ; mais je n'aurais pas été de ma génération si j'avais pris à mon compte les préjugés de l'ancienne.

Par exemple, j'estimais ridicule et fâcheuse l'éternelle confusion de toutes les valeurs dites respectables : la liberté me semblait assez belle en soi pour n'avoir pas besoin du masque de la religion et du caleçon de la morale. Je ne me croyais pas moins honnête homme en faisant l'amour avec ma délicieuse Sunny que j'allais retrouver à Los Angeles, et je ne retirais pas un atome de ma sympathie à Jim s'il était homosexuel. Peut-être mon père, en m'initiant à la morale maçonnique dès mon enfance, m'avait-il mis au-dessus de la morale vulgaire et préparé à être un citoyen conscient de ses devoirs envers son pays, mais soucieux de garder son indépendance. Ce souci m'avait même inspiré de choisir une carrière qui ne lui dût rien.

Je n'avais pas été surpris des flèches décochées par Mr Hunt à la Cour Suprême : la John Birch Society organisait même un référendum pour demander la mise en accusation du « Chief Justice » Earl Warren. Ce républicain libéral était détesté de toute la droite. Je n'avais pas dit à Mr Hunt que, lorsqu'il était gouverneur de la Californie, il avait été un ami de mon père qui, sans approuver toutes ses décisions, le tenait pour l'un des hommes les plus intelligents des Etats-Unis. Je n'étais pas de ceux qui vilipendaient le mac-carthysme, parce que cette réaction contre l'espionnage communiste était indispensable, même si elle avait abouti à des excès bouffons. Mais j'approuvais, tout en étant l'ennemi du communisme, que la Cour Suprême eût rendu aux communistes leurs droits de citoyens. Ou notre pays était assez fort pour contenir dans son sein les cent mille communistes avoués et les autres, ou bien nous n'étions qu'un pauvre pays et je me serais moqué de le voir libre ou esclave. Je me réjouissais, par conséquent, que notre plus haute magistrature nous imposât l'idée de notre force, aussi bien à l'égard du communisme qu'à l'égard de la pornographie.

L'Amérique s'est longtemps ridiculisée en faisant

saisir *Fanny Hill, Ma Vie et mes amours, Ulysse, l'Amant de lady Chatterley, Lolita,* et même le *Décameron*. La France avait alors le privilège, qu'elle semble en train de perdre, d'être le pays de la liberté d'expression. Au contraire, nous nous croyions trop honorés de suivre les errements de la puritaine Angleterre et je reprochais d'ailleurs à Mr Hunt de parler un peu trop, dans ses articles, des « Pères pèlerins » qui avaient débarqué de la « Mayflower », la Bible à la main, et des « Pères fondateurs » de notre constitution. Aussi l'usage s'était-il établi d'aller au Mexique pour acheter ce que nous appelons encore, du nom de la ville mexicaine la plus proche de la Californie, les *Bibles de Tijuana*. Nous en serions encore là sans la Cour Suprême et peut-être également sans les juifs, qui nous ont aidés à nous secouer. Le dernier en date était Ginzburg, directeur de la revue Eros, condamné à cinq ans de prison et à quarante-deux mille dollars d'amende pour la publication d'une photographie jugée obscène — une femme blanche nue avec un nègre nu ! Ma fraternité avait souscrit à sa revue, qui n'alla pas au-delà du troisième numéro. Il avait gagné en appel, mais la Cour Suprême, par cinq voix contre quatre, confirma le jugement qui l'avait condamné. Elle avait prouvé ainsi qu'elle savait mettre des limites à la « pornographie » artistique, mais elle se montrait plus indulgente envers la littérature. Cela nous permettait de lire en édition de poche les œuvres intégrales de Sade, qui étaient interdites en France, et même celles du pornographe français moderne Genet. Le temps était passé où nos propres œuvres érotiques, interdites chez nous, étaient publiées à Paris.

Ce matin donc, un homme d'une trentaine d'années, affable et souriant, qui avait l'accent traînant du Sud, comme Mr Hunt et le président Johnson, vint me prendre au Sheraton pour m'amener à son studio. Il me dit qu'il avait été quelques années dans l'enseignement et l'avait quitté pour un cas de force... mineure. Depuis qu'il n'instruisait plus les garçons, il se consolait à les photographier. Il avait paru étonné de mon âge et m'avait dit que j'étais plus près de celui de ses modèles que de ses clients. Il était gradué de l'Université Rice de Houston, dont il portait la bague. La mienne lui apprit que j'étais gradué de Berkeley, et il ajouta qu'à mon intonation il m'aurait tout de suite reconnu pour Californien. Je fus un peu vexé, car je croyais avoir mieux pris, à Andover, le noble accent de la Nouvelle-Angleterre. Le photographe me regardait du coin de l'œil. Peut-être trouvait-il à son goût mes longs cheveux blonds et des traits jugés séduisants. Je précisai que j'allais chez lui pour un de mes amis et que j'étais « de l'autre côté de la barricade ».

— La plupart de mes clients, dit-il, prétendent qu'ils viennent pour un de leurs amis. Ceux qui m'écrivent directement me donnent aussi comme adresse une boîte postale, mais j'en ai qui sont plus crânes : quelques ecclésiastiques à qui j'envoie des photographies d'enfants de chœur. Il faut bien qu'il y ait des gens de toutes les classes pour alimenter un commerce qui, en photographies et en livres, représente chaque année aux Etats-Unis deux milliards de dollars.

Je n'en croyais pas mes oreilles : le budget annuel de la pornographie était deux fois plus grand que la fortune de Mr Hunt. Mais je compris pourquoi de telles proportions faisaient de ce commerce un rouage essentiel de la vie économique.

— Si un cataclysme, dit le photographe, volatilisait nos immeubles et leur contenu, en ne laissant subsister que les photographies obscènes, cela donnerait une étrange idée de la civilisation américaine. L'hypocrisie oblige encore les studios comme le mien de déclarer que leurs photographies sont uniquement destinées aux artistes, mais qui ne l'est pas ? En réalité, et je suppose que votre ami ne me désapprouverait pas, nous sommes les grands fournisseurs du patriarche Onan.

— Il faut croire, dis-je, que beaucoup d'Américains manquent d'âmes sœurs.

— Oh ! il y a des couples raffinés qui ne détestent pas ce petit supplément. D'ailleurs, d'ici peu, la moitié de ce beau commerce — celui des photographes —, aura disparu grâce à l'invention de l'appareil Polaroïd : chacun peut photographier sans avoir à faire développer, ce qui permet toutes les fantaisies. On a vu plusieurs fois dans les journaux des scandales de Caméra-clubs et de Sexe-clubs, où des couples échangeaient les photographies de leurs exploits respectifs.

Je dis, pour le rassurer, qu'il y aurait toujours des gens intéressés par les photographies d'inconnus plutôt que par les leurs. J'ajoutai que, obscénité à part, ces licences avaient le visa de la Cour Suprême.

— Elle est notre alliée, reprit le photographe ; mais elle a décidé que l'obscénité était par-devant et non par-derrière. Cela nous oblige à tirer le maximum d'un côté, à défaut de l'autre. Aussi personne aujourd'hui ne présente son derrière avec plus d'art qu'un jeune Américain. Il va sans dire qu'il le présente, mais qu'il ne doit pas l'ouvrir. La Cour Suprême a le sens du hiatus.

« Notre commerce, qui est prospère, n'est malheureusement pas encore des plus sûrs. Le Priape américain est un colosse aux pieds d'argile. Nous avons des ennemis innombrables et acharnés. La Société pour la suppression du vice, la Ligue de la décence, les Américains contre l'obscénité, les Gardiens de la moralité dans la jeunesse, la Société de veille et de garde, etc. interviennent auprès de la police, sous l'éternel prétexte que ces images ou ces publications corrompent l'enfance — ces gens n'ont pas lu le Rapport Kinsey. De temps en temps on perquisitionne et l'on ferme nos studios, on nous inflige une bonne amende et l'on nous met en prison, comme Ginzburg. On nous libère bientôt, car nos photographies ne sont pas obscènes : elles ne sont que suggestives. Vous les connaissez par ces magazines où votre ami a relevé mon adresse. Nous en avons évidemment d'un peu plus corsées que nous ne livrons qu'en mains propres et c'est là-dessus que la police compte lorsqu'elle fait un de ses raids. Mais les juges doivent reconnaître, d'après les arrêts de la Cour Suprême, que nous avons respecté l'interprétation de la loi. Et il ne nous reste qu'à recommencer. Cela nous coûte de l'argent ; les avocats de ce genre de causes sont très chers, et nos ennemis espèrent nous décourager de la sorte. Heureusement que le patriarche Onan a des ressources inépuisables.

Le studio était situé dans la périphérie de Dallas. En réalité, c'était tout simplement une grande chambre à coucher. Quelques photographies de statues antiques mettaient cette activité spéciale sous la protection de l'art. Le photographe m'offrit aimablement un alcool que je refusai ; puis il me montra ses collections.

— Voilà le « gâteau de bœuf », dit-il.

Si je connaissais l'expression de fruit écrasé, j'ignorais celle de gâteau de bœuf : j'appris qu'elle désignait la chair masculine qui s'offre à l'encan ou à la photographie. J'appris aussi le terme féminin correspondant : « gâteau de fromage ». Ces métaphores ne me parurent pas très galantes pour Apollon et Vénus.

Cependant, lorsque je feuilletai ces séries de clichés, j'en trouvai certaines d'une beauté aussi indiscutable que provocante. L'une d'elles montrait un garçon de douze ans et un garçon de dix-huit ans qui jouaient ensemble, avec une pudeur impudique tout à fait accomplie : dans la scène finale, le plus jeune, à genoux, baissait le pantalon de l'aîné pour contempler son derrière.

— Vous voyez, me dit le photographe, toujours le derrière ! C'est notre bouclier. C'est le pavois de la Cour Suprême. Mais le bruit court qu'elle va autoriser bientôt la vue du devant — du devant au repos, bien sûr. Après quoi, il y aura le devant au demi-repos ; puis en marche. Nous gagnons les droits de la nature humaine et de l'art libre, pouce à pouce.

Il étala une série en couleurs, qui représentait deux garçons de quinze ou seize ans : ceux-là étaient nus dès le début, mais voilés de slips à larges mailles — un slip bleu, un slip rose.

— Le slip, dit le photographe, nous permet de montrer le devant. Tout est alors une question de largeur de mailles. En revanche, si la maille est très serrée, il peut être collant, ce qui offre d'autres perspectives.

Elles ne manquaient pas non plus dans cette série : tantôt le garçon au slip bleu était allongé et le garçon au slip rose à cheval sur lui ; tantôt ils luttaient ensemble, les jambes entrelacées, et s'offraient, comme par hasard, le plus avantageusement possible.

Je n'avais jamais vu de telles images qui, cela va sans dire, ne figuraient pas dans les magazines achetés par Jim. Je jugeai superflu d'en vanter l'érotisme et me bornai à en louer la beauté.

— Vous n'avez pas tort, dit le photographe, car il n'y a rien de plus beau, de plus sain, de plus vigoureux que les garçons du Texas. Est-ce parce qu'il a conservé la race la plus pure des Etats-Unis et une population longtemps rurale ? Il mérite bien son surnom d' « Etat du bœuf ». Lorsqu'un aventurier disparaissait d'un autre Etat et qu'on ne savait où il était allé, on inscrivait dans son lieu d'origine : « Parti pour le Texas. » Déjà, on voulait nous donner une mauvaise réputation. Or, celui-ci est l'Etat où il y a eu le moins d'immigrants et d'émigrants. Après avoir été le royaume des cow-boys, il est devenu celui des boys. Nos studios finissent par avoir honte de tant de richesses. Pour ne pas faire de jaloux et ne pas affoler davantage la police, nous avons de fausses adresses dans d'autres Etats — en Californie et ailleurs —, d'où l'on est censé fournir du bouvillon local et qui se contentent de réexpédier du texan. J'ai même un dépositaire à New York et un autre à Washington bien qu'il y ait là des studios de marque. Installé à la Maison-Blanche, il restait au Texas à conquérir d'autres positions.

« Nous avons les ennemis et les alliés que je vous ai dits ; mais parmi ces derniers, nous comptons même des familles : celles de nos modèles. Croyez-vous que je laisserais venir chez moi des marmots de douze ans, comme celui de la première série, pour les photographier sous toutes les coutures sans l'autorisation de leurs parents ? Ils ont un papier signé du père ou de la mère qui les autorise à poser pour tant de dollars à l'heure. C'est un prix établi. Je ne sais ce que pensent ces pères et ces mères s'ils voient ensuite dans les magazines le derrière de leur fils ; mais peut-être conçoivent-ils un légitime orgueil, lorsque ce fils et ce derrière sont devenus des vedettes nationales. Je pourrais vous nommer des garçons qui ont aujourd'hui seize ou dix-sept ans et qui, depuis l'âge de onze ou douze ans, sont les héros secrets de millions d'admirateurs pour lesquels ils n'ont plus de secrets. Les flots d'amour qu'ils font verser formeraient un autre Mississipi. Les vedettes de Hollywood ne peuvent dévoiler leurs charmes que dans une certaine mesure ; nos vedettes à nous ne cachent rien, si vous savez regarder.

Pour m'en convaincre, il mit sous mes yeux les photographies plus confidentielles du garçon de douze ans et ne résista pas au plaisir de me les commenter :

— Ici, il est demi-nu sur un lit et la main à l'intérieur de son slip : c'est son droit, garanti par la Cour Suprême, puisqu'on ne voit pas ce qu'il touche. Là, il est dans la même position, mais les mains derrière la tête, les jambes pliées et écartées, et son slip est si fin que par transparence vous apercevez tout ce qu'il est supposé cacher — je dis bien : tout. Nous sommes à la porte de la Cour Suprême, mais nous ne l'avons pas franchie.

Son éloquence m'amusait. Il se gargarisait de ces allusions impures, comme Mr Hunt de discours anti-communistes et de milliards.

— Pour apprécier mes photographies à leur juste valeur, reprit le photographe, et pour apprécier aussi mon art, il faut connaître celles qui sont faites dans les autres pays. En France, en Belgique et en Angleterre, il y a quelques artistes cachés. En Scandinavie, où la liberté est aussi grande que chez nous — elle est même totale au Danemark où la pornographie est autorisée (bel exemple que nous donne un pays luthérien et monarchique) — les modèles se ressentent de la rigueur du climat. Ils n'ont ni cet épanouissement ni ce style des nôtres. Mais je rêve du jour où la Cour Suprême nous permettra de faire des photographies de « banana boys », comme les Danois en font à présent de « banana girls ». Une grande partie des régimes de bananes que nous envoie l'Amérique latine traversent le Texas et ce serait une manne pour nos objectifs.

A titre de commentaire, il me fit voir une page de publicité de l'United Fruit publiée dans un des derniers numéros de Life. La photographie d'une énorme banane, accompagnée de ses mesures en long et en large, illustrait ce texte : « Que doit avoir une banane pour être une Chiquita ? C'est comme de passer l'examen pour entrer dans la marine. La banane doit avoir la hauteur qu'il faut, le poids qu'il faut, tout ce qu'il faut, de la manière qu'il faut. Elle doit être gonflée, luisante ; la peau doit serrer étroitement le fruit. Elle doit être capable de supporter une inspection minutieuse, non pas une seule fois, mais trois bonnes fois. De temps en temps, une banane se présente qui n'a pas la longueur minima. Nous devrions l'écarter, certes ; mais nos inspecteurs sont sensibles à la pitié. Aussi pouvez-vous trouver une Chiquita qui n'ait pas tout à fait les huit pouces de long. Pensez, alors, que vous trouvez parfois aussi un marin que l'on surnomme « le Court ».

— Si vous vous souvenez, dit le photographe, que

Life est la propriété de Mrs Booth Luce, bruyamment convertie au catholicisme et ancien ambassadeur au Vatican, vous conclurez que nous nous avançons doucement à la fois vers les banana boys et les banana girls.

Je me mis à rire en me souvenant aussi que Mrs Booth Luce avait reçu, comme Mr Hunt et le cardinal Spellman, la médaille de l'Ordre de La Fayette. Et j'évoquai mon déjeuner de la veille, au vingt-neuvième étage de la First National Bank, où le dessert était une Chiquita.

— Eh bien, dit le photographe, cette savoureuse publicité pourrait donner à croire que les affaires de l'United Fruit vont comme sur des roulettes. Il n'en est rien et vous pouvez vous en rendre compte si vous suivez ses aventures dans les journaux. Les « républiques de bananes » sont perpétuellement en effervescence et nos concitoyens qui dirigent ces récoltes sont souvent malmenés, étrillés, voire assassinés, mais il est glorieux de cultiver la banane, même au péril de sa vie. C'est pourquoi je suis fier d'être un des pionniers d'une industrie similaire. Je suis fier aussi que notre pays soit désormais le premier du monde, en cela comme pour tout le reste. Kafka a cru que la statue de la Liberté tenait une épée. De fait, elle pourrait en tenir une car la liberté doit se défendre avec une épée. Mais elle doit porter aussi un computer, une bombe atomique et une banane.

Je ne sais ce qui me retint d'enrôler pour Life Line ce diplômé de Rice, égaré dans une activité qui, bien que méritoire, ne passait pas encore pour honorable. Les Youth Freedom Speakers lui auraient fourni sans doute des modèles « beaux, sains et vigoureux ». Je ne pouvais qu'être touché de voir, jusque dans les paroles d'un tel homme, un écho de mes propres convictions sur le fait que la liberté forme un tout. Ainsi me sentais-je en cela plus près d'un pornophotographe que de Mr Hunt, des « Founding fathers » et des « Pilgrim fathers ». J'achetai plusieurs séries pour remercier mon hôte et pour faire un heureux.

Quand nous fûmes remontés en voiture, il me demanda si je désirais voir l'un de ses modèles : l'heure du déjeuner était proche et ce garçon, dont il connaissait les habitudes, serait en ce moment dans la cour de sa maison. J'acceptai, persuadé que le récit de cette rencontre plairait à Jim. Il s'agissait justement du gamin de douze ans dont je lui rapportais les images hardies.

— Cette liberté que nous sommes en train de reconquérir, me dit le photographe, fut déjà le bref privilège de notre pays à une certaine époque. L'auteur des persécutions qui l'ont désolé jusqu'à ces derniers temps est un certain Comstock. Il a baptisé de son nom la loi contre l'obscénité, au lendemain de la guerre civile. Il se vantait, sur la fin de sa vie, d'avoir fait saisir cent trente-quatre tonnes de livres pornographiques, deux cent mille photographies, soixante mille capotes anglaises, trente-deux mille boîtes d'aphrodisiaques et d'avoir fait condamner assez de personnes « pour remplir soixante wagons de chemin de fer contenant soixante voyageurs chacun ». Bernard Shaw, qu'il avait tourmenté pour une pièce, se vengea en baptisant à son tour ce fanatisme obtus du nom de « comstockerie ». Ce maniaque est le type parfait du moraliseur : dans son journal intime, qu'on a retrouvé, il confesse avoir passé son enfance à se masturber. De même, ce chasseur de capotes, ce traqueur d'aphrodisiaques, n'eut qu'un enfant de sa chaste épouse. Il était inspecteur des postes et c'est à cause de lui que notre maître des postes général a le droit théorique de contrôler les paquets et même la correspondance pour s'assurer que la malle des Etats-Unis ne transporte pas de « matériel obscène ».

Le photographe me raconta la mésaventure arrivée au révérend Morgan, doyen de la première église baptiste de Harlingen (Texas), et directeur des écoles, qui avait été condamné par le grand jury fédéral

pour avoir écrit des « lettres lascives et obscènes »
à une dame de l'Ohio et à une dame du New Jersey.
Cela avait provoqué une émotion dans l'Etat où ce
doyen est particulièrement vénéré. Des protestations
avaient été adressées au Sénat, déjà saisi d'instances
semblables, et le maître des postes général assura
aux sénateurs que ses services n'ouvraient jamais
que les lettres tombées au rebut. *Play Boy* avait fait
une campagne pour demander le respect du secret de
la correspondance qu'il était trop facile de violer
sous ce prétexte. Ce magazine rappelait aux services
des postes que leur seul devoir est « le prompt ache-
minement du courrier, sans que neige, pluie, chaleur,
brume ou nuit les arrêtassent ». La Cour Suprême a
cassé à l'unanimité un jugement condamnant deux
époux qui avaient envoyé la photographie de leurs
parties génitales à deux autres époux. Il fut établi,
en effet, qu'ils n'avaient pas envoyé cette photographie dans un but commercial.

Près d'une cafeteria, mon guide me montra un débit de glaces aux alentours duquel les studios de
Dallas recrutaient leurs plus jeunes modèles :

— Nous le surnommons « parloir des glaces ».
C'est autre chose que « parloir funéraire ».

Nous passions justement, peu après, devant une
de ces maisons et il me dit avoir eu le chagrin d'y
visiter dernièrement un de ses modèles seniors, tué
en automobile : ce beau garçon y avait été embaumé pour être montré aux parents et amis, souriant
et décontracté. Plus loin s'élevaient, presque vis-
à-vis, une école peinte en rouge et une église peinte en
blanc. Le drapeau ne flottait plus dans la cour de
l'école, mais j'évoquai les écoliers qui, chaque matin,
font le salut au drapeau.

— Voilà l'école de notre petit bonhomme, dit le
photographe, et voici son église. Avec son frère et
d'autres garçons il a formé un orchestre pour jouer
des airs de jazz pendant les offices, ce qui est à la
mode au Texas.

Nous nous arrêtâmes en face d'une maison coquette, séparée de la route par une corbeille de fleurs. Il klaxonna discrètement ; une femme apparut à la fenêtre. Il la salue et demande si son plus jeune fils est là. Avant qu'elle ait répondu, accourt un jeune garçon que je n'ai aucune peine à reconnaître. Les cheveux en broussaille, il tient une clé anglaise.

— J'aide mon frère à arranger notre voiture, dit-il. Le garage est derrière la cour.

Le photographe nous présente par nos prénoms.

— Jack est venu de très loin pour acheter de tes photographies, lui dit-il. Et il voulait te voir.

Je n'avais rien demandé, je n'avais non plus rien refusé. Je me crus obligé de faire un compliment. Le garçon remercia d'un signe de tête. Il était amusant, encadré dans cette portière, où il appuyait ses coudes, les manches relevées, me lorgnant du coin de l'œil et son petit nez ayant l'air de me flairer tandis que sa main droite balançait la clé anglaise. Il était bien l'expression de cette extrême jeunesse américaine, à la fois si charmante et si redoutable, si ingénue et si avertie, capable de toutes les gentillesses et parfois d'un crime, dont cette clé semblait le symbole.

Ce qui était aussi intéressant à noter, c'est que ce garçon n'avait rien d'un petit voyou. Il était exactement comme les autres. Il n'y avait pas en lui l'ombre d'une équivoque, même pas dans son regard, et pourtant j'étais quelqu'un au fait de ses secrets. Sur son visage il n'y avait pas non plus l'ombre d'une rougeur. Sans doute considérait-il ce métier de modèle comme l'un quelconque de tous ceux qu'exercent, à leurs moments perdus, la plupart des garçons américains. Ils vendent des journaux sur le trottoir, ils en assurent la distribution dans certains quartiers, ils tondent les pelouses, ils lavent les voitures, ils font les peintres en bâtiment, ils promènent les chiens. Dans mon enfance, mes parents m'avaient dispensé de ces corvées plus ou moins rémunératrices, qui ne sont pas une question de milieu social, mais d'habitude et d'entraînement. A Berkeley, nom-

70

bre de mes camarades faisaient des travaux de toute
espèce pour payer leurs études, comme l'orateur de
la liberté que j'avais entendu à l'hôtel Baker : ils
servent à table ; ils s'emploient dans nos salles de
gymnastique ; ils aident les professeurs-assistants ;
ils distribuent les livres dans les bibliothèques. Hors
du campus, ils se louent pour des piquets de protestation et successivement à des partis opposés. Jim
en connaissait qui faisaient des shows ou du strip-
tease comme « gogo boys » dans les bars homosexuels de San Francisco. Je me rappelai même une
annonce qu'il m'avait montrée dans le *Barb*, le journal hippie de Berkeley, et qui mettait le gamin de
Dallas sur le pied universitaire : un étudiant, qui indiquait seulement son numéro de téléphone, s'offrait
comme modèle pour des photographies nues et des
« films bleus » en précisant qu'il était « bien décou-
plé et bien pendu ».

— Tiens ! dit le photographe au jeune garçon, veux-
tu venir avec nous jusqu'à la cafeteria ? Tu rappor-
teras trois glaces, pour toi, pour ta mère et pour
ton frère.

Il s'engouffra dans la voiture.

— Tu m'offriras bien aussi trois hamburgers et
trois Coca-Cola, dit-il quand nous eûmes démarré.
Cela fera le déjeuner.

Je me tournai pour lui dire que c'est moi qui lui
offrirais le tout. Il eut un sourire de remerciement.
Le photographe lui parlait avec indolence, comme
un professeur ou un pasteur, de ses études, de ses
sports, de son orchestre. Nous repassions justement
devant son église, devant son école. Je me tournai
de nouveau pour voir comment il recevait ces discours : il était affalé, les jambes écartées dans son
étroit blue-jeans, les mains derrière la tête, la clé
anglaise près de lui, et, bien que sa pose ne fût pas
modeste, elle n'était pas indécente. Je pensai malgré
moi à la photographie où il était nu dans cette même pose, au bord d'un lit, mais les pieds contre les
fesses, son derrière voilé d'un slip transparent, su-

prême limite fixée par nos juges. Il répondait aux questions avec la même indifférence qu'elles lui étaient faites. Mais, comme si mon regard lui eût rappelé cette photographie, il leva doucement ses pieds pour les mettre sur la banquette, et s'offrir ainsi à moi, sans me regarder.

A la cafeteria, je lui donnai cinq dollars. Il revint bientôt, les bras chargés de trois sacs de papier, presque semblables à ceux de Mr Hunt, et de trois cartons pour les glaces. Il me rendit la monnaie, que je lui laissai, ce qui me valut un autre sourire. Il avait acheté trois hamburgers MacDonald, parce que MacDonald avait annoncé à la télévision avoir vendu trois milliards de hamburgers. Arrivé devant sa maison, il partit à la course, comme il était venu.

6

J'avais donné rendez-vous à Larry dans un restaurant qui se vante d'avoir « les meilleurs steaks du Texas ». Au milieu de la grande salle faiblement éclairée, dont les murs étaient décorés de photographies de bœufs primés dans les comices — autre sorte de beefcake —, mon confrère orateur m'attendait. Une hôtesse « cow-girl », le pistolet sur la cuisse, chaussée de bottes à éperons, nous demanda si nous prendrions un whisky, un martini ou un saratoga. Nous demandâmes deux jus de pamplemousse H. L. Hunt.

Lorsque je parlai à Larry de cet homme extraordinaire, il me dit que la double invitation dont j'avais été honoré la veille donnait une haute idée de moi. L'esprit encore occupé de visions lubriques, je fus tenté de lui répondre qu'il m'avait donné lui-même une haute idée de lui. Je lui demandai s'il avait, comme moi, un sursis pour la guerre du Vietnam. Il me dit que ce n'était pas son cas puisqu'il ne faisait pas d'études universitaires, mais qu'il serait heureux de partir si le tirage au sort le désignait. Avant d'entrer à la Mercantile Bank, il avait eu le diplôme d'une école de commerce et s'était perfectionné par le « junior achievement » — il était allé dans les maisons vendre des appareils électro-ménagers, etc. Je l'interrogeai sur les mœurs de Dallas et constatai qu'il n'était pas un simple automate du patriotisme. Il voyait les choses comme elles étaient, s'offusquant des unes, admettant les autres. S'il tendait à répéter les opinions reçues, comme il répétait ses discours, il avait une manière plaisante d'écouter les arguments adverses et d'atténuer ses préjugés. Je le fis revenir de son indignation contre les studios photographiques, sans lui dire que je venais d'en voir un et même d'y faire des achats. Finalement, il se contenta de déplorer qu'ils fussent voués au nu masculin.

Parlant mariage, il me dit qu'il voulait guider son choix par les computers. Ce moyen, désormais à la mode, était conforme à notre goût de la mécanique. Une société matrimoniale de ce genre nous envoyait des prospectus à Berkeley, mais je ne connaissais pas celui que Larry me montra et qui était intitulé : « Computer de contact pour les dates ». Ce mot de date, désignant la personne avec qui l'on flirte, étonnait mes camarades français et même parfois mon oreille puisque le français est ma langue étrangère. Après les indications habituelles sur l'âge, la taille, le poids, la couleur des cheveux, la religion, la race, le revenu ou salaire, etc., vous deviez dire si vous étiez un introverti ou un extraverti, si vous étiez heureux dans les foules, si vous vous cogniez la tête en laissant tomber votre chapeau, si l'éducation sexuelle était à sa place dans les écoles, si le sexe avant le mariage était immoral, si vous croyiez en un Dieu rémunérateur et vengeur, si vous aviez des cauchemars, s'il fallait laisser aux enfants le droit de choisir leurs principes religieux, si vous aviez eu des expériences de drogue... On précisait, de un à cinq, sa propre expérience sexuelle, et celle que l'on souhaitait chez sa date. Il y avait cent quarante questions.

Je demandai à Larry quelle note il se mettait pour son expérience.

— Deux, répondit-il modestement.

— Et pour celle de votre date ?

— Zéro, car j'aimerais tout lui apprendre.

— Mais comment pouvez-vous apprendre cinq si vous ne savez que deux ?

— Et vous, combien vous donnez-vous et combien réclamez-vous pour votre date ?

Je lui répondis trois et cinq. Il m'avoua que malgré son intérêt pour les mariages par computer, il avait déjà une date qui ne correspondait pas à tous ses desiderata, mais qui était membre des Youth Freedom Speakers et qui aimait beaucoup Mr Hunt.

— Ne cherchez plus, lui dis-je : vous avez trouvé.

Lorsqu'il m'eut quitté, j'errai seul un moment dans la ville, non loin de mon hôtel, avant de repartir pour Love Field. Sur une petite place, près d'une fontaine dont le jet d'eau est enfermé dans un grand manchon de verre, je découvris les hippies de Dallas. Quoi qu'il advienne de la jeunesse américaine, c'est le mouvement hippie qui laissera le plus de traces dans son histoire, parce qu'aucun autre n'a été si rapide ni si profond.

Il est curieux d'ailleurs qu'on ne sache même pas au juste l'origine de leur nom. Les beatniks, qui les ont précédés, étaient supposés soit des « battus », soit des « béats ». Pourquoi ne pas faire descendre les hippies des cow-boys, dont un refrain était « Yippee ! yippee ! » ou des pacifiques Indiens Hopis de l'Arizona ? Les beatniks étaient des révoltés, comme les nihilistes, tandis que les hippies, brisant avec la violence, ont créé la révolte de l'amour. Il est probable que, pour eux, le mot amour signifie d'abord

74

sexe, comme pour la plupart de mes compatriotes, mais enfin ils ont le privilège de le mettre en circulation, ce qui lui donne peut-être une chance de reprendre son vrai sens. Ils semblent d'ailleurs vouloir le prouver sur tous les terrains puisque, dans leurs manifestations pacifistes, ils affectent de ne pas se défendre contre les policiers et de répondre aux coups par ce cri : « Je vous aime ». Rien d'étonnant que notre fameux ex-évêque épiscopal de Californie, James Pike, leur reconnaisse des traits communs avec les premiers chrétiens. Peut-être est-ce ce souvenir, joint à l'héritage beatnik, qui les a incités à prôner les haillons et la crasse. Mais chez un grand nombre l'esthétisme a eu le dessus et, du reste, pour s'appeler la « génération de l'amour » ou la « génération des fleurs », il leur fallait observer un minimum de propreté et de décence. Ils sont nés à San Francisco et j'ai observé leur évolution dans leur quartier général de Haight-Ashbury. Je salue en eux des adeptes de la liberté. La leur n'est pas tout à fait la mienne, mais, comme celle du photographe, elle rentre dans le cadre des libertés américaines. Larry m'avait parlé d'eux en les condamnant : il avait été scandalisé parce qu'il les avait vus jouer de la guitare en chantant des chansons d'amour, pour couvrir la voix d'un zélateur évangéliste qui prêchait sur le trottoir. Je l'avais ramené à des sentiments plus modérés.

Je m'assis près de leur groupe, le long d'une margelle qui entourait une plate-bande fleurie. L'un d'eux portait un petit singe sur l'épaule ; un autre jouait doucement de la guitare ; un troisième, qui imitait dans la perfection le chant du rossignol, faisait retourner les passants qui cherchaient des yeux l'oiseau dans les arbres. Leurs tenues étaient aussi excentriques, leurs cheveux aussi longs et leurs colliers aussi nombreux qu'à San Francisco, mais ils étaient plus soignés et recherchés : alors que ceux de Californie venaient de partout, ce qui faisait prévaloir encore le côté bohème et dépenaillé, on devi-

75

nait que ceux de Dallas étaient un produit autochtone, comme les modèles du photographe et les steaks du restaurant. Néanmoins, beaucoup avaient le blue-jean à la mode — coupé aux genoux et effiloché ; mais on aurait dit qu'ils l'avaient acheté ainsi chez un bon faiseur.

Un jeune Indien apportait la contribution de la prairie, avec un veston de cuir sur lequel était peint un totem et des sandales où était peinte une croix gammée. Qui sait si ce n'était pas un Hopi ? Je pensai à Mr Hunt quand je lus sur un autre veston : « Vive Chang Kai-Chek » ! L'inscription « Faites l'amour et non la guerre » ornait facilement les robes des jeunes filles. Mais tous arboraient en outre les boutons émaillés, aux formules plus ou moins indécentes, qui étaient chez eux une provocation supplémentaire : « Dieu est mort », « Priez pour le sexe », « Il suce », « Epargnez vos semences », « S'il bouge, caressez-le », « Soyez particuliers », « Classe 69 », « Liberté sexuelle », « J'aime les orgies », « On demande un camarade de chambre », « Allez nus », « Bas les culottes », « Jouissez ». Comme il existait des centaines de ces cris de guerre, on était toujours curieux de voir s'il y en avait de nouveaux. Le bouton « Soutenez votre pornographe local », était évidemment une dérision de la devise chère à M. Hunt et à la John Birch Society ; il me rappela mon pornophotographe. Un jeune garçon, guère plus âgé que celui de ce matin, arborait deux déclarations de chaque côté de la poitrine : « J'aime les garçons », « J'aime les filles ». Toutefois, l'air tantôt farouche, tantôt goguenard, avec lequel il se pavanait, montrait aussi, d'une autre façon que le petit modèle, qu'il usait d'une liberté destinée à le mettre de plain-pied dans le monde des adultes, mais dont il ne leur aurait pas laissé tirer les conséquences.

Cette jeunesse affranchie était enfermée à l'intérieur de ses propres frontières. Jim, qui la connaissait mieux que moi, m'avait dit que les jeunes prostitués des deux sexes qui se mêlent souvent à ces groupes en donnent une fausse idée. Les hippies authentiques, tels que ceux qui étaient là, ne regardaient personne, ne voyaient personne, bien qu'une haie de citoyens de Dallas fût en train de les contempler. Ils étaient sous ces arbres, près de ces fleurs et devant cette fontaine, comme ils auraient été dans les jardins de Platon et d'Epicure, observés par des barbares. Les barbares, c'étaient les membres d'un congrès, avec leurs étiquettes au revers de leurs vestons — les étiquettes de la respectabilité et des affaires ; des dactylographes mâchant du chewing-gum ; des messieurs, cassés par l'âge et par le bourbon, appuyés sur une canne ; des négresses aux cheveux décrêpés, coiffées d'un chapeau et vêtues de soie — il y a peu de Noirs chez les hippies, car le Noir veut progresser et ne comprend pas ce retour en arrière. C'était le monde du conformisme, stupéfié par le monde de la liberté.

L'heure était venue de faire mes adieux à Dallas. Je jetai un dernier regard sur cette fontaine et sur cette éphébie. En levant la tête j'aperçus, au-delà de la place, les cinquante étages de la First National Bank.

DEUXIÈME PARTIE

1

Mon père, qui avait été jusqu'à ces dernières années membre du Collège de la Guerre navale, avait connu, dans ses visites à Washington, Mr Rowen, secrétaire adjoint à la Défense, puis au Budget. Cet homme remarquable, auteur d'un livre sur les rapports entre la sécurité nationale et l'économie, venait d'être nommé président de la Rand Corporation, à Santa Monica. C'était une occasion pour moi de visiter enfin cet institut célèbre et difficilement accessible, que l'on appelle « le cerveau des Etats-Unis ».

La Rand — c'est-à-dire « Research and Development Corp. » — est l'orgueil de la Californie du Sud, avec les usines d'aviation (Douglas, à Santa Monica également, Lockheed à Burbank, North American à El Segundo), la base navale de San Diego, le stade de Pasadena — le plus grand de l'Amérique —, et Hollywood. Mais Hollywood, pour moi, c'était Sunny, dont le père était un des « mogols » du cinéma et qui allait revenir dans quelques jours d'un voyage aux Hawaii. Les boutons des hippies étaient riches en mots de « quatre lettres ». Toutefois, ils n'osaient écrire ouvertement celui qui commence par f... et se bornaient à le suggérer par des transcriptions — « Folk », « Phuc »... — ou bien l'amputaient d'une lettre : — « F. ck ». Le plus grand contraste possible avec ces mots, interdits au strict Américain, était représenté par les quatre lettres de la Rand. J'avais vu le même contraste entre les hippies de Dallas et la tour de glace où siégeait l'homme le plus riche du monde.

Cet institut était une société privée, mais alimentée par toutes sortes de grandes entreprises, par les fondations Rockefeller et Carnegie et, du côté officiel, surtout par notre aéronautique. C'est en effet pendant la guerre que l'on fit étudier les multiples conséquences des inventions relatives à l'armée de l'Air, conséquences que les inventeurs ne pouvaient prévoir. Ainsi naquit la Rand. Ses services furent considérables. Depuis lors, son rôle est à la fois de freiner et d'accélérer le « développement » économique et militaire, sur des données scientifiques. Elle a deviné, à quelques semaines près, la date où éclata la première bombe atomique chinoise. Ses moyens, qui n'ont rien de commun avec ceux de la C.I.A., portent le nom d' « analyse système ».

Récemment, la Ford, qui a pourtant ses ingénieurs et ses chercheurs, a demandé à la Rand de lui faire connaître ses prévisions afin de construire une usine d'automobiles dans vingt-cinq ans. On ne parle plus, en fait, de plans quinquennaux, comme chez les Soviets d'avant-guerre ou comme dans la France d'après-guerre : tout va tellement vite et le délai entre l'invention et l'application diminue si rapidement, qu'on ne doit plus calculer à cinq ans, mais cinq fois au-delà. J'en savais quelque chose puisque, à Berkeley, on avait fait des calculs à cinq ans pour le nombre des étudiants et déjà l'université est engorgée — en Californie, presque chaque année, il y a un nouveau campus. Cinq ans, c'était le sixième d'une génération ; aujourd'hui c'est presque une génération. La Rand a donc appris à la Ford que, dans vingt-cinq ans, le moteur à explosion serait sans doute hors d'usage car les voitures rouleront sans essence : elles marcheront, non plus même électriquement, mais électroniquement, peut-être sur des coussins d'air. Il n'y aura plus d'accident parce que des rayons infra-rouges les tiendront écartées les unes des autres et leur vitesse sera illimitée. Le résultat de cette consultation est que la Ford, au lieu de construire une « usine pour voitures dans vingt-cinq ans », s'est acquis la majorité dans une des principales sociétés d'électronique de Los Angeles.

J'avais laissé dire Mr Hunt quand il donnait pour raison de notre supériorité sur les Soviets le fait que notre budget d'espionnage est le double du leur. Je crois volontiers que la Rand est au moins pour autant dans cette supériorité : il leur est plus facile de voler nos secrets atomiques que de copier une telle institution car elle repose sur la liberté. Ces techniciens qui donnent leurs avis en toute indépendance et qui influent sur les décisions du gouvernement sont inimaginables dans un régime totalitaire. La Rand n'est pas seulement une réplique à l'ordre communiste, mais au désordre européen. Ceux qui, de l'Oural à la Manche, s'accordent maintenant pour nous traiter de barbares, seraient incapables de créer la plus belle de nos usines : une « usine à penser ».

La Rand occupe un vaste bâtiment de brique, sans étage, en face de l'hôtel de ville de Santa Monica. Le drapeau flottait au haut d'un mât, sur une pelouse, comme devant la maison de Mr Hunt et des généraux patriotes. Dans le hall où je remplis une fiche, un grand dessin montrait deux pigeons voyageurs qui s'envolaient, près de cette inscription : « Ne laissez pas de dossiers près des fenêtres. » Les gens qui passaient portaient tous, sur leur veston ou sur leur chemise, une étiquette à leurs nom et prénoms. La mienne avait, en gros caractères noirs, une double mention de plus : « Visiteur. Escorte obligatoire. » Quoique je n'eusse jamais participé à ces congrès où l'on arbore de semblables étiquettes j'en avais déjà porté une, en cette même qualité de visiteur, lorsque mon beau-frère m'avait emmené à la N.A.S.A. Il y avait là une précaution de plus, qui avait l'air d'une politesse : un photographe officiel vous priait de poser, devant un trophée astronautique, et vous plaçait de profil. C'était une règle générale destinée aux services de contre-espionnage. En recevant cette photographie, des semaines après — photographie qui « ne pouvait être publiée sans l'autorisation écrite de la N.A.S.A. » —, j'avais été en droit de me dire que j'avais passé haut la main à travers les filets du F.B.I. et de la C.I.A. J'évoquais ces souvenirs, lorsqu'un policier à forte carrure — mon escorte — me conduisit chez le directeur.

Henry Stanislas Rowen, grand, mince, distingué, et qui n'avait pas plus de la quarantaine, était le type parfait du gentleman de la Nouvelle-Angleterre où il était né. Il me rappelait le père de Jim, originaire de la même région. Je n'étais pas surpris de voir un homme aussi jeune à la tête d'un organisme aussi important : nous savons tous que la jeunesse, aux Etats-Unis, arrive à de hautes destinées beaucoup plus tôt qu'ailleurs. Jeunesse est pour nous synonyme d'un de nos mots les plus magiques : « efficiency ». En vertu de ce principe, je n'avais pas attendu deux minutes pour être reçu. J'aurais pu me dire que le nom de mon père me valait cet honneur, mais il ne m'avait valu que de pouvoir faire cette visite : à partir de ce moment-là, j'étais sûr que l'on ne me ferait pas perdre mon temps dans une antichambre. Nos camarades européens à Berkeley s'étonnaient, quand ils étaient reçus de même, à l'heure exacte qui avait été fixée, par un homme aussi considérable que le président de l'Université de Californie, dont les neuf campus groupent cent mille étudiants. « En Europe, déclaraient-ils, on n'est un homme important que si l'on fait attendre. » Jim me disait qu'à New York, la seule personne qui l'eût fait attendre était le sous-directeur du Metropolitan Museum, d'origine française.

Après quelques compliments sur mon père, Mr Rowen s'excusa de ne pouvoir me garder : il avait une réunion avec des experts de passage et me met-

trait entre les mains d'un de ses principaux collaborateurs, Mr Armer. Après quoi, il me reverrait.
Il se débarrassait de moi, mais je n'avais pas attendu.

J'avais changé d'escorte : lui-même eut la courtoisie de me conduire à Mr Armer. Il avait sur son veston une étiquette à son nom : il était plus modeste
que Mr Hunt, qui s'en dispensait au congrès de
l'Association des Propriétaires fonciers du Texas.
Les couloirs semblaient ceux d'une clinique ; pas le
moindre ornement sur les murs ; les portes des bureaux étaient ouvertes. Nous croisâmes un Noir.
— Il y en a quelques-uns chez nous et parmi les plus
doués, me dit Mr Rowen. Quelle réponse à l'émeute
de Watts !

Il faisait allusion aux troubles sanglants que les
Noirs avaient provoqués dans ce faubourg voisin.
Je dis que j'avais vu aussi une autre « réponse » :
des ingénieurs noirs à la N.A.S.A.

Mr Armer était, comme son chef, un homme de
belle taille et de bonnes manières, qui respirait l'intelligence. Il me pria de lui poser les questions que
je voudrais. Encore sous l'influence de mes conversations avec Mr Hunt, je lui demandai où en étaient
les Soviets en fait de computers.

— Leurs succès dans l'espace prouvent que leurs
computers marchent bien, dit-il en souriant, car de
telles entreprises seraient impossibles sans ces appareils. Ils viennent même de nous en donner une nouvelle preuve : ils nous ont battus dans un match
d'échecs par trois à un. Cela ne démontre pas la
supériorité de leur science électronique, mais de leur
tactique... aux échecs.

« Pour leurs inventions, ils ont à la fois un avantage et un désavantage sur nous : l'avantage est
qu'ils peuvent construire sans tenir compte du prix
de revient, tout étant produit par l'Etat et pour
l'Etat ; le désavantage est que beaucoup d'initiatives
sont entravées par la bureaucratie. Mais enfin, qui
sait si les computers ne les obligeront pas à modi-

fier leur idéologie et à réinventer le marché libre ? Du reste, ils n'en ont pas assez dans ce domaine, d'où le retard de leur économie. Ils lancent les hommes à travers le ciel et jugent immoral de conduire le peuple par des machines. C'est là que notre système reprend l'avantage, pour le bien du peuple, que nous appelons simplement le public. Chez nous, toute idée a des chances d'être adoptée par quelqu'un, et, non seulement de faire la fortune de son inventeur, mais d'aider la marche de l'Etat lui-même.

Cet argument en faveur de la libre entreprise et du profit faisait un écho scientifique aux paroles de Mr Hunt.

— Voici un exemple, dit Mr Armer. On a imaginé une amélioration extrême des computers de l'I.B.M. (1), qui a refusé d'en profiter parce que cela l'aurait obligée à détruire tout ce qu'elle avait construit. Cela est arrivé d'autres fois. Alors, d'autres affaires se fondent pour utiliser les améliorations. Ainsi Mr Palewsky, ingénieur fort subtil qui nous consultait à la Rand, est aujourd'hui à la tête d'une des plus importantes fabriques de computers des Etats-Unis. Il vient même d'être autorisé à vendre quelques appareils à l'U.R.S.S. Il y a dix ans, il valait ses appointements d'ingénieur ; il y a cinq ans, il valait cinq millions de dollars grâce aux capitaux qu'il trouva pour mettre en pratique son idée ; aujourd'hui, il vaut cent millions de dollars. Je ne crois pas qu'il y ait au monde une meilleure illustration de ce que signifient l'Amérique et le computer. Excusez-moi de parler comme les hommes d'affaires, mais vous voyez que nous en créons.

« Il est prodigieux de penser que nous en sommes déjà là, alors que nous appartenons à peine à la quatrième génération des computers. La première a fabriqué les tubes ; la seconde, les transistors (je ne parle évidemment par des transistors à musi-

(1) International Business Machines Corp.

que!) ; la troisième, les circuits, et nous entrons dans la quatrième où le circuit se dépose par vapeur. Il est tellement petit qu'on ne peut le voir, même au microscope, et qu'il doit être fabriqué avec le microscope électronique.

« Le mathématicien Norbert Wiener, ex-professeur à l'U.C.L.A. (1), a dit que, le neurone de la matière grise du cerveau étant de l'ordre d'un millionième de millimètre cube et le plus petit transistor de l'ordre d'un millimètre cube (c'était il y a une dizaine d'années), le computer, pour être doté de pouvoirs comparables à ceux du cerveau, devrait occuper un gratte-ciel. Quelques années de plus ont suffi pour que le gratte-ciel devînt une boîte de chaussures et maintenant une boîte d'allumettes.

Mr Armer me montra son pince-cravate fait d'une plaque d'émail blanc à petits carrés noirs :

— Voilà un souvenir qui a été donné à certains d'entre nous, lors du passage de la deuxième à la troisième génération des computers. Ces carrés représentent une des parties de l'appareil, quand elles étaient encore visibles. Dans dix ans, un seul de ces carrés représentera tout un computer. Vous aurez un computer en guise d'épingle à cravate. Que dis-je ? On pourra faire voler un computer sur l'aile d'une mouche. Qu'est-ce qui en résultera ? Nous sommes en train de le calculer. Rien de comparable n'est jamais advenu dans l'histoire de l'humanité. Les journaux parlent de la révolution sexuelle en termes aussi frémissants que l'on parlait, il y a un demi-siècle, de la révolution bolchevique. Ils parlent de la révolution noire, de la révolution religieuse. Ils parlent de cette autre révolution qu'introduisent dans la vie privée et dans la vie publique les microphones plus ou moins invisibles, réservés jusqu'à présent à la C.I.A. et au F.B.I. Toutes ces révolutions auront été peu de chose à côté de celle que prépare le computer. Si vous avez vu, au Musée d'histoire et de technologie de Wash-

(1) University of California at Los Angeles.

ington, le cyclotron de Columbia qui, en 1939, a scindé l'atome d'uranium pour la première fois, vous avez constaté que c'était un engin relativement volumineux, tandis qu'aujourd'hui, des bolides pesant des tonnes et des tonnes tournent dans la stratosphère grâce à cet infiniment petit qui symbolise l'autre extrémité du génie de l'homme. »

Certes, je pensais, comme Mr Armer, que tout cela faisait honneur au génie de l'homme mais j'évoquais la photographie publiée il y a deux ans, quand fut démantelé, à l'Université Columbia de New York, le cyclotron d'où était sortie la bombe atomique. Trois de ses inventeurs étaient photographiés, rayonnants, une coupe de champagne à la main, et la tête de l'un d'eux apparaissait dans la capsule de l'appareil. Certains avaient trouvé de mauvais goût ces sourires et ce champagne autour d'un engin qui avait coûté la vie à cent cinquante-deux mille personnes. Mais ce n'était pas le sourire de la « barbarie américaine » ni de la « candeur américaine » : c'était la satisfaction de la science américaine. Les suites de ses découvertes lui échappaient ou n'étaient que matière à statistiques. On ne pourrait parler de barbarie que si l'Amérique était seule à employer son élite à de tels travaux. Mais ils sont aussi fébrilement poussés dans le monde communiste qu'ils l'étaient, pendant la guerre, chez les nazis et il importe de ne pas se laisser distancer. Les milliards de dollars célébrés par Mr Hunt servaient à quelque chose. Nos pacifistes, qui dénoncent avec tant d'indignation le budget « militaire » des centres de recherches de nos universités, affectent d'ignorer que les universités soviétiques et chinoises ont des budgets semblables. La seule différence est que leurs savants n'ont pas la bonhomie des nôtres pour se faire photographier devant leurs cyclotrons, un verre de vodka ou d'alcool de riz à la main.

Je remerciai Mr Armer, mais j'ajoutai que, pour revenir à ma question, je m'étonnais d'une vente de computers à la Russie. Les patriotes jetaient les hauts cris pour les appareils optiques cédés à la Pologne, pour l'huile de soja achetée aux Soviets par les Hunt Foods. Ces pays ne soutenaient-ils pas, économiquement et militairement, un pays avec lequel nous étions en guerre ?

— Les guerres ne sont plus pour nous qu'un vain mot, dit Mr Armer : nous les appelons « jeux de guerre ». Nous en étudions tous les aspects sous le nom de « crédibilité ». Rien ne nous échappe de ce qui peut produire la victoire, de ce qui risquerait de produire la défaite, de l'impossibilité de supprimer totalement les guerres, de la possibilité, ou même selon un autre de nos termes, de la « désidérabilité », de fixer dans des régions lointaines, au milieu de populations sous-développées, le choc inévitable de deux civilisations qui sont également indestructibles, à moins qu'on ne détruise la planète. Il ne doit plus y avoir que des « guerres limitées ». Il y aura toujours des Corée, des Vietnam. Mais peut-être que les computers, à force de lancer l'homme vers les astres, leur feront trouver dérisoires les jeux de guerre.

— S'il y a toujours des Vietnam et des Corée, dis-je, ce n'est pas notre faute car ce sont toujours les communistes qui commencent. Et ils trouvent ensuite en Occident de prétendus intellectuels pour les soutenir et nous accuser d'impérialisme.

Je n'étais pas mécontent d'avoir fait mes débuts de Youth Freedom Speaker à la Rand. Mr Armer eut un geste vague, qui pouvait être d'approbation ou d'indifférence, sur un sujet aussi évident.

— L'essentiel, dit-il, c'est que les computers ne fassent pas perdre leur sang-froid aux deux seules puissances qui savent s'en servir. Ces machines sont utilisées pour les traductions et jouent un rôle aussi grand et même plus que le décryptement des télégrammes. La C.I.A. en possède qui traduisent cent mille mots russes par jour, mais elles ne sont pas encore parfaites, et nous la mettons en garde contre une erreur de traduction qui pourrait lui inspirer quelque folie. Du reste, les computers soviétiques traduisent encore plus mal l'américain. On n'a pas encore trouvé la clé du mécanisme des langues. Ce n'est pas étonnant : on n'a même pas retrouvé les ruines de la tour de Babel. Mais, d'après nos calculs, on connaîtra ce mécanisme dans dix ans, ce qui permettra aux bibliothèques automatisées de fournir en toutes langues la documentation d'un sujet quelconque. Dans quarante ans, il y aura aussi une langue universelle.

« Ne croyez pas que ce soit une de nos rêveries. En ce moment se réunit à Genève le Centre pour la paix mondiale par la loi. Son fondateur, Rhyne, est l'ancien président de l'Association américaine du barreau. Deux mille cinq cents juristes, au nombre desquels Earl Warren, étudient le projet d'un « computer pour la paix » qui donnerait en quelques secondes tous les précédents d'un litige international et en montrerait les conséquences. Ce computer coûtera des milliards de dollars, mais il en épargnera beaucoup plus. Et surtout, s'il peut épargner des vies humaines, ce à quoi nous ne sommes pas encore arrivés, nous cesserons de nous occuper des jeux de guerre pour nous consacrer tout entiers à l'utilisation des loisirs. D'ailleurs, nous y pensons déjà, à cause de la semaine de quatre jours de travail qui sera bientôt en vigueur.

« En attendant le computer pour la paix, nous sommes bien obligés de le faire fonctionner pour la guerre, je veux dire pour la défense — et l'interprétation y joue un rôle essentiel. Là encore, je ne sais si un computer pourra jamais se substituer au cerveau. Le computer nous apprendra que tel avion soviétique ou chinois, de tel type et de telle couleur, aperçu à tel endroit, signifie ceci ou cela, mais il ne peut nous assurer ne s'être pas trompé ; car, s'il y a un seul changement dans cet avion, ne fût-ce que dans la couleur, la mémoire mécanique sera en défaut. Il faut donc un super-contrôle, qui laissera toujours à l'homme le dernier mot. Je vous parlais des computers qui jouent aux échecs ; mais, en U.R.S.S., quatre-vingts joueurs dispersés ont battu un computer. Celui-ci, pour modifier sa règle, devrait jouer des millions de fois. Quand le computer en sera capable, son créateur n'y comprendra plus rien et nous serons dans l'irrationnel. Il y a donc une limite des deux côtés : pour la machine et pour l'homme.

« Saviez-vous qu'il y a un computer au département de céramique du Metropolitain Museum ? Il décèle les faux, grâce à sa mémoire qui a enregistré la production totale d'un artiste ou d'une fabrique, le développement de leur style, le changement de leurs méthodes. A Chicago, les computers de la police contiennent cinquante millions d'informations relatives à la vie criminelle. Au Pentagone, un computer renferme cinquante-six millions d'indications d'ordre militaire : les mauvais plaisants disent que c'est le cerveau de McNamara.

« Vous n'ignorez certainement pas que les computers rendent aussi des services dans l'organisation bancaire. La Bank of America oblige de libeller les chèques à l'encre magnétique, seule lisible par les computers. Bientôt cette obligation sera générale. Il y aura également une carte universelle de crédit pour remplacer les innombrables que nous avons. Nous prévoyons même que cette carte universelle de crédit, fondée sur le computer, sera à son tour remplacée, grâce à un perfectionnement du computer, par une carte encore plus simple : les empreintes digitales. Cette vérification, sans truquage possible, seul un computer pourra la faire. Ce sera le maximum pratique de l'efficacité. »

Je dis que, dans les neuf comtés de la baie de San Francisco, la police des routes utilisait déjà les computers. Lorsqu'un policier arrête un automobiliste pour une infraction quelconque, il communique par radio le numéro de la voiture et le nom du propriétaire au poste central, où l'information est branchée sur un réseau électronique. En deux minutes, le policier sait tout ce qu'a pu faire l'automobiliste dans les quatre-vingt-treize districts de la baie.

— Deux minutes ? dit Mr Armer. C'est encore trop. Mais voilà justement le danger que peut représenter un jour la civilisation des computers. Il ne sera plus possible à personne de dissimuler quoi que ce soit de son passé. Nos Etats se sont refusés à centraliser à Washington les informations relatives à leurs citoyens, afin de défendre un reste de vie privée, c'est-à-dire de liberté. Le computer peut arriver à créer une tyrannie effrayante, mille fois pire que celle des « appareils-espions » : je vous en ai donné l'idée en vous parlant des ailes d'une mouche. Il ne faudrait pas que la civilisation des computers se détruisît elle-même, d'une autre façon que sa sœur, la science atomique. Une humanité totalement « computerisée » serait une humanité en régime totalitaire. Ce raisonnement vous prouve que cette invention est à deux tranchants : elle peut libéraliser le communisme, ainsi que je vous l'ai dit, et elle peut nous asservir. Dans ce cas, mieux vaudrait expédier à l'U.R.S.S. tous les computers de Mr Palewsky.

En face de Mr Armer, il y avait sur un tableau noir fixé au mur, une série de graphiques, de lettres et de chiffres. Cela me rappelait les tableaux lumineux où les ingénieurs de la N.A.S.A., munis d'écouteurs, suivent les essais du projet Apollo qui doit envoyer un homme sur la lune. Mais il ne s'agissait pas ici de la lune ; un mot redoutable était tracé au-dessus de ces inscriptions : « Famine ».

— Ce mot, dit Mr Armer qui devina ma curiosité, désigne l'une de nos dernières études. Elle réduit à sa juste valeur la théorie selon laquelle la famine guette le monde à cause du nombre de ses habitants. Certes, la population va croître de quatre pour cent en vingt ans, de soixante-cinq pour cent en quarante ans et elle aura doublé en l'an deux mil cent. Mais le risque de famine est totalement exclu parce que, dans vingt ans, les progrès de l'agriculture auront été multipliés par l'automation et par le dessalement de l'eau de mer ; dans quarante ans, par l'utilisation des ressources alimentaires de l'océan et par la fabrication de protéines synthétiques ; en l'an deux mil cent, par l'abondance de nouvelles sources d'énergie. Toutefois, que ces chiffres ne vous trompent pas. La population augmentera proportionnellement beaucoup moins qu'elle ne l'a fait depuis le XVIIᵉ siècle : le taux des naissances tendra à baisser par suite de l'emploi de plus en plus grand des moyens de contraception, mais le taux de mortalité diminuera, par suite des progrès de la science médicale. Dans vingt ans, on transplantera couramment des organes naturels (on vient de commencer) et on greffera des organes artificiels ; en l'an deux mille, on sera à peu près immunisé contre les bactéries et les virus et l'on sera au début de la vie artificielle — au moins par la reproduction spontanée des molécules —, et l'on corrigera les défauts héréditaires ; en l'an deux mil cent, la vie normale sera d'un siècle, la croissance de nouveaux membres et organes sera possible par la stimulation biochimique et l'intelligence pourra être développée par la liaison directe du cerveau avec un computer.

— Naturellement, dis-je, cet ensemble de déductions repose sur l'hypothèse qu'il n'y ait pas de troisième guerre mondiale.

— Ce risque n'existe que pour les vingt ans à venir ; encore n'existe-t-il que dans la proportion de vingt à vingt-cinq pour cent. Ensuite, il sera complètement éliminé... pourvu que l'humanité ne l'ait pas été. Mais Einstein lui-même a estimé qu'une troisième guerre mondiale laisserait subsister un tiers de l'humanité. Il y a donc des espoirs !

« Nous avons calculé quelle pouvait être la cause de ce risque de vingt à vingt-cinq pour cent pendant vingt ans. Il y en a quatre, de « probabilité » variable : la négligence, onze pour cent (négligence dans le maniement des engins atomiques — que ne sommes-nous en l'an deux mil cent où l'atome sera totalement contrôlé pour n'être plus qu'une source prodigieuse d'énergie !) ; « l'escalation » d'une crise politique et c'est le danger le plus grand : quarante-cinq pour cent ; l'escalation d'une guerre mineure en cours (type Vietnam), trente-sept pour cent ; une attaque de surprise dans un temps où il n'y a pas de crise apparente aiguë : seulement sept pour cent. Cela prouve que la C.I.A. et le F.B.I. d'un côté de la barrière, et le K.G.B. (1) et la G.R.U. (2) de l'autre, font assez bien leur métier. En somme, Khrouchtchev savait ce qu'il disait quand il a prononcé les fameuses paroles du « dégel » : « La guerre n'est pas inévitable. »

Mr Armer ouvrit un casier portant l'étiquette « Fermé » et la remplaça par l'étiquette « Ouvert ». Il prit un registre, où la Rand avait consigné le résultat d'un certain nombre de ses études, sous ses trois critères : désidérabilité, efficacité, probabilité, et me le tendit. Je lus : « Regroupement des forces conventionnelles des puissances occidentales : désidérabilité, élevée ; efficacité, idem ; probabilité, idem. »

— Vous vous doutez, dit Mr Armer, que chaque épithète traduit des calculs et des discussions infinies, car nous travaillons d'abord seuls, puis en équipe.

« ... Renforcement des Nations unies avec l'objectif de former un gouvernement mondial : désidérabilité, moyenne ; efficacité, élevée ; probabilité, faible. Désarmement européen, par l'amélioration de l'atmosphère entre les Etats-Unis et l'U.R.S.S. ; aux trois mots, la réponse était la même : moyenne. Renforcement de la N.A.T.O. (3) : un point d'interrogation était la réponse au mot désidérabilité ; efficacité, élevée ; probabilité, faible.

— Cela semble donner raison à la politique de la France, dis-je puisqu'elle a bousculé la N.A.T.O.

— Je vous fais observer le point d'interrogation

(1) Comité pour la Sécurité d'état (U.R.S.S.).
(2) Espionnage militaire soviétique.
(3) North Atlantic Treaty Organization.

92

de la désidérabilité, dit Mr Armer : il vous montre que, d'après nous, notre pays ne doit avoir confiance qu'en lui-même. Mais cela ne signifie pas du tout que nous nous désintéressons de l'Europe : nous nous désintéressons seulement de sa politique.

Ce point d'interrogation de la Rand me sembla réduire la stature du général de Gaulle.

... « Reconnaissance de la Chine communiste et de l'Allemagne orientale : désidérabilité, ? ; efficacité, faible ; probabilité, moyenne. Règlement de la division de l'Allemagne en termes acceptables par l'Allemagne occidentale et compatibles avec sa qualité de membre de la N.A.T.O. : désidérabilité, moyenne ; efficacité, moyenne ; probabilité faible. Accord politique entre les Etats-Unis et l'U.R.S.S. pour consolider la paix et empêcher d'autres nations de développer des armes nucléaires : désidérabilité, élevée ; efficacité, idem ; probabilité moyenne. Association politique entre les deux pays contre la Chine ou contre une tierce puissance : désidérabilité, moyenne ; efficacité, idem ; probabilité, élevée. Alliance militaire entre les deux pays et peut-être avec l'Inde : désidérabilité, moyenne ; efficacité, idem ; probabilité, idem. Création de zones tampons pour éviter la confrontation directe des deux pays : les experts, moins francs en groupe que Mr Armer ne l'avait été avec moi, ne s'étaient pas prononcés sur la désidérabilité ; efficacité, réduite ; probabilité, élevée. » Toutes ces hypothèses étaient, en somme, le prolongement des accords de Yalta.

Je le dis à Mr Armer, en ajoutant combien je trouvais passionnante cette vue de l'avenir. Elle ne changeait pas mes propres vues sur la nécessité de combattre le communisme au sein de notre pays, mais elle me rassurait, en me prouvant qu'il y avait de fortes « probabilités » pour une politique réaliste, qui laisserait intactes les deux super-puissances et les obligerait à un accord. Mr Armer continua :

— Nous ne sommes pas les seuls spécialistes de l'an deux mil cent. Il y a, près de New York, le

Hudson Institute, fondé par Herman Kahn, ancien analyste militaire de la Rand. Je vous signale que, d'après cet institut, le Canada, le Japon et la Suède représenteront alors, avec les Etats-Unis, la société la plus évoluée. L'Europe occidentale et l'U.R.S.S. seront à l'état de « société industrielle avancée » ; les autres pays, encore à l'état de « société de consommation ».

2

— Et Israël, qu'en faites-vous, mon cher Paul ? demanda quelqu'un qui s'était arrêté dans l'embrasure de la porte, un livre à la main.

— Je m'excuse, Sam : j'oubliais que Herman Kahn le place au second rang, mais non au troisième. Ce n'est déjà pas si mal pour l'an deux mille.

Il me présenta à notre visiteur, en lui disant l'objet de ma venue.

— Vous expliquez à Mr Montague ce que c'est que la Rand et les computers, dit Sam à Mr Armer, et voici un livre qui explique aux Français, en style de computer, ce que c'est que l'Amérique. C'est un livre honnête dans ses statistiques, douteux dans ses intentions et qui m'a mis en rage. Comme je suis juif et docteur ès lettres de la Sorbonne — une curiosité, n'est-ce pas ? — je vois tous les défauts des juifs et des Français chez son auteur, l'un des célèbres juifs convertis de France.

Il montra le livre : *Le Défi américain*, par Servan-Schreiber.

— Je suis un juif américain qui aime la France comme une femme et le français comme seul, je ne dirai pas un Américain, mais un juif peut l'aimer, car nous avons un sixième sens, qui est celui de l'art et du langage. Lorsque, au milieu de l'austère travail de la Rand je veux m'éclairer l'esprit une minute, je me récite un vers de Ronsard ou une phrase de Voltaire. J'étais loin de la France que j'aime, en lisant ces trois cent quarante pages.

« Ce qui m'a hérissé, entre autres choses, c'est le coup de chapeau au pouvoir, représenté par le cacographe Malraux, qui « ferait battre l'âme d'une génération » s'il écrivait notre histoire ; l'hommage à l'opposition, représentée par « Madame Simone de Beauvoir » — « Madame » en toutes lettres, cette longue traîne pour une virago marxiste que j'ai vu défiler à Paris à côté du juif Sartre, levant le poing au milieu de la plèbe, mais il paraît que maintenant, d'après l'auteur, elle aspire à la beauté. Elle y aspire contre nous, cela va sans dire. Ecoutez.

Il chercha la page marquée d'un signet et nous lut cette phrase : « Tant qu'on continuera de créer de nouveaux besoins, on multipliera les frustrations. »

— « Tant qu'on con... » répéta-t-il, voilà le français de la dame éprise de beauté et dont le livre, nous dit le monsieur, s'appelle *Les Belles Images*. Il me semble que Servan-Schreiber a oublié M. Sartre. C'est dommage parce que, juste en ce moment, le grand philosophe est à Stockholm avec ce vieux fou de Bertrand Russell, pour condamner Johnson comme criminel de guerre à un pseudo-tribunal international. Un tribunal international devrait juger plutôt les crimes de guerre des bandes du Vietcong : le correspondant du *Times* de Londres, Steward Harris, qui n'est pas suspect d'américanophilie ni de bellicisme, vient de publier le détail de leurs atrocités. Mais Sartre et consorts n'en veulent qu'aux Etats-Unis parce que les Etats-Unis empêchent le globe de devenir marxiste. Telle est cette race d'intellectuels, « conscience du monde ».

« De son tribunal international, Sartre en profite pour protester contre le fait que l'économie française soit liée de plus en plus à la nôtre. C'est aussi le fond du *Défi américain*. Avec qui donc ces gens voudraient-ils lier l'économie française ? Avec celle du Vietcong probablement. Peut-être avec celle de la Chine rouge, où la famine sévit encore de temps en temps. Je suis allé à Hong-Kong et j'y ai admiré une magnifique « maison de la Chine rouge », avec des étalages de valises de luxe et des photographies d'un « dîner du peuple », par petites tables — des centaines de petites tables, chacune avec nappe blanche et bouquet de fleurs. Un Anglais qui revenait de Pékin, me dit qu'il avait voulu acheter là-bas une de ces valises. « Repassez dans quelques mois, lui dit-on. Toutes celles que nous fabriquons, nous les envoyons à l'étranger, dans les maisons de la Chine rouge. » Pour les dîners du peuple par petites tables, on n'a jamais pu savoir quand ils avaient lieu. C'est ce bluff énorme et dérisoire qui est accrédité par les intellectuels rouges de nos pays. Il est digne des pensées de Mao Tsé-toung, qui sont celles d'un primaire, et de ses poésies, qui sont celles d'un illettré.

« Servan-Schreiber se plaint aussi, cela va sans dire, que l'économie française s'américanise. Il compare la rapidité avec laquelle nos usines s'installent en Europe à celle des blindés israéliens dans le Sinaï. Je ne voudrais pas être méchant, mais il y a des blindés qui sont allés encore plus vite et qui ont même provoqué la conversion de l'auteur : ceux des Allemands en 1940. La notice biographique qui est au dos de la couverture nous apprend qu'il est un héros : nous n'en doutons pas. Sa photographie tente de nous convaincre qu'il est bel homme : je ne savais pas que la chirurgie esthétique eût fait tant de progrès en France.

Nous nous mîmes à rire de cette exécution.

— Vous voyez, me dit Mr Armer, que nous avons à la Rand des poètes, mais ils sont redoutables.

— Je n'ai pas encore dit l'essentiel, poursuivit Sam, car je ne serais pas venu vous déranger à propos d'un livre s'il ne s'agissait de l'honneur de la Rand. Notre homme nous expédie en quelques lignes d'une note, forcément élogieuse, et tresse des couronnes au Hudson Institute parce que Herman Kahn dirige le Hudson Institute. Il ignore que Herman Kahn est sorti de chez nous. Mais son souci était de démontrer aux Français qu'il n'y a que les juifs au monde, convertis ou non. Du reste, l'hebdomadaire qu'il a fondé et qui est le rassemblement de toute la juiverie française, est une des causes déterminantes de l'antisémitisme français. C'est sans doute en le lisant que de Gaulle a perdu le tour français de son style et s'est décidé à lancer des pointes à Israël.

« Mais il y a un autre juif français converti qui nous donne de la tablature : l'académicien Rueff. Il a converti Gaullefinger à la politique anti-dollar de l'étalon-or, vieux système qui les date l'un et l'autre. La France ne pourrait-elle pas déconvertir ses juifs convertis ? L'auteur de ce livre déclare que nous ne sommes « pas plus intelligents que les autres ». Il ne nous persuade pas que les Français soient plus intelligents que nous. »

Sam partit en jetant *Le Défi américain* dans la corbeille à papier.

— C'est le sort que reçoivent quelquefois de bons livres, dit Mr Armer.

Je lui avais rendu le registre où il chercha une page :

— Les études que je vous ai fait voir, dit-il, ont été faites par vingt ingénieurs, quatorze mathématiciens et logiciens, dix-sept physiciens, douze économistes, neuf sociologues (nous vous attendons), cinq écrivains, quatre analystes et un officier. Sur ce nombre, il y avait huit étrangers parmi lesquels un Français, Bertrand de Jouvenel. Bien que nous soyons ici treize cents, nous avons des ramifications extérieures.

« Le Hudson Institute, qui nous a valu les belles tirades de mon ami Sam, n'est pas notre fils unique. Il y a aussi l'Institut d'analyse de défense que dirige le général Maxwell Taylor, ancien chef d'état-major des forces américaines en Europe, et l'Institut de recherches de San Francisco. A Los Angeles, il y a la Société de l'aéro-espace, et celle de Développement-système. L'U.C.L.A. a également un Institut spécial de ce genre, comme la plupart des grandes universités et des grandes entreprises. L'Université Cornell dresse le plan des futurs hôtels dans la lune et Mr Hilton, le président de la société hôtelière du même nom, est déjà preneur.

« Tout le monde se dispute la lune. La société Little and Co de Boston examine le moyen d'y produire de l'eau. La General Electric, qui a son « pensoir » à Santa Barbara, fait le plan d'une installation électrique lunaire : elle en a déjà fixé le coût à un million de dollars. La North American Rockwell, qui est en Californie, a dessiné un hôpital à cent cinquante places qui tournera en orbite. La Mc-Donnell-Douglas, notre voisine aéronautique, compte, en l'an deux mille, mettre en service une station spatiale de quatre cents techniciens, plus l'équipage.

« D'après nos calculs, deux hommes séjourneront un mois sur la lune en 1976, une colonie permanente, à partir de 1983 ; l'atterrissage sur Mars et retour se fera entre 1980 et 1990 ; une base permanente, avec dix hommes sur cette planète, entre 1990 et 2020 ; les communications entre galaxies, en 2004.

Je dis que ce qui me frappait dans toutes ces prédictions, c'était de voir la confiance des savants dans l'avenir de l'humanité : à part la possibilité, d'ailleurs réduite, d'une troisième guerre mondiale, ils se montraient plus optimistes que bien des humanistes prétendus.

— N'exagérez pas notre optimisme, dit Mr Armer. Il y a une question à laquelle notre groupe n'a pu répondre : « Possibilité que les développements continus de l'automation produisent de sérieux soulèvements sociaux, et nécessité d'une législation régulatrice. » Cela va de soi. Si l'homme n'est pas digne des chances que lui donnent son génie et son travail, il faut désespérer de lui. Aussi vaut-il mieux parler d'espoir que d'optimisme. Pourtant, je ne suis pas de ceux qui voient dans le progrès de l'automation une cause de chômage. En cinq ans, la production industrielle des Etats-Unis a augmenté de vingt-cinq pour cent et le nombre des emplois dans les usines n'a décliné que de deux et demi pour cent. Il n'y a donc pas de comparaison entre le profit et la perte. Quand on supprima les « demoiselles du téléphone », au moment de la mise en usage du téléphone automatique, on cria aussitôt que cela mettrait au chômage des millions d'Américaines ; elles ont trouvé des emplois nouveaux. Tout ce qui augmente la production de l'homme me semble un bien. D'ailleurs, alors que notre revenu moyen est aujourd'hui de quatre mille dollars, il sera de dix-sept mille en l'an deux mille. Cela suppose une consommation fantastique ou un énorme gaspillage ou une utilisation forcenée des loisirs. Mais la consommation du peuple américain peut être augmentée de dix fois, dans l'état actuel des choses, et la capacité d'absorption de la plupart des autres peuples augmentée de cent fois. Quel terrain pour les computers !

Le téléphone avertit Mr Armer que Mr Rowen m'attendait. Il me servit d'escorte pour me reconduire le long de ces vastes couloirs et je le remerciai de m'avoir fait si brillamment les honneurs de la Rand.

Le président était en manches de chemise, sur un canapé de son bureau.

— Les experts avec qui j'avais une réunion, dit-il, et qui venaient de plusieurs de nos Etats, sont spécialistes des transports urbains. Le problème n'est pas seulement d'ordre pratique, mais esthétique et sanitaire (la pollution de l'air). Nous touchons vraiment à tout et nous devons en examiner tous les aspects. Bientôt nous allons créer une filiale à New York, dont le maire nous demande une étude à longue portée sur le logement, la police, la protection contre les incendies — que sais-je ? Mais je voudrais étudier de plus en plus les conséquences de tous ces changements sur l'être humain.

« Mr Armer est aussi préoccupé que moi par l'influence de la technologie sur la psychologie. Il y a la génération des computers, mais nous ignorons encore ce que les computers feront des générations à venir. Ce n'est pas la seule chose qui soit en train de changer le monde. Pendant la dernière guerre mondiale, il fallait aller en voir les images dans une salle de cinéma et cela n'avait pas la même force d'évocation : c'était la guerre, mais cela semblait du cinéma. Maintenant, grâce à la télévision, les Américains, dont les fils combattent au Vietnam, voient cette guerre dans leur salle à manger, dans leur chambre à coucher. Il est évident qu'il se fait une transformation de la conscience et nous qui prévoyons tous les effets de la technicité, nous ne pouvons prévoir ceux de cette transformation. Elle sera encore plus grande dans la génération qui vous suit et qui aura été élevée par des computers. Nous sommes des apprentis sorciers. Souhaitons d'être de bons sorciers. »

Je me levai pour prendre congé : le temps de mon hôte était précieux. Je dis que cette visite m'avait rendu plus fier d'être, non seulement américain, mais californien.

— Le computer, dit Mr Rowen, a d'ores et déjà plusieurs aboutissements : la Rand en est, je crois bien, un des plus honorables, mais il y a aussi Las Vegas. Un professeur du M.I.T. (1) a utilisé les calculs électroniques pour jouer au casino et plusieurs fois il a fait sauter la banque. Puis quand on a deviné qu'il avait des inspirations supra-terrestres, on l'a prié de sortir. Heureusement, sans quoi le fameux billet d'un million de dollars qui est encadré dans une salle, aurait fini par entrer en circulation. C'est la première révolte contre le computer.

---

(1) Massachusetts Institute of Technology.

3

Sunny m'attendait dans la maison de ses parents, sur les collines de Hollywood. Ils étaient au concert et allaient ensuite à un dîner. Nous serions seuls. La négresse qui m'avait ouvert, m'avait dit, en me découvrant toutes ses dents blanches : « Miss Sunny est au jardin. » Et je lui avais glissé le dollar habituel pour nous délivrer de sa présence. Je traversai le salon, encombré de meubles chinois, texans et élisabéthains. Je fus charmé en revoyant, de la terrasse, ces parterres et ces arbustes multicolores, ce bassin où des jets d'eau arrosaient une statue de Giacometti, la grande tache bleue de la piscine, le grillage du court de tennis enguirlandé de jasmin, le rideau de séquoias où, par une trouée, se découvrait l'immense plaine de Los Angeles.

J'étais charmé surtout d'apercevoir Sunny, en robe hawaïenne aux teintes vives, se détacher sur ce fond de verdure et de l'entendre me saluer d'un cri joyeux. Elle jouait avec son chien au milieu du court, en tirant un rouleau de corde fixé au grillage et à l'extrémité duquel était un ballon de caoutchouc : le fil se réenroulait automatiquement et le chien courait après la balle. L'air tiède du soir, le parfum des fleurs, la solitude créaient déjà une atmosphère amoureuse. Nous nous embrassâmes avec l'ardeur de trois semaines de séparation. Je retrouvais la douceur de sa peau, de sa bouche, de ses cheveux blonds, de ses yeux bleus.

Elle me raconta brièvement son voyage à Honolulu ; elle avait fait la conquête, en tout bien tout honneur, d'un beau jeune homme qui avait été le « Mr Université » de cette année. A Berkeley, où

existaient aussi plusieurs concours en fin de graduation, nous avions même celui du « plus laid » — il
est vrai que les beaux s'amusaient à se présenter.

Je racontai mon séjour à Houston. Quand je dis
que j'avais été à Dallas :

— A Dallas ? s'écria Sunny. Pour commettre quel
crime ?

Je n'avouai pas le crime contre la morale, qui
avait été l'achat d'un lot de photographies érotiques
destinées à Jim. Mais je me vantai d'avoir fait la
conquête de Mr Hunt. C'était un pendant de poids
au « Mr Université » d'Honolulu.

Nous étions assis dans des fauteuils de bambou,
à côté d'un plateau d'argent chargé de jus de fruits.
Parmi bien des goûts communs nous avions celui
de ne pas aimer l'alcool. Elle n'avait pas toujours
été aussi sage, mais j'étais heureux d'avoir contribué à l'assagir. Notre rencontre, il y a un an, l'avait
initiée, disait-elle, aux « boissons douces » et aux
amours fortes. Nous n'avions qu'un point de litige :
elle me reprochait de faire ma licence à Berkeley,
quand elle faisait la sienne à l'U.C.L.A. Mais j'avais
voulu achever où j'avais commencé et me promet-
tais de préparer mon doctorat à Los Angeles l'an
prochain.

— Quelle idée j'ai eue de m'amouracher d'un sociologue, moi qui étudie l'art ! dit Sunny en me ver-
sant à boire.

— Un sociologue doublé d'un Youth Freedom Speaker.

Je venais de lui expliquer les engagements que
j'avais pris et mon désir de lutter contre le communisme sous les enseignes d'un homme qui n'était
pas un chef de parti et qui était quelqu'un.

— Il faut laisser cela à d'autres, dit-elle. Pas plus
que tu n'imaginerais de militer chez les communistes, tu n'as à militer chez les anticommunistes.
Ceux qui se mêlent de ces choses le font ou par
manie, ce qui est sans doute le cas de Mr Hunt, ou

par intérêt, afin de gagner des protections ou des places. La politique est un métier abject et les convictions politiques un brevet d'imbécillité.

Je protestai et faillis lui réciter le discours de cinq cent cinquante mots sur « Apathie et Contentement de soi ». Je dis que son attitude était bien caractéristique de la mentalité de Hollywood, « au-dessus de la mêlée », mais que le monde était une mêlée continuelle. Et je me jetai sur elle pour l'embrasser de nouveau. Nos langues luttèrent l'une contre l'autre pour s'unir enfin dans le calme. Elle vantait mon art de ce baiser que nous appelons français et par lequel je me devais d'honorer mes ancêtres. Quand elle se dégagea, elle me reparla de ce qu'elle nommait une bouffonnerie et que je persistai à qualifier de chose très sérieuse.

— C'est une idée de ton père, n'est-ce pas ? dit-elle. Elle est donc jugée. Je n'ai aucune des idées de mon père.

— J'en conserve quelques-unes du mien. Il est ridicule de vouloir réagir en tout contre son milieu. Un peu de courage civique est le devoir d'un homme. Si tu voyais les affreux barbus qui nous éructent le nom de Castro, de Mao ou de Hô à tous les tournants de Berkeley, tu aurais envie de les boxer, ou au moins de crier autre chose.

— T'imagines-tu qu'il n'y en a pas à l'U.C.L.A. ? Il y en a partout. Mais qu'est-ce que cela peut te faire tant qu'ils ne t'obligent pas à porter la barbe ? Ce qui m'a plu en toi, c'est que tu aies su comprendre les hippies, auxquels nous ne pouvons appartenir, mais qui sont la réplique de notre génération à toutes ces sottises. Te rappelles-tu notre rencontre chez Carl ? Comme tu as les cheveux assez longs je t'ai demandé si tu étais hippie. Tu m'as répondu d'un air grave que tu voulais être sociologue. Mais tu as ajouté tout de suite que tu admirais les hippies. Alors j'ai relevé ma mini-jupe pour te montrer les fleurs que j'avais décalquées sur le haut de mes cuisses. Je t'ai même fait deviner qu'elles me servaient de slip. Il n'était pas question des Youth Freedom Speakers.

— Eh bien ! nous les couronnerons de fleurs comme de lauriers.

Ma main s'aventura, mais elle la serra dans l'étau de ses cuisses en me disant le mot de notre génération :

— Reste froid !

Je lui dis que ce n'était pas le mot des hippies :

— L'amour, les fleurs ont besoin de chaleur. Et la plus belle fleur que je puisse t'offrir est brûlante.

Je lui saisis la main pour le lui faire constater, mais elle me donna un soufflet.

— Est-ce de cette manière que tu penses me gagner à ton parti ? dit-elle. Tu t'y prends mal. Les idées doivent brûler toutes pures.

— Cela aussi, c'est une idée. C'est même l'idée la plus importante. C'est l'idée dont tu me remplis. C'est l'idée que je suis impatient de t'exprimer depuis trois semaines.

— Chaque chose à son heure. Les idées de la politique sont tellement inconsistantes qu'il n'y a même plus de parti : les républicains sont démocrates, les démocrates républicains, les communistes des nationalistes, les marxistes d'épais bourgeois. Il n'y a que les hippies qui restent fidèles à eux-mêmes — et toi et moi qui nous restons fidèles. Par conséquent, moquons-nous de tous les autres.

Elle promena sa main sur moi :

— La voilà, Life Line.

Je frémis de ce sacrilège à l'égard de Mr Hunt, mais je sentais la déroute de la politique. C'était comme l'honnête Larry chez qui la nature parlait jusque devant les milliards.

Sunny obéissait-elle à l'idée d'un symbole ? Elle se leva pour arroser le jardin. Je tournai le robinet : une pluie fine jaillit sur les pelouses et sur les pots d'orchidées suspendus aux branches basses des arbres, avec des mobiles de Calder. La nuit était tombée ; les réflecteurs et la piscine s'allumèrent. C'était l'heure où le jardin paraissait enchanté, avec ces lampes invisibles qui rehaussaient les couleurs, réchauffaient les parfums, allongeaient les ombres. Sunny cueillit quelques fleurs d'hibiscus et me prit par la taille pour regagner la maison.

J'aimais les éclairages de sa chambre, aussi raffinés que ceux du jardin. On ne savait d'où venait la lumière : elle sourdait de partout — d'une défense d'ivoire posée sur un meuble, des fleurs de laque qui étaient dans un vase, des trophées de plumes d'Indien accrochés aux murs et même des deux grandes photographies de Humphrey Bogart et de James Dean, héros morbides de la génération des fleurs. C'était également la génération des fruits : une nouvelle affiche — la banane Chiquita de l'United Fruit, gracieusement éclairée en jaune par-derrière —, faisait le pont avec mon voyage à Dallas. Les meubles de cette pièce étaient d'une élégante simplicité, à laquelle des tapis en peau de tigre et des couvertures de chinchilla ajoutaient une douceur voluptueuse. Quand j'eus vanté le trompe-l'œil de la Chiquita, Sunny me dit que la banane servait même aux femmes comme produit de beauté.

— Curieuse chose, ajouta-t-elle, que ce rapport entre les produits de beauté et les fruits ou légumes phalliques : carottes, concombres, bananes...

Nous allâmes vers la grande cage de cristal où était enfermé un iguane. Immobile, le gros lézard émeraude, tacheté de bleu, à longue queue striée de jaune, aux yeux rouges phosphorescents, avait l'air d'un émail chinois. Il remua lentement sur sa couche de sable fin lorsque Sunny souleva le couvercle et lui jeta les fleurs d'hibiscus. Il reprit son immobilité au milieu de ces longs pétales rouges, comme pour nous offrir un autre spectacle, où la beauté de l'animal le disputait à celle du végétal. Puis, fixant toujours sur nous ses yeux de rubis, il enroula sa langue autour d'un pistil et commença de dévorer la fleur par le milieu. Elle formait autour de sa tête le casque d'un guerrier de l'époque des Ming.

— Je suis fasciné, dis-je.

— Cet iguane est plus que fascinant, dit Sunny : une fois, il a eu peur du chien et ses yeux ont lancé du sang. Tiens ! mon geai bleu n'est pas venu ce soir au jardin picorer mes biscuits. Il doit être jaloux de toi.

Elle éteignit les lumières pour ne laisser que celle de la cage, dont le miroitement rendait plus féerique le spectacle de l'iguane et de l'hibiscus.

— Depuis mon voyage en France l'an dernier, dit-elle, j'ai honte de moi quand j'éteins une lumière par souci de beauté. En Amérique, nous n'éteignons que pour dormir et les gratte-ciel des banques restent allumés toute la nuit ; en France, les gens éteignent en allant d'une pièce à l'autre, comme si c'était leur bas de laine qui brûlait.

Je lui dis que j'avais vu faire la même chose à Dallas par l'homme le plus riche du monde.

— Pour lui, dit-elle, ce doit être de l'affectation.

Elle avait une surprise à me montrer au sous-sol, mais voulut changer de robe avant de descendre. Je fus stupéfait de voir mon Hawaïenne se transformer en drapeau américain : les bandes rouges et blanches étaient la jupe et le rectangle était le corsage.

— C'est ce qu'il faut pour un futur orateur de la liberté, dit-elle.

Nous nous arrêtâmes en traversant le bureau de son père ; elle me montra la photographie du paquebot qu'il venait d'acheter aux Anglais pour le couler dans un film. Il n'y avait pas un papier sur la table, comme sur celle de Mr Hunt, mais je savais que derrière les panneaux coulissants étaient rangés les dossiers de chaque film, ceux des vedettes avec leurs prix et les magazines policiers où étaient notés au crayon rouge les détails utilisables pour des scénarios.

Un escalier dérobé nous conduisit au sous-sol. Cette vaste pièce était le sanctuaire secret de la maison. Les boiseries anciennes provenaient d'un hôtel des Vanderbilt ; des toiles de Pollock et de Rothko étaient accrochées aux murs, sans jurer avec un Tiepolo maroufié au plafond ; des tapis d'Orient couvraient le sol ; des banquettes rembourrées, des fauteuils Louis XIV, une table à gibier complétaient la décoration.

Dans un grand aquarium, des poissons aux couleurs chatoyantes nageaient autour de longues herbes marines qui se balançaient. Sunny baissa un écran roulé sur l'aquarium et qui le masqua. En face, elle ouvrit un panneau à l'intérieur duquel était caché l'appareil de projection.

Elle voulait me montrer deux « films de cerfs » ou bleus, trouvés par elle dans les cachettes de son père, mais dont il n'était évidemment pas l'auteur. Elle me demanda si j'avais jamais vu des films de ce genre. Je répondis que j'en avais vu un à Berkeley, dans le sous-sol, moins élégant que celui-ci, de ma fraternité. On nous avait prêté la bobine d'une scène champêtre et libidineuse entre personnages masqués. Comme elle datait d'un demi-siècle, elle nous avait fait rire aux éclats par la tenue des interprètes, les appâts excessifs des dames, les superbes moustaches des messieurs, qui nous rappelaient celles de Dali. Nous avions profité, pour cela, de l'absence de la « mère » de la maison, qui avait sa réunion mensuelle à la maison des mères : malgré tout notre respect pour cette digne gardienne, nous affectâmes de croire qu'elle aurait pu être l'héroïne de ce film, contemporain de sa jeunesse. Mais comme je me réjouissais, même sans films de cerfs ou de biches, d'être enfin logé en ville, hors de ma fraternité, depuis que j'étais gradué ! J'ajoutai que l'an dernier, à l'université, j'avais vu les films si poétiquement érotiques de Kenneth Anger qui nous les avait présentés au cours d'une conférence. Sunny me regarda, émerveillée :

— Tu connais Kenneth Anger ?
— Je l'ai vu et entendu, mais ne le connais pas.
— C'est le cinéaste le plus intelligent des Etats-Unis. Je reproche souvent à mon père de ne pas

faire appel à lui. Il me répond que Hollywood l'a lancé quand il avait dix-sept ans. Je te le ferai connaître à San Francisco.

Tout en parlant, elle plaçait un film sur l'appareil de projection, puis elle chercha un disque pour le mettre sur l'électrophone.

— Ouvre bien tes yeux et tes oreilles, dit-elle. Cela te permettra de mieux juger cette race de parents qui nous ont mis au monde, qui n'encourageraient pas de vrais artistes, qui se scandaliseraient en public de films comme ceux-là et qui les achètent en secret pour contenter leurs appétits. Ils profitent de la déliquescence et ils soutiennent le conformisme. Quelquefois je m'étais aperçue que mon père et ma mère s'enfermaient ici à double tour : cela m'intriguait. La grande supériorité et le grand charme de notre génération c'est d'avoir une horreur sacrée de l'hypocrisie. Les choses dans lesquelles nos parents voyaient le piment de l'obscénité n'ont pour nous que le prestige de la vérité.

Elle aussi donna un tour de clé prudent à la porte. Elle éteignit les lumières et mit en mouvement les deux appareils. Le chien nous avait suivis. Je demandai si ce n'était pas dangereux pour sa morale.

— Il en a vu bien d'autres, dit Sunny, mais ses yeux ne lancent pas de sang.

Nous prîmes place dans deux fauteuils voisins et allumâmes une cigarette. Elle regretta de ne pas avoir de marijuana : ce petit excitant lui faisait plaisir, dit-elle, lorsqu'elle venait regarder ces films. Je n'étais pas plus partisan de drogue que d'alcool et dis que je lui offrirais mieux qu'une cigarette.

— Chut ! dit-elle.

Le film muet et le disque commençaient à tourner. Une jeune fille apparaissait : une jeune fille charmante de seize à dix-sept ans, qui se déshabillait dans sa chambre, regardait ses seins, en caressait les pointes, passait la main sur son ventre, sur ses fesses, et s'allongeait enfin pour s'exposer aussi avantageusement que les garçons de Dallas.

108

Elle ne s'en tenait pas là : avec ses doigts légers, puis avec un instrument tiré de dessous son oreiller, elle se livrait à des jeux alternés qui lui causaient un plaisir manifeste. Le disque était une chanson à la gloire de l'onanisme, chantée par une voix suave, que l'on imaginait celle de l'héroïne du film. Les paroles, assez banales, n'effaçaient pas le souvenir du fameux discours prononcé par Mark Twain sur ce thème devant un club de Paris.

— Aimes-tu te masturber ? me demanda Sunny.

— Belle question !

— Ce n'est pas une réponse. Mais je vais la faire pour toi. Cet acte est le premier de notre indépendance. Il marque notre première prise de conscience avec nous-mêmes. Un jour, j'entendais mon père, qui parlait de son voyage de noce en France, dire à quelqu'un : « Je n'oublierai jamais le lieu, le jour et l'heure où j'ai mangé pour la première fois un camembert. » Cela aussi, c'est un mot de nos parents. Moi, je n'oublierai jamais le lieu, le jour et l'heure où je me suis masturbée pour la première fois.

— Peut-être ton père aussi, mais il aime mieux parler du camembert.

— Je suis ravie que la masturbation progresse chez les filles : nous étions en retard. D'après Kinsey, seulement vingt-huit pour cent se masturbent, contre quatre-vingt-sept pour cent de garçons. Mais il y a quinze ans de cela. Aujourd'hui, d'après le Dr Katharine Davis, nous en sommes à soixante-quatre pour cent. Encore un petit effort et nous vous aurons rattrapés.

Je la fis rire en lui racontant qu'à la Phillips Academy, un clergyman nous avait donné quelques leçons discrètes d'éducation sexuelle et que, passant sur la masturbation comme chat sur braise, il nous engageait à exercer sur nous un « self-control », pendant les « années d'attente » qui nous séparaient du mariage. Pour tout commentaire, l'un de nous lui demanda combien de fois on pouvait se masturber par jour. J'ajoutai que Jim m'avait montré une revue homosexuelle où l'on répondait à la même question, posée par un jeune homme : « Vous pouvez vous masturber trois ou quatre fois par jour. » Nous étions d'avis, lui et moi, que c'était une plaisanterie ou une ruse des communistes pour épuiser la nation américaine.

Sunny pensait autrement : elle y voyait une preuve de l'obsession du sexe chez tous les Américains, homosexuels ou non. Dans le courrier que laissait traîner son père, elle trouvait parfois des prospectus envoyés aux couples mariés pour des appareils (« erector », « erectopen », « éclisse sexuelle », « atelle du coït »...) qui garantissent « un parfait accomplissement sexuel et une nouvelle vie de bénédiction conjugale ». L'érotisme doit toujours, en effet, être couvert matrimonialement.

Le disque et le film venaient de changer. Il s'agissait maintenant de trois personnes : un homme, une femme et un garçon — scène de famille. Tout ce que deux hommes peuvent faire à une femme, tout ce qu'un homme et une femme peuvent faire à un garçon, tout ce qu'un garçon peut faire à un homme et à une femme passa sous nos yeux. Les visages, les tenues, les gestes, les corps étaient d'aujourd'hui ; le garçon semblait venir de Dallas. Ce n'était plus une chanson vulgaire, mais un poème provocant qui accompagnait cette orgie. Je fus tout étonné d'en entendre citer l'auteur : Aleister Crowley. Je connaissais son nom par la conférence de Kenneth Anger qui en avait fait grand cas, mais il ne nous avait pas dit que cet Anglais franc-maçon, mage et occultiste, fût aussi un poète érotique. Son principal mérite restait d'avoir inspiré à Churchill le signe de la victoire, qui n'était pas un simple V, comme on l'a cru, mais le symbole des cornes du diable, destiné à contrebattre la croix gammée, signe de la magie noire du nazisme. La couleur de ses vers était bleue, comme le film. Cette teinte céleste était accentuée par la voix à peine muée du jeune garçon qui les récitait

— voix aussi titillante dans son âpreté que celle de la jeune fille qui avait chanté la chanson. Le poème était intitulé « Suraya », — « Les Pléiades » :

« Les sept étoiles de Suraya se tiennent dans le ciel. — Sept vertus glorifient ton podex. — La première, c'est qu'il est plus chaud que l'enfer. — Et plus sec que n'est sèche l'Arabie. — La troisième, c'est son étroitesse, pareille à celle d'un cercle de fer. — Et, ô tes muscles, leur mobilité ! — La cinquième, c'est ton odeur de jasmin et d'ambre gris. — Et ta douceur est celle de la pêche. — Septièmement, telle est la beauté de sa forme que quelqu'un, — En la voyant, serait heureux de mourir. »

Sunny avait récité les derniers vers, qu'elle savait par cœur. J'en cueillis les derniers mots sur ses lèvres et la troussai pour prendre des libertés dignes de Suraya. Elle m'écarta :

— Sois donc plus subtil.

Elle mit en place le disque d'un chant religieux et le film d'une revue militaire à West Point. Puis elle s'allongea sur le ventre au milieu de la pièce, le buste appuyé sur les coudes et la tête sur les mains.

4

Quand nous repassâmes par le bureau de son père, elle prit une brochure dans un tiroir : le dernier bulletin de la John Birch Society, qui était censé rapporter le programme du parti communiste. Elle me fit lire une page intitulée : « Destruction de la famille » et qui en indiquait les moyens : « Mettre à la mode la licence sexuelle. Encourager les expériences pré-maritales, l'usage illimité des contraceptifs et de l'avortement. Abandonner les nouveau-nés à l'Assistance publique. Oter à l'acte sexuel sa fonction reproductrice pour en faire une simple source de plaisir. Promouvoir l'homosexualité et les autres perversions sexuelles, en les dépeignant comme normales et socialement admises, depuis l'école jusqu'à la Maison-Blanche. Citer des personnalités, comme John Maynard Keynes et Summer Welles, montrer leur carrière et exalter leur œuvre dans leur champ d'activité professionnelle, spécialement du fait qu'ils étaient de flagrants homosexuels, et prouver par eux qu'une perversion sexuelle éhontée peut devenir une aide plutôt qu'un obstacle au succès. Conclure que la perversion sexuelle n'est que la marque d'un génie excentrique. »

J'étais stupéfait de voir écrit le nom de Sumner Welles, notre ancien secrétaire d'Etat, dont mon père m'avait raconté comme un secret la fin tragique, déguisée en suicide, alors qu'il avait été assassiné par son amant nègre, dans une crise de jalousie. Quant à lord Keynes, le fameux économiste anglais qui avait inspiré le New Deal de Roosevelt, je n'avais pas entendu parler de ses mœurs. En pensant à mes maîtres de Berkeley qui se vantaient d'être keynésiens, je souris de me dire qu'ils étaient homosexuels sans le savoir. Sunny ne se souciait pas de ces deux grands noms.

— Es-tu content de voir traiter de communistes nos amis homosexuels et Jim, qui est un fruit écrasé ? Toi aussi, tu es communiste puisque tu pratiques la licence sexuelle, que tu te livres à des expériences pré-maritales et que, si je n'ai pas à craindre de nouveau-né, c'est parce que tu ôtes à l'acte sexuel, etc. Ne te moque donc plus des communistes à propos de masturbation. Je devrais te prier de sortir d'ici à l'instant car je ne reçois pas de communiste.

J'avouai qu'un tel langage prouvait bien la différence des générations. Je n'avais pas parlé des perversions sexuelles avec Mr Hunt, qui m'avait dit en avoir été accusé par les communistes, mais j'avais vu dans ses écrits et entendu à Life Line des choses

112

du même genre. Mr Welch, le président des « Birchers », devait être un contemporain de Mr Hunt. Je ne comprenais pas cette erreur obstinée de la droite qui l'éloigne des réalités de la vie en nous donnant de fausses règles de morale. La liberté doit s'illustrer sur ce terrain comme sur les autres et c'est donner à nos adversaires un moyen vraiment trop commode de rallier à eux tous les « génies excentriques ».

— Je pense que tu es convaincu à présent de ce que valent tes futurs compagnons d'armes, dit Sunny.

Je réfléchis un instant avant de répondre :

— Oui, ces attaques contre le communisme sont aussi stupides que celles du communisme. La droite a pris ce thème dans l'antisémitisme des tsars, qui accusaient les juifs de pervertir la société chrétienne. Et c'est ce qui dans tous les pays infirme l'action de la droite. Elle semble un parti de châtrés et de « bondieusards », qui se raccrochent à la vertu (non pas aux sept vertus du podex) et à la religion, en s'imaginant défendre la patrie. Malheureusement pour les jeunes comme moi, les seuls groupes organisés et importants ont à leur tête des vieillards, mais il n'y a pas moyen de combattre hors de ces groupes. Permets-moi donc de pratiquer la liberté sexuelle et de défendre la liberté politique.

Elle me mit sur les lèvres le sceau d'un baiser. Je lui demandai si son père était un adhérent de la John Birch Society, malgré les films et les disques du sous-sol. Elle me dit qu'il était abonné à ce bulletin, comme au journal communiste Daily Worker — pour se renseigner.

Nous remontâmes. Elle alla dans la salle de bains. Quand je lui succédai, j'éclatai de rire en voyant sa dernière trouvaille : une cuvette insérée dans celle de la toilette et contenant un grand bouquet de fleurs. L'avant-dernière était le cure-dents électrique. Tout le reste aussi était électrique : le vaporisateur, le masseur pour les gencives, le vibreur pour le cuir

113

chevelu, l'agitateur pour ozoniser l'eau du bain, le réflecteur de soleil artificiel. En face de la baignoire était un appareil de télévision. Dans son bain, Sunny n'avait qu'à faire un mouvement avec le petit « gadget » magique du « contrôle éloigné », pour changer de chaîne douze fois de suite si elle le désirait.

— Malgré mon goût pour l'hygiène électrique, dit-elle, je n'ai pas acheté la banane électrique.

— Quoi ?

— Oui... On m'en a montré l'annonce dans un journal hippie.

— L'obsession de la Chiquita s'étend vraiment à tous les domaines, dis-je. Mais je donnerais tous les appareils électriques de ta salle de bains pour le trône sur lequel je viens de m'asseoir : un bidet.

— Réjouis-toi, me dit-elle ; on vient de créer le bidet américain. Il est présenté comme supérieur au bidet français parce qu'il est doté d'un jet d'eau et d'un séchoir. Mais nul ne sait encore de quelle manière les ligues morales et patriotiques, les Fils de la Révolution américaine, les Filles de la Révolution américaine, les Dames Coloniales d'Amérique, l'American Legion, bref, les soutiens naturels des Youth Freedom Speakers, vont prendre cela. Lorsque Jacqueline Kennedy a fait rénover la Maison-Blanche, elle n'a pas osé faire placer un seul bidet dans les vingt salles de bains.

— Il y en a peut-être quelques-uns à Hollywood, comme chez toi, dis-je, mais je n'en connais pas un seul à Beverly Hills et à Los Angeles. A New York, les parents de Jim ont un magnifique appartement Cinquième Avenue et il n'y a aucun bidet dans l'immeuble. Une de leurs amies a voulu en avoir un. Elle habite au vingtième étage et il a fallu adapter une tuyauterie spéciale depuis le sol, car les règlements interdisent d'employer la tuyauterie ordinaire pour un usage si indécent. Il lui en a coûté cinquante dollars par étage. « Je n'ai jamais payé si cher pour me laver le ... », a-t-elle dit.

« Le seul autre bidet connu de New York est celui

que le peintre français Léger a représenté dans la salle de l'assemblée générale des Nations unies. C'est du moins le surnom que l'on a donné à cette peinture où une serviette flotte au-dessus d'un vague violon. Ainsi un communiste a immortalisé devant le monde entier notre honte nationale.

— A Honolulu, dit Sunny, j'ai vu le reportage télévisé de la rencontre de Glassboro et je souffrais de me dire que ton ennemi Kossyguine avait la supériorité sur Johnson d'avoir des bidets au Kremlin. Il y en a même dans les hôtels de l'Intourist, tandis qu'il n'y en a pas dans nos palaces — en Angleterre non plus, d'ailleurs.

Je ris de cet aspect particulier de la rencontre de Glassboro auquel ni Mr Hunt ni moi n'avions pensé. Toutefois, il me parut nécessaire de préciser le sens que je donnais à « honte nationale ».

— N'oublie pas, dis-je, que les Américains prennent des douches plusieurs fois par jour, ce qui leur tient lieu de bidet.

— Rien ne peut en tenir lieu. Qui te dit que Johnson ait eu le temps de prendre une seconde douche avant de courir à Glassboro ? Ce ne sont pas seulement les moujiks que nous faisons rire de nous, mais même les nègres — au moins les représentants des républiques noires, anciennes colonies françaises qui ont hérité un bidet de la France. Avoue que notre civilisation péchait par la base : des gratte-ciel et pas de bidets.

— Tu m'as dit que la civilisation française péchait par autre chose, répliquai-je : des bidets et pas de déodorants.

Nous étions descendus dans la cuisine. Là aussi, je ne pouvais qu'admirer. Les appareils ménagers d'un producteur de Hollywood, monté jusqu'aux hauteurs sublimes du bidet, étaient plus « up-to-date » que ceux d'un vice-amiral en retraite. Alors que notre cuisine était éblouissante de blancheur chromée, celle-ci avait les teintes douces d'un salon de style. Tout était à fond marron, bordé d'un filet d'argent.

La machine à laver avait l'air d'un coffret en bois des îles ; les fourneaux, de cymbales. L'énorme réfrigérateur à deux portes qui s'ouvrait comme une armoire nous offrit le repas préparé pour nous : deux bols de soupe de tortue, une assiette miroitante de caviar, des crabes mous, des crevettes géantes, de la viande froide, des salades, des fruits rafraîchis, une « banana split ». Nous chargeâmes un plateau et remontâmes dans la chambre.

Sunny donna quelques grains de raisin à l'iguane, pour ajouter à sa ration d'hibiscus. Nous n'avions pas à nous occuper du chien : il guettait, dans la salle de bains, le déclenchement d'un appareil spécial, qui lui servirait sa pâtée du soir.

Nous reparlâmes du cinéma. Elle me décrivit un film du Centre cinématographique de l'U.C.L.A. — film du « cinéma vérité » et qui avait pour auteur une étudiante. Des caméras installées aux quatre coins du studio filmaient les arrivants (professeurs, critiques...) et les deux interprètes placés au milieu de la salle : un colosse tatoué, nu jusqu'à la ceinture, qui faisait jouer ses biceps, et une mariée en robe blanche qui se déshabillait pour apparaître poudrée de farine, puis, dans cette tenue, distribuer aux spectateurs des bananes, en leur posant des questions indécentes sur ce qu'ils auraient aimé faire avec elle. Les régents de l'Université de Californie avaient menacé de fermer le studio ; mais il appartenait à l'Association des étudiants : on décida qu'à l'avenir le thème de leurs essais serait soumis à un comité de professeurs. Je finissais par trouver un peu enfantine cette exploitation de la banane, que seul le photographe de Dallas jugeait encore incomplète ; mais pouvais-je le dire quand j'avais sous les yeux l'affiche de l'United Fruit et une banana split ?

Un étudiant du même studio avait fait un film sur l'homosexualité, dans un sens thérapeutique. On montrait un jeune homme, serré dans un étroit « chino » et une « t-shirt », qui attendait preneur au bord d'un trottoir. Une voiture s'arrête, un monsieur des-

116

cend, s'approche, ouvre son portefeuille, donne quelques billets. Etrange marché où l'on paie d'avance. Ce n'était pas pour aller dans une chambre, mais dans une clinique. On attache des électrodes aux mollets et au crâne du jeune homme ; on lui présente la scène de son propre racolage, filmée à son insu : il se voit abordé par cet homme et recevant de l'argent. A chaque image honteuse, on lui lance une décharge électrique qui associera, dans son subconscient, l'idée de prostitution et de désir du mâle à la sensation de douleur. On alterne ces vues avec celles de belles filles et on le gratifie alors de doux chatouillements.

Sunny me raconta qu'après avoir vu ce film, un étudiant anglais homosexuel avait déclaré gravement : « Il n'y a pas encore de culture américaine. » Je protestai et, comme Mr Hunt, en citant des dollars : nous achetons un milliard de dollars de livres par an ; un milliard de volumes sont prêtés par les bibliothèques publiques ; les disques se vendent par millions ; nous avons deux fois plus d'orchestres qu'il y a dix ans et les dépenses pour les achats culturels ont augmenté de soixante-dix pour cent dans le même délai. Elles représentent en tout une dépense de huit milliards de dollars.

— Ces chiffres, ajoutai-je, nous font plus d'honneur que ceux de la General Motors et de la Standard Oil.

— En effet, dit Sunny, nous dépensons beaucoup pour la culture, mais il se peut que nous n'ayons pas encore une vraie culture.

— Nous n'avons pas besoin d'avoir une culture puisque nous les avons toutes. L'Europe a des siècles d'avance, mais c'est l'avance, en quelque sorte, du passé. Nous la surclassons désormais dans tous les domaines, y compris celui de la recherche, qui est la base de la culture. Elle nous accuse de lui voler ses techniciens et même parfois ses artistes : ils viennent à nous, certes, parce que nous avons de l'argent, mais aussi parce que cet argent se met au service de la culture.

Je ne pus terminer sur le chinchilla cet éloge de l'Amérique. Sunny avait envie d'aller danser à Venise (Californie).

5

Avant de sortir, nous regardâmes, du balcon de la chambre, la plaine de Los Angeles. Les gratte-ciel brillaient comme de gigantesques diamants — celui du Century Plaza, éclairé en jaune, semblait une topaze ; les feux multicolores des cent kilomètres de Sunset Boulevard se perdaient au loin dans la brume. A Beverly Hills, les quarante kilomètres de Wilshire Boulevard étendaient leur ligne droite et j'étais à Hollywood sur un balcon embaumé de jasmin, à côté de la plus jolie fille du monde. Elle cueillit une fleur qu'elle me fit respirer :

— Sais-tu le nom du jasmin de Californie ? demanda-t-elle. « Carissima ».

Ce qui faisait aujourd'hui la renommée de Venise, d'où sortit le mouvement beatnik, c'était Cheetah, la plus extraordinaire salle de danse de la Californie et peut-être de l'Amérique. Ni le Hullabaloo, son rival de Los Angeles, ni le Fillmore et l'Avalon de San Francisco, aussi fameux par leur musique et leur atmosphère hippie, n'atteignaient en puissance et en envoûtement cet endroit prodigieux qui représente le sommet de cette musique et de cette atmosphère. Ainsi le nom de Venise, évocateur de palais, de canaux et de gondoles, brûlait d'un feu nouveau sur les bords du Pacifique. Nous n'y étions pas encore allés cet été.

— Ah ! dit Sunny quand nous montâmes en voiture. Tu n'as plus ta « Bel Air » ?

— Je viens de la vendre pour acheter cette « Ville du Mans ».

— Moi, dit-elle, je vais remplacer ma « Caprice » par un « Grand Prix ». C'est drôle, toutes ces voitures américaines qui ont des noms français, comme brevet d'élégance.

Je dis que j'avais été frappé, à Dallas, par la quantité de rues à noms français : Harcourt, Fontaine, Fontainebleau, Lorraine, Versailles. Ces noms n'étaient certainement pas dus à Mr Hunt — ni au général de Gaulle.

— Le prestige de la France chez nous reste grand malgré sa politique, ajoutai-je. Le français est depuis peu la première langue étrangère dans les universités. Cela tient moins à la France et à ses dirigeants qu'à un petit nombre de Français qui sont ici. Le lycée français de New York, le lycée français de Los Angeles... Les attachés culturels, les attachés commerciaux... La France a toujours de bons serviteurs et n'a pas toujours de bons maîtres. Rappelle-toi le succès de la Semaine Française à Los Angeles, transportée ensuite au Texas, où ma sœur s'y est ruinée.

— Et nous donc ! Les assiettes de Sèvres surdorées de notre dîner, les verres de Baccarat sont un héritage de cette semaine. Et ma mère y avait acheté le plus beau manteau de Dior, baptisé « Los Angeles ». — en crêpe de soie jaune, bordée de martre.

Nous traversions Sunset Boulevard, près du carrefour où se rassemblent les hippies de ce quartier — à l'endroit où la municipalité a détruit, sous prétexte de plan d'urbanisme, le bar qui était leur rendez-vous. On a cru les chasser, on n'a fait que détruire un bar.

Nous passions non loin d'un « night club » indestructible : « le Petit chat rose ». Pour mes vingt et un ans, mon père m'y avait conduit en grand mystère. Mon initiation était faite depuis longtemps, mais celle du « Pink Pussy Cat » était l'officielle. Je racontai à Sunny un épisode de cette soirée. Une des strip-teaseuses était une grosse négresse dont les seins tombaient comme deux calebasses et qui les faisait rouler en sens contraire par un déhanchement frénétique. Tout à coup, on avait entendu un cri et l'on avait vu s'écrouler un vieux nègre qui avait sans doute reçu ce soir-là son initiation tardive. Heureusement pour lui et pour tout le monde c'était la fin du spectacle. Nous l'avions vu porté par quatre autres nègres, tous les cinq ayant encore sur la tête la plume rose de l'établissement, et ils l'avaient déposé dans une vieille Rolls-Royce. Le gérant s'empressait autour d'eux, avec ce zèle affecté des Américains blancs d'aujourd'hui à l'égard des Noirs.

— Moi, dit Sunny, j'ai triché, sous l'aile de mon père. Il m'a emmenée là quand j'avais dix-huit ans. Je l'ai ensuite tourmenté parce que je voulais suivre les cours de l'Institut du Pink Pussy Cat. Pour en finir, il m'a apporté mon diplôme, décerné à titre honoraire, et les insignes : un cache-sexe à cordelette rose, deux petites étoiles feutrées « cache-seins » et une pierre rose « cache-nombril ».

Nous nous arrêtâmes un instant à la boutique « psychédélique » de Fairfax Avenue. C'est là que l'on vendait de « quoi se dévoiler la conscience », selon l'étymologie de ce mot. Le marchand et la marchande, avec leurs longs cheveux bouclés, leurs colliers et leurs robes, avaient l'air de santons hindous. Dans l'arrière-boutique, où fumait de l'encens, quelques fidèles, assis sur des nattes, semblaient réciter l'office nocturne en écoutant une vague musique, sous une lumière violette. Sunny demanda discrètement aux santons s'ils avaient du « thé du Texas » — un des nombreux mots de passe de la marijuana. J'évoquai Mr Hunt, roi du Texas, qui n'avait pas inclus ce thé spécial parmi les H.L. Hunt Products. Les santons n'avaient que des bananes : l'United Fruit triomphait partout. Séchées et réduites en poudre, les Chiquitas étaient l'ersatz de la

120

marijuana. Les hippies affectaient de les fumer au nez des policiers mais nous n'en aimions pas le goût âpre. Je me contentai de mettre autour du cou de Sunny un collier de fruits séchés d'eucalyptus.

Nous n'étions plus très loin de Venise. Comme pour mieux nous préparer psychédéliquement, des flammes sortaient, à certains carrefours, des bornes lumineuses encastrées dans le sol. Je pensai à cette fumée que l'on voit souvent, à New York, sortir des plaques du chauffage urbain et qui ressemble aux fumerolles d'un volcan.

L'enseigne de Cheetah, enseigne parlante puisque c'est l'image d'un guépard, brillait sur le ciel. Nous étions arrivés. On n'entendait que le bruit des flots. Près des lieux publics, qui étaient au bord de la plage, deux jeunes gens dormaient enveloppés dans la même couverture ; un troisième, assis immobile, surveillait l'entrée. A la lueur d'un feu qui brûlait sur le sable, on voyait danser quelques couples en maillots de bain : c'était une « beach party ».

« Entrée interdite aux mineurs de dix-huit ans. » Des garçons et des filles plus jeunes avaient l'air d'attendre, pour se faufiler, une défaillance du policier de garde. Mais le seul fait d'être si près de l'entrée de ce lieu magique devait être déjà pour eux une volupté. L'oreille tendue, ils saisissaient avidement les échos de cette musique qui déferlait parfois comme un ouragan, lorsque s'ouvrait la porte.

— Comme il est absurde de les empêcher d'entrer ! dis-je.

— Et le résultat, dit Sunny, c'est de les obliger à aller faire l'amour sur la plage.

Moi aussi j'entrai à Cheetah comme dans le temple fabuleux des plus fortes impressions musicales possibles. La porte franchie, il me semblait chaque fois être projeté sur la voûte, puis écrasé sur le sol. L'effet était aussi immédiat que certain. Sunny éprouvait la même chose car elle s'agrippa à mon bras. Le mesmérisme de cette salle, les lumières stroboscopiques, les ombres des danseurs, les musiciens déchaînés sur une haute estrade, le chanteur qui hurlait au microphone, tout cela figurait une autre initiation que celle du Pink Pussy Cat. Nous nous assîmes au bord de la piste et nous nous abandonnâmes sans résistance au génie du lieu.

Etions-nous dans l'enfer ? Etions-nous au paradis ? Nous étions au paradis des hippies. Ce tonnerre et ces éclairs composaient une harmonie sauvage, c'était le fracas éblouissant de la création d'un monde ; des dieux ou des démons le faisaient sortir du chaos en frappant sur une enclume fantastique. Au milieu de la salle, une margelle ronde d'aluminium servait de siège aux danseurs fatigués. C'étaient aussi de grandes plaques d'aluminium qui couvraient les murs. Des tubes électriques, fixés au plafond, alternaient les jeux de lumières avec ceux de plots fixés au sol. Un rideau blanc se tendit devant les panneaux et un appareil y projeta des dessins géométriques, des têtes de femmes ou de héros qui restaient immobiles dans leur beauté sculpturale, des molécules qui palpitaient au rythme de l'orchestre, des planches histologiques ou des bactéries vues au microscope et tournant au ralenti.

— Les hippies, dit Sunny, ont inventé quelque chose. Les Noirs avaient la « musique de l'âme », les beatniks la « musique de tête ». Ceci, c'est la musique de l'âme, de la tête et du corps tout entier... tout entier.

— Et c'est la musique à la « puissance américaine », ajoutai-je.

— Mais l'orchestre est noir, dit Sunny : la puissance américaine n'est atteinte qu'avec la collaboration des Noirs. C'est cela qui nous distinguera à jamais de nos frères, de nos cousins, de nos ancêtres d'Europe. Ce n'est que chez nous que les nègres donnent leur maximum. Ils ont besoin de nous, ils ont besoin de l'Amérique, comme l'Amérique a besoin d'eux.

« J'ai entendu James Brown à Paris, après l'avoir

entendu ici : ses cris et ses gesticulations paraissaient artificiels, contraints, et cependant il se donnait tant qu'il pouvait. On l'applaudissait à tout rompre. Les Parisiens étaient convaincus d'être en Amérique et moi j'étais à Paris. Les Français, qui ont eu des millions de Noirs dans leur empire colonial, ne sont pas arrivés à produire un seul chanteur noir, une seule chanteuse noire. Nous avons dû leur donner Joséphine Baker.

Cheetah nous offrait également le spectacle de la « faiblesse américaine » : quelques drogués, affalés dans les fauteuils, suivaient le spectacle d'un œil hagard. Le tapage de la musique étant à lui seul une drogue, ils devaient être au point maximum de l'envoûtement. Je ne regrettais pas que nous n'eussions pas trouvé de marijuana : même une drogue aussi légère était inutile en pareil lieu. Nous nous levâmes pour nous balancer l'un devant l'autre sur la piste, nous effleurer au bout des mains, mimer tous les gestes et toutes les attitudes du désir, dans ces variantes saisonnières du rock'n'roll qui sont toujours une sorte d'amour vertical, mais un amour qui n'a pas besoin de contact. L'amour moderne est devenu si facile que la danse n'a plus à singer l'amour horizontal.

Au moment où je faisais ces réflexions sur l'absence de contact, Sunny vint se plaquer contre moi et ne me lâcha pas avant d'avoir reçu ma réponse. Sa langue cherchait la mienne comme si nous étions seuls. Nous nous aperçûmes soudain qu'il n'y avait plus d'autres danseurs et que les occupants de la margelle nous regardaient. Un peu confus, j'emmenai Sunny derrière le large piédestal de l'orchestre.

Il y avait là des appareils de télévision, des tables jonchées de magazines, dont plusieurs étaient français, comme le long baiser dont nous avions fait la démonstration. Mais il n'y avait personne qu'un opérateur, également penché sur une estrade : il maniait, au milieu de lampes rotatives, des plaques de verre contenant des gouttes d'huile et de couleurs.

C'est lui qui produisait les effets étranges des panneaux. Les fils qui l'entouraient, et qui reliaient ses mouvements au microphone de l'orchestre, montraient la science de cette extraordinaire union de la lumière et de la musique. Quelque chose de l'art des computers était venu jusqu'ici.

6

Pour étoffer mes impressions de la Rand, mon père m'avait organisé une visite à l'usine de Mr Palewsky. Il s'était annoncé avec moi et le propriétaire nous avait invités à déjeuner.

Son usine — S.D.S. (Scientific Data System) —, était située dans les environs de Los Angeles, à El Segundo, non loin des usines de la North American Aviation. Comme la Rand, elle n'avait pas d'étage, mais n'avait pas non plus de fenêtres. Un olivier était l'unique arbre devant la façade, à côté d'un mât où flottait le drapeau, comme à la Rand.

Dans le hall d'entrée était affiché un certificat d'excellence décerné à Mr Palewsky « pour accomplissement exceptionnel », « au nom du peuple de Californie ». J'évoquai le buste en bronze du chef Roughneck, trophée pétrolier de Mr Hunt, et je me disais que Mr Palewsky appartenait à la race qui, selon la Bible, a elle aussi la « nuque rude ».

— L'escadron spécial de l'armée de l'Air à Hickam, dans les Hawaii, dit mon père, vient de recevoir la même récompense, plus ou moins liée à celle-ci : c'est pour la récupération des capsules photographiques éjectées par nos satellites.

A côté du certificat, il y avait une copie du règlement sur l'emploi de la main-d'œuvre : le titre VII de l'acte des droits civils de 1954 rappelant que la « discrimination pour des causes de race, couleur, religion, sexe ou origine nationale » était interdite. De même qu'à la Rand, on donnait aux visiteurs une étiquette à mettre sur le veston, mais il y figurait, en outre, le degré de secret auquel on pouvait accéder : « Secret » ou « Top secret ». Ces fabrications étaient aussi étroitement liées à la Défense que les calculs de la Rand.

Mr Palewsky arriva quelques instants après nous. Nous l'avions vu sauter de sa Jaguar, avec la hâte de quelqu'un qui craint d'avoir fait attendre un contre-amiral. Il accourut, en arrangeant son nœud de cravate, et retira ses lunettes noires pour nous saluer. C'était un homme d'une quarantaine d'années — l'âge du computer —, à l'œil vif, au visage rond, aux traits réguliers. Il avait la sobre élégance d'un homme qui vaut cent millions de dollars. Nous reçûmes une étiquette de visiteur et il en prit une Top Secret.

La salle à manger où il nous fit entrer était nette, rationnelle. On nous servit des mets très simples, qui me rappelaient le menu de Mr Hunt : ce devait être le régime des milliardaires, jeunes ou vieux. La seule différence est que Mr Palewsky avait apporté une bouteille d'un des meilleurs crus français, mais il se contenta d'y tremper ses lèvres. Cette pièce donnait sur une autre, beaucoup plus vaste et vide pour le moment : la cafeteria du personnel.

Nous parlâmes de Mr Rowen, de Mr Armer, des jeux de guerre et de « l'analysis-system », dont le Scientific Data System semblait un écho. Mon père ne cacha pas à notre hôte sa surprise de la permission qu'il avait reçue de vendre des computers aux Soviets.

— Nous avons également décidé d'en vendre un à la France pour ses recherches atomiques, dit Mr Palewsky, et elle n'est plus spécialement notre amie. Ce n'est pas parce que je suis de lointaine origine russe que je surestime la science ou la puissance de la Russie, mais j'ai la ferme certitude que nous travaillons pour la paix en multipliant nos échanges avec elle.

J'évoquai les Hunt Foods qui, par leurs achats en Russie, causaient tant de soucis à Mr Hunt et tant de préjudice aux H.L. Hunt Products. Manifestement, Mr Palewsky dominait de haut les questions d'achats d'huile de soja. Il poursuivit :

— Montrer aux adversaires à quel point on est avancé est un moyen de leur inspirer la prudence. C'est quand on se croit seul à détenir la vérité ou la force qu'on est tenté d'en abuser. Je suis certain qu'un grand homme de guerre comme vous, amiral, est de cet avis.

Mon père feignit d'approuver à cause du compliment.

— Je dirai plus, continua Mr Palewsky : la paix du monde repose sur le fait que notre force et celle des Soviets restent au même niveau. L'émulation fait que c'est tantôt eux, tantôt nous qui sommes en tête — eux dans le programme de l'espace, nous avec les Polaris —, mais cette avance est si insignifiante que nous pourrons un jour travailler en commun... peut-être à persuader Mr Mao de faire des vers et non plus des bombes.

— Vous êtes tout à fait dans la ligne du Conseil sur les relations extérieures, que les gens de droite appellent « l'invisible gouvernement », dit mon père. Son but est d'arriver à une entente avec la Russie et son influence officieuse provoque la susceptibilité du Sénat.

— On a publié, dit Mr Palewsky, la liste des firmes qui subventionnent ce conseil ; vous les y verrez presque toutes, y compris la General Motors, la Ford... et même la Rand. Mais vous n'y verrez pas le S.D.S. Cela dit, je vous trouve sévère pour le Conseil des relations extérieures, amiral : il s'enorgueillit d'avoir sur ses listes les noms des présidents Hoover, Kennedy et Eisenhower.

— Mais il y eut le nom d'Alger Hiss, s'écria mon

126

père. Je reconnais, du reste, que ce conseil est moins inquiétant que l'Institut de relations pacifiques où Alger Hiss joua aussi un rôle capital et qui provoqua, à juste titre, une enquête de la sous-commission sénatoriale de Sécurité intérieure. L'institut, comme le conseil, est un organe de ce gouvernement invisible.

Je regardai Mr Palewsky et je devinai, à son sourire imperceptible, son étonnement que l'on parlât encore d'Alger Hiss, condamné en 1950. Il était certainement un homme tourné vers l'avenir et non vers le passé, comme Mr Hunt et mon père.

— Le contrôle du Sénat a son utilité, dit-il, mais certaines organisations représentent peut-être le contrôle de l'opinion et de l'élite. Tout cela se complète, même s'il y a des apparences contradictoires. C'est d'ailleurs peu de chose, au prix de la marche fantastique de la science. Les faits et gestes des gouvernements, visibles et invisibles, ne paraissent plus que les reptations de vagues amphibies. Un simple fil de transistor est un fil d'Ariane pour monter jusqu'aux étoiles. J'en reviens à ce que je disais : puisqu'on ne peut empêcher l'adversaire de progresser, autant collaborer avec lui jusqu'à un certain point. Ainsi le progrès devient celui de l'humanité tout entière et l'on ne se disputera plus des lambeaux de territoire ou des zones d'influence. Il y a des millions d'astres qui nous attendent.

Mon père raconta une histoire. Le traité de Versailles ayant interdit à l'Allemagne d'avoir des usines d'armements, elle construisait des usines de voitures d'enfants. Les pièces détachées étaient stockées et jamais vendues. Un ouvrier d'une de ces usines, dont la femme était sur le point d'accoucher, subtilisa les pièces une à une, pour monter chez lui une de ces voitures. Quand il eut fini, ce n'était pas une voiture d'enfant : c'était un tank.

— Vous fournissez des voitures d'enfants, dit mon père ; mais elles risquent de devenir des tanks.

— Cette histoire, dit Mr Palewsky, peut être illustrée par la dernière statistique de la main-d'œuvre dans les industries californiennes qui travaillent au programme de défense et d'espace : on y voit figurer ce programme en « pièces détachées » — les appareils de chauffage (deux pour cent), de réfrigération (dix-huit pour cent), le matériel électronique (soixante-dix-huit pour cent) et votre serviteur, c'est-à-dire les computers (cinquante-quatre pour cent).

« Le monde de l'électronique est celui où la solidarité est la plus grande. J'ai jugé absurde notre refus de communiquer nos secrets atomiques à la France, ce qui l'a poussée vers les Soviets. Reste à savoir si ces derniers lui communiqueront les leurs ; j'en doute. Ils sont encore plus méfiants que nous. Mais il y a des secrets communicables et des secrets qui ne le sont pas. Il y a la science et il y a la défense. Johnson lui-même a invité la Russie à collaborer avec nous dans le domaine spatial et elle vient de signer à Washington le traité qui bannit de l'extra-espace les armes nucléaires et qui interdit de construire des bases militaires sur la lune.

— Nous ne sommes pas encore sur la lune, dit mon père. Vous avez cité les Polaris avec éloge ; je regrette d'avoir à vous ôter vos illusions. On s'imagine que ces fusées de nos sous-marins sont aussi terribles qu'invulnérables, et c'est ce qui a encouragé fâcheusement Kennedy à faire arrêter la construction de nos bombardiers et des missiles anti-missiles. Le rapport Waskow a établi que les Polaris seraient inefficaces contre des missiles mobiles et même que la réaction des vagues au choc d'envoi détruirait tous les sous-marins à des centaines de milles.

— Comment ! s'écria Mr Palewsky. La gloire de l'amiral Raborn reposait sur les Polaris.

— Ne vous étonnez pas qu'il ait bifurqué, même passagèrement, vers la C.I.A. C'est toujours manier des fusées, peut-être plus efficaces.

— Si nous pouvons dormir sur nos deux oreilles,

dit Mr Palewsky, c'est donc grâce à l'électronique : le réseau formidable installé en Alaska et au sud du cercle polaire, qui est relié à des centres de réception dans tous les Etats-Unis ; le réseau installé au Canada ; et ce n'est pas moi qui vous apprendrai, amiral, l'existence du Système naval de surveillance de l'espace, qui va de Georgie en Californie, réseau d'une sensibilité égale à celle de nos radars du Groenland — il décela le passage d'un fil d'un seizième de pouce, qui s'était détaché d'un de nos satellites.

— Je le veux bien, dit mon père, mais nos appareils électroniques au Vietnam signalent l'approche des Vietcongs dans la jungle, en rendant perceptibles le déplacement des feuilles et le changement de tonalité du cri des insectes. Cela n'a pas empêché les Vietcongs d'arriver au milieu de Saigon.

— Le Vietnam n'est pas un pays pour les computers, dit Mr Palewsky.

— Il est certain, dit mon père, que nos moyens y sont dépassés, justement parce que cette guerre est au-dessous de nos moyens. La guérilla eut raison des armées napoléoniennes en Espagne ; la Finlande a tenu tête aux Soviets. L'Oncle Sam est devenu le Goliath de la caricature internationale, le petit Hô Chi Minh tenant la fronde et le gros Mao la tirant.

— Le petit Hô Chi Minh nous embarrasse, mais ne compte pas, dit Mr Palewsky. Ce qui compte, c'est Mao et c'est Kossyguine. J'ai vu lancer, à la base Vanderberg de l'Air Force, le satellite Samos, qui passe de huit à douze fois par jour sur l'Union soviétique et de deux à quatre fois par jour sur la Chine. Vous pensez bien que si nos fusées Mission IV et Mission V ont photographié quatre-vingt-dix-neuf pour cent de la surface de la lune, le Samos connaît la Chine et la Russie. Le Midas, en orbite depuis plusieurs années, peut détecter une attaque nucléaire en un trentième de seconde. C'est le correspondant supra-terrestre du « cerveau électronique » de Thulé, au Groenland, lequel réagit en un quinzième de seconde.

— Quels jolis noms, Midas, Samos ! dis-je. La civilisation des computers veut se rattacher à la Grèce.

— Midas, dit Mr Palewsky, est le sigle de « Missile Défense Alarm System » et Samos, de « Satellite and Missile Observation System ». Mais nous avons nos poètes et nos techniciens.

Je songeai à l'esthète de la Rand, ami de Ronsard.

— Ma plus grande joie comme citoyen américain, dit Mr Palewsky, fut d'entendre le satellite Score diffuser sur le monde, pour Noël 1958, le message pacifique d'Eisenhower : « C'est le président des Etats-Unis qui parle. Grâce aux merveilles du progrès scientifique, ma voix vient à vous d'un satellite qui tourne dans l'espace. Mon message est très simple. Par ce moyen unique, je transmets, à vous et à toute l'humanité, la voix de l'Amérique en faveur de la paix sur la terre et de la bonne volonté entre les hommes. » Je me rappelle quelquefois ces nobles paroles au milieu de ces computers.

Il se leva pour nous montrer son usine.

— Hello, Max ! lui dit un de ses ouvriers, en nous croisant.

L'aspect des couloirs était aussi rigoureux qu'à la Rand, mais certains éléments — les tuyaux, par exemple — étaient peints en vert, en orange, en rose, en rouge, ce qui tranchait sur l'uniformité et répondait, nous dit Mr Palewsky, à des études savantes. De même les tubes d'éclairage étaient entourés de noir. Dans la partie de fabrication, ouvriers et ouvrières occupaient des « boxes » séparés. Une inscription leur rappelait que « Time is money ». On n'entendait aucun bruit, bien qu'ils fussent plus de cinq cents. A les voir penchés sur ces transistors où ils nouaient des fils avec des pinces minuscules, on les aurait crus occupés à ciseler un bijou. Chaque opération était contrôlée dix-huit fois. Je remarquai quelques Noires et demandai s'il n'y avait pas aussi des Noirs.

— C'est le contraire de la Rand, dit Mr Palewsky.

Il y a des chercheurs noirs, parce qu'ils ont les capacités intellectuelles, mais au lieu qu'il y a d'excellentes ouvrières noires, il n'y a pas encore d'ouvriers noirs assez minutieux pour notre travail. Nul doute que cela ne vienne. En attendant, nous avons quelquefois des hippies.

— Des hippies ? m'écriai-je.

— Des hippies, en chair, en os et en cheveux. Cela vous prouve que le « hippisme » mène à tout — et pas seulement à tourner dans un film de Preminger. Cela vous prouve aussi qu'il y a, parmi ses adeptes, des garçons qui sortent de nos plus brillantes écoles de technologie, le M.I.T. ou notre Calte (1). Vous savez que les hippies travaillent quelquefois pour recueillir des fonds à mettre en commun. Certains sont donc venus travailler à mes computers et avec beaucoup d'exactitude. Malheureusement, ils ne restent pas : quand ils ont fait leur petite pelote, ils se désintéressent des nôtres. S'ils se représentent, il faut les reprendre, puisqu'on ne peut exclure personne en vertu de l'Acte des droits civils.

J'exprimai de nouveau mon étonnement que la génération des fleurs pût travailler aux computers.

— C'est que pour travailler aux computers, dit Mr Palewsky, il faut être fort jeune. Nous n'avons pas d'ouvriers de plus de trente-cinq ans. L'âge idéal est de vingt à vingt-cinq. Ce marché des emplois, que vous voyez s'ouvrir dans les universités après les graduations, vous explique l'importance de la jeunesse pour toutes les industries d'aujourd'hui. Nous sommes prêts à nous rouler à ses pieds et c'est nécessaire pour mon industrie encore plus que pour les autres. Un jour peut-être vous me verrez à Haight-Ashbury racoler des hippies sur le trottoir.

Là où étaient rangées les pièces fabriquées, il nous montra une bande magnétique de quelques centimètres carrés :

(1) California Institute of Technology.

— Il y a là quarante-huit millions de chiffres, nous dit-il.

Il nous en montra une plus grande :

— Cinq cent millions...

Sur une porte on lisait : « Interdit au personnel d'entrer. » C'était la salle de la comptabilité.

— Je n'ai aucun secret de comptabilité, dit Mr Palewsky en souriant : je veux simplement ne pas faire voir à mon personnel que les computers de ce service ne sont pas des S.D.S., mais des I.B.M.

Son usine tournant toute seule, il n'était venu que pour nous et regagnait sa villa de Palm Springs. Il s'y distrayait d'une manière qui me parut aussi inattendue que le travail des hippies : il préparait un film policier — un film policier anti-policier.

7

Pendant que nous revenions d'El Segundo, mon père exhala de nouvelles réflexions patriotiques.

— Je suis effaré, dit-il, que des Américains intelligents trouvent tout naturel, non seulement de commercer avec les Soviets, mais de les faire profiter de nos découvertes. J'admire Mr Palewsky, mais je suis plus près de Mr Hunt. Le capitaine de vaisseau Artamanov, un de ces Russes qui ont « choisi la liberté », a déclaré, en 1960, devant la commission de la chambre pour les Activités non-américaines, que les Soviets lanceraient immédiatement contre nous une attaque par surprise s'ils étaient sûrs de nous écraser d'un seul coup.

Je lui dis que toute la question était dans ce « si ».

— Tu penses à ce que l'on t'a dit à la Rand, répondit-il. Mais je ne suis pas éloigné de croire à une vaste conspiration de l'invisible gouvernement dans cet effort de nous convaincre qu'un péril de guerre avec la Russie n'est plus que relatif. Les recherches de la Rand restent confidentielles, mais on vient de révéler un rapport, appelé Phœnix, de ce Hudson Institute que dirige Herman Kahn : c'est une étude exhaustive sur les relations des Etats-Unis et de l'U.R.S.S. Par des voies et avec des moyens différents de ceux de la Rand, cet institut arrive à la même conclusion. Le rapport a été fait à la demande de l'Agence américaine pour la démocratie et a coûté soixante-dix-huit mille dollars. Il confirme le département d'Etat dans l'optimisme de la Rand.

« Cet optimisme n'est guère justifié par nos découvertes incessantes de l'espionnage soviétique aux Etats-Unis et par les confessions des agents soviétiques qui passent de notre côté. Un compatriote d'Artamanov, nommé Kornfeder, et le Polonais Korowicz, ont avoué, celui-ci devant la même commission de la chambre, celui-là au Congrès de la liberté à San Francisco, que les Nations unies sont considérées par les Soviets comme « leur plus importante plate-forme de propagande dans le monde ».

Je fis observer que Johnson avait manifesté aux Nations unies la même déférence que ses trois prédécesseurs : c'est donc la preuve qu'elles sont de quelque intérêt pour nous.

— Du reste, dis-je, une plate-forme sert nécessairement aux deux partis qui s'y affrontent. Les rares Américains qui ont « choisi le rideau de fer » doivent déclarer, eux aussi, dans les congrès soviétiques, que nous considérons les Nations unies comme un de nos meilleurs moyens de propagande. N'est-ce pas un peu pour cela que l'U.R.S.S., les pays satellites et même maintenant la France, refusent de payer leurs cotisations ?

— N'empêche, dit mon père, que je verrai toujours la photographie de la conférence de San Francisco où fut promulguée la charte des Nations unies : notre secrétaire d'Etat Stettinius, pauvre dupe, agite d'un air victorieux le document qui vient d'être signé, à sa gauche est assis l'espion Alger Hiss et à la gauche d'Alger Hiss, le chef de la délégation soviétique Gromyko, dont le sourire est éloquent.

Sans vouloir discuter cette obsession d'Alger Hiss, je contai l'histoire du « prothonotary warbler » que m'avait rapportée Mr Hunt. Mon père m'en conta une autre moins poétique. Un des amis de l'espion, Abraham Feller, conseiller des Nations unies, se jeta par la fenêtre lorsqu'on eut découvert ses affiliations communistes. Le secrétaire général Trygve Lie, Norvégien soviétophile, proclama qu'Abraham Feller était « victime de la chasse aux sorcières, de l'horrible assaut de la réaction contre les Nations unies », et il donna le nom du défunt à une salle de la bibliothèque, « en mémoire d'un loyal Américain ». « Loyal » était le moins qu'on pût dire. Je citai les noms de Dean Rusk et du nègre Bunche, que Mr Hunt disait avoir été amis d'Alger Hiss. Mon père y ajouta celui de Jessup, écarté par le Sénat du poste de délégué aux Nations unies, et nommé par Eisenhower représentant à la Cour Mondiale de ces mêmes Nations unies.

— Du reste, ajouta mon père, nous savons à quels Américains nous avons affaire quand les Soviets ou les communistes font leur éloge : le délégué soviétique Wychinsky a exprimé publiquement sa « consternation » de la décision du Sénat à l'égard de Jessup et le Daily Worker a exalté les mérites de Bunche. Cela t'explique la défiance qu'inspirent et qu'inspireront toujours aux patriotes les Nations unies. Je suis enchanté que la Rand ait déclaré faible la probabilité d'un renforcement de cette institution avec l'objectif de former un gouvernement mondial. Et je l'applaudis encore davantage d'en avoir reconnu la désidérabilité moyenne. J'ai fait campagne pour Goldwater aux dernières élections présidentielles, non parce qu'il est 33e comme moi, mais parce qu'il a eu le courage de dire que « le renforcement des Nations unies n'augmenterait ni la sécurité de notre pays ni la paix mondiale ».

J'évoquai ma propre campagne en faveur de ce personnage qui avait incarné les espérances des républicains ; mais Jim m'avait engagé à me retirer, comme lui, des Jeunes Républicains parce qu'ils exploitaient contre Johnson le scandale homosexuel de son collaborateur Jenkins (celui-ci avait été surpris dans les toilettes de l'Y.M.C.A. (1) à Washington, « en posture indécente », et il est inouï que cette histoire figure à l'article « Johnson » de l'Encyclopœdia Britannica, qui est imprimée en Amérique avec de l'argent américain). Tout en me croyant aussi patriote que mon père, je m'étais amusé de ce rêve de gouvernement mondial dont avait parlé Kennedy. C'est une des choses, avec le « Corps de la paix », par lesquelles il avait enthousiasmé la jeunesse. Ce qui m'importait, c'est que ce gouvernement ne fût pas communiste. Et pourquoi ne serait-il pas américain ? J'avais vu avec plaisir des soldats américains faire flotter le drapeau des Nations unies dans certaines manifestations, en Californie et au Texas.

Mon père, qui suivait son idée, dit combien Eisenhower, après avoir créé l'Agence des Nations unies pour l'Energie atomique, fut stupéfait qu'elle eût été confiée à un communiste tchécoslovaque. Il rappela l'odieuse conduite des troupes des Nations unies au Congo en faveur du communiste Lumumba.

— Ces plaisanteries sanglantes, poursuivit-il, ont permis de chasser le seul homme qui défendait la civilisation occidentale dans cette partie de l'Afrique, Tshombé, et elles ont coûté aux contribuables américains sept cents millions de dollars. J'aime mieux les trois cents millions de dollars employés à construire le « Forrestal », le plus puissant porte-avions du monde. On dirait d'ailleurs que les Nations unies n'ont été qu'une entreprise machiavélique destinée à obérer notre budget, en même temps qu'à

(1) Young Men's Christian Association.

saper notre ordre social. Comme tu le disais, nous en supportons le plus grand poids. Ajoutes-y les sommes représentées par les activités parallèles, mises allègrement à notre charge : la « Nourriture pour la paix », qui envoie soixante-dix-huit millions de dollars d'aliments à la Yougoslavie, au moment où elle contrecarre notre action au Vietnam ; des aliments et des dizaines de millions de dollars à la Guinée, dont le chef, Sakou Touré, a télégraphié à Mao Tsé-toung pour le féliciter de l'explosion de la première bombe atomique chinoise. Un journaliste américain a vu, à Dantzig, un de nos navires qui déchargeait de la nourriture pour la paix et, à côté, un navire polonais qui chargeait des armes pour le Nord-Vietnam. Bref, nous avons dépensé depuis la guerre cent milliards de dollars en aide à l'étranger — douze milliards cette année —, distribués par vingt-deux agences fédérales et soixante et onze mille employés, pour des résultats qui ne sont pas toujours plus brillants qu'en Yougoslavie, en Guinée et en Pologne. Ne nous étonnons pas que l'on nous prenne souvent pour des imbéciles. Khrouchtchev a eu raison de dire, dans son langage de moujik, qu'on pouvait « nous cracher au visage, car nous appelons ça de la rosée ».

Je croyais entendre commenter une des remarques de Mr Hunt, dont j'avais fait écho à la Rand. En me rappelant une autre de ses remarques, je déclarai que de tels résultats n'étaient pas plus flatteurs pour le département d'Etat que pour nos services de renseignement.

— Que serait-ce, ajoutai-je, si, au lieu d'avoir deux fois plus d'argent que le K.G.B., la C.I.A. ne disposait que de la moitié ?

— Hélas ! dit mon père, elle nous coûte plus cher que son budget. J'ai les chiffres dans la tête parce que j'ai fait dernièrement un exposé sur son activité pour ma loge de Los Angeles. Elle a dépensé trois cents millions de dollars au Laos pour y faire régner la paix et tu sais quelle paix peut régner dans la plaine des Jarres. Elle a dépensé plus d'un milliard de dollars au Vietnam pour soutenir le régime de Diem — et cela nous a entraînés dans une guerre qu'il ne faut pas regretter, mais qui nous coûte aujourd'hui un million et demi de dollars par jour. Je ne reproche pas à la C.I.A. d'avoir soutenu Diem, mais après l'avoir soutenu, de l'avoir laissé assassiner. De même a-t-elle soutenu Trujillo à Saint-Domingue en lui donnant trois millions de dollars et, après l'avoir soutenu, elle l'a laissé assassiner. De même a-t-elle fait donner à Sukarno en Indonésie une aide économique de huit cent soixante-quatorze millions de dollars, sans doute pour qu'il obtînt le prix Staline et souhaitât la victoire d'Hô Chi Minh. Heureusement que mon ami Raborn, durant son bref passage à la C.I.A., nous a débarrassés de ce sinistre individu.

Un article de Mr Hunt, qu'il m'avait envoyé depuis son retour, contenait un détail comique : Sukarno avait lu, à retardement, une des rares interviews accordées par l'oillionnaire, et surprenante pour un homme de sa sorte puisque c'était dans *Playboy*. Celui-ci révélait qu'il avait fait écrire des milliers et des milliers de lettres en Indonésie contre le régime de ce dictateur, selon le procédé qu'il employait auprès du congrès, et Sukarno, brandissant *Playboy*, se proclamait la victime de Mr Hunt. Je me réjouissais qu'un patriote bien renté pût équivaloir quelquefois à la C.I.A. tout entière.

— Mr Hunt défend la liberté partout où il y a du pétrole, dit mon père, et il fait bien. Mais la C.I.A. la défend aussi quand il n'y a que des bananes (elle a renversé au Guatemala le gouvernement du communiste Arbenz Guzman, pour les intérêts de l'United Fruit) et même quand il n'y a rien : elle a renversé, à la Guyane britannique, le communiste Jugan. Elle a été moins bien inspirée en nous faisant donner deux cents millions de dollars à la Bolivie pour soutenir un gouvernement marxiste. C'est de ces troubles qu'est sorti Castro, alors étudiant à La

Paz, capitale où il commença la « guerre de libération » de l'Amérique latine. Dire que même le *New York Times* l'avait présenté comme un George Washington barbu, un Robin Hood, un réformateur agraire ! Mais le département d'Etat, égaré par l'Institut de relations pacifiques, ne nous présenta-t-il pas Mao Tsé-toung comme un réformateur agraire ?

« La plus grande faute de la C.I.A. a été l'expédition de la Baie des Cochons à Cuba, sous l'administration Kennedy, mais il faut reconnaître que le plan en avait été dressé sous Eisenhower. On arma et on transporta les contre-révolutionnaires cubains ; puis, au dernier moment, on renonça à couvrir leur débarquement par une action aérienne, comme on le leur avait promis.

On s'est demandé aussi dans quelle mesure les stations de Radio-Europe Libre et de Radio-Liberté, qui reçoivent l'aide de la C.I.A., n'ont pas contribué à l'inutile révolte de la Hongrie. Les « combattants de la liberté » espérèrent jusqu'au bout une intervention américaine, et il n'y eut que celle des Mongols. Nous avions soufflé le feu, mais nous ne pouvions l'éteindre, parce que nous devions respecter l'ordre des choses établi à Yalta sous l'inspiration d'Alger Hiss.

« Après avoir fait le procès de la C.I.A., disons maintenant ses mérites. Elle a su déceler la présence des missiles russes à Cuba, qui pouvaient détruire la moitié des Etats-Unis ; cela nous a permis de remporter notre plus grande victoire diplomatique d'après-guerre, en obligeant Khrouchtchev à les retirer. Et il est probable qu'une seconde victoire diplomatique, mais remportée par le département d'Etat, est l'échange de lettres secrètes qui a eu lieu entre Khrouchtchev et Kennedy après cet événement : on suppose que nous nous sommes engagés à ne pas intervenir à Cuba et la Russie à ne plus intervenir en Amérique — d'où les efforts de Castro pour resserrer ses liens avec Mao. En somme, la C.I.A. aura toujours du travail sur notre continent.

« Un autre de ses mérites fut d'avoir branché, à travers la frontière de Berlin, un système d'écoute qui fonctionna pendant onze ans et que les Soviets ont fini par découvrir. Encore mieux : pendant six ans nos avions d'espionnage U 2 ont photographié, à quatre-vingt milles pieds de hauteur, avec plus de précision que le Samos ne peut le faire, les terrains d'aviation, les missiles, les dépôts d'armes spéciales, la production sous-marine et atomique des Soviets ; les radars de la C.I.A. captaient les conversations des pilotes soviétiques. Il fallut, pour dévoiler le pot aux roses, l'imprudence du pilote Powers, dont l'avion fut abattu — affaire qui demeure mystérieuse, car Powers a été repris par la C.I.A. (Peut-être voulait-on empêcher une « rencontre au sommet » qui était en gestation.) Nous avons troqué Powers contre le fameux espion soviétique, le colonel Abel, arrêté chez nous grâce au Canada.

« Il y a eu le colonel Penkovsky, sous-chef du Comité soviétique pour la coordination des recherches scientifiques, et membre du K.G.B., qui nous a fait passer, pendant deux ans, cinq mille microfilms sur les secrets atomiques et militaires russes — il les laissait derrière un radiateur, dans le hall d'une maison. Il y a eu également le colonel Burlitzky, de la police secrète (M.V.D.), qui se réfugia chez nous et déposa devant une commission du Sénat. Il y a eu même chez eux des généraux du K.G.B. qui ont trahi, comme Louchkoff et Krevitzky. Mais presque en même temps que l'on fusillait Penkovsky en Russie, un de nos sergents de première classe, Dunlap, appartenant à l'Agence nationale de sécurité, qui est chargée du déchiffrement des codes étrangers, se tua, comme Feller, le « loyal Américain ». Et déjà, deux autres membres de cette agence, Martin et Mitchell s'étaient envolés pour Moscou. Judith Coplon, employée du département d'Etat, n'en eut pas le temps. Mais enfin, avec ce beau monde, nous sommes loin des colonels et des généraux.

« Toutefois, ces faits auxquels il convient d'ajouter

l'espionnage atomique des Rosenberg — les premiers civils américains condamnés à mort pour espionnage — permirent à Khrouchtchev une rodomontade, lors de sa première visite aux Etats-Unis. « Vos agents nous donnent vos codes secrets, nous dit-il aimablement, et nous vous envoyons ainsi de fausses informations. Nous vous avons même demandé de l'argent et vous nous l'avez envoyé. » Il se vantait là, avec naïveté, de ce que les services secrets ont toujours fait. Notre C.I.A. est expert dans l'art d'envoyer de fausses informations, par les codes des autres pays : c'est un de ses moyens d'empêcher ou de provoquer des révolutions en Amérique latine. Nous l'emportons de beaucoup dans cette guerre des codes. Nous l'emportons également par le nombre, comme par la qualité, dans ce chassé-croisé de traîtres : nous avons recueilli une centaine au moins d'agents soviétiques et les Soviets ont à peine subtilisé une vingtaine des nôtres. N'est-il pas aussi curieux que nul danseur occidental ne déserte pour aller charmer le Soviet suprême ou l'état-major de Castro ?

Je dis que c'était sans doute à cause de leurs mœurs, la plupart d'entre eux étant homosexuels.

— Ces mœurs sont exploitées pour et contre, dit mon père. Martin et Mitchell, dont je viens de parler, furent à l'origine de la persécution des homosexuels dans les services publics. On fut persuadé que les agents soviétiques étaient à l'affût dans toutes les toilettes des Etats-Unis pour y provoquer nos hauts fonctionnaires et les obliger à devenir espions sous menace de chantage. Le directeur du personnel de l'Agence nationale de sécurité et vingt-six de ses collaborateurs furent mis à pied. McCarthy inventa l'expression de « homo-risque » et fit chasser plus de quinze cents agents de nos départements ministériels. Même la Compagnie des Téléphones et Télégraphes imagina des tests pour connaître les mœurs de son personnel.

Je dis qu'un cousin de Jim, qui s'était présenté

alors au concours du département d'Etat, nous avait raconté de quelle manière on scrutait à ce sujet les candidats diplomates : on leur montrait un beau jeune homme, puis une belle fille nus, et des fils électriques, reliés à leurs mains et à leurs tempes, indiquaient sur un cadran l'effet produit. J'avais oublié de décrire ces procédés à Sunny, lorsqu'elle m'avait parlé du film de l'U.C.L.A., relatif à une cure de l'homosexualité. Ces précautions ridicules tendaient à disparaître. Jim m'avait dit que le maire de New York, Lindsay, avait défendu de licencier les employés municipaux pour des raisons de mœurs.

— Tu fais allusion au « détecteur de mensonges » ou « polygraphe », dit mon père. Il est toujours en usage pour le recrutement des agents de la C.I.A. Allen Dulles, le frère de l'ancien secrétaire d'Etat, qui a été si longtemps le chef de la C.I.A., en a même parlé dans une interview télévisée. Il a reconnu que cet appareil était destiné à déceler, non seulement les espions cachés ou en puissance, mais les homosexuels. J'ai visité la C.I.A. en compagnie de Raborn. C'est un lieu quasiment inaccessible, dans un faubourg de Washington, près du Potomac. Tu y verrais un computer branché sur quarante millions de fiches, combinées avec un appareil photographique qui projette en cinq secondes l'information demandée. A l'entrée de cet immense bâtiment, on a gravé ces mots de saint Jean, l'évangéliste des maçons : « Vous connaîtrez la vérité et la vérité vous rendra libres. »

Cette belle devise pouvait servir d'excuse aux trames de la C.I.A. dans les milieux d'étudiants, dont la révélation avait fait scandale. On avait su, en effet, qu'elle avait parmi eux des espions rémunérés, mais il était faux de prétendre que c'était pour dénoncer leurs camarades : c'était pour rendre compte de ce qui se passait dans les congrès mondiaux de la jeunesse qui se tenaient à l'étranger et je trouvais bien joué que les délégués américains les plus fougueusement communistes fussent des agents secrets de la C.I.A. Ce scandale ne l'avait d'ailleurs pas découragée : elle répandait, à Berkeley, un opuscule qui exaltait ses vertus pour recruter de futurs agents. Je n'avais pas entendu dire qu'aucun de nos professeurs fît du recrutement, mais cela existait dans d'autres universités. A Princeton, le Pr Black, chef du département slave, avait même été accusé par la Bulgarie d'avoir corrompu un diplomate bulgare des Nations unies, qui avait été exécuté à Sofia comme espion. Je rappelai cette histoire à mon père, qui déclara :

— J'aime mieux le Pr Black de Princeton que le Pr Genovese de Rutgers — pourtant une autre université de la noble « Ligue du lierre » —, qui a souhaité, dans un discours, notre défaite au Vietnam. Et j'applaudis le bureau des gouverneurs de Yale qui a mis à la porte le Pr Lynd, pour sa campagne de « désobéissance civile » et son voyage illégal à Hanoï. Certes, le mot d'espionnage sonne toujours mal. Quand Sargent Shriver, le beau-frère de Kennedy, organisa le « Peace Corps », il multiplia les mesures pour que nul représentant de la C.I.A. ne pût s'y glisser. Harvard a refusé d'elle une subvention pour des recherches, mais les professeurs qui veulent effectuer ces travaux les remettent au Comité d'études internationales qu'elle a créé dans le voisinage, au M.I.T. D'autre part, on peut reprocher à la C.I.A. d'être, non pas l'invisible gouvernement, comme le disent les gens de gauche, mais un super-gouvernement qui échappe à tout contrôle. C'est pourquoi nous nous sommes enlisés dans la Baie des Cochons et nous récoltons les pots cassés dans la Plaine des Jarres.

Récemment, une commission du Sénat a fait le tour du monde pour étudier les rapports réciproques de nos ambassades et des agents de la C.I.A., qui sont censés travailler sous la coupe de nos représentants officiels. Sa conclusion a été que « la primauté de l'ambassadeur est désormais une fiction courtoise ».

8

Nous avions décidé, Sunny et moi, d'aller à un rassemblement hippie, un dimanche matin, à Devonshire Meadows, près de San Fernando. Pour la circonstance et pour étrenner sa Grand Prix, elle avait une éblouissante holoku — la plus belle robe hawaïenne — et moi une chemise « gingham » aux carreaux presque phosphorescents. Deux colliers de gardénias qu'elle avait préparés complétaient notre tenue. Enfin, ce que je n'avais pas fait, elle s'était peint des fleurs au bas des jambes.

Je lui parlai des hippies travaillant aux computers, mais en ajoutant que l'avenir de cette collaboration était incertain.

— L'instabilité, dit-elle, n'est pas seulement la marque des hippies : une grande partie de notre jeunesse se cherche et ne se trouve pas. Vois toutes ces publications sur « l'Amérique à la recherche d'une identité ».

— C'est comme « les villes américaines à la recherche d'une âme ». L'immensité de notre pays et la diversité de sa population inspireront toujours ce genre de clichés soit aux Européens à courte vue, soit à nos compatriotes en mal de voyage. Il y a plus de trente ans, Hemingway, Gertrud Stein et autres allaient déjà chercher une identité à Paris : quand ils furent célèbres, ils revinrent en Amérique. Aujourd'hui, il n'y a plus guère que certains de nos écrivains noirs qui vont se laver de leurs complexes au bord de la Seine. La prétendue quête d'identité est une crise de croissance tout à fait naturelle et aggravée par les problèmes du jour. A notre âge, on se demande d'abord ce que l'on est et ce que l'on doit être. Des jeunes qui, à des époques plus calmes ou moins émancipées, ne se seraient posé aucun problème, s'en posent aujourd'hui, ce qui augmente le monde des quêteurs et des inquiets. Mais c'est ce qui fait aussi le succès des hippies.

Sunny trouva que je le rabaissais : il traduisait, d'après elle, non pas une inquiétude, mais au contraire un fond de sérénité — une sérénité instinctive que l'on avait crue absente de l'âme américaine.

— Le hippie qui va travailler aux computers, dit-elle, est dans la joie parce qu'il sait qu'il n'y restera pas longtemps : c'est pour cela qu'il travaille si bien et que son départ inspire tant de regrets à Mr Palewsky. Je n'appelle pas cela de l'instabilité, mais de l'intelligence, égale à celle du Napolitain ou de l'Arabe qui travaillent juste pour avoir de quoi vivre et se moquent de s'enrichir. Nous sommes à l'opposé de Mr Hunt et de Mr Palewsky. A l'U.C.L.A., j'ai entendu un professeur d'énergie nucléaire se lamenter avec un de ses collègues : « Je suis très déprimé, disait-il, parce que les gradués qui préparent le doctorat changent à tout instant de programme. Mon dernier cas est un garçon qui faisait une thèse sur l'énergie nucléaire. Un jour, il me dit : « Professeur, je ne m'intéresse plus à l'énergie nucléaire. Que me conseillez-vous ? » Nous avons discuté et, finalement, je lui ai proposé une thèse sur une question de technologie médicale à propos du poumon d'acier. Cela le passionna. Il y travailla un an avec enthousiasme. Puis il revint me trouver : « Professeur, j'en ai assez. Ce n'est pas « ça ». — Qu'est-ce qui n'est pas « ça » ? » Il m'a donné ses raisons : ce qui l'attirait, c'était la technologie pure, la recherche de la chose, et il avait trouvé qu'elle aboutissait forcément à l'humain. Il avait été dégoûté d'assister à des opérations faites sous le poumon d'acier. Il se voyait dans la perspective immédiate, au lieu de se voir dans celle de plusieurs années de travail abstrait. Il veut être un chercheur perpétuel et repousse l'idée d'arriver à une

144

carrière. Il accepte de vivre avec l'argent de ses parents et de sa femme, qui travaille pour l'aider à vivre, et lui se plaît à travailler pour rien. « Ces propos m'ont frappée. Il y a un lien entre cet étudiant prolongé, les hippies dont tu me parlais et ceux que nous allons voir. Naturellement, il faut une base matérielle pour asseoir cette conception idéaliste de l'existence et il faut qu'elle soit fournie par le travail de quelqu'un.

« Je connais un cas, moi aussi : il ne ressemble pas au précédent, mais il explique les motifs qu'un jeune peut avoir de réagir à son éducation. Une amie de mes parents, veuve et milliardaire, a un fils de dix-huit ans, joliment nommé Jason, qu'elle a adopté quand il avait quelques mois. Enfance luxueuse, voyages en yacht, études en Angleterre dans le collège du prince Charles, retour depuis un an à Los Angeles, interdiction d'aller à l'U.C.L.A., interdiction d'avoir des amis, cours privés donnés à domicile par des professeurs, tennis sur son court privé avec un professeur, etc. A un déjeuner chez mes parents, nous avons sympathisé, sous l'œil soupçonneux de la mère. Il n'osa pas m'inviter chez lui devant elle, mais il me téléphona pour me ménager une visite : il fallait profiter d'une demi-heure de battement lorsque changeaient les deux équipes de domestiques. Sa mère était alors entre les mains d'une masseuse.

« Il finit par regimber et vint se réfugier à la maison. Ma mère la raccompagna, mais elle avait désormais un prétexte pour s'intéresser à lui. Elle finit par demander à sa mère s'il n'était pas malheureux. « Comment ? s'écria celle-ci. Je l'ai fait examiner par un éphébiatre, qui l'a trouvé en parfaite santé, et il a tout ce qu'il veut. » La preuve que non : il est allé vivre chez Carl, qu'il avait rencontré chez moi le jour de sa fugue.

— Voilà qui doit enchanter Carl si je connais bien ses goûts, dis-je.

— Il a tous les goûts, mais il respecte ceux des autres.

— Cette mère abusive et milliardaire illustre par l'absurde ce que l'on écrit de l'Amérique : nous croyons être aimés parce que nous donnons aux gens « tout ce qu'ils veulent ».

Longtemps, sur la « haute route », les pare-chocs arrière des voitures portaient les étiquettes naïves de notre nationalisme local ou de nos bons sentiments : « Etat baisé par le soleil », c'est-à-dire la Californie ; « Etat du coucher du soleil », c'est-à-dire l'Arizona ; « Etat du lever du soleil », c'est-à-dire la Floride ; « Etat de l'herbe bleue », c'est-à-dire le Kentucky ; « Prevenez les vols en fermant votre voiture » ; « Nous aimons les enfants » ; et « Soutenez votre police locale », selon le précepte de la John Birch Society, cher à Mr Hunt. Une magnifique voiture arborait cet avis plus prosaïque, mais peut-être humoristique, si ce n'est pédérastique : « Mangez du bœuf chaque jour. »

Puis, à mesure que nous nous rapprochions de Devonshire Meadows et que les voitures hippies dominaient, cette variété d'étiquettes faisait place à une seule : « Love... » ou : « I love you ». Ces mots étaient souvent répétés à la peinture blanche sur les portières, ou bien des marguerites peintes les y remplaçaient. Une voiture avait été entièrement décorée de ces fleurs, symbole des hippies. Le plus charmant de tous les boutons et de tous les slogans n'était-il pas « Flower Power » ? Il y avait également des motocyclistes aux blousons de cuir décorés d'insignes divers, mais nous ne vîmes pas les « Anges de l'enfer », ce groupe para-hippie de Los Angeles, dont les violences ont inspiré l'art cinématographique — et ce film avait pour producteur un milliardaire texan de l'aviation et des machines-outils, Howard Hughes, l'un des trois hommes « les plus riches du monde » avec Paul Getty et Mr Hunt. Tout près de Devonshire Meadows, un grand panneau publicitaire proclamait la gloire de l'américanisme, avec une image de la statue de la Liberté et cette allusion à la guerre du Vietnam : « Soyez avec ceux qui le défendent. »

La réunion hippie n'était pas tout à fait orthodoxe, en ce qu'elle avait un intérêt commercial : elle s'était baptisée « Foire-fantaisie ». Certains hippies se reprochaient même d'être venus en voyant que l'entrée était payante. La vaste prairie occupée par cette manifestation était un terrain de rodéo. Il y avait, alentour, des fermes et des écuries. Une barrière de fil de fer marquait l'enceinte du terrain loué. Plusieurs voitures de la police étaient déjà là. Elles aussi avaient une inscription sur la portière : « Protéger et servir ». Ces mots répondaient aux reproches souvent faits aux policiers de tout régler à coups de matraque. Quelles que fussent leurs intentions, ils avaient amené une ambulance.

Au-delà d'un rideau d'eucalyptus, on pénétrait dans un royaume enchanté. Des centaines, des milliers de garçons et de jeunes gens en pages, en Indiens, en cow-boys, en Arabes, en brahmanes. Des centaines, des milliers de filles et de jeunes filles en robes et en jupes aussi extravagantes que celle de Sunny, en peignoirs à capuchon, en maillots d'acrobate, beaucoup tenant à la main d'énormes fleurs de papier. La plupart avait aussi des fleurs peintes sur les jambes, sur les bras et quelques-unes, des bariolages sur le front et les joues. Nombre de garçons et de filles s'étaient mis des clochettes aux chevilles et au cou. Certains étaient pieds nus ; j'affectais de voir dans cette mode, fréquente chez les hippies, moins un retour aux origines qu'une exagération de celle des universités élégantes, comme Harvard et Berkeley où, l'été, on a les pieds nus dans les chaussures.

Les boutons étaient aussi à l'honneur. Le plus répandu — « Spot pot » — proclamait que l'on était « soi-même un endroit où trouver de la drogue » (« pot » étant un des noms de la marijuana). Le fait qu'on le voyait arboré même par des enfants en montrait bien le sens de provocation plaisante et symbolique. C'était comme le « J'aime les garçons » du tout jeune hippie de Dallas. Une fille qui passait portait de même le bouton « LIX » avec la même désinvolture — et qui sait ? peut-être avec la même innocence. Son compagnon avait un bouton qui signifiait la même chose d'une autre façon : « Culture française » — extension du « baiser français ». Une autre fille nous amusa : elle était vêtue en vierge, une longue robe blanche tombant jusqu'aux pieds, et tenait à la main des flots de chapelets sans croix ; un jeune homme en justaucorps de velours bleu marchait gravement à son côté. Une autre formait à la fois contraste et complément, habillée de noir, le torse dans un jersey, les jambes dans des bas-résille, les cuisses dans un slip, un rosaire suspendu à son cou et terminé par une croix qui ballottait sur ses cuisses. Un grand jeune homme barbu, en jaquette et en chapeau boule, portait sur son épaule, protégée par un morceau de toile cirée, un gros bloc de glace, dont il faisait couler un filet d'eau dans les mains ou les bouches qui se tendaient.

Au fond de la prairie, sur une estrade, tonnait un orchestre devant un autre rideau d'eucalyptus. Des jeunes gens, des jeunes filles se contorsionnaient en tournant dans des « hula-hoops ». D'autres, assis sur l'herbe, conversaient à l'intérieur d'un cercle formé par ces cerceaux qu'ils avaient posés sur leurs épaules. Un homme, déguisé en officier de l'Air Force et dont la haute casquette avait la visière bordée de galons, parodiait le général Westmoreland, notre commandant en chef au Vietnam. Pour que nul ne pût s'y tromper, il avait inscrit ce calembour au-dessus de médailles à rubans d'une longueur démesurée : « Waste Moreland » — (« Epuisez Moreland »). En guise d'épaulettes, deux petits bombardiers pour enfant. Il vendait l'Oracle, journal hippie de Los Angeles.

Tout à coup, il jette les journaux qui lui restent, bondit sur l'estrade et se livre à une danse effrénée. Les gestes, les attitudes, la tenue, la danse, le sérieux qu'il affectait, tout était une caricature de ce qui se passait au Vietnam. Et cette caricature était à la fois agrandie et absoute par les deux drapeaux qui flanquaient l'estrade : à droite, les bandes et les étoiles ; à gauche, l'ours californien. La présence de ces deux emblèmes était sans doute une façon habile de mettre la réunion sur un plan inattaquable et d'imposer à la police. Lorsque le faux général eut terminé sa danse, des filles couvertes de plumes multicolores envahirent la scène.

— Nous vous aimons, crièrent-elles à l'assistance qui, dans le voisinage de l'estrade, était assise sur la prairie.

« Nous vous aimons, redirent-elles, et nous vous lançons ces plumes comme preuve d'amour. »

Elles les prirent à pleines mains pour se les arracher et les faire voler sur les spectateurs. Elles apparurent alors dans les sweaters où elles les avaient piquées.

Il y eut ensuite un long discours. L'orateur, en feignant de saluer la police, « qui a de si beaux uniformes et qui vient protéger les hippies », faisait tout pour la provoquer. Cependant, il leur recommandait d'éviter les manifestations intempestives, afin de ne pas « se retrouver à la fois en prison et à la télévision ». Pour achever de leur inspirer la prudence et la sagesse, il décrivit, avec des exagérations comiques, le régime pénitentiaire qui leur était réservé : « Vous êtes nourris des restes des boîtes à ordures, les rats passent sous votre nez pendant votre sommeil ; et, quand vous avez à vous défendre devant le juge, on vous donne un avocat d'office qui se désintéresse complètement de vous parce qu'il n'a pas à être payé par vous. »

Un homme en grand chapeau texan et lunettes noires saute sur l'estrade et demande à parler. Il s'écrie qu'il est avocat, qu'il a souvent défendu des hippies à titre d'office et qu'il les prie de s'adresser à lui s'ils sont arrêtés : il indique son nom, son adresse, son numéro de téléphone. On applaudit et l'orateur de reprendre le microphone pour dire qu'il y avait partout, « les bons et les mauvais » et qu'il était le premier à remercier les bons. Puis il cita « un homme, nommé Timothy Leary » — un des prophètes des hippies —, qui a dit : « Souriez ! parce que cela détend les muscles faciaux et fait du bien à l'âme. » Je me souvins avoir vu des photographies de lui, qui le montraient moins souriant que tourmenté ; mais il souriait peut-être à certains moments. L'orateur semblait intarissable, et, comme il avait déjà dit trois fois que « le fameux orchestre, « l'Aéroplane de Jefferson », allait se faire entendre », le public lui coupa enfin la parole. Il y avait eu changement d'orchestre durant ce discours : les musiciens qui se mirent à jouer portaient une de ces enseignes qui suffisaient souvent à lancer un orchestre et qui en accentuaient l'anticonformisme : l'Aéroplane de Jefferson témoignait quelque irrespect pour l'un des « pères fondateurs » ; « les Morts reconnaissants », « le Chien de famille », les « Pierres roulantes » étaient d'autres célèbres orchestres californiens ; « les Pierres jaunes » régnaient au Cheetah ; « les Portes », qui prétendaient ouvrir sur l'infini, comme le livre du même titre, consacré à la drogue par Aldous Huxley, étaient l'orchestre que venait de remplacer l'Aéroplane de Jefferson.

Des spectateurs de tout âge s'étaient précipités sur la scène en repoussant l'orchestre vers les bords, pour danser comme des fous. Il y avait aussi bien des garçonnets ou des fillettes d'une dizaine d'années que des couples plus que sexagénaires. Parfois, danseurs et danseuses secouaient la tête faisant voler leurs cheveux blonds, noirs ou gris, et leurs bras nageaient dans l'air, pour un « crawl » idéal. Des spectateurs imitaient ce geste et, étant assis, le faisaient à une vitesse qui ne pouvait mettre en péril leur équilibre, mais qui semblait dangereuse pour leurs vertèbres cervicales. C'est la première fois que je voyais danser des hippies en pleine nature et je les trouvais plus hardis qu'à Cheetah ou ailleurs. Certains mimaient l'acte sexuel par des saccades du bas-ventre, mais toujours sans contact; d'autres se frottaient cet endroit ou le haut des cuisses pour montrer qu'ils étaient en chaleur. Mais ni les uns ni les autres ne regardaient leurs partenaires : la tête renversée, ils cherchaient au ciel leurs inspirations. Des couples, qui n'avaient pas trouvé place sur l'estrade, dansaient au bas, où ils formaient comme une frise de bacchants. Quelques-uns avaient des tambours de basque qu'ils frappaient rythmiquement avec les phalanges et contre les cuisses. A distance respectueuse, les policiers, les poings sur les hanches, regardaient.

Nous nous éloignâmes de l'estrade pour nous promener à travers la foule. Les longs côtés de la prairie étaient occupés par des marchands : à droite, les éventaires de victuailles; à gauche, les frivolités hippies, telles que dans la boutique de l'avenue Fairfax : insignes égyptiens, clochettes de bronze, perles de verre, boîtes d'encens, poudres de bananes, « verres psychédéliques » à facettes colorées, linéiscopes où tournaient des images géométriques semblables aux projections de Cheetah. Au milieu de tout cela méditaient des statuettes du « Penseur » de Rodin. La France était représentée autrement sur une tente qui affichait les photographies des héros hippies : avec Walt Whitman, Oscar Wilde, Einstein, Humphrey Bogart, James Dean, Marlon Brando, Elvis Presley, Robert Kennedy (en substitution de son frère), on voyait Toulouse-Lautrec et Jean-Paul Belmondo. Un jeune garçon, la tête couverte d'un sombrero, peignait minutieusement de jolis galets qu'il mettait en vente. Un peu plus loin, une fille dessinait gratis des marguerites sur les jambes, les bras, les fronts qui se proposaient. « Gratis ! Gratis ! » criait une femme qui distribuait de petites oranges. Un placard ironique disait : « Passez vos vacances au Vietnam. » La paix était un thème hippie. On lisait sur des banderoles : « Paix et Amour ».

A ce moment, on vit s'élever du milieu de la prairie une énorme mongolfière. La flamme qui la gonflait, jaillissait de la nacelle près d'un courageux aéronaute. C'était à la fois se moquer des computers de l'aéro-espace et lancer vers le ciel la devise des hippies : « Paix et Amour » étaient les mots inscrits sur les flancs du ballon. On eut quelques secondes d'émotion, quand on le vit frôler les câbles électriques qui passaient à l'orée du champ. Mais la Paix et l'Amour le sauvèrent. L'assistance, déjà émerveillée, applaudit à un avion qui traçait en fumée rose « Paix et Amour ». Ce refrain, exploité jusqu'au ridicule par les vociférations politiques, était ici celui d'une assemblée joyeuse, juvénile et sereine.

De l'autre côté de la prairie, les étalages des restaurateurs commençaient d'être assaillis. Pour les hippies désargentés un microphone annonça que les « piocheurs » feraient une distribution gratuite de vivres à telle heure, à tel endroit. Les piocheurs, c'étaient les pères nourriciers des hippies. Infatigables, ils faisaient le tour des boutiques, des entrepôts et des usines pour récolter vivres et vêtements. C'est eux aussi qui leur procuraient un logement, ne serait-ce que pour leur indiquer les maisons abandonnées, les cabanes, les ruines, les toits, les corridors, les églises, qui offraient un abri provisoire. Tous les hippies ne pouvant travailler aux computers de Mr Palewsky ou, tels que d'autres, dans une ferme collective à Sebastopol, près de San Francisco, il n'y aurait pas de hippies s'il n'y avait pas les piocheurs. Ces derniers se recrutaient parmi les hippies entreprenants, mais les plus utiles étaient de riches amateurs, des artistes, des écrivains, des ecclésiastiques, heureux de soutenir l'anticonformisme ou de faire un geste original de charité. Il y avait même à Los Angeles, deux banques (Lytton et Abramson), qui servaient à tout venant, le matin, un petit déjeuner au bacon ; puis, en guise de lunch, du café et des sandwiches.

Sur notre prairie, on vendait des boissons douces, des « chiens chauds », des hamburgers. Un marchand dont l'enseigne était « Notre mère la terre », proposait du jambon, des branches de céleri, de l'ananas frais, du pain d'épices. Nous y fîmes nos emplettes, dans des assiettes de carton, et allâmes nous asseoir sous les eucalyptus.

Nous avions observé que les nègres étaient toujours rares parmi les hippies. En revanche, nous avions vu beaucoup d'Indiens — pas seulement des hippies déguisés en Indiens —, qui me rappelaient celui de Dallas. Deux charmantes petites filles de treize à quatorze ans, assises près de nous, mangeaient des sandwiches. Un boléro très court laissait voir leur nombril autour duquel était dessiné un cœur. Sunny leur en fit compliment ; la conversation s'engagea. Elles nous dirent qu'elles avaient perdu leurs amis dans la foule, mais qu'elles les retrouveraient à 6 heures devant leur voiture.

— Ce sont des garçons ou des filles ? leur demanda Sunny.

— Deux garçons et deux filles, mais plus grands que nous, dit l'une d'elles.

— Vous avez « eu sexe » avec des garçons ? redemanda Sunny abruptement.

Elles éclatèrent de rire, sans rougir le moins du monde.

— Cela dépend, répondit l'une d'elles.

— Dépend de quoi ?

— De ce que vous voulez dire.

La compagne de celle qui avait parlé crut devoir intervenir pour hâter les précisions :

— Moi j'ai perdu ma « cerise », mais ma camarade a encore la sienne.

— Oui dit l'autre, un peu confuse, mais j'ai fait du « lourd pelotage ».

Cette expression qui signifie tous les actes de l'amour, sauf le principal, me semble un de nos plus heureux euphémismes. Dans l'ancienne high school de Sunny, le test de pureté que les filles passaient entre elles, comportaient notamment deux questions : « Connaissez-vous le baiser français ? Avez-vous pratiqué le lourd pelotage ? » La fraîcheur de la voix de ces deux filles, soulignée par la pureté bleue de leur regard, augmentait le piquant de cette confession faite à deux inconnus. Elle me rappelait la voix suave de la jeune fille qui chantait la chanson de l'onanisme, dans le disque de Hollywood.

— Quelle est votre opinion sur le sexe ? demanda Sunny.

— On peut tout faire avec quelqu'un qu'on aime, dit la vierge. Quand j'aurai trouvé un garçon qui me plaise, je me donnerai à lui et prendrai la pilule. Le lourd pelotage, cela peut se faire avec n'importe qui : c'est « pour les frissons ».

— Pour les frissons ! s'écria Sunny. Tout le monde aujourd'hui fait quelque chose pour les frissons. Le ballon qui vient de s'envoler était là aussi pour les frissons. Mais il y a frissons et frissons.

— Vous « avez sexe ensemble ? » nous demanda la non-vierge.

Nous ne pûmes que hocher la tête en signe d'acquiescement. Cet aveu parut enchanter nos deux compagnes. Sunny précisa :

— Nous avons sexe et amour.

— Vous avez de la chance, dit la vierge.

Je fus stupéfait lorsqu'elle ajouta, en s'adressant à Sunny :

— Vous n'êtes plus vierge des deux côtés ?

Sunny se mit à rire.

— Tu vois, me dit-elle, il n'y a que huit ou neuf ans de différence entre elles et moi et c'est déjà une autre génération. Dans nos tests de pureté, il y avait aussi la question « Etes-vous encore vierge ? » mais nous n'aurions jamais osé demander plus.

— Nous parlons ainsi avec vous parce que vous nous avez mis en confiance, reprit la vierge. Mais dites-nous votre avis : nous ne sommes pas d'accord sur la question de savoir s'il y a deux virginités. Elle dit que non et que je suis stupide de refuser au lourd pelotage ce qui n'en est pas une.

J'étais curieux de voir comment Sunny répondrait à une telle question.

154

— Cela, dit-elle, on le joue à pile ou face.

— Oh ! dit la vierge en me regardant, avez-vous dix *cents* pour que nous allions boire ? Nous avons tout dépensé.

Je lui donnai vingt-cinq *cents*. Les deux filles se levèrent, remplies d'une joie enfantine :

— Merci ! dirent-elles. Au revoir !

Chacune me tapa gentiment sur le bras, comme pour ajouter à l'adieu quelque chose de physique, et elles coururent, légères, sur leurs pieds nus, vers un débit de boissons douces.

— Voilà de parfaites hippies avant la lettre, dis-je, et jusque par cette candide mendicité qui est une forme de libération chez les hippies autant qu'un moyen d'existence. Il est curieux qu'ils soient les premiers mendiants des Etats-Unis. J'ai vu, dans une rétrospective photographique de la « grande dépression » d'il y a trente-cinq ans, des ouvriers qui vendaient des pommes au coin des rues pour ne pas mendier.

— Il y a trente-cinq ans, dit Sunny, la directrice d'une high school de jeunes filles interrogea ses élèves sur leurs connaissances sexuelles. Beaucoup n'avaient aucune idée de la manière dont se font les enfants ; certaines refusèrent de répondre, en se disant choquées : l'une d'elles s'évanouit.

— La confiance que nous avons inspirée à ces filles vient de ce que nous les avons rencontrées en ces lieux. Nous avons bénéficié de la fraternité hippie.

En nous dirigeant vers la sortie, nous remarquâmes que le nombre de très jeunes n'avait fait que croître depuis le début. Il en arrivait encore, comme à une fête qu'ils ne voulaient pas manquer. Pas plus que nos deux filles, ils n'avaient l'âge minimum requis pour le hippisme, dont ils partageaient déjà les libertés. Comme elles, c'étaient les « teeny-boppers » — les futurs hippies. Ils prouvaient la force et la vitalité de ce mouvement qui n'était pas, comme les beatniks, un refuge pour intellectuels fatigués, mais une fontaine de jouvence dont la jeunesse elle-même était l'eau.

Cette précocité dans les œuvres de la paix et du plaisir, je l'avais déjà notée à propos du gamin de Dallas et je me plus à faire observer qu'elle avait toujours été celle de notre race. Pour les combats aussi, la valeur n'attendait pas le nombre des années : sur les deux millions trois cent mille soldats des armées de Lincoln, on en comptait deux cent mille de quinze à seize ans et plusieurs centaines de dix à quatorze.

— Je ne m'étonne pas que Lincoln ait gagné la guerre, dit Sunny.

9

Deux voix nous appelaient :
— Sunny !... Jack !...

C'était notre ami Carl, vêtu d'une gandoura et coiffé d'un bonnet de clown, avec un grand homme mince, en blue-jean et en chemise rouge — Jason, le fils adoptif de la tyrannique milliardaire.

— Quelle chance ! dit Carl. Je suis sans voiture. Un camarade qui allait à San Fernando nous a déposés, mais il ne pouvait nous reprendre et nous allions faire de l'auto-stop.

— Vous allez prendre place dans une voiture toute neuve et toute blanche, leur dis-je.

Ils montèrent derrière nous dans la Grand Prix. Nous nous étonnions de ne pas les avoir rencontrés, malgré la foule. Ils nous dirent qu'ils s'étaient mis à l'ombre derrière l'orchestre, sous les eucalyptus.

— Nous étions tous sous les eucalyptus, dit Sunny. Mais sous les nôtres, nous avons jouté avec deux filles.

— Et nous, dit Carl, avec deux garçons. Lorsque je leur ai demandé s'ils faisaient l'amour ensemble, ils nous ont répondu qu'ils ne voyaient pas d'inconvénient à l'homosexualité chez les autres, mais que, pour eux, elle serait contraire à leur conscience. Ne nous faisons donc pas d'illusion : il y a une conscience hippie. Ah ! le vieux puritanisme a la vie dure.

Je déclarai que nos deux filles étaient très peu puritaines. Cela prouvait que, chez les hippies comme partout, il ne fallait jamais conclure du particulier au général. Pour les uns, le hippisme est la libération des sens dans tous les sens ; pour les autres, seulement dans un certain sens ; pour d'autres, la possibilité de fumer le pot ; pour d'autres, celle de ne plus étudier ; pour certains, un idéal ; pour certains aussi, un simple moyen de se rendre intéressants. Sunny demanda à Jason si cette atmosphère de grande liberté ne lui tournait pas la tête, après sa longue claustration.

— Ma tête est solide, répondit-il. C'est chez ma mère que j'aurais pu devenir fou. Mais Carl perd son temps à me donner de mauvais exemples : je ne suis pas devenu homosexuel dans le collège du prince Charles ; aucun danger que je le devienne à Los Angeles.

Il parlait avec un accent aristocratiquement anglais qui charmait mes oreilles. Maintenant que j'avais vu ce beau garçon, si distingué et si bien élevé, je commençais à suspecter cette mère adoptive qui devait lui avoir fait payer ses refoulements.

— Imaginez ma joie, continua-t-il, de ne plus m'entendre dire, si l'on me rencontre montant l'escalier : « Pourquoi montes-tu l'escalier ? » et si je le descends, pourquoi je le descends ; si je rentre dans ma chambre, pourquoi je rentre dans ma chambre ; si je joue du violon, pourquoi je ne joue pas du piano ; si je joue du piano, pourquoi je ne joue pas du violon ; si je lis tel livre, pourquoi je n'en lis pas un autre. Une scène terrible parce que je suis supposé avoir perdu « ma bague ». Après deux heures de discussion, on se souvient enfin que je n'ai jamais eu de bague. Quand je sortais avec le chauffeur pour faire des courses, il devait noter le temps que je passais dans chaque boutique. Après ma première escapade, j'ai attendu d'avoir dix-huit ans. Et le jour même que je les ai eus j'ai quitté la maison, avec ce blue-jean et cette chemise.

— Ta mère, dit Sunny, nous a téléphoné encore ce matin : « S'il ne veut pas vivre avec moi comme je l'entends, a-t-elle dit, il n'a pas besoin de se représenter. Il ne sera plus pour moi qu'un étranger. »

— Elle n'est plus pour moi qu'une étrangère, dit Jason.

— Elle a ajouté, dit Sunny, qu'elle laisserait tous ses biens à des œuvres et que tu n'aurais pas un *cent*. En Louisiane ou à Porto-Rico, elle ne pourrait te déshériter, mais nous sommes en Californie.

— Je me moque de son héritage, dit Jason. Et je vais gagner ma vie.

— Il ne peut travailler avec moi chez mon agent de change, dit Carl, mais nous lui avons trouvé une place de commis-voyageur en papeterie. C'était bien la peine de le faire élever avec le prince Charles.

— Les hippies étaient faits pour moi, dit Jason. On le devient quelquefois par force.

Je n'avais pas revu Carl depuis le début des vacances et lui demandai ce qu'était devenue l'étudiante de Santa Barbara qui était sa date officielle.

— Quelle étudiante de Santa Barbara ?

Ne me rappelant plus le nom, je la lui décrivis.

— Mon pauvre Jack, dit-il, il y en a eu depuis trois ou quatre. Ce qui m'ennuie, depuis que Jason est chez moi, c'est qu'il ne me permet pas de recevoir des garçons. Naturellement, tout le monde croit que nous couchons ensemble. Il me révèle un plaisir nouveau : celui d'être l'hôte d'un beau garçon que l'on admire, que l'on désire et avec qui l'on ne fait rien. Il m'a d'ailleurs averti que si je tentais jamais de faire quelque chose, il partirait aussitôt, avec son blue-jean et sa chemise rouge. On ne peut pas l'envoyer de porte en porte.

— C'est pour cela que tu cherchais à te rattraper avec deux innocents, dit Sunny.

— Je ne me rattrapais qu'en paroles. Certains envient ceux qui sont, comme moi, « AC/DC », ou « bilingues », mais quand on a deux langues, on ne sait souvent de laquelle se servir et on les garde dans sa poche.

— AC/DC ? demanda Jason.

— Voyons ! dit Carl. Ce sont les lettres des deux type de courant électrique : alternatif et « direct ».

— A propos de poches, reprit Jason, il y avait dans mon noble collège un professeur dont les poches étaient trouées : pour bien nous le faire remarquer, quand il était au tableau noir, il mettait le bâton de craie dans une de ses poches et d'un air distrait, le retirait par l'autre. Voilà comment on apprend le latin en Angleterre.

— Et rien de tout cela ne t'a rendu homosexuel, dit Carl. Il est donc ridicule de parler toujours de la force de l'exemple.

— Et toi, demanda Sunny, comment l'es-tu devenu ? En nourrice ?

— Par l'exemple. Vous voyez qu'il n'y a pas de règle. En réalité, j'ai été élevé, dans ma high school, selon des règles contradictoires. D'une part, comme j'ai quelques années de plus que vous, j'ai reçu les derniers échos d'un enseignement moral qui ferait rire aujourd'hui car les choses vont vite : on nous apprenait que la masturbation rendait fou et que l'homosexualité était « antidivine, antihumaine et antisociale ». D'autre part, chaque fois que j'allais à la « salle de repos », je voyais mes camarades s'y agiter désespérément. Je bénissais l'usage hypocrite, et quelquefois gênant, qui fait supprimer les portes des lieux dits à l'anglaise, pour empêcher deux personnes de s'enfermer ensemble, ce qui permet beaucoup pis. Les urinoirs étaient en face, si bien que, lorsque vous étiez aux urinoirs, vous voyiez s'agiter les garçons qui étaient aux lieux à l'anglaise et lorsque vous étiez aux lieux à l'anglaise, vous voyiez s'agiter les garçons aux urinoirs. A ma connaissance, aucun d'eux n'est devenu fou, mais quelques-uns sont devenus homosexuels.

— C'est presque la pièce de LeRoi Jones « l'Urinoir », dis-je. Je l'ai vu jouer à San Francisco : ce sont des nègres et un Blanc aux toilettes, dans un high school.

— C'est curieux, tous ces écrivains noirs homosexuels et mangeurs de Blancs, dit Carl : LeRoi Jones, James Baldwin... L'homosexualité n'adoucit pas leurs mœurs.

— Ferlinghetti, qui n'est pas noir mais beatnik, dis-je, a soutenu une thèse devant la Sorbonne sur « l'Urinoir dans la poésie américaine contemporaine ». A quand une thèse sur les lieux à l'anglaise ?

— Il y en a une sur la salle de bains, dit Carl, et l'Institut Cornell, devant qui elle a été soutenue, l'a jugée assez intéressante pour la publier. On y voit des graphiques, aussi savants que les dessins scientifiques de Léonard de Vinci, sur la position du corps aux toilettes et sur le rejaillissement de l'urine contre les urinoirs.

— Trêve d'urinoir, dit Sunny. Eh bien, mes chers amis, j'ai eu ma petite expérience lesbienne dans ma high school et je ne l'ai pas racontée à Jack. C'est l'heure de la confession publique. Mais cette expérience, je ne l'ai jamais recommencée. Cela prouve bien qu'il n'y a que des cas individuels.

« Nous étions deux par chambre. Ma camarade était d'une pudeur !... Elle avait répondu aux questions du test de pureté par un « non » général. Une nuit, éclate un orage épouvantable ; effrayée, elle vient se blottir dans mon lit et, à force de se blottir, provoque ma première jouissance partagée. Puis elle me dit que ce que nous avons fait est très mal et je n'ai pas insisté : je n'avais besoin de personne pour être heureuse, jusqu'à ma rencontre avec Jack. »

Carl nous dit que, s'il fallait en croire trois chapelains de l'U.C.L.A., l'homosexualité était, après la masturbation, le grand problème de la plupart des étudiants.

— Je ne savais pas que tu fréquentais les chapelains, lui dit Sunny.

— Je fréquente ceux-là parce qu'ils sont homosexuels et... mariés.

— Ce sont des chapelains AC/DC, ajouta Jason.

— Ce sont des chapelains, reprit Carl. Ils m'avouent que pour rien au monde, ils ne diraient à ces étudiants qu'ils ont les mêmes goûts et ils leur prodiguent les conseils fraternels d'une morale éclairée.

— Où se satisfont-ils s'ils repoussent la proie qui s'offre ? dit Sunny.

— Ils voyagent.

Carl me demanda s'il y avait, dans les lieux de Berkeley, des « trous de gloire ».

— Des trous de quoi ? s'écria Sunny.

Puisque c'était le jour des leçons de philologie, nous pouvions bien lui dire qu'on appelle ainsi les trous percés dans les cloisons et qui permettent de communiquer d'un lieu à l'autre sans se voir. Je n'étais pas curieux de ces choses, mais j'en étais informé par Jim, qui ne convenait pourtant pas d'y participer. Il y avait eu une longue lutte secrète entre l'administration et les étudiants autour des trous de gloire. A mesure qu'elle les faisait boucher, les étudiants les reperçaient. Alors elle fit mettre des murs de fer : la nuit suivante, les trous avaient été repercés au chalumeau électrique.

Carl fut en jubilation.

— Quelle victoire de la liberté ! dit-il. Quand j'ai quitté le Caltec, il y a cinq ans, nous n'avions pas osé nous attaquer aux cloisons de fer qui avaient remplacé, chez nous aussi, les cloisons de bois. Nous nous contentions de faire des manœuvres reptatoires pour profiter du bref espace laissé au bas des cloisons, mais certains s'y démettaient toutes sortes de membres. A Berkeley, vous avez éventré le rideau de fer. Vive l'Amérique !

— Une autre preuve de liberté, dis-je, fut une série d'articles sur l'homosexualité que donna le *Daily Californian*, journal des étudiants à Berkeley. Cette étude était à la fois hardie et conformiste. Néanmoins elle produisit un choc parce que le premier article publiait en première page la photographie d'une de nos salles de repos. Ce qu'il y eut peut-être de plus remarquable, c'est que certains étudiants protestèrent contre la teneur tendancieuse de ces articles et signèrent de leurs noms. Voilà encore une belle preuve de liberté.

— Des étudiants de Columbia à New York ont formé un cercle homosexuel, dit Carl. La vérité est en marche.

— Et nous les filles, dit Sunny, qu'est-ce que vous en faites ?

— Tu n'as donc pas compris qu'être homosexuel, en Amérique, c'est être AC/DC ? dit Carl. L'homosexualité est notre libération de la femme et la femme notre libération de l'homosexualité. Sauf Jason, qui n'est pas encore décidé parce qu'il a été à mauvaise école, je ne connais que des homosexuels de ma sorte et je n'en connais pas un à l'européenne, c'est-à-dire qui ait supprimé la moitié de l'humanité. Je ris quand j'entends déclarer, en Europe, que tous les Américains sont homosexuels. Je réponds qu'il n'y a pas de meilleurs époux, de meilleurs pères.

« Les meilleurs époux, je les ai toujours trouvés aux bains Everard à New York. Vous savez que ce sont les bains homosexuels les plus fameux du monde depuis plusieurs générations. Ils subsistent parce qu'ils sont protégés par la police. Tous les jours, entre l'heure de fermeture des bureaux et celle du dîner, il y a là une foule de maris qui viennent se livrer aux joies de l'homosexualité avant de retrouver celles du foyer. Ce sont de très bons maris puisqu'ils remplissent ensuite leur devoir conjugal.

— Tu les cites comme une preuve de l'homosexualité naturelle des Américains, dit Sunny. Je crois simplement que ce sont des Américains homosexuels.

— Attends ! dit Carl. Tu sais que j'ai été ingénieur pendant quelques années. Je travaillais dans une usine d'électronique qui présentait certaines pièces destinées à l'équipement du projet Apollo. Cet équipement est réparti entre toutes sortes d'industries. A des dates déterminées, chacune d'elles envoie un de ses ingénieurs porter les pièces à Cap Kennedy. Ils séjournent parfois plusieurs semaines dans les hôtels de Cocoa Beach, qui est la ville la plus proche des installations atomiques. J'y suis allé trois fois et chaque fois j'ai vu se former des intrigues homosexuelles entre presque tous ces ingénieurs, dont la plupart étaient mariés et dont aucun n'avait ni l'apparence ni la velléité d'être homosexuel. C'est l'envers du projet Apollo.

— L'homme sur la lune, dit Sunny.

Je dis que ces bons maris devaient être de ceux qui échangent volontiers leurs femmes, comme dans les clubs « d'échangeurs » qui existent dans certaines villes.

— Admirable invention pour diminuer le nombre des divorces, dit Sunny. C'est l'adultère par consentement mutuel et le double ménage sans drame pour les enfants.

— Voilà une preuve de plus que les Américains sont aussi les meilleurs des pères, dit Carl. Et voici mon exemple personnel. Une fois, à New York, je rencontrai au Central Park, un honnête jeune père de famille qui promenait ses deux jumelles dans une voiture. Un regard nous fit faire connaissance et, au bout d'un moment, je l'engageai à venir chez moi. J'occupais l'appartement d'un ami absent, du côté opposé à la Cinquième Avenue. Nous traversâmes le parc, poussant la voiture à tour de rôle. Avant de monter, il me dit que c'était l'heure de donner du lait aux deux jumelles. Je courus en acheter et, moi avec les deux bouteilles, lui avec les deux jumelles, nous arrivâmes dans l'appartement. Les deux jumelles furent calées sur un sofa avec les deux bouteilles et je fis au père les honneurs de la chambre à coucher. J'ai résolu de me marier à trente ans. J'aurai peut-être deux jumelles. Ce n'est pas ce qui m'empêchera de continuer à aimer les garçons. Comprends-tu maintenant mes trois chapelains ?

Sunny demanda pourquoi les Européens s'imaginaient que tous les Américains étaient homosexuels.

— Parce qu'on les voit courir après les garçons en Angleterre, en France, en Italie et ailleurs, dit Carl ; que beaucoup d'Américains riches et d'un certain âge se retirent dans ces pays pour y mener exclusivement cette vie-là ; que les armées américaines qui débarquèrent en France et en Italie avaient souvent pour mascottes de jeunes garçons, etc. Mais, ces soldats américains étaient mariés ou en passe de l'être ; ces Américains, riches et d'un certain âge, ont postérité ; ces touristes coureurs de garçons prennent leurs vacances. Les Portoricains doivent penser comme les Européens, parce que leur île est un de nos paradis homosexuels, mais également un paradis pour les vacances. Les revues méritoires qui défendent l'homosexualité, et qui sont toutes publiées en Californie — *One, Mattachine* et *Tangents* à Los Angeles, *Vector* à San Francisco (où il y a même une ligue de bowling homosexuelle) — n'intéresseront jamais qu'une minorité ou une élite : le grand nombre n'en a que faire puisque le problème est réglé.

Je dis qu'il ne l'était pas toujours pour tout le monde et rappelai la persécution subie par les homosexuels au temps de McCarthy, persécutions qui n'étaient pas entièrement terminées. Carl en convint et loua le zèle de ces mêmes revues, qui avaient organisé des piquets devant la Maison-Blanche et le Capitole pour soutenir les droits de l'homosexualité. Dans l'une d'elles, un ex-agent de la C.I.A. et

164

du F.B.I., signant de son nom aussi courageusement que les étudiants de Berkeley, donne des conseils pour se défendre contre le chantage. Il recommande, par exemple, les hôtels de première classe où l'on peut appeler le détective de service qui vous débarrasse du maître-chanteur.

— Et l'on présente l'Amérique comme une vaste gynécratie ! déclara Sunny. Si je te crois, les femmes y occupent tout juste la moitié de la place.

— Il paraît qu'elles possèdent un peu plus de la moitié de la fortune américaine, dit Carl. La proportion reste donc la même. Les Européens croient aussi que nous méprisons les femmes parce que nous donnons des noms de femme aux ouragans : Carla, Carol, Diane, Esther...

Je fis observer que « Little Boy » avait été le surnom de la bombe d'Hiroshima.

— Nous ne cessons de répéter, en édictant des règles, qu'il n'y a pas de règle, dit Carl. J'ai peut-être assisté à l'une des rares scènes qui pourraient traduire une homosexualité instinctive chez l'Américain moyen. Dernièrement, mon patron, qui, autant que je sache, est le contraire d'un homosexuel, avait fait, en l'absence de sa femme, une « partie de cerfs ».

Pour Jason, qui n'était pas au courant de tous les américanismes, on expliqua ce mot : il n'a rien de commun avec les films du même nom et désigne une « party » où il n'y a que des hommes.

— Nous étions tous en cravate noire, continua Carl. On a bu, beaucoup bu, à la fin, quelqu'un se plaignit, en titubant, que la maîtresse de maison ne fût pas là. « Je vais la chercher », dit mon patron. Il revint avec une robe de sa femme qu'il étala sur un fauteuil. Puis il se mit à insulter cette robe, cette femme qu'il adore, et tout le monde l'imita.

— C'est une scène freudienne, dis-je.

Que n'avais-je pas dit ! J'avais oublié que le cher Carl, Americano-Allemand de bonne souche, était antisémite, comme j'oubliais, en l'écoutant, qu'il était vêtu d'une gandoura. Il n'épargnait que les juifs hippies, qui étaient assez nombreux, et dont beaucoup, du reste, affectaient de partager ses sentiments, à cause des rigueurs morales du judaïsme. On aurait pu croire que, pour la raison contraire, il eût plus de tendresse envers Freud, mais il lui reprochait de n'avoir cultivé que le fumier et non les fleurs.

— Laisse donc ce porc qui a sali l'humanité, s'écria-t-il. Tout est si clair dans la sexualité ! Tout y est clair, parce que tout y est naturel. Quel plus beau mot que celui de jouir ? On ne doit cesser de l'illustrer, mais non par le complexe anal et par tous les complexes de la vie des porcs. Je pardonne un peu aux juifs depuis qu'un autre, plus noble et plus intelligent et qui est américain, Abraham Maslow, président de l'Association de Psychologie, professeur à l'Université Brandeis, a purifié ces senteurs méphitiques par sa théorie de l' « expérience-sommet ». Quand le sexe est sur un sommet, il échappe à la sottise des masses. Il ne faut faire que des expériences-sommets, même à travers les trous de gloire. Ce nom flatteur bannit du reste l'idée de sexe.

Sunny nous cita un exemple curieux de l'effort qui se faisait en vue de donner aux « cadres » certaines notions sociales, aux lumières de la psychiatrie. Il y avait maintenant pour eux, à l'U.C.L.A., des cours d' « entraînement de sensibilité ». On leur apprenait à mieux se connaître et à mieux comprendre les autres ; on leur démontrait que, dans les affaires, la raison du plus fort n'est pas toujours la meilleure et qu'au lieu de tordre le cou à son concurrent, il est souvent préférable de le laisser vivre et même de l'aider. Cela correspondait un peu à ces « cours de succès » où l'on enseigne aux adultes à acquérir de la personnalité, à se faire des amis, à bien employer leur argent. Les leçons de l'U.C.L.A. produisent des résultats étonnants : par exemple, on oblige des hommes qui, pour rien au monde, n'en auraient embrassé un autre dans la rue, à s'embrasser entre eux, ce qui les délivre de leurs complexes.

166

— Je vais m'inscrire à ces cours d'entraînement, dit Carl.

— Ce n'est pas tout, dit Sunny : ils servent à éviter des divorces.

— Il était temps de s'entraîner, fis-je. « En Californie, un divorce sur quatre mariages », disait hier ma mère d'après le *Los Angeles Times*.

— Le divorce est la revanche des femmes, dit Sunny.

— Pour certaines, il est une industrie, dit Carl. A Los Angeles, il s'est formé une association masculine qui réclame la réforme du divorce, justement parce que les femmes en abusent. Mais le divorce n'est pas toujours une solution : quatre-vingt-dix pour cent des hommes et des femmes du comté qui sont déclarés « manquants », ont abandonné le domicile conjugal sans laisser d'adresse, pour refaire leur vie. C'est la fuite devant le conjoint et devant les enfants.

— Il y a aussi les enfants qui prennent la fuite, dit Jason.

Je déclarai que l'évolution des mœurs et des esprits n'était pas encore achevée dans la question du divorce. Il n'y a pas si longtemps que les films d'Ingrid Bergman étaient boycottés parce qu'elle avait quitté son premier mari : un de nos sénateurs demanda même qu'on les interdît, pour « turpitude morale » de l'interprète. Depuis, Elisabeth Taylor avait fait passer beaucoup plus facilement ses divorces. Mais il est probable que Nelson Rockefeller, le gouverneur républicain de New York, ne pourra être candidat aux élections présidentielles, parce qu'il est divorcé. Cela n'est-il pas comme beaucoup de choses de notre époque prétendue libre ou libérée ? Tout le monde divorce, mais tout le monde condamne le divorce. Tout le monde est homosexuel, mais il ne faut pas l'avouer.

Comme nous approchions de Los Angeles, Sunny demanda à Carl quels étaient les lieux de rendez-vous des homosexuels. Il dit qu'ils étaient très variables, ce qui rendaient précaires les adresses fournies par certains livres.

— D'ailleurs, ajouta-t-il, beaucoup de ces livres ont l'habitude fâcheuse d'outrer leurs révélations, pour créer un prurit qui ne trouve pas toujours un calmant. Ils vous indiquent un bar « gai » — charmant euphémisme pour dire « homosexuel » —, et quand vous arrivez, vous ne voyez que des visages tristes : les personnes gaies ne reviennent plus parce que, entre-temps, la police est passée. A Noël dernier, elle a fait des raids dans tous les bars gais de Los Angeles. Il y eut des protestations, signées même par des pasteurs, au nom de la liberté individuelle, et la police a promis de ne plus recommencer. Mais elle a mis fin au petit trafic qui s'opérait à Pershing Square. C'était, à la tombée du jour, un des lieux préférés des évangélistes pour leurs prédications. La foule qui les écoutait, était presque entièrement composée de jeunes gens gais, qui chantaient de pieux cantiques. Des amateurs s'approchaient, leur parlaient à l'oreille et l'on s'éloignait pour disparaître derrière les buissons. La police a rasé les buissons et les évangélistes ont dû aller ailleurs : ils n'avaient plus personne. Hors de Los Angeles, l'endroit idéal est Laguna Beach, près de Malibu.

— Eh bien, dit Sunny, allons à Laguna Beach.

10

Avant de bifurquer de la haute route vers la « libre route », où il n'y a plus de croisements, Sunny s'arrêta à un poste d'essence. Il y avait aussi un service de « lavage californien » — cet extraordinaire jeu automatique de brosses, d'eau mousseuse et de cire —, d'où sortait un corbillard éblouissant, auquel un nègre donnait le coup de bichon. C'était une grande Cadillac noire, qui avait deux étiquettes sur son pare-chocs : « l'Aube se lève » et « Aspect comique du monde ». Deux jeunes gens et deux jeunes filles, qui en étaient visiblement les propriétaires, riaient en le regardant. Carl ne put se tenir de leur demander des explications. L'un des jeunes gens répondit qu'ils avaient acheté ce corbillard pour gagner de l'argent pendant les vacances et qu'ils parcouraient la Californie en cherchant des morts. Le pompiste venait de leur apprendre qu'ils étaient arrivés une heure trop tard : il y avait eu un mort sur la route, non loin de là ; deux ambulances appartenant à des sociétés rivales étaient arrivées à fond de train pour se le disputer, mais la patrouille de la haute route avait tranché la querelle en faisant venir un corbillard. Cette histoire, aspect comique du monde, ne nous étonnait qu'à demi parce que nous savions cette rivalité des ambulances à l'assaut des blessés, semblable à celle des bateaux de sauvetage qui se disputent un navire en péril.

— Le corbillard nous a coûté trois cents dollars, payables en trois ans, ajouta la jeune fille. Nous voyons du pays, mais les affaires ne sont pas très bonnes.

Nous repartîmes, après leur avoir dit de ne pas désespérer.

— Personne de vous, dit Carl, n'a saisi le calembour de la première étiquette : « Dawn is rising » signifie bien « l'aube se lève », mais aussi que « l'aube lève »... quelque chose. Bel hommage à la virilité sur un corbillard.

Sunny dit qu'il ne lui déplaisait pas de constater cette horreur de la mort que nous cherchons à déguiser de toutes les façons. Cela prouve que nous sommes aussi satisfaits de la vie que les anciens Romains. Carl ajouta qu'à tant faire que de prendre une Cadillac pour corbillard, on aurait pu choisir un ancien modèle qui avait un pare-chocs en forme de seins avec des mamelons de caoutchouc.

— Une autre marqué, dit-il, avait fait la grille intérieure en forme de sexe féminin, mais cela eut moins de succès et l'on attribua cet échec au grand nombre de fruits écrasés.

Ce mot faisait toujours rire, mais nul n'en savait l'explication. Carl possédait le répertoire le plus complet des mots de ce genre, mais chacun voulut faire montre de ses connaissances.

Nous déclarâmes que la génération des fleurs aurait droit de se plaindre, car on ne l'a pas consultée pour donner aux homosexuels les doux noms de « pâquerettes », « narcisses », « pensées », « pétales ». Nous demandâmes pourquoi ils sont désignés par certains noms propres : Charlie ou Charley (lorsque Steinbeck publia son « Voyage avec Charley », on crut qu'il était devenu homosexuel : ce n'était que le nom de son chien), Leslie, Lily, Mary, Nancy, Nelly, Oscar, Percy, Willie. Pourquoi Van Dyck signifie-t-il une lesbienne qui a des traces de barbe et de moustaches ? Pourquoi certains prénoms désignent-ils le membre viril : Jack — à moi l'honneur —, Johnnie (autre diminutif de John), Dick, Mickey, Peter, Richard, Roger, Rupper, Tommy ? Qu'est-ce qui lui vaut également l'honneur de porter un nom de famille, Johnson, qui est celui de deux de nos présidents ? Par quel mystère d'autres noms de famille, Brown et Browning, veulent-ils dire « pratiquer la sodomie » ? Pourquoi Duff, Pratt, Frances et Fanny sont-ils le surnom des fesses ? Joxe ou Joxy celui du vagin ?

Nous finissions cette belle nomenclature en abordant la libre route. Malgré l'habitude, il y eut un moment de silence, comme pour épouser la sensation de cette quadruple ligne de voitures filant avec une sûreté rarement démentie, bien que ce ne fût pas encore l'époque des rayons infrarouges annoncés par la Rand. Quand j'étais sur une de ces routes, avec la vision des quatre autres rangées de voitures allant

170

en sens contraire, j'avais la joie que me donnaient souvent la puissance et le « tempo » américains. Je pensais à la perfection des ponts aériens que m'avait décrits mon père : sous Truman, celui de Quemoy, pour l'évacuation des armées de Chang Kai-Chek, et celui de Berlin, qui transporta deux millions et demi de tonnes d'aliments et de matériel ; sous Kennedy, celui qui transporta quinze mille hommes d'Amérique en Europe pour un exercice ; sous Johnson, celui qui, pour un autre exercice, transporta une division blindée du Texas en Rhénanie. Si j'aimais aller vite, je n'avais jamais, en revanche, pratiqué le « jeu de nerfs » de certains « teenagers » qui, sur une route déserte, lancent leurs voitures à toute vitesse l'une vers l'autre, pour s'écarter à la dernière seconde. Il faut des nerfs, entraînés à conduire depuis l'âge de seize ans et déjà branchés sur les computers. L'aube du corbillard se levait sur cinquante mille morts par an. C'était le péage pour soixante-cinq millions d'automobiles : c'était beaucoup et c'était peu.

Sur une place de Laguna Beach, de grands panneaux rappelaient une « fête des arts » qui avait eu lieu récemment. Carl y était venu et nous la décrivit. Des tableaux vivants y avaient été présentés : le « Blue boy » avait eu la palme. Jason nous parla d'une visite qu'il avait faite avec sa mère au Palais de l'Art vivant, dans le comté d'Orange, musée de cire qui n'aurait pas intéressé Mr Hunt parce qu'il n'y avait que des reproductions de tableaux. « Le garçon bleu » en était un des principaux ornements : l'inscription disait que feu Mr Huntington, dont la galerie était à San Marino, près de Los Angeles, l'avait acheté sept cent cinquante mille dollars en 1921 — les prix avaient monté. Mais n'était-ce pas le tableau le plus célèbre de toute l'Amérique, au point d'avoir été copié par Mrs Hunt ? Il y avait des gens qui ne parcouraient les immenses salles, couloirs et escaliers de la Huntington Gallery que pour aller le voir.

— Et ils ne sont pas tous pédérastes, dit Carl ; ce qui montre que notre race a le goût de la jeunesse et le sens de l'art. Détail qui me fait rêver : la radiographie a décelé la tête d'un homme, juste au-dessus de celle du boy.

— Au Palais de l'Art vivant, dit Jason, il y a aussi le modèle d'un « Captif » de Michel-Ange, avec un cache-sexe et des poils qui dépassent. La « Vénus de Milo » a des bras, « telle qu'elle posa devant le sculpteur grec inconnu ».

Sunny se souvenait surtout de Movieland, où elle était allée avec son père. Ils y avaient rencontré Gloria Swanson, en train de se contempler dans la scène tirée de son film « Sunset Boulevard ». Toutes les deux heures, on change l'œillet qu'elle tient à la main.

Carl nous menait vers le bar le plus gai de la ville, qui était situé au-dessus de la plage. Il nous étonna, quand il nous en dit le nom : « l'Enfer de Dante », mais il nous rappela que ce poète plaçait les homosexuels en enfer.

— De fait, ajouta-t-il, on y est serré comme des damnés dans une vieille peinture ou comme harengs en caque. Aussi faut-il bien choisir sa position quand on entre. Si vous entrez de dos, vous ne pouvez plus vous retourner. Si vous entrez de face, vous êtes encastré dans quelqu'un qui est de dos. Si vous entrez de profil, vous êtes pris entre deux feux. Comme il est impossible d'arriver au comptoir, les boîtes de bière passent de main en main au-dessus des têtes... quand les mains sont libres.

Il ouvrit hardiment la porte et nous le suivîmes, à l'abri de sa gandoura. Le bar était presque vide. Deux ou trois gros marins, affalés sur les tabourets, nous jetèrent un regard froid et soutenu. Une femme, qui fumait toute seule dans un coin, regarda Sunny de la même façon. L'endroit était si peu attrayant que nous ressortîmes.

— C'est un peu trop tôt, dit Carl. Après dîner, il y aura foule.

Il nous montra le balcon de bois qui donnait sur la plage.

— Certains soirs, dit-il, on voit pendre là des grappes humaines. Vous faites signe et le raisin descend. Vous l'égrenez au bord des flots, derrière ces rochers. Ce sont des rochers de chair.

Nous nous mîmes en quête d'un restaurant. Qu'est-ce que Victor Hugo avait à faire ici pour en avoir baptisé un ? Il a chanté l'océan, mais c'était l'Atlantique. La salle de repos contenait un avis. Presque partout, nous lisions, en de tels lieux, que « selon les prescriptions de l'Office de la santé, les employés qui s'y rendent sont tenus de se laver les mains avant de reprendre leur service ». Ici, on avait fait plus : « Pour veiller à la propreté scrupuleuse de cette salle de repos, la direction a prescrit qu'elle serait visitée toutes les heures par un de ses inspecteurs, qui signera ce tableau à chaque passage. » La feuille du jour était abondamment signée. C'était notre folie de propreté et de déodorant, compensation de l'absence de bidet.

Sunny nous dit qu'il y avait la même notice dans la salle des dames, où les visites étaient faites par des inspectrices. Elle expliqua cette méticulosité par l'esprit de compétition qui imposait aux corps de métiers de trouver du nouveau pour frapper la clientèle. Chaque palace, notamment, se doit d'offrir quelque chose d'imprévu dans les chambres ou dans les salles de bains : la sonnette en carillon ; le réveil lumineux ; la couverture chauffante ; un étui avec du fil, des aiguilles et des boutons ; le robinet d'eau glacée ; le fabricateur de glace ; un bonbon posé le soir sur l'oreiller, dans un joli carton, avec ces mots : « Faites de beaux rêves », et, si vous restez quelques jours, des pochettes d'allumettes imprimées à votre nom.

— Et dans un tiroir, la Bible des Gédéons, dit Jason. Croyez-vous que quelqu'un l'ait jamais ouverte ?

La gandoura de Carl, la chemise rouge de Jason, ma chemise hawaïenne, la holoku et les fleurs peintes de Sunny n'étonnèrent pas outre mesure les couples tranquilles que nous trouvâmes au restaurant Victor-Hugo. La course que nous avions faite, après une journée si pittoresque, exigeait un whisky ; mais Jason, respectueux des lois qui le lui interdisaient, se contenta d'une boisson douce.

Carl nous avait promis quelques histoires piquantes d'un maquereau de Los Angeles, beau gaillard de trente-cinq ans, avec qui il avait fait connaissance. Cet homme méritait sa qualité à plusieurs titres : il prostituait sa femme, sa fille de seize ans et lui-même à l'occasion ; spécialiste de Hollywood, il procurait filles et garçons aux acteurs célèbres.

L'été dernier, il avait loué, comme chaque année, une maison à Miami ; c'est la bonne saison en Floride pour les maquereaux. Un après-midi qu'il passait à pied devant une maison voisine, une jolie femme lui demande s'il veut bien arranger la prise d'eau de son jardin. Il la suit derrière la maison et constate qu'il ne s'agit que de visser le tuyau d'arrosage. La prise était au bas d'un petit perron sur lequel la dame semblait faire le grand écart. Ses intentions étaient évidentes : le maquereau, agenouillé dans l'herbe, constatait qu'elle ne portait pas de dessous. Tandis qu'il visse le tuyau d'une main, il lève l'autre vers les jambes de la dame. Un moment après, ils sont allongés sur un lit lorsque apparaît un garçon de quatorze ans. « C'est mon fils », dit-elle. Et elle lui demande pourquoi il est revenu si vite du tennis. Il répond en grommelant et se retire. Malgré son habitude des situations risquées le maquereau se dit gêné. « Cela n'a pas d'importance, fait la dame. Je suis divorcée et c'est mon unique enfant. Il me préoccupe beaucoup. Il se masturbe en me regardant par la fenêtre de ma chambre et il y a des traînées de sperme le long du mur, derrière la haie de myrte. Je ne sais que faire. — Il faut faire l'amour avec lui. — Quelle horreur ! — Moi, je le fais bien avec ma fille. » Ils discutent un moment de l'inceste et du droit naturel. Peut-on abuser d'un enfant ? Mais quel remède offrir à un enfant amoureux de sa mère ? « Il a soulevé les persiennes », dit tout à coup la mère. Le maquereau se glisse hors du lit, rampe vers la fenêtre, l'ouvre brusquement et demande au garçon ce qu'il fait là. « Vous le voyez bien ! » dit l'autre, qui achevait d'asperger le mur. Et il s'enfuit. Le maquereau convient d'un rendez-vous avec la dame « pour guérir son fils ». Ils se font de nouveau surprendre, mais le maquereau enferme le garçon dans la chambre avec eux. Il le rassure, lui reproche de se masturber, lui demande ce qui l'intéresse tant chez sa mère, le lui montre... et ce fut, assure-t-il, son meilleur été en Floride.

— Une expérience-sommet, dit Sunny, ou une « expérience-abîme » ? Ces histoires sont très belles, mais on ne sait jamais comment elles se terminent.

— On l'apprend quelquefois par les journaux, dis-je.

— Mon histoire, dit Jason, n'illustre pas, comme celle-là, le complexe d'Œdipe.

— Tu as failli plutôt être victime du complexe de Jocaste, dit Sunny.

Je rappelai l'histoire d'un fou érotique nommé Glatman, venu de New York apaiser sa fringale à Los Angeles. Il se liait, dans un club des Cœurs Solitaires, avec des femmes qu'il entraînait sur des plages désertes pour les photographier nues et les étrangler ensuite.

— Il a fini sur la chaise électrique, dit Carl. Laissons les morts ensevelir les morts. Mais ne faisons pas une morale aussi vaine que celle des ennemis du sexe en confondant la folie et l'érotisme. Les histoires de mon maquereau sont tellement fortes que je me refuse à les juger sur le plan moral et à me demander si elles auront une sanction morale. Ce serait même très secondaire par rapport à ce qu'elles sont, justement parce qu'elles sont uniques. Mais je ne les répudie pas, car une civilisation aussi forte que la nôtre doit produire des histoires fortes. Il serait grotesque d'y voir des symptômes de décadence. Nous sommes d'éternels pionniers — les pionniers de l'âge atomique, après avoir été ceux de l'Est, du Middle West et du Far West. Je suis sûr qu'il arrivait des choses semblables dans cette Amérique dont certains films de ton père, ma chère Sunny, ne nous montrent que les rudes vertus aux prises avec les Sioux. A Los Angeles, le maquereau lui offrirait, en ce moment, un thème plus corsé. Tu vas voir que la Californie vaut bien la Floride.

« Mon maquereau connaît le gardien d'un terrain de sport, qui est un jeune veuf de vingt-cinq ans, père d'un petit garçon de trois ans et d'une petite fille de six. Je n'en dis pas plus et je n'aurai pas d'histoire plus forte à vous raconter.

— Elle me fait trouver fade ce saumon à la hawaïenne, dit Sunny, et il est pourtant très épicé.

— Je ne raconterai donc pas une autre de ses aventures en Floride avec deux jeunes frères suédo-américains ni une autre de lui à Los Angeles avec deux prostituées et le petit cousin de l'une d'elles. Mais notez que chacun a sa spécialité : mon maquereau a celle de l'inceste. Son histoire la plus joyeuse est la suivante :

« Il est l'ami, depuis longtemps, d'un riche célibataire d'une cinquantaine d'années, qui a une mère de soixante-quinze ans. Ce fils et cette mère habitent une belle maison de Beverly Hills — pas très loin de chez toi, Jack. Bien que très collet-monté, la mère a fini par accepter cette liaison. Souvent, ils déjeunent ou dînent tous les trois ensemble. Pendant une longue absence du fils, le maquereau fut invité par la mère qui s'ennuyait. Il lui demanda depuis combien de temps elle n'avait pas eu sexe. Après un instant de stupeur, elle lui répondit que c'était depuis vingt-cinq ans, c'est-à-dire depuis la mort de son mari. « C'est incroyable ! s'écria-t-il. Il faut essayer. » Grande discussion, comme avec la mère du garçon de Miami. Il ne s'agissait plus là du droit naturel, mais du moyen de conserver un reste de jeunesse et de raviver ses facultés en donnant un choc au cervelet. La dame se déclara convaincue, surtout quand notre homme s'offrit à achever de la convaincre. Toutefois, comme c'est un artiste dans son genre, il l'engagea à se préparer pour ce rendez-vous, qui fut fixé au lendemain. Elle l'accueillit, poudrée et parfumée, dans un déshabillé vaporeux de chez Saks, et elle fut si contente qu'elle lui dit à la fin : « La semaine prochaine, ma sœur aînée vient passer quelques jours. Si vous voulez avoir sexe avec nous deux, vous ferez deux heureuses. » Et il les fit.

— Je me demande, dit Jason, s'il arrive des choses semblables ailleurs qu'en Amérique.

Je déclarai qu'elles étaient la preuve de notre liberté, de notre disponibilité — de notre force. C'est une idée qui m'était chère et que, d'ailleurs, Carl avait exprimée.

Nous laissâmes le restaurant Victor-Hugo. A l'Enfer de Dante, il y avait les mêmes marins et la même femme, un peu plus abrutis. Sur la plage, quelques ombres se dirigeaient vers les rochers, comme pour donner raison à Carl : il y avait sexe à Laguna Beach. Un phare sans lumière se dressait devant une file de palmiers aux longs fûts. Le vent fouettait les petites maisons de bois qui étaient également sans lumière. Les seules fenêtres éclairées étaient celles du bar. Nous remontâmes par un sentier jusqu'à un belvédère fleuri, pour contempler l'océan que faisait miroiter la lune.

En ville, nous croisâmes quelques hippies à clochettes, qui parlaient de Devonshire Meadows. Et nous nous relançâmes vers la libre route.

11

Sunny m'avait donné un nouveau tract de la John Birch Society, intitulé : « Le plan pour brûler Los Angeles. » C'était un commentaire, prouvé par des textes, du complot qui avait abouti, l'été dernier, à l'insurrection noire de Watts. A ce moment-là, je me trouvais chez ma sœur au Texas, de sorte que cette lecture était une occasion pour moi de mieux me renseigner. Mon père m'avait déjà dit, comme le disaient tous les patriotes — et, parmi eux, un conseiller municipal noir de Los Angeles, Gilbert Lindsay —, que la main du parti communiste avait dirigé les opérations, et c'était une des raisons lointaines qui m'avaient incliné vers les Youth Freedom Speakers. Sunny se moquait moins de ma résolution : elle aussi se trouvait en voyage à l'époque de ces troubles et les détails qu'elle venait de lire l'avaient inquiétée.

Le problème noir et le problème communiste se trouvaient mêlés désormais, les Noirs étant devenus, pour les communistes, les plus commodes trouble-fête de l'Amérique, que ce fût sous le programme « Nouvelle Frontière » de Kennedy ou sous la « Grande Société » de Johnson. Ils représentaient la « frontière » que l'on n'avait pu encore tout à fait atteindre ; ils formaient un contraste qui leur semblait insupportable avec la « grande société ». Cette question n'avait pas échappé à ceux qui firent le plus pour leur cause, tels que Lincoln. N'avait-il pas songé à les transporter dans leur Afrique originaire, les considérant plus ou moins comme inassimilables ?

L'événement avait prouvé qu'ils étaient aussi aptes que les autres à s'assimiler ; mais les mêmes contrastes existaient chez eux que chez les Blancs. La presse anti-américaine, qui parle de nos vingt millions de Noirs, laisse entendre que ce sont vingt millions de déshérités, habitant des « ghettos » et des bouges (« slums »). Ils sont environ deux millions au-dessous du « niveau de pauvreté », qui est supposé trois mille cinq cents dollars par an. Mais déjà, au lendemain de la Première Guerre mondiale, le Hongrois Pepper, envoyé aux Etats-Unis par le Komintern, et qui avait compris l'intérêt d'embrigader les Noirs, constatait avec dépit que soixante-treize banques noires faisaient un volume d'affaires de plus de cent millions de dollars par an et qu'il y avait vingt-cinq compagnies noires d'assurances, dont quatorze totalisaient un capital de six millions de dollars. « Cette bourgeoisie noire, concluait-il, est entièrement liée avec la bourgeoisie blanche et elle est souvent l'agent du capitalisme blanc. » Aujourd'hui, il y a dix mille nègres qui possèdent chacun plus d'un million de dollars. Ce ne sont évidemment pas eux qui se sont révoltés à Watts.

La première étincelle des troubles semblait avoir été allumée par ces musulmans noirs dont Mr Hunt avait été censé le bailleur de fonds. Leur chef était un homme mystérieux, qui avait eu trente-six noms successifs, dont Elijah Muhammad, était le plus connu. Il allait prêchant aux nègres la haine du Blanc et, dans une conférence à Los Angeles, avait annoncé que la race noire dominerait le monde en 1970. Un de ses acolytes, Malcolm X, avait fait sécession pour fonder les « Nationalistes noirs ». Son nom, comme celui d'autres Noirs qui se contentent d'une simple initiale, témoignait sa répudiation de tout américanisme. Lui, c'est à Berkeley que je l'avais entendu. Nous avions, pour sa conférence, surmonté l'opposition des régents. Nos camarades communistes l'avaient reçu à bras ouverts parce qu'il incarnait un des grains de sable de l'engrenage américain.

Ils avaient des excuses : c'était un Noir, W.E.B. DuBois, qui avait fondé les Clubs juvéniles auxquels **on a donné son nom** et qui lui valurent le prix Lénine. Ces enthousiastes avaient oublié les liens subtils des Nationalistes noirs et des musulmans noirs avec le parti nazi américain : au congrès de ces derniers à Chicago, le chef de ce parti, George Lincoln Rockwell, avait été invité et applaudi. Les Nationalistes noirs étaient même encore plus franchement antisémites, et beaucoup de mes camarades rouges de Berkeley étaient juifs. Toutefois, les nègres extrémistes étaient groupés dans le Mouvement d'Action révolutionnaire, qui était communiste.

Il y avait une autre preuve des liens qui existaient entre les Noirs et le communisme. Si le Finno-Américain Guss Hall restait le secrétaire général et le principal personnage du parti communiste, le secrétaire national est le nègre Benjamin J. Davis et le président le nègre Henry Winston. Celui-ci avait purgé cinq ans de prison pour violation de la loi Smith de 1940 contre les activités subversives et, demi-aveugle, était allé se faire soigner à Moscou. On l'y avait exhibé comme « un exemple des cruels traitements de l'impérialisme américain envers les nègres ». Aujourd'hui, il dit aux autres nègres : « Je suis le premier Noir à présider un grand parti politique américain. »

Cette stratégie communiste avait été inaugurée il y a vingt ans, lorsque le nègre Ford fut choisi comme candidat du parti à la vice-présidence, avec Henry Wallace candidat à la présidence sous l'étiquette progressiste (il avait eu zéro voix devant le collège électoral). Et, durant la guerre d'Espagne, la brigade rouge américaine était baptisée Abraham Lincoln. Elle était d'ailleurs composée en majorité de faux Américains, aventuriers internationaux recrutés par le parti communiste et qui étaient censés avoir eu leurs papiers détruits dans le tremblement de terre de San Francisco. Grâce à deux témoins qui attestaient leur identité, ils allaient combattre le fascisme au nom de la libre Amérique.

Le Mouvement d'Action révolutionnaire — (RAM) n'avait jamais caché son but, qui était de « saboter

180

les lignes d'électricité, de verser de l'essence dans les égouts, d'y mettre le feu », etc. Son chef était le nègre américain fugitif, Williams, condamné en Caroline du Nord pour kidnapping et maintenant l'hôte de Mao Tsé-toung. Pendant cinq ans, il avait dirigé, à La Havane, les émissions dites « Radio libre des Etats du Sud » — les cinq Etats de la « Ceinture noire » que le communisme voudrait rendre indépendants, parce qu'ils ont une majorité de couleur, et qui formeraient la première république soviétique des Etats-Unis. Williams en est déjà proclamé président ; mais il ne revendique pas encore Washington, où les nègres sont pourtant aussi en majorité.

On estime, disait la brochure de la John Birch Society, que le travail de préparation dans la paisible population noire de Watts, dura cinq ans — les cinq ans du séjour de Williams à La Havane. Les thèmes habituels furent savamment exploités : le chômage, alors que soixante-quinze pour cent des Noirs arrêtés au cours de ces troubles avaient un emploi ; les « brutalités policières » — les émeutes de Harlem, œuvre du communiste noir Epton avaient eu pour origine la mort d'un nègre de quinze ans tué par un policier, qu'il avait attaqué à coups de couteau ; celles de Watts, le cri, non vérifié, que des policiers avaient « donné des coups de pied dans le ventre à une Noire enceinte ». Le soulèvement, qui dura quatre jours, avait été organisé dans les moindres détails. Du reste, le Mouvement communiste d'Action révolutionnaire qui en tenait les fils, portait à Watts le nom plus discret d'Organisation. Les chefs communiquaient entre eux dans les rues au moyen de « walkie-talkies ». On pilla d'abord les magasins de boissons ; puis les super-marchés ; enfin les magasins d'armes : dans un seul, furent volés deux mille cinq cents fusils.

Ce que révélait la brochure, d'après l'enquête de l'ancien chef de la police de Los Angeles, Parker, et de son successeur Reddin (le vice-shérif Bomar, un Noir, était peut-être le seul Américain ayant le prénom suggestif d'Onan), c'est que cette révolte tendait à incendier, non pas les égouts, mais les principales usines de la ville et des environs. Elles étaient marquées sur des cartes que l'on a retrouvées et qui indiquaient le chemin à prendre à partir du « ghetto de Watts » : il y avait Pasadena, Boyle Heights, Vernon, Lynwood, Hawthorne : il y avait même El Segundo — Mr Palewsky l'avait échappé belle. L'Organisation avait mis en place des équipes de tireurs pour empêcher les pompiers d'éteindre les incendies allumés par les « cocktails Molotov » (des affiches en indiquaient la recette). Cependant, bien qu'ils eussent tiré des milliers de coups et contre les policiers et contre les pompiers, les Noirs, avec un reste de prudence, se bornaient à l'intimidation pour ne pas risquer de faire appliquer la loi martiale. Ils n'insistèrent plus dès que la Garde nationale fut arrivée. Mais le butin ne resta pas dans les mains des pillards : ils avaient pour consigne de l'abandonner sur les trottoirs où des camions le ramassaient.

Ainsi l'Organisation avait obtenu un double résultat : éprouver la capacité révolutionnaire des Noirs et se procurer, à leurs dépens, des armes et de l'argent. Ces marchandises, en effet, furent écoulées à travers le pays et même au Canada. On pense que le bénéfice a procuré à l'Organisation vingt mille fusils. « Rejoignez les groupes de défense armée du peuple », dit une de ses affiches, qui montre un Noir armé d'un fusil, devant une rangée de baïonnettes au-dessus desquelles flotte le drapeau rouge. L'intellectuel communiste Aptheker, dont la fille est étudiante à Berkeley et l'égérie du club DuBois, avait déclaré à l'Université Columbia, à New York, que « la révolte de Watts est une date glorieuse ». Elle avait fait seize morts, neuf cents blessés et des millions de dollars de dégâts. Elle avait inauguré ces « guérillas urbaines » qui se sont développées ensuite un peu partout : à Hough près de Cleveland (Ohio), à Newark (Nouveau-Jersey) et enfin, cet été, à Boston (Massachusetts), puis à Detroit (Michigan), où il y avait eu quarante morts, mille blessés et cinq cents millions de dégâts.

Ces réjouissances nous sont annoncées désormais pour chaque été par deux enragés, les Noirs Rap Brown et Carmichael, qui se sont succédé à la tête du Comité de coordination des étudiants non violents. Ils nous promettent même « une guerre à mort ». La rhétorique noire est digne de la rouge, mais enfin ni les rouges ni les Noirs ne sauraient reprocher aux birchers, aux « minutemen » et à d'autres groupes d'extrême-droite de tenir, eux aussi, en réserve quelques fusils pour être prêts à la riposte — « en une minute », selon la devise des minutemen. Ces groupes ne songeaient qu'à la défense et non pas à l'attaque, comme le Ku Klux Klan ; mais on ne s'étonne pas du mot de Faulkner, qui fut pourtant si compréhensif pour les Noirs dans ses écrits : « S'il y a une guerre raciale, je descendrai dans la rue avec les Blancs. » C'est la seule réponse que nous puissions faire à cet avis publié par la feuille noire Spark, très répandue à Watts : « Rejoignez l'armée noire de guérillas, pour tuer la bête blanche. »

De telles excitations et de telles expériences ont obligé le F.B.I. à faire fabriquer un computer spécial pour suivre le déplacement des principaux agitateurs noirs, sur le modèle du computer de Chicago qui permet de suivre les déplacements des principaux gangsters. Il ne s'agit pas seulement de garantir la sécurité des citoyens, mais celle de l'Union puisque ces agitateurs se vantent même de préparer « une action militaire » dans les cinq Etats qu'ils revendiquent. Sans doute ont-ils hâte de mettre les Blancs « un ou deux mois en esclavage », comme le souhaite l'écrivain noir Langston Hughes.

On ne dit jamais assez combien l'immense majorité des Noirs reste étrangère à cette agitation et à ces folies. Si trois mille se sont révoltés à Watts, les quatre cent mille du « petit Los Angeles », les onze cent mille du « grand Los Angeles » se sont tenus fort tranquilles. Les plus coupables ne sont pas les émeutiers, mais les intellectuels et clergymen qui soufflent sur ce feu par idéologie, par tartuferie ou par sottise.

Leur roi à tous, qui mérite bien ce titre par son nom et par ces trois motifs, est le pasteur noir Luther King. C'est lui qui a inventé la non-violence à l'américaine : il rassemble des milliers de Noirs pour former des cortèges, avec la certitude que tout se termine par des pillages et un choc avec la police. Il ne reste qu'à mettre le désordre sur le dos d' « éléments extérieurs » et à photographier un policier en train de matraquer un jeune nègre. Le pasteur King avait commencé par créer la non-violence dans le Sud, puis il l'avait transportée dans le Nord, et il était retourné dans le Sud, qui est son vrai champ de manœuvres. Il a obtenu naturellement le prix Nobel de la Paix. Son escorte à Oslo fut la plus importante qu'on y eût jamais vue autour d'un lauréat : vingt-six « pauvres nègres, qui avaient fait le voyage sur leurs épargnes ». Il n'y manquait que ses victimes : les Noirs et les Blancs tués dans le sillage de ce pieux baptiste, qui a fait son catéchisme à l'école d'entraînement communiste de Monteagle (Tennessee). La John Birch Society a placardé en agrandissement, le long des routes, une photographie où on le voit assis au premier rang de cette école pour adultes. Les communistes appellent « groupe de haine » ceux qui font ces révélations, autrement dit ceux qui luttent contre le mensonge. Mais en donnant au pasteur King le masque de la non-violence pour mieux déchaîner la violence, ils l'apparentent à Lincoln Rockwell et à Malcolm X, qui ont été assassinés. C'est un mélange détonant que celui du pastorat, du communisme, de la négrerie et des lauriers du père de la nitroglycérine.

La renommée de ce pasteur, ou plutôt de cet imposteur, naquit au temps d'Eisenhower. C'était à la veille des élections présidentielles et, comme les voix noires étaient recherchées, Kennedy avait téléphoné à grand fracas à Mrs King pour lui demander des nouvelles de son mari qui était en geôle. Il va sans dire qu'une fois élu, Kennedy oublia le pasteur King, mais le pasteur King ne l'oublia pas : il conduisit à Washington deux cent mille manifestants qui alternaient les hymnes religieux et les chansons d'esclaves. Enfin, malgré la résistance du Sud, la loi des droits civils, présentée par Kennedy, fut votée sous Johnson. La Cour Suprême, en supprimant la ségrégation dans les moyens de transport, dans les écoles et dans les lieux publics avait préparé la voie.

C'est le pasteur King qui avait inauguré, non seulement les marches et les contre-marches, mais les « sit-ins », où l'on s'assoit à l'intérieur d'un magasin, d'un hôtel, d'un bar, d'un restaurant qui refusent d'engager du personnel noir. Il avait eu pour instruments la Conférence chrétienne de direction du Sud, qui réunissait autour de lui d'autres pasteurs noirs, idéalistes ou fanatiques, et cela va sans dire, le Comité de coordination des Etudiants non-violents. L'Association nationale pour l'avancement du peuple de couleur et le Congrès pour l'égalité raciale lui avaient aussi prêté leur concours. Il disposait de troupes plus nombreuses : l'ambassadeur de Chine à Accra, « chez qui il était allé prendre le thé », lui avait assuré, de la part de Mao Tsé-toung, « l'appui de sept cents millions de Chinois » — et même, selon d'autres textes, de « huit cents millions ». Il n'avait pu que devenir le héros, sinon le chef, du « Black Power », cri de guerre qui était également le nom d'un parti. Les éléments avancés de « Pouvoir noir » formaient les « Panthères noires », le pasteur King faisant figure de reptile au milieu de tout cela.

Les conditions économiques du Sud, où il existe de « pauvres Blancs » comme de « pauvres Noirs », avaient ralenti les changements nécessaires, mais ils n'étaient pas moins en train de se produire sans le pasteur King. Ces Etats comptent deux cent soixante-cinq mille fermiers noirs, dont quatre-vingt-dix mille sont propriétaires et trente-sept mille partiellement. D'autre part, de grandes entreprises blanches n'avaient pas craint de braver le boycottage des Blancs racistes : les automobiles Ford, les cigarettes Philip Morris et la bière Falstaff — qu'on appelait « les trois F » —, avaient pris depuis longtemps l'initiative d'employer des Noirs. Enfin, des œuvres comme la Ligue Nationale Urbaine faisaient du bon et utile travail. Certes, la ségrégation prenait dans le Sud une forme pathologique : elle s'exerçait jusque pour les jardins, les plages, les fontaines et les cimetières. On n'avait même pas le droit de stocker ensemble les livres de classes destinés aux écoles blanches et aux écoles noires. Mais souvent les Noirs eux-mêmes désiraient cette séparation. Ceux qui combattent au Vietnam demandent parfois à avoir leurs propres cantines, leurs propres bars.

Ni cet état d'esprit ni cette évolution paisible n'auraient fait les affaires du pasteur King. Ayant réussi à bourreler de remords nos âmes puritaines — et seul pouvait y arriver un pasteur noir dont les larmes formaient déjà une autre mer noire —, il a institué un chantage de tous les instants. Il nous prédit de « longs étés brûlants », comme ses compères Brown et Carmichael, et ses étés commencent tôt, finissent tard. Il nous avertit que le sort des prochaines élections présidentielles dépendra des Noirs, c'est-à-dire de lui. Il veut, à Chicago, que les Blancs qui ont des magasins dans le ghetto noir déposent leurs revenus dans des banques possédées par les Noirs. « Toute la richesse de l'opulente société américaine, a-t-il dit, n'arrivera pas à racheter l'exploitation et l'humiliation des nègres américains à travers les siècles. » Estimant qu'ils n'ont pas une part suffisante des huit cent soixante millions de dollars que le président Johnson a fait voter pour la guerre à la pauvreté, il annonce une « marche des pauvres » sur Washington.

L'outrecuidance et l'agressivité qu'il a inspirées à ses congénères apparaissent sur tous les terrains. La chanteuse noire Eartha Kitt, invitée par Mrs Johnson à la Maison-Blanche, fait un affront à son hôtesse et déclame contre la guerre du Vietnam : elle reçoit un télégramme de félicitations du pasteur King. A Berkeley, nos professeurs nous avouent que des étudiants noirs et surtout des étudiantes pleurnichent en recevant de mauvaises notes : « Vous n'aimez pas les Noirs. » Et parfois cette comédie a du succès, sans que les intéressés menacent de télégraphier au pasteur King. Beaucoup de gens qui ont des serviteurs nègres s'en séparent, ceux-ci travaillant à peine pour venger leurs pères qui ont été esclaves, comme le leur rappelle tous les jours le pasteur King. J'ai vu moi-même, à Houston, ma sœur faire le ménage pendant que sa servante noire, assise sur une chaise de la cuisine, lit la dernière interview du pasteur King. Il ne faut donc pas s'étonner que, si l'Américain blanc est la bête blanche de quelques Noirs, le pasteur King soit la bête noire de beaucoup d'Américains blancs.

Ce n'est pas dans les rues, où le pasteur King les appelle sans cesse, que le problème noir doit se régler, mais à l'école. Malheureusement, la déségrégation n'a pas suffi à le régler. Tout le monde, à commencer par la Commission des droits civils, reconnaît que les petits Noirs sont en avance pour le sexe et en retard pour tout le reste — de trois à cinq classes en lecture, de quatre à six en mathématiques... Les parents blancs retirent leurs enfants de ces écoles panachées, où le niveau des études est tombé et où les petites Blanches sont violées. Alors, on a imaginé pour les Noirs des classes dites de compensation : on leur donne des professeurs mieux payés, on leur enseigne un programme choisi et les petits Noirs sont toujours en retard.

Un de nos professeurs de Berkeley, Wilson, et un professeur de Harvard, Pettigrew, viennent de publier une étude pour la Commission des droits civils, sur l' « Isolement racial dans les écoles publiques ». Ils concluent que les enfants noirs ne travaillent d'une façon satisfaisante que dans des classes où il y a une moitié de Blancs, mais non davantage. Le système d'éducation qu'ils préconisent aurait pour effet de contraindre les Blancs à être élevés avec les Noirs, afin que ceux-ci pussent travailler. On se demande ce qu'il faudra faire à Washington où il y a quatre-vingt-douze pour cent d'enfants noirs dans les écoles, à Saint-Louis et à Baltimore où ils sont soixante pour cent, à Détroit cinquante-cinq pour cent, à Chicago cinquante-deux pour cent. Peut-être y transportera-t-on des petits Blancs des Etats voisins.

Des suggestions semblables à celles de Wilson et Pettigrew ont déjà été avancées par le Pr Colman, de la John Hopkins University (Maryland), auteur d'un rapport monumental sur le même sujet. Il visita, pour l'établir, quatre mille écoles, où il interrogea six cent quarante-cinq mille écoliers et soixante mille enseignants. L'optimisme de tous ces réformateurs repose sur la conviction qu'il n'y aura pas la moindre résistance ni des parents blancs ni des municipalités. Or, certaines villes se refusent à transporter les petits Noirs des faubourgs dans les écoles blanches, comme d'autres le font. Du reste, tous les experts reconnaissent que le retard intellectuel des petits Noirs est dû au milieu familial. C'est revenir à un autre problème : celui des slums ou prétendus tels.

A New York, j'en avais visité quelques-uns avec Jim. Nous avions pour guide un ami de son père, conseiller municipal juif et grand ami des Noirs. Il n'avait donc aucun intérêt à avoir choisi des slums de luxe, car il voulait nous montrer ensuite l'effort accompli par la municipalité dans les nouvelles constructions. Presque partout, nous avions vu des appareils frigorifiques, des appareils de radio, des machines à laver, la télévision et souvent une voiture à la porte. Cela m'avait confirmé les chiffres que j'avais vu citer : que nos vingt millions de nègres possèdent deux millions trois cent mille automobiles, soit deux fois plus que tous les pays du rideau de fer, U.R.S.S.

comprise, ce qui fait d'eux la cinquième nation pour les voitures, de même qu'ils ont le sixième rang pour les appareils de télévision, le septième pour les logements avec salle de bains et le dixième pour le revenu (soixante-dix-sept millions de dollars, soit sept pour cent de celui de la nation, dont ils sont le dixième). La qualité de slum tient moins à l'état des lieux qu'au nombre de gens qui y habitent. Cela semble aussi un problème insoluble ; car, à mesure qu'on loge les Noirs dans des immeubles neufs, ces immeubles se changent en slums. Il y a toujours des Noirs du Sud ou d'ailleurs qui accourent pour retrouver ces Noirs de New York, de Chicago ou d'autres grandes villes du Nord, et tout est à recommencer.

Comme on a tenté la cohabitation dans les écoles, on l'a tentée dans les immeubles. Quand nous visitâmes ensuite ces très confortables maisons où la municipalité attire les Blancs par le bas prix des loyers et toutes sortes d'avantages, nous recueillîmes leurs doléances. Ces Blancs de bonne volonté aimaient beaucoup les Noirs, mais ne songeaient qu'à les fuir au plus vite : leurs filles étaient violées dans les escaliers et ils ne voulaient plus habiter un vaste slum. Durant les trois dernières années, on a construit plus de douze cent mille logements pour bannir la ségrégation : elle se reforme automatiquement, comme dans les écoles. C'est un des motifs du racisme dans les classes moyennes et même dans la classe populaire. L'ambition de toute famille américaine étant d'avoir sa maison, ce à quoi elle arrive par ses économies ou par le crédit, cette maison devient son capital essentiel et il diminue de moitié dès qu'une famille nègre s'établit dans le voisinage.

Le phénomène qui s'observe aux confins de Harlem ou dans le quartier portoricain est le même dans les quartiers résidentiels. L'installation d'un Noir élégant et d'une Noire couverte de diamants déprécie les immeubles, comme si l'on entrevoyait derrière eux les faiseurs de slums. Aussi y a-t-il, dans beaucoup de villes, des comités de rues ou de quartiers qui font signer aux propriétaires l'engagement de ne pas vendre à des « personnes non désirées » ou « d'une autre race ». C'est pour obvier à cet état de choses que Johnson s'apprête à faire voter une loi dite « du logement ouvert », qui donnera à n'importe qui le droit d'habiter n'importe où. Nul ne sait encore ce qu'il adviendra du « logement ouvert », mais le père de Jim m'a raconté deux traits assez caractéristiques du « logement fermé ».

Le représentant de la France aux Nations unies a eu toutes les peines du monde à faire accepter, dans un immeuble de la Cinquième Avenue, le représentant de Madagascar. Encore, après y avoir réussi, dut-il intervenir pour que le liftier consentît à servir ce Malgache. Il y a eu mieux. L'ambassadeur d'une autre république noire, après avoir présenté ses lettres de créance à Johnson et été reçu avec les honneurs militaires par les quatre armes, aux sons approximatifs de son hymne national, était reparti pour New York par la route, voulant assister à une séance des Nations unies. Il était en jaquette, dans sa Cadillac toute neuve, sur laquelle flottait son pavillon et qui était conduite par un chauffeur blanc. En chemin, il souhaita se rafraîchir et se fit arrêter devant un bar. Il y avait cette inscription sur la porte : « Hors d'ici les nègres. » Et bien que cette inscription fût illégale, le chauffeur blanc ne put faire entrer l'ambassadeur noir. Le pasteur King ne peut être partout.

J'avais repensé à cette histoire en lisant un des derniers articles de Mr Hunt. Comme il s'était indigné avec moi que la Russie, grâce à deux de ses républiques postiches, eût trois voix dans l'assemblée générale des Nations unies où nous n'en avons qu'une, il s'indignait maintenant que l'Afrique, avec deux cent soixante millions d'habitants, eût trente-quatre voix. « Le Gabon, disait-il, qui a une voix comme nous, compte quatre cent cinquante mille habitants. » Il aurait pu ajouter que son président, M'Ba, a subi un procès, au temps du colonialisme, sous l'inculpation d'avoir mangé sa belle-mère. Le Kenya a aussi une voix aux Nations unies et son chef Mau Mau ordonnait naguère à ses partisans de couper les têtes de leurs ennemis, Blancs ou Noirs, d'en arracher les yeux et de boire leur sang.

Les Noirs américains ont heureusement d'autres mœurs. Il faut même admirer leur bon naturel, quand ils restent dans le droit chemin, malgré ceux qui se sont faits leurs apôtres. Trop de leurs écrivains semblent jaloux de surenchérir en appels à la violence et même à la sauvagerie. LeRoi Jones, dont le nom fait concurrence à celui de Luther King, le traite d' « agent de la classe moyenne noire et blanche » et lui reproche d' « épargner le sang ». Il veut « un conflit racial à l'échelle du monde, la destruction de tous les chefs politiques de la race blanche, la domination du monde par la majorité, c'est-à-dire par les gens de couleur, car le monde a été souillé par les Blancs ».

Ce délire verbal est encouragé par le mouvement pan-africaniste et l'Organisation d'Unité Africaine qui en est sortie. Organisation est un mot qui rappelle fâcheusement celle de Watts. Tous les communistes noirs, à la suite de DuBois, qui est allé mourir au Ghana, font feu des quatre fers dans cette Unité africaine, dont Castro et Mao sont les divinités marginales et où s'agita beaucoup Malcolm X. Leur palestre est l'Université Lumumba ou de l'Amitié du peuple, à Moscou, créée principalement pour endoctriner les Noirs.

Les rêves d'unité politique ne masquent pas une caractéristique de la race noire, qui est l'impossibilité de s'unir. C'est sans doute un vieil héritage de l'esprit de tribu. Ceux qui étudient les Noirs constatent que leur goût du pillage et leurs accès de colère se muent vite en peur et même en timidité si le communisme n'est pas là pour leur fournir une armature ou des armes. Les chefs noirs se jalousent et se haïssent — Malcolm X a été assassiné à Harlem par des Noirs ; Lumumba a été tué par des Noirs au Katanga.

L'argument le plus grotesque trouvé pour excuser leurs violences est qu'elles leur donnent une identité. James Baldwin, autre écrivain noir dont Carl appréciait les mœurs jusqu'à un certain point, comme celles de LeRoi Jones, avoue au contraire que le drame du Noir, en Amérique, est de « conserver le sentiment de son identité, alors qu'un Italien, par exemple, y perd le sentiment de la sienne ». Hélas ! rien ne peut retirer au Noir le sentiment de son identité : Cham, fils de Noé, la lui a donnée pour toujours. Baldwin ajoute ceci à sa remarque ingénue : « Etre noir, aux Etats-Unis, c'est être en colère presque tout le temps. » Aussi a-t-il beaucoup vécu en France, peut-être pour voir moins de Noirs. Son confrère Richard Wright y avait déjà émigré : ayant déserté le parti communiste, il avait été roué de coups à Chicago par deux communistes blancs. Nos écrivains noirs semblent avoir bien des raisons d'être en colère aux Etats-Unis.

Baldwin a saisi une autre occasion de quitter l'Amérique : il est allé participer à Stockholm, avec le féroce Carmichael, au pseudo-tribunal international des crimes de guerre qui nous a condamnés pour notre action au Vietnam. Ces deux nègres américains faisaient un digne pendant aux deux philosophes Russell et Sartre, que le juif de la Rand vouait si justement aux gémonies.

Les outrances de la littérature négrière et la non-violence des pasteurs violents, jointes au fléau social du slum et au chômage, légèrement plus accentué chez les jeunes Noirs que chez les jeunes Blancs, ont engendré un autre fléau et créé un autre problème : celui de la délinquence juvénile noire. L'attaque provoque la riposte. A Harlem, où les « Frères de sang » poignardent les Blancs, la police a été renforcée : aussitôt le leader communiste Epton l'accuse de faire de Harlem « un Auschwitz ». A Chicago, on a dû prendre les mêmes mesures : aussitôt le comique noir Gregory, activiste des droits civils, fait quarante et un jours de jeûne pour protester. A Miami, le chef de la police a muni ses hommes de fusils mitrailleurs après que les Noirs eurent commis quarante-huit crimes dans une semaine : aussitôt le Noir Mac-Kissick, du Congrès pour l'égalité raciale, le traite de fasciste et prédit une émeute si « un jeune innocent » est tué. A Nashville (Tennessee), le grand jury a recommandé aux citoyens de s'armer, comme le font les minutemen. A Washington enfin, le président Johnson a signé une loi spéciale pour la « répression du crime » dans la capitale — la répression des crimes noirs. On parle sérieusement de créer des « camps de concentration » pour les Noirs, comme on en fit pendant la Seconde Guerre mondiale pour les Américains d'origine japonaise, et la Cour Suprême avait alors déclaré que ces camps n'étaient pas inconstitutionnels.

Les précautions auxquelles doivent se résoudre les Etats de proche en proche et celles qui sont plus ou moins envisagées, expliquent, sans les justifier, les longs excès du Ku Klux Klan et du lynchage. Mais le lynchage a disparu et le seul meurtre que l'on puisse attribuer au Ku Klux Klan dans les dernières années, est celui d'une Blanche, travailleuse des droits civils dans l'Alabama, ce qui provoqua un avertissement solennel de Johnson. S'il n'est que trop vrai que les petits Noirs soient redoutables pour les petites Blanches dans les écoles d'aujourd'hui, les Etats du Sud eurent une fâcheuse tendance à croire sur parole toute accusation de ce genre : telle fut l'origine du fameux « cas de Scottsboro » (Alabama) qui, avant la guerre, impliqua neuf jeunes Noirs pour le viol de deux filles blanches dans un train. Ils furent condamnés à mort par un grand jury, auquel participait un Noir, et bien que la sentence eût été commuée, l'affaire des « martyrs de Scottsboro » est encore exploitée par les communistes. Il est vrai que les filles déclarèrent en fin de compte qu'il n'y avait eu aucun viol.

L'idée la plus lancinante qui ait été inculquée aux Noirs par leurs meneurs est celle d'une justice absolue, selon laquelle il ne devrait plus y avoir un seul d'entre eux dans une situation inférieure aux Blancs. Le nombre est grand, au contraire, de ceux qui ont une situation éminente dans divers ordres d'activités. Un professeur noir du collège de San Jose (Californie) propose que nos athlètes de couleur s'abstiennent de participer aux Jeux olympiques, pour attester aux yeux du monde entier la « persécution raciale » qui sévit aux Etats-Unis. Le sport est un des terrains où les Noirs cueillent le plus de palmes. Ils forment plus de la moitié de nos équipes nationales de basket-ball, presque le tiers de celles de football, le tiers de celles de base-ball. Le salaire des meilleurs joueurs atteint jusqu'à trois cent cinquante mille dollars par an. Cassius Clay, condamné comme objecteur de conscience et disqualifié à la suite de cette condamnation, était, après beaucoup d'autres Noirs américains, champion du monde de boxe. Aux derniers Jeux olympiques de Tokyo, vingt-deux des cent vingt-six médailles que nous avons gagnées allèrent à des Noirs. Un des membres de notre Comité olympique fait observer que si les Noirs boycottent les jeux prochains, c'est eux qui y perdront le plus.

La musique est aussi un de leurs domaines et constitue certainement, par la fougue qu'ils y mettent, un exutoire à leur vitalité. Pourtant, le rock'n'roll ne vient pas du Sud, comme le blues, mais de l'Ouest. Les Noirs n'estiment pas moins qu'on les a volés et Langston Hughes plaint Duke Ellington d'être « obligé de jouer tous les soirs » quand Elvis Presley a déjà fait fortune. Aucune remarque n'illustre mieux le tempérament noir que celle-là : travailler, c'est être encore esclave. Heureux esclavage auquel nous devons les chœurs de l'Université noire Howard de Washington, les airs de Louis Armstrong et de Miles

Davis, les voix de Leontyn Price, d'Ella Fitzgerald, de Harry Belafonte et de James Brown, les ballets de Katherine Dunham et de Pearl Primus! Sidney Poitier vient d'être le premier Noir à gagner le prix du « meilleur acteur » de l'Académie des arts et des sciences cinématographiques. Avant la guerre, cette récompense avait été déjà obtenue par l'actrice noire Hattie McDaniel.

Il est curieux de noter que le procédé de récrimination fleurit jusque dans le domaine artistique. La compagnie du Noir Macbeth, un des porte-parole de Pouvoir Noir, après s'être fait longtemps applaudir à Broadway, a décidé de renier Broadway et obtient un prêt de la Fondation Ford pour fonder un théâtre indépendant. Mais comme ce sombre Macbeth le fonde à East Village et non pas à Harlem, les Noirs protestent et se disent frustrés, car il est difficile de contenter les Noirs.

Faut-il s'intégrer ou s'isoler définitivement? Les chefs oscillent entre ces deux partis extrêmes, et ne s'entendent que pour tirer le maximum possible des Blancs. La même oscillation se produit chez des Noirs et des Noires qui, après s'être décrêpés, se mettent à se recrêper. On lit sur quelques pare-chocs : « Restez naturels ». En dépit de cette consigne discrète, la majorité penche toujours vers l'intégration ou du moins la mimétisation. Le grand magazine noir Ebony continue à faire de la réclame pour les produits de décrêpage et même de blanchiment, qui ont rendu milliardaires leurs fabricants noirs. Il est typique, en effet, que leurs inventions les plus fructueuses eussent été celles qui atténuaient leurs apparences naturelles si peu que ce fût.

Leur conversion au christianisme, surtout à la secte baptiste, a été une autre marque de cet effort d'intégration, autant que leur goût pour la franc-maçonnerie. Les trente-huit Grandes Loges Prince Hall, ainsi nommées du premier nègre libre devenu maçon à la fin du XVIIIe siècle, comptent plusieurs centaines de milliers de membres. Ce père de la maçonnerie noire aux Etats-Unis avait montré son allégeance de citoyen américain : il conduisit à George Washington cinq mille Noirs libres qui prirent part à la guerre d'Indépendance. Mais, si les Noirs reçurent l'autorisation de la Grande Loge d'Angleterre d'avoir leurs propres loges, leur entrée dans les loges blanches resta sévèrement prohibée jusqu'à ces derniers temps. Toutefois, il n'y a pas de Noirs au Suprême Conseil de Washington. Mon père m'avait dit l'émoi suscité, peu avant la Première Guerre mondiale, par l'initiation d'un Noir américain, le champion de boxe Jack Johnson, dans une loge d'Ecosse. La maçonnerie américaine obtint que la charte de cette loge fût suspendue et l'initiation annulée.

Les diverses confessions chrétiennes aussi maintinrent longtemps la ségrégation à l'intérieur de leurs temples. Les catholiques furent les premiers à la supprimer, puis les presbytériens. Il y eut également des congrégations interraciales, comme celle qui a bâti à San Francisco l'église de la Fraternité de tous les peuples.

J'avais demandé au chapelain catholique de Berkeley — ami de Jim, qui est catholique —, s'il y avait des saints et des saintes noirs. Comme il est italoaméricain, ses connaissances de l'Eglise romaine sont peut-être plus approfondies que celles d'un autre. Il me répondit d'abord que les Noirs ont fait mieux que des saints et des saintes : ils ont peint le diable en blanc et ils ont peint en noir Dieu, la Vierge et l'enfant Jésus. Cela venait de loin puisque l'une des premières vierges noires fut attribuée à saint Luc. Une autre est célèbre au Costa-Rica : on l'appelle la Negrita. Les Noirs savent qu'ils ont fourni un roi mage, mais ils semblent ignorer, à ce que me dit le chapelain, qu'ils ont eu trois papes, fort anciens il est vrai : saint Victor au IIe siècle, saint Melchiade ou Miltiade au IVe siècle, et saint Gélase au Ve, déclarés tous trois, dans la liste des pontifes, « Africains de nation ». Depuis lors, et malgré les innombrables Noirs catholiques, il a fallu attendre jusqu'au milieu du XIXᵉ siècle pour voir l'un d'eux béatifié, Martin de Porres, et jusqu'en 1962 pour que le bon pape Jean le canonisât. Encore ce premier saint noir est-il mulâtre. Il fut suivi de près par les vingt-deux martyrs de l'Ouganda, canonisés en bloc il y a cinq ans. Mais il manque toujours un saint noir à l'Amérique du Nord, qui a pourtant une sainte indienne. Est-ce pour cela que le diocèse catholique de Worcester (Massachusetts) demande la béatification, sinon d'un Noir, au moins d'un Blanc — et qui même est protestant —, victime de son zèle pour la cause noire : le révérend Reed, tué durant la marche de Selma (Alabama) — l'une des marches glorieuses du pasteur King ? Mais le pasteur King lui-même n'est-il pas en odeur de sainteté ? Le pasteur noir Abernathy, son principal compagnon d'aventures, le proclame « conçu par Dieu ».

Le pasteur King a porté un étrange jugement sur les juifs quand il a dit qu'ils ont brisé la ségrégation parce qu'ils ont de l'argent : ils l'ont brisée, parce qu'ils sont blancs. LeRoi Jones en donne une preuve aussi plaisamment ingénue que celle de son congénère James Baldwin au sujet des Italiens : il dit avoir été marié à une Blanche dont le beau-frère était un juif nommé Finklestein, qui se fit opérer le nez, prit le nom de Franklin et ne se distinguait plus des autres Américains. Or, il y a cent mille juifs noirs aux Etats-Unis. La plupart ont été convertis au judaïsme, sans être d'origine juive, mais ceux de New York, dirigés par le rabbin Matthew, prétendent descendre des juifs noirs d'Ethiopie. Le chanteur Sammy Davis est l'un d'eux. Il a converti au judaïsme sa blonde épouse suédoise May Britt, qu'il abandonne pour une Noire, et qui va épouser un Caucasien. Il a eu ce bon mot, comme on lui demandait s'il était heureux : « Je suis nègre, juif et borgne. Que voulez-vous de plus ? »

La plus surprenante de toutes les appartenances religieuses des Noirs américains est, certes, le mahométisme, qui a tenu les Noirs africains en esclavage plus longtemps que nous. Malcolm X et Elijah Muhammad restent pour nous des mystères. Cassius Clay est la principale illustration des musulmans noirs et avait argué, pour échapper à ses obligations militaires, qu'il était prêtre musulman. Il ne semble pas que cette courtisanerie des Noirs envers Mahomet leur ait valu un appui très sincère ni très enthousiaste des pays musulmans.

En revanche, les juifs américains se piquent de les soutenir tant par générosité naturelle que par souci de défense des minorités. Ils se trouvent, en effet, les uns et les autres, devant ce qu'il est convenu d'appeler l' « établissement blanc anglo-saxon-protestant » ou, en abrégé, l' « établissement » ou encore les « Wasps » (« White Anglo-Saxons-Protestants »). Les Wasps, qui règnent encore dans la grande industrie et dans la plupart des grandes banques, ont dû lâcher quelque chose aux catholiques, notamment dans les assurances, et ont abandonné aux juifs la presse, les lettres, le cinéma, les industries nouvelles et les métiers risqués. Mais, à la différence des Noirs, les juifs ont fini par se loger Park Avenue et Cinquième Avenue, comme les Wasps et les catholiques. Il n'y a plus que certains clubs qui leur soient fermés. Toutefois, alors qu'un petit nombre de juifs nostalgiques sont partis pour Israël, on ne connaît, parmi les Noirs américains, que le communiste DuBois qui eût opté pour l'Afrique. L'un d'eux a chanté :
— « Nous pleurons parmi les gratte-ciel, comme nos ancêtres — Pleuraient au milieu des palmiers africains — Parce que nous sommes seuls. » Ils pleureraient en Afrique l'Amérique perdue. Nos gratte-ciel, ils ont contribué à les élever ; ils font partie de notre civilisation, qui est violente, ce qui nous fait comprendre leur violence ; ils lui sont indispensables, d'où nos efforts pour les amener à la raison et les élever au niveau blanc. James Baldwin a dit que « le rêve américain s'était réalisé aux dépens des Noirs ». Les Noirs sont, au contraire, un élément nécessaire de ce rêve.

Leur valeur militaire les a rapprochés de nous brillamment. L'armée de Prince Hall, aux côtés de Washington, fut le premier symbole de leur citoyenneté américaine. Leur participation à la guerre civile, qui la leur a donnée définitivement, ne fût pas moins importante : Lincoln a dit que, sans les cent quatre-vingt-six-mille Noirs des armées de l'Union, elles auraient difficilement remporté la victoire. Ils servirent avec la même valeur en 1917 et 1918, mais dans des unités séparées. Ce n'est que vers la fin de la Seconde Guerre mondiale que l'intégration fut accomplie, sauf pour l'entraînement des officiers de l'Air, dernière barrière qui tomba durant la guerre de Corée. Le premier général noir de l'Air, Benjamin O. Davis Jr, est le fils du premier général noir de l'armée de Terre, Benjamin Davis. Le colonel Young, un des premiers Noirs sortis de West Point, est enterré au Cimetière National d'Arlington.

Tout de suite après la guerre civile, plus de vingt Noirs furent élus au Congrès. Puis un retour de racisme les en écarta et DePriest fut le premier d'entre eux à y rentrer, en 1930. Aujourd'hui, six Noirs siègent à Washington et quatre-vingt-dix dans nos diverses législatures — dix pour la seule Georgie.

On les voit briller dans d'autres palmarès. En dehors du savant Carver, commémoré jusqu'au Musée de cire de Dallas, le biologiste Just, le chimiste Julian, le physicien Imes ont honoré la science. Dans le domaine du droit, il y a Ralph Bunche, sous-secrétaire des Nations unies, pour lequel j'ai plus d'estime que Mr Hunt, et Thurgood Mashall, que le président Johnson vient de nommer à la Cour Suprême. C'est lui aussi qui a nommé deux autres Noirs à des postes importants : Robert Weaver, secrétaire pour le logement et le développement urbain, qui ne peut que travailler au logement ouvert, et Carl Rowan, chef de l'Agence d'Information.

Johnson nous a donné également nos deux ambassadeurs noirs : ce même Rowan, qui nous a représentés en Finlande, et Mercer Cook, qui est au Sénégal et en Gambie. Ce rapprochement des élites se fait dans d'autres professions : Jim m'avait montré à New York, à travers la glace d'une grande banque, le Noir qui la dirige — le premier Noir directeur de banque à New York.

Le grand pas qui reste à accomplir est dans l'enseignement élémentaire et ce sera l'œuvre d'une génération. Mais un journal anglais a découvert avec étonnement qu'il y a déjà plus de Noirs dans les universités américaines que d'Anglais dans les universités anglaises. Il y a même proportionnellement plus de Noirs que de Blancs. Les Noirs ont aussi leurs propres écoles secondaires, leurs propres universités et leurs propres fraternités. Beaucoup restent jaloux de cette ségrégation, qu'ils tiennent pour une preuve de leur culture et de leur indépendance. Ils ne songeraient pas plus à s'en offenser que les soldats noirs au Vietnam. Ce ne fut pas l'avis de la jeune négresse Autherine Lucy qui a forcé les portes de l'Université de l'Alabama, avec un jugement de cour fédérale, ni de l'étudiant noir James Meredith qui, lui aussi, un ordre fédéral à la main et protégé par la police, a fait irruption dans l'Université du Mississipi, ni des quatre écoliers qui, seuls des deux cent soixante-dix-huit mille élèves noirs de la Louisiane, ont tenu à s'asseoir sur des bancs blancs.

Ces chiffres dérisoires réduisent à leur juste valeur les larmes de crocodile du pasteur King et son dernier camouflet est celui-ci : l'étudiante noire Gwendolyn Kyle, de dix-sept ans, a gagné la première bourse Johnson Manning de mille dollars offerte par la John Birch Society à la jeunesse noire méritante, et appuie le référendum californien contre la loi Rumford, qui interdit la ségrégation dans les logements en Californie. Le pasteur King n'avait pas non plus une amie dans la personne de la courageuse Noire de droite, Julia Brown. Elle connaissait trop de choses sur lui : à Wilmington (Caroline du Nord), à Danville et à Richmond (Virginie), il an-

nula ses meetings dès qu'il sut qu'elle l'avait précédé.

Les résultats acquis par les Noirs, grâce à leur
intelligence et à leur travail, sont du reste la meilleure réplique aux menées de leurs faux prophètes.
Elles sont résumées par ces mots d'un de leurs vrais
sages, George S. Schuyler : « Jamais tant d'innocents n'auront été trahis par un si petit nombre et
pour si peu de choses. »

Deux articles de cet écrivain et journaliste noir
si remarquable, dont m'avait parlé Mr Hunt,
m'étaient justement envoyés pour conclure mes réflexions sur le plan noir d'incendier Los Angeles. Il
y déplorait le bruit inutile fait par « la révolution
noire factice » et invitait à considérer « la révolution noire tranquille » qui s'effectue par de tout autres moyens.

« Pendant que les sociologues des droits civils,
écrivait-il, continuent leur gymnastique mentale,
avec leur gang mobile de jeunes clergymen, pour expliquer ce qui est censé la révolte noire de Watts
ou d'ailleurs et discuter si les pompiers, dans une
localité noire, doivent être blancs ou noirs, il convient de mettre en relief que six millions de « révoltés » vont rentrer à l'école ce mois-ci. Ce sont eux
qui ont à continuer la vraie révolution noire en Amérique. C'est la révolution du savoir et elle exige d'aller à l'école chaque jour, de travailler dur, de faire
ses devoirs à la maison, de se tenir hors de toute
agitation et de ne pas laisser les autres remplir de
haine son cœur. Le Noir, en Amérique, jouit de
quelque chose de beaucoup plus important que l'intégration « de facto » ou la ségrégation « de facto » :
il a l'éducation « de facto ».

George Schuyler, comme le grand éducateur noir
du lendemain de la guerre civile, Booker Washington, se soucie moins de faire des petits Noirs les
camarades obligatoires des petits Blancs que de leur
donner d'abord l'éducation dont ils sont suscepti-
bles. Un tel langage prouve que les Noirs sont nos

dignes citoyens, tandis que celui du pasteur King et de ses émules nous oblige à nous rappeler la théorie de Gobineau sur l'inégalité des races humaines.

Alors que le Congrès des droits civils, d'inspiration communiste, eut le front d'accuser le gouvernement américain de « génocide à l'égard du peuple noir », les Noirs raisonnables, qui sont le plus grand nombre, à Los Angeles comme partout, souhaitent la paix et la concorde. Et c'est un écrivain noir, Kelley, qui aura dit le mot de la fin : « Le Noir américain est plus américain que quiconque aux Etats-Unis. »

12

Comme Sunny avait vu brûler deux fois les collines boisées de Bel Air, elle se demandait maintenant si ces incendies, qui avaient détruit bien des villas, n'étaient pas dus à l'organisation dont on nous dévoilait l'existence. Mais enfin, c'est Watts qui avait brûlé à la place de Los Angeles. Nous résolûmes d'aller y faire un tour pour voir de près ces incendiés, qui étaient aussi des incendiaires. Cela nous donnait le même frisson qu'aux gens de New York qui vont à Harlem.

— C'est chose curieuse, dis-je à Sunny, que les progrès de la nature humaine au vent de la politique. Dans les encyclopédies du début du siècle, il est écrit, avec beaucoup de paroles aimables et compatissantes pour les nègres, qu'ils ont le cerveau plus léger, plus petit et plus étroit que celui des Blancs. Ces indications ont disparu des encyclopédies récentes. L'égalité des droits a produit brusquement l'égalité des cerveaux.

La localité de Watts s'étend dans une région plate et nue où commencent à naître des arbres. Nous parcourûmes lentement ses rues larges, qui donnent l'idée d'une ville spacieuse et aérée. Devant une enseigne du « Comité d'action de Watts pour le travail » stationnaient jeunes gens et jeunes filles. La synagogue des Noirs de Watts nous sembla une curiosité. Sur une petite église de bois on lisait cette inscription : « Maison de la Nourriture Divine » et sur la porte : « Fermé ». C'était l'image de la question religieuse dans la question noire. Longtemps fidèles aux divers cultes chrétiens, les Noirs s'en détachaient de plus en plus, sous l'empire du Black Power et du « retour aux sources » — les palmiers contre les gratte-ciel. De leur vieille religiosité, il leur resterait les « spirituals », ces chants dont ils se berçaient, comme de leurs blues.

Les maisons aussi étaient de bois, certaines assez jolies, avec un jardinet. Rares étaient les traces des incendies, la plupart des maisons détruites ayant été remplacées par des préfabriquées. Les portes ouvertes nous permettaient d'entrevoir des intérieurs confortables, pareils à ceux que j'avais vus dans les slums de New York.

Il ne faut évidemment pas exagérer ce que peut représenter le fait d'avoir une machine à laver, un poste de télévision et même une vieille voiture quand on désire tout le reste. Les Européens n'auraient pas tort de nous accabler si notre civilisation s'arrêtait là. Le régime de la liberté procure d'autres jouissances, à condition que l'on parvienne au niveau qui permet de s'instruire ou de s'enrichir. Malgré les dissonances qui font partie de toute société, la nôtre me semble celle qui a le mieux accompli sa devise : « la poursuite du bonheur ».

— Le bonheur des Noirs, dit Sunny, serait de finir par oublier leur couleur.

Elle fredonna la chanson de Louis Armstrong : « ... Qu'est-ce que j'ai fait — Pour être si noir ? — Mon cœur est noir. — Même la souris — Qui dé-

guerpit... — Comment cacher — Ma face de Noir ?...
— Mon seul péché, — C'est ma peau noire. —
Qu'est-ce que j'ai fait — Pour être si noir ? — Mon
cœur est noir. »

— Au temps du pan-africanisme et du roi King,
dis-je, ces gémissements sont un peu ridicules.

— Ce qui ne l'est pas moins, dit Sunny, c'est l'obsession de certains écrivains noirs — il y a eu des livres entiers écrits là-dessus —, à se persuader ou à
vouloir nous persuader que la question noire est
purement sexuelle. Nul n'ignore qu'ils sont très pré-
coces, mais quant à prétendre qu'ils sont mieux pour-
vus de la nature, je t'en fais juge...

Je me mis à rire et lui dis qu'en effet j'avais constaté souvent, dans les revues qu'achetait Jim, la faiblesse des attributs que dissimulaient les slips les
plus collants des Apollons noirs. Certains Noirs,
m'avait-il dit, détiennent le record des dimensions,
mais la plupart ne se distinguent pas des autres
mortels.

Revenant au véritable fond du problème, je dis
que ce dont les Noirs seraient justifiés à se plaindre, c'est de nous voir dépenser des sommes folles
pour aider les pays sous-développés au lieu de les
employer à rendre impossible toute apparence de
slums. J'ajoutai, ce qui aurait fait plaisir à Mr Hunt,
que ces dépenses ne produisaient même pas toujours les effets espérés : nous offrions à ces peuples de l'argent et des aliments et, bien sûr, des machines à laver, des postes de télévision et des voitures, sans les gagner tous à notre cause, alors que
les Soviets ou les Chinois les gagnent à la leur par
des promesses.

— Justement ! s'écria Sunny. Ils leur promettent
le bonheur qui, pour la plupart des gens, ne saurait
être de ce monde. Et nous nous trompons à vouloir
le matérialiser.

— Les Soviets et les Chinois sont plus matérialis-
tes que nous, dis-je. La question n'est donc pas là.

— La question, dit Sunny, est que nous sommes

riches ostensiblement, et que les pauvres détestent les riches, même quand les riches leur font du bien. Les Soviets et les Chinois ont beau jeu dans tous ces pays. Ils leur disent simplement : « Nous sommes les défenseurs des pauvres ; nous ne vous ferons pas riches, mais nous ferons qu'il n'y ait plus de riches. » C'est la « tarte dans le ciel » de l'égalité. Et les pauvres nous jettent à la tête tous nos appareils. Ils s'en sont passés jusqu'à présent, mais ils savent que, même avec des machines à laver et des postes de télévision, ils ne pourront jamais se passer de la pauvreté.

J'admirai son raisonnement, qui expliquait si bien notre position dans le monde, aussi bien en Europe qu'ailleurs. Tout ce que nous faisons est jugé à cette lumière pour nous rendre odieux. Mr Hunt ne nous voyait que l'avantage d'être riches et je n'en voyais que les inconvénients. Parce que nous sommes riches on nous interdit de défendre le Vietnam contre le Vietcong. Parce que nous sommes riches, nos soldats sont censés « se faire tuer pour des industriels ». On dirait que nos adversaires ont seuls le privilège de mourir ou de tuer pour une idée.

— J'ai pu me rendre compte, dit Sunny, combien il est malaisé de se faire entendre d'une autre race quand elle se croit à la fois sous-développée... et sur-développée. S'il m'arrive, en faisant des courses à Los Angeles, de regarder un nègre d'un air souriant, pour me faire pardonner d'être blanche, ou bien il paraît furieux en se croyant un objet de pitié, ou bien il s'imagine que je lui fais des avances et je sens passer sur moi l'ombre du viol. Je comprends l'obsession des femmes blanches dans le Sud.

— A New York, dis-je, les négrophiles les plus convaincus s'avouent un peu préoccupés lorsque, dans le métro, ils voient les visages blancs s'effacer à mesure que l'on approche de Harlem, et tout à coup uniquement des Noirs qu'ils n'osent plus regarder, malgré toute leur négrophilie. Sans doute se rappellent-ils alors que les Noirs ont violé des Blanches et tué des Blancs jusque dans le métro.

« Les Blancs de l'Afrique du Sud et de la Rhodésie ont été obligés de prendre des mesures racistes, parce que les nègres seraient leurs oppresseurs. Les pays qui condamnent ces mesures sont ceux qui n'ont pas un pareil problème. On n'aurait pas pensé, en France par exemple, faire asseoir les nègres à certaines places dans les moyens de transport ou les empêcher d'habiter certains quartiers parce que nulle part ils ne sont les plus nombreux. Mais s'il y avait trois fois moins de Français blancs que de Français noirs, les premiers prendraient immédiatement les mêmes mesures que l'Afrique du Sud ou la Rhodésie. Seuls les idéologues ferment leurs yeux à la réalité.

— Je crains que tu n'aies raison, dit Sunny, et pourtant j'aime les Noirs. Je crois à l'égalité des droits, à l'égalité des races et à l'égalité des crânes, mais c'est la race blanche qui a fait la civilisation, et aussi la race jaune.

— Nous sommes convenus tous les deux, dis-je, que la race noire avait servi noblement à faire la civilisation américaine. Mais le monde est divisé aujourd'hui peut-être plus par des questions de couleur que par des questions d'idéologie. Les calculs de la Rand nous font espérer une entente avec l'U.R.S.S., mais non avec la Chine ; la Chine communiste hait les Russes communistes, parce qu'ils sont blancs.

Nous aperçûmes trois hautes tours pointues, faites de barres et de lames de fer entrelacées, qui tenaient du derrick et de la cathédrale : c'étaient les « tours de Watts ». Nous descendîmes de voiture pour regarder de plus près cette construction que des critiques enthousiastes ont défini comme « une gigantesque fleur d'art folklorique ». Avec le même enthousiasme, ils ont qualifié de « génie » l'auteur de cette construction, un maçon italien, nommé Simon Rodia, qui, tout seul, avait voulu faire « quel-

206

que chose de grand » pour remercier l'Amérique de son hospitalité. Les bases massives et l'ensemble étaient décorés de coquillages, de céramique, de verre coloré, comme certains ornements sculpturaux des anciennes basiliques chrétiennes. Tous les éléments avaient été pris dans des décombres, sur des plages ou dans des ferrailles de rebut. Un Noir, représentant du « Comité pour les tours de Simon Rodia », faisait payer un droit d'entrée et nous dit que l'ornementation comportait soixante-dix mille coquillages et que la construction avait demandé trente-trois ans de travail. Pour une fois que l'on citait des chiffres devant une œuvre d'art en Amérique, ce n'était pas le prix d'achat ou le prix coûtant. L'homme qui avait passé une si grande partie de sa vie à cet ouvrage avait été saisi tout à coup du désir très américain de changement : il avait quitté Watts et continuait son métier de maçon dans une autre région de la Californie. Quand on lui parlait des tours de Watts, il répondait que c'était « mort pour lui ».

Il y avait des livres consacrés aux tours de Watts. Il y avait eu même un « Comité de défense des tours de Watts », car il avait été question de les détruire, comme périlleuses. Une lutte s'engagea entre le Comité et le département de Construction de Los Angeles ; des milliers de pages de rapports furent échangées. Un expert en fusées atomiques administra la preuve, par des calculs dignes d'Einstein, que les tours étaient inébranlables. Une expérience décisive eut lieu en octobre 1959, aux frais du comité : on dressa des échafaudages et, devant un jury, des jauges électroniques démontrèrent, de haut en bas, que l'expert en fusées ne s'était pas trompé. Ces tours méritaient bien de survivre ; elles représentaient plus qu'une œuvre d'art : le noble effort d'un homme seul — d'un homme qui avait voulu « faire quelque chose pour l'Amérique ».

Pendant que nous étions là, arriva une école noire. Nous fîmes la réflexion qu'il est impossible d'être devant un monument ou dans un musée, même en période de vacances, sans y voir une école. Ces petits nègres, ces petites négresses regardaient les tours avec leurs grands yeux. Ils demandèrent au maître si elles étaient l'œuvre d'un Noir et furent surpris quand on leur dit que non. Le plus étrange est qu'en effet, ce maçon italien, vivant au milieu des Noirs, eût édifié des tours qui auraient pu être de l'art nègre par leur côté primitif. Et il n'est pas moins étrange que la seule curiosité de ce lieu, connu désormais par sa révolte noire, fût l'œuvre d'un Blanc.

Le gardien des tours nous avait engagés à visiter dans le voisinage le « Centre d'Art Simon Rodia ». Les vagues appréhensions que nous avions eues étaient dissipées. Tout nous prouvait que les Noirs, quand personne n'est là pour les exciter, sont les gens les plus paisibles du monde. Du reste, nous déployions l'aisance et l'air d'intérêt profond de « travailleurs des droits civils » en tournée.

Le brave Noir qui dirigeait ce comité nous accueillit d'autant plus courtoisement qu'il était seul. Il nous dit ses efforts pour développer des goûts artistiques dans la population de Watts. Les résultats étaient encore modestes : exposés sur les murs, quelques dessins d'adolescents paraissaient l'œuvre d'enfants de quatre ou cinq ans. Le maître se dit plus satisfait des cours d'adultes : il nous montra, dans une autre pièce, des boîtes de fer-blanc peinturlurées, des cartons ornés de collages. Nous avions le cœur serré devant ces balbutiements du Pop-Art et nous nous crûmes un instant au Congo. Pourtant, les Noirs avaient produit de grands peintres, comme Laura Waring et Jacob Lawrence, et de grands sculpteurs, comme Augusta Savage et Richmond Barthe.

Une négresse entra, qui venait faire inscrire son petit garçon au Centre d'Art. Les yeux de cet enfant étaient aussi grands que ceux que nous avions vu contempler les tours et ils contemplaient avec admiration les dessins. Lorsque le maître lui demanda d'écrire son nom et son adresse, il se pencha sur la feuille, les yeux écarquillés, les nerfs tendus, et la baigna de ses larmes sans arriver à écrire. Sunny le saisit dans ses bras et lui baisa les joues. A ce moment, je pardonnai presque au pasteur King et à tous les trublions qui faisaient plus de mal que de bien, mais dont le zèle inintelligent ou intéressé partait de cette base humaine. Néanmoins, je comprenais encore mieux George Schuyler qui ne voyait pas le remède de ce mal dans l'agitation politique ou sociale ni même dans la déségrégation, mais dans l'éducation. Comme la négresse ne savait pas plus écrire que son fils, Sunny écrivit sous sa dictée. Les dessins, les boîtes prenaient soudain un autre aspect, qui nous empêchaient d'en rire : comme le petit Noir, nous étions prêts à les admirer.

Le maître nous donna une preuve de l'intérêt des gens de Watts pour ces tours qui étaient la gloire de leur localité : au plus fort de l'émeute, ils avaient pris toutes leurs précautions pour les épargner. Je fus ravi de ce détail qui montrait leur américanisme. On nous apprit autre chose, que nous avions ignoré car nous étions absents au mois d'août cette année, comme l'an dernier : la population de Watts, pour l'anniversaire de sa révolte, avait invité les Blancs à une grande fête. Des orchestres avaient joué en plein air. Quelques agitateurs avaient tenté de créer des bagarres pour empêcher cette réconciliation.

— Tous les jours, dit le maître, je compte les jeunes gens qui attendent un emploi devant le Comité d'Action de Watts pour le travail. Et je suis content parce que tous les jours leur nombre diminue. La meilleure des réconciliations, c'est le travail.

« Ce que veulent les Noirs, conclut-il, ce n'est pas le Pouvoir Noir : c'est le « Pouvoir Vert » — le pouvoir du billet de banque.

Ce Centre d'art, ce Comité d'Action pour le travail résumaient toute la question noire, comme la résumait aussi le dernier mot du maître de Watts.

Mais il en allait du travail manuel comme du travail intellectuel : les Noirs ne sont pas aptes à tous les travaux qualifiés et sont considérés comme un poids mort dans beaucoup de centres d'apprentissage. L'Alliance nationale des hommes d'affaires, présidée par Henry Ford II, s'occupe d'améliorer l'éducation technique et, en outre, les grandes compagnies créent de nouveaux centres avec leurs propres deniers. Mieux encore, elles fondent des succursales au milieu des slums : par exemple Control Data à Minneapolis (Minnesota) et I.B.M. dans le quartier noir de Brooklyn — le computer à la conquête des Noirs. Johnson, en demandant au Congrès trois cent cinquante millions de dollars pour aider l'apprentissage, contribuera à soutenir cet effort général. Les Noirs devraient le plus en bénéficier — et l'on commence même à ne plus désespérer de ceux que l'on appelait « chômeurs à toute épreuve », c'est-à-dire les « irrécupérables ».

Il y a en outre parmi eux une catégorie que l'on dénombre et qui échappe pourtant à la statistique. L'administration des Ressources humaines de New York signale que, dans la ville, plus de cent cinquante mille Noirs de quatorze à soixante ans disparaissent chaque année. Ils ne figurent ni sur les listes scolaires, ni sur les listes de chômage, ni sur les listes de demandes d'emploi. Il en est de même, avec des chiffres divers, dans la plupart de nos grandes villes du Nord. C'est sans doute l'aile marchante du pasteur King.

13

Pour éclaircir l'horizon, nous décidâmes d'aller voir les surfers. Nous n'avions que l'embarras du choix. Ce sport s'exerce tout le long de nos côtes et il y a même un endroit nommé Surf, parce qu'il est plus couru que les autres. Santa Barbara, dont l'université nous rappelait les dates de Carl, est aussi un endroit fameux pour le surf. Les étudiants et les étudiantes sont plus souvent sur leurs aqua-planes que dans les classes. J'ai eu, comme tous les Californiens, ma période d'engouement pour ces jeux harmonieux et savants du corps et des vagues. Sun-ny, raffinée, ne les pratique désormais qu'aux Hawaii, leur lieu d'origine.

Elle me dirigea vers Long Beach parce qu'elle trou-vait les surfers du comté d'Orange plus beaux que les autres. C'est, de toute la Californie, la région la plus conservatrice. Elle se distingua, au temps du mac-carthysme, en installant des microphones dans les écoles pour surveiller l'enseignement des profes-seurs. Son université appartient aux Disciples du Christ, la secte du président Johnson. L'assistance dans les églises est la plus élevée, la moralité la plus sévère. Cela excitait Sunny. Quant à la beauté, est-elle le résultat de cette rigueur ou en est-elle le dé-menti ? Elle honore le racisme, et, en fait, de même qu'il y a peu de hippies noirs, il n'y a pas de surfers noirs : c'est le seul sport intégralement blanc.

La route, à un certain moment, était bordée par une double file de pompes à pétrole. Certaines étaient presque au ras des flots. Elles semblaient annoncer les forages sous-marins qui étaient déjà à l'étude. Je voulais bien croire ce que m'avait dit Mr Hunt sur l'épuisement des ressources minérales, qui exige un dégrèvement fiscal de vingt-sept et demi pour cent, mais elles semblent inépuisables sur notre territoiré, aussi bien terrestre que marin. Au Texas même, l'Université de l'Etat possède cinq mille puits de pétrole, qui lui fournissent une partie de ses revenus. A Los Angeles, où l'on vient de découvrir des gisements d'or à côté des nappes de pétrole, les lois d'urbanisme interdisent d'avoir des derricks : il n'en existe qu'un tout petit nombre, camouflés en tours dans les zones résidentielles. Mais le Golf Club, par exemple, se refuse héroïquement à permettre la moindre exploitation de son sous-sol qui représente, dit-on, une fortune. Le link tient en respect le derrick. A Beverly Hills, les nappes sont aussi considérables, mais les lois d'urbanisme y sont rigoureusement appliquées. Comme il est question d'y permettre un jour les forages moyennant des puits « artistiques » ou des pompes « latérales », plusieurs sociétés de pétrole en retiennent d'ores et déjà le produit et mes parents, comme d'autres propriétaires, reçoivent régulièrement, à titre d'acompte, un chèque de la Standard Oil of California. Les forages ont parfois des inconvénients : à Laguna Beach, on a tellement pompé que la ville était en train de s'enfoncer. Alors, on a imaginé de refouler l'eau à mesure que l'on pompe le pétrole. Ce détail rappelait que chaque médaille a son revers et que les rois du pétrole doivent avoir la nuque forte, comme le chef Roughneck et comme Mr Hunt. Sunny me disait qu'un ami de son père, pétrolier dans l'Oklahoma, avait eu deux infarctus pour deux forages qui, après une dépense d'un million de dollars, avaient fait jaillir de l'eau à la place du pétrole.

Une ligne d'arbres de Josué avait remplacé les pompes. Des pavots, emblème de la Californie, mettaient par-ci, par-là leurs taches rouges. Sur des rochers étaient peintes des marguerites et le mot Amour. Long Beach était plein de surfers, mais également de familles ; Sunny voulait un lieu plus tranquille. Nous revînmes quelques miles sur nos pas, pour nous arrêter près de Huntington Beach. La plage était solitaire : il n'y avait que trois garçons à côté de leurs aquaplanes, sous un parasol. Nous n'avions pas de costumes de bain et voulions nous baigner, si ce n'est faire du surf : nous nous baignerions en slip et Sunny garderait son soutien-gorge.

Les trois garçons, qui avaient de quinze à seize ans et qui étaient beaux et blonds, se levaient pour aller vers la mer. Nous leur demandâmes si nous pouvions nous déshabiller sous leur parasol. Ils l'inclinèrent du côté de la route afin de mieux nous abriter et s'élancèrent dans l'eau.

Nous nagions en les regardant lutter contre les vagues, se dresser à la crête et, sur leurs planches, glisser jusqu'à la rive. Ils recommençaient sans se lasser, avec la même grâce. C'étaient les trois jeunes dieux de Huntington Beach. A un mile du rivage, tournait un hélicoptère qui surveillait l'approche des requins. On eût dit le symbole de notre heureuse civilisation, qui a besoin d'une perpétuelle vigilance pour se défendre, par tous les réseaux électroniques, et il fallait même défendre le mot Amour. Lorsque je voulus caresser Sunny et lui enlever son slip, elle me traita de « méchant garçon ».

— Tu n'aimes pas les manifestations publiques ? lui dis-je.

— Je n'aime pas les manifestations sous-marines. A l'U.C.L.A., dans certaines maisons d'étudiantes, les filles ont formé une ligue pour le « Déploiement public d'affection ». Elles veulent se venger du règlement qui leur interdit de recevoir des garçons dans leur chambre, sauf le dimanche après-midi. En raccompagnant leurs dates, elles se livrent à de folles étreintes sur le seuil de la maison.

— A Berkeley, dis-je, c'est à peu près la même chose : les filles ne peuvent aller chez les garçons et les garçons chez les filles que le dimanche et en laissant la porte entrouverte.

Nous reparlâmes des progrès de la liberté dans ce domaine. Ces visites auraient été inimaginables il y a quelques années, même en laissant la porte entrouverte. Maintenant, certains garçons de Berkeley

213

avaient sexe avec leurs dates, debout derrière leur porte entrouverte. Encore quelques années et l'on pourra fermer la porte. Comment brider des garçons et des filles de plus de vingt ans, qui échangent souvent des promesses de mariage pour apaiser leur conscience ? La pilule anticonceptionnelle a mis les filles sur le même pied que les garçons en les préservant des conséquences de ces actes. Cela valait mieux que les procédés classiques ou que la douche de coca-cola encore utilisée par certaines. Les bouteilles de cette boisson douce, abandonnées dans les lieux solitaires, n'ont pas toujours été employées pour la soif.

Nous nous séchions, à l'abri du parasol. Les trois garçons continuaient de danser sur les flots pour le plaisir de nos yeux. La mer n'était pas grosse ; mais les épreuves pour lesquelles ils s'entraînaient offrent parfois du danger. Les fanatiques de ce sport bravent les houles les plus fortes, même en pleine nuit, et il y en a qui meurent sous leur aquaplane, rabattu par la main de Neptune.

La vue de ces garçons nous fit faire des réflexions à la gloire de la Californie. Nous discutâmes un mot qu'avait eu récemment le grand architecte Stone : il se plaignait qu'il n'y eût pas dans la Californie du Sud de véritable architecture et que ce fût un endroit merveilleux « à condition d'être une orange ». Chaque villa de Beverly Hills, chaque villa de Hollywood avait son style et une véritable architecture se prouve par la diversité comme par l'uniformité ; dans le comté d'Orange, il n'y avait peut-être pas de véritable architecture, mais il y avait de beaux surfers et nous mûrissions au soleil comme deux oranges.

Ils revenaient, tout luisants et frémissants, leurs aquaplanes à la main. Nous nous levâmes pour leur laisser place, mais ils nous prièrent de ne pas bouger et s'étendirent devant nous sur leurs peignoirs. Nous pouvions détailler leurs formes : ils n'étaient pas de ceux chez qui le sport réduit la virilité. Quand

214

Sunny les complimenta sur leurs exercices, ils éclatèrent de rire et nous demandèrent si nous faisions
du surf. Elle exagéra un peu en leur disant que nous
étions d'anciens champions.

— Si vous voulez vous sécher plus vite, dit-elle,
n'hésitez pas à retirer vos maillots. Cela ne nous gêne
pas et le parasol vous empêchera d'être vus de la
route.

L'aîné se mit sur son séant et dit à ses compagnons
qu'il était temps de rentrer.

— Rien ne nous presse, dit l'un d'eux qui mordait
à l'appât.

— L'heure du soleil couchant est la plus agréable,
dit l'autre.

Résigné, l'aîné se remit sur le dos. Sunny tendit
son paquet de Marlboro, mais il déclara que les surfers ne fumaient pas.

— Comment! dit-elle. Tant de garçons fument la
marijuana et vous ne fumez même pas une cigarette ?

— Nous sommes du comté d'Orange, dit le grand
avec fierté.

— Nous fumons quelquefois en cachette, dit celui
qui avait refusé de partir.

— Eh bien, fumez donc, dit Sunny en se penchant
pour leur mettre à chacun une Marlboro entre les
lèvres. Mon fiancé et moi ne le dirons à personne.

« Est-ce la Marlboro qui avait pour réclame : « Si
ronde, si ferme et si bien empaquetée » ? me demanda-t-elle.

Les deux cadets éclatèrent de rire, mais ce rire
avait déjà une autre sonorité que le précédent. Il
exprimait l'effet que leur produisait cette allusion et
l'atmosphère équivoque créée par Sunny. Le grand
lui-même s'enrôlait, malgré lui, dans la Ligue pour
le déploiement public d'affection. Mais au lieu que ses
camarades prenaient un plaisir évident à ne rien nous
dissimuler, il se tourna sur le ventre.

— Les cigarettes Marlboro, reprit Sunny à qui je
ne savais pas tant de science, eurent longtemps le
bout teinté de rouge pour plaire aux femmes : c'était

un symbole viril. Puis la publicité représenta des hommes très vigoureux — cow-boys, marins... — en train de fumer une Marlboro. On a oublié les surfers.

Certainement que les deux garçons couchés sur le dos n'avaient jamais tiré de leur cigarette clandestine des bouffées plus voluptueuses. J'admirai, en même temps que leur complicité de fait, la retenue qui leur interdisait le moindre geste : elle n'était pas spécifique au comté d'Orange, elle était américaine. J'évoquai le gamin de Dallas dans la voiture du photographe. Ces garçons se donnaient en spectacle, mais ce n'était qu'un spectacle. Les deux plus jeunes regardaient l'hélicoptère qui surveillait toujours les requins. Mais l'aîné était obligé de nous regarder et Sunny se mettait à nous donner, nous aussi, en spectacle. Elle se palpa les seins pour s'assurer que son soutien-gorge fût sec, et promena la main sur mon slip pour faire la même vérification. Elle accompagna ce geste d'un commentaire approprié, ce qui fit se retourner à l'instant les deux autres garçons. Nous avions désormais trois spectateurs. Elle ne retira pas sa main et leurs yeux étaient braqués sur moi, plus attentivement que ceux des petits Noirs sur les tours de Watts.

— Vous êtes fiancés depuis longtemps ? demanda le grand garçon, enfin dégelé.

Je crus que nous allions avoir une répétition de notre dialogue avec les deux filles de Devonshire Meadows. A Huntington Beach également, nous étions aux prises avec la plus jeune génération, mais nous pouvions pousser plus loin le propos car nous étions seuls et à l'abri d'un parasol.

— Nous sommes fiancés depuis un an, dit Sunny qui se mit à tapoter sur mon slip. Il est dur d'attendre si longtemps le mariage.

La dernière phrase provoqua un nouvel éclat de rire. C'est le grand qui rit le plus fort. Un léger mouvement sur le peignoir prouvait qu'il ne pensait plus au surf ni au comté d'Orange : lui aussi devenait une simple orange, heureuse de son jus et de

216

son écorce. Sunny retira la main : trois paires d'yeux me dévorèrent.

— Quand nous avions votre âge, dit-elle, il n'y avait pas de cours d'éducation sexuelle dans les écoles. Cela nous a mis en retard. On nous persuadait que l'on n'apprenait ces choses qu'au moment de se marier. Nous en avons gardé certains complexes.

— C'est pour cela que vous vouliez nous voir nus ? demanda le grand.

— Peut-être.

— Si vous croyez que l'on donne des cours d'éducation sexuelle dans le comté d'Orange !... dit l'un des deux autres garçons.

— Un maître avait commencé, dit l'autre : l'Association des parents-enseignants l'a fait chasser.

— On croirait que le comté d'Orange ne fait pas partie des Etats-Unis, dit Sunny. N'y reçoit-on pas *le New York Times* Magazine ? La couverture d'un des derniers numéros montre des garçons et des filles en train de regarder le modèle d'un embryon. Il y a même un petit nègre et une petite négresse, me semble-t-il. C'est pour illustrer un article sur l'éducation sexuelle à New York.

« Dammit ! » s'écria le grand garçon.

— D'autres photographies montrent garçons et filles, couchés sur le sol d'une classe, les bras et les pieds croisés, les jambes pliées, pour leur faire comprendre la position de l'enfant dans le sein de la mère. L'article rapporte cette question d'un garçon de douze ans : « S'il y a des centaines et des centaines de cellules de sperme qui remplissent l'organe féminin, comment peut-il y en avoir une seule qui engendre ? »

— Ce garçon a du toupet pour poser une telle question, dit le grand.

— Encore faut-il savoir ce que c'est que le sperme, dit Sunny.

— Tous les garçons le savent, dit le plus jeune.

— Comment le savez-vous ? demanda Sunny. Vous n'allez pas me faire croire que vous avez couché avec

des filles. Et vous savez qu'il ne faut pas se masturber.

J'attendais ce mot depuis un moment. Il était enfin lâché, pour les frissons. Et les trois surfers fris-
sonnèrent.

— Nous faisons des « rêves humides », dit le
grand.

Il me demanda audacieusement si je n'en faisais
pas.

— Qui n'en fait pas ? dis-je.

— La nature veut ça, dit un des garçons.

— Je crois que mon fiancé veut autre chose, dit
Sunny en baissant tout à coup mon slip. C'est le seul
plaisir que je lui accorde jusqu'au mariage.

J'étais stupéfait de son audace, mais j'étais dans
un état peu indiqué pour défendre la morale. J'eus
bientôt humecté le sable pendant que les trois garçons se frottaient contre le peignoir.

Nous avions à peine fini qu'un appel de klaxon se
fit entendre sur la route.

— C'est mon père, dit le grand garçon. Il vient
nous chercher.

Sunny et moi fûmes rhabillés en un instant. Mais
les garçons n'avaient pas d'autres vêtements que leur
slip et il leur était difficile de gagner la route sans
avoir fait des ablutions. Ils se levèrent pour courir
dans l'eau une dernière fois, pendant que nous allions
à pas lents, vers la voiture.

— Bye bye ! crièrent-ils de loin, en nous faisant
un geste d'adieu.

— L'eau était bonne ? nous demanda le père.

14

Je n'avais pas revu mon ancien évêque, James
Pike, depuis qu'il avait fait une conférence à Berkeley, il y a quelques années, et voilà qu'il en faisait
une à Los Angeles. C'était un de ces hommes intelligents qui placent la foi au-dessus de la foi et la
morale au-delà de la morale. Il allait parler au collège de la ville. Aimé de la jeunesse, il plaisait moins
à ses pairs qui avaient failli l'excommunier : par
vingt-deux voix contre deux, la Chambre des évêques
épiscopaux l'avait accusé d'hérésie, ce qui l'avait
obligé à donner sa démission. Il s'en consolait par
ses écrits, ses travaux à l'Académie américaine des
sciences politiques et sociales et ses consultations au
barreau de la Cour Suprême. Peut-être n'approuvais-
je pas le zèle excessif qu'il avait montré dans la bataille des droits civils — il avait fait la marche de
Selma —, mais il était au moins la preuve qu'il y
avait, parmi les chefs si divers de ce mouvement, des
hommes sincères et intègres. A la veille de regagner
Berkeley et d'y jouer un rôle, je ne pouvais que mettre au point, grâce à ses lumières, mes idées sur la
religion.

Je voyais de plus en plus, en effet, par les articles
de Mr Hunt et par les discours de Melvin Munn à
Life Line, que le groupement dont j'épousais les
idées politiques ne représentait en rien mes idées
religieuses et morales. Je ne décidai pas moins de
lui rester fidèle, mais de le servir uniquement dans
les choses qui me semblaient l'essentiel : la défense
de la patrie et de la liberté. Pas plus que je n'avais
songé à dire cela au très vénérable Mr Hunt, je ne
me croyais en droit de le lui écrire. Qui sait s'il ne
m'aurait pas retiré son patronage qui m'amusait et
me flattait ? Je ferais donc le silence sur ces vieil-

leries qui m'auraient rendu ridicule aux yeux de mes camarades. Il y en avait déjà bien assez parmi eux qui jugeaient patrie et liberté des sujets controversables. Mais comme je l'avais dit à Sunny, j'enrageais qu'il n'y eût personne dans les milieux de droite pour ôter aux communistes un de leurs moyens de propagande les plus sûrs auprès de la jeunesse et de l'intelligentsia, qui est de laisser chacun faire l'amour à sa guise. Les résultats de cette stratégie dépassaient leurs espérances : même un homme tel que le chef du F.B.I., malgré la morale plus éclairée de la franc-maçonnerie, ne cessait de mettre l' « immoralité » à l'actif de la doctrine communiste et les persécutions du mac-carthysme contre les homosexuels espions ou prétendus avaient persuadé les Américains que l'homosexualité forme le complément du marxisme. C'était d'autant plus absurde que, dans les pays marxistes, ces pratiques sont qualifiées de « vice bourgeois » et punies en conséquence. D'ailleurs, à travers l'Histoire, la vie privée de la plupart des grands hommes démontre que les mœurs n'ont rien à voir avec le talent. Dans mon propre entourage à Berkeley, je devais reconnaître qu'elles n'ont rien à voir non plus avec les capacités.

De même pour la religion. Quel autre ridicule et quelle autre absurdité de laisser au communisme le mérite d'en faire litière et de vouloir juger la solidité de la civilisation occidentale par celle de ses croyances ! L'inutilité de la religion pour la défense de la liberté est claire comme le jour. En Russie, il y avait, au moment de la révolution bolchevique, quatre-vingts millions d'orthodoxes, onze millions de catholiques, six millions de protestants, cinq millions de juifs et le reste mahométan, sur cent vingt-huit millions d'habitants, et il y a encore des millions d'orthodoxes, de catholiques, de protestants, de juifs et de mahométans ; au lendemain de la Seconde Guerre mondiale, il y avait, en Pologne et en Hongrie, soixante-cinq pour cent de catholiques, le reste juif et protestant ; en Tchécoslovaquie, quatre-vingt-cinq pour cent de catholiques et le reste protestant ; en Roumanie, soixante-douze pour cent d'orthodoxes, le reste catholique et juif ; en Bulgarie, quatre-vingt-cinq pour cent d'orthodoxes, le reste mahométan ; en Albanie, vingt pour cent d'orthodoxes, dix pour cent de catholiques, le reste mahométan ; enfin, Castro subjugue une île cent pour cent catholique. Au lieu de dire, comme Mr Hunt et Melvin Munn, que le communisme opprime des pays chrétiens, il faut dire que le christianisme, ainsi d'ailleurs que les autres religions, n'offre pas une base suffisante pour lui résister. L'argument de « communisme athée » est digne de celui de « communisme immoral », qui avait semblé pitoyable à Sunny, dans un bulletin de la John Birch Society. En cela, Mr Welch rejoignait, avec Mr Hunt et J. Edgar Hoover, le « monde des pères » et presque des Founding fathers.

A Berkeley, les chapelles de toutes les sectes ne servaient guère aux étudiants que de lieux de rendez-vous. Je ne hantais guère la mienne et n'avais jamais mis les pieds dans Saint-Marc, église épiscopale de la ville. Jim, qui se croyait un peu plus tenu de pratiquer sa religion minoritaire, surveillait, non seulement la chapelle catholique, mais les autres, afin de goûter les plaisirs délicats de voyeur. Etait respectée, en revanche, celle qui n'avait aucun caractère religieux, comme la chapelle des Nations unies : elle était située dans l'immeuble de l'Union des étudiants et certains d'entre nous s'y retiraient pour méditer.

Je traversai les cours verdoyantes du collège pour me rendre dans le théâtre où avait lieu la conférence. La salle était déjà comble, mais on fit une place au fond. Sur l'estrade, que décoraient les deux drapeaux habituels, le président du collège introduisit l'orateur. Visage rose, gilet rose épiscopal sous son veston noir de clergyman, chaîne d'or à peine visible et croix invisible, lunettes d'écaille. A sa gauche était un Noir, accompagnement désormais indispensable de toute cérémonie publique et qui témoignait la sincérité, au moins apparente, de l'intégration.

On devinait que tous ces étudiants étaient anxieux d'entendre dire des choses piquantes par un homme d'une telle réputation. Quand il avait parlé à Berkeley, il était encore évêque, et ses idées, si hardies qu'elles fussent, gardaient les formes imposées par son rang. On savait qu'il avait mal supporté l'épreuve à laquelle il avait été soumis et il passait pour avoir jeté le manche après la cognée. Malgré mon secret désir de scandale, qui était de mon âge, j'aurais souffert de voir un tel homme s'abaisser, comme d'autres ecclésiastiques, au rôle de clown d'étudiants.

Je fus donc agréablement surpris dès les premières paroles. Il tenait tout de suite, dit-il, à corriger des paroles qu'on lui attribuait et qu'il n'avait jamais dites. Il n'avait jamais prêché la désobéissance civile : il avait recommandé la critique civile. Il n'avait jamais prêché l'immoralité : il avait dit que la morale devait évoluer avec l'homme. Il n'avait jamais prêché l'athéisme : il avait prêché l'illumination, c'est-à-dire une foi plus proche peut-être de la sagesse orientale que du dogmatisme occidental, et qui permettait de mieux concevoir la divinité.

— Qu'est-ce que la divinité ? déclara-t-il. C'est le contraire de ce que l'on a cherché à faire croire à la plupart d'entre nous. Pascal, le penseur français, a dit que « l'homme est plus grand que le monde parce qu'il le contient ». L'homme aussi contient la divinité. La foi et la morale de l'Occident tentent de vivre sur des idées du XIVe siècle et ces idées sont violées chaque jour.

Il loua l'Eglise catholique d'avoir eu le courage de réformer sa doctrine et sa structure par le concile Vatican II, mais il exprima le regret que les résultats fussent encore minces. Seul le catholicisme hollandais est allé aussi loin que l'exige l'évolution, en mettant une sourdine au culte de la Vierge Marie et en permettant aux époux l'usage des moyens anticonceptionnels — ce que souhaitaient soixante-dix pour cent des catholiques américains. Il dit que, sur ce dernier point, l'Eglise protestante elle-même avait montré tour à tour son dogmatisme et son sens de l'évolution : la conférence de Lambeth, qui est, tous les dix ans, une sorte de concile de l'Eglise épiscopale d'Angleterre, avait condamné toutes les formes de l'anticonception et, en 1958, elle l'a rendue moralement obligatoire. Il se moqua de la « métho-de de rythme » inventée par l'Eglise romaine pour permettre, à défaut d'anticonception, le plaisir sans la conception : il la nomma, aux rires de l'assistance, « la roulette papale ».

— Et, ajouta-t-il, cette roulette n'est pas infailli-ble malgré la qualité de son auteur, le défunt pape Pie XII. Les raisons physiologiques en sont expli-quées dans un livre que vous avez tous lu puisque c'est un des récents best sellers : la *Réponse humai-ne sexuelle*, de Masters et Johnson.

Pour les bases de la foi, telles qu'elles existent au-jourd'hui en Amérique, il cita le dernier sondage fait par le Centre de recherches d'examen de Berkeley. A la question : « Je sais que Dieu existe et n'ai pas de doute à ce sujet », les réponses affirmatives étaient les suivantes : baptistes du Sud, quatre-vingt-dix-neuf pour cent ; catholiques, quatre-vingt-un ; disciples du Christ, soixante-seize ; presbytériens unis, soixante-quinze ; luthériens du synode du Missouri, soixante-treize ; épiscopaux, soixante-trois ; méthodistes, soixante. « Jésus est né d'une vierge » : baptistes du Sud, quatre-vingt-dix-neuf pour cent ; luthériens du synode du Missouri, quatre-vingt-douze ; catholi-ques, quatre-vingt-un ; disciples du Christ, soixante-deux ; presbytériens unis, cinquante-sept ; épisco-paux, trente-neuf ; méthodistes, trente-quatre. « Jé-sus marcha sur l'eau » : luthériens du synode du Missouri, quatre-vingts pour cent ; baptistes du Sud, soixante et un, disciples du Christ, cinquante-huit ; presbytériens unis, cinquante-deux ; méthodistes, trente-neuf ; catholiques, trente-huit ; épiscopaux, trente-deux.

— L'Evangile, dit l'évêque Pike, est un livre sublime, mais nous devons sans cesse l'interpréter. Tout l'enseignement de Jésus était fait sur l'idée que la fin du monde était proche et elle n'est pas arrivée. Les interpolations sont tellement nombreuses qu'il est difficile de s'y reconnaître, sauf pour un esprit scrutateur. Si Jésus avait réellement dit de payer le tribut à César, les Romains ne l'auraient jamais laissé condamner. L'interpolation a été faite pour accabler davantage les juifs. Jésus, qui est pour moi plus Jésus que le Christ, n'en a pas moins créé la transcendance ; il a tout dépassé, même avant de monter sur la croix. Il a dépassé la croix.

« Jésus est mort, mais Dieu est-il mort ? Les hippies le prétendent, quelques théologiens aussi. Il se forme la « théologie sans Dieu », la « théologie de la mort de Dieu ». Cela signifie seulement que l'on croit de moins en moins en un Dieu personnel, mais de plus en plus en « quelque chose ». Un professeur catholique de l'Université de Toronto assure que nous devons créer nous-mêmes le royaume de Dieu, au lieu d'y croire.

Pour expliquer ce qu'il voulait dire par illumination, l'évêque Pike cita un trait du bouddhisme Zen sur la théorie de l' « Un », de qui tout procède et en qui tout revient : « Un moine demanda une fois à Joshu : « Toute chose retourne à l'Un, mais où l'Un retourne-t-il ? » A quoi le maître répondit : « Quand j'étais dans la province de Seiju, je me fis faire un habit de moine qui pesait sept kin. »

« L'illumination, reprit-il, empêcherait des contradictions aussi étranges que celles que nous voyons autour de nous. Par exemple, la législature de l'Arkansas, sous la pression de certains chefs religieux, interdit de donner du vin à la communion aux personnes de moins de vingt et un ans, mais l'évêque épiscopal de Little Rock a eu le courage de défier cette loi. Il y a encore cinquante-cinq pour cent de catholiques américains qui se déclarent tenus de suivre l'avis des prêtres pour les livres à lire et quarante-six pour cent ne considèrent pas comme un péché de refuser la communion d'un prêtre noir.

« Heureusement, conclut-il, qu'il y a des exemples encourageants d'illumination, dans le sens que le dernier concile du Vatican a si bien appelé œcuménique. L'encyclique du pape Paul VI sur les limites du droit de propriété est de ceux-là. Un autre, c'est l'invitation adressée par le cardinal Heenan à l'archevêque de Cantorbery, primat de l'Eglise anglicane, le Dr Ramsey, d'assister à un office à la cathédrale de Westminster et d'y prendre la parole. Trois autres concernent l'Amérique. Le séminaire des jésuites de Woodstock, près de Baltimore (Maryland), qui va se transporter à Morningside-Heights, près de New York, ouvrira ses salles de cours et ses bibliothèques aux étudiants juifs et protestants. A l'Eglise épiscopale de Saint-Marc, à Berkeley, le révérend Richard Millar, évêque suffragant de Californie, vient de présider à l'ordination du premier prêtre épiscopal hippie.

Nous applaudîmes cette étonnante nouvelle et nous applaudissions également l'Eglise épiscopale dans la personne de son illustre représentant.

— Le prêtre hippie, poursuivit l'évêque Pike, revêtait une chasuble à dessins psychédéliques, festonnée de clochettes. Le groupe musical hippie « la Blanchisserie de Marthe » jouait des airs de rock'n' roll. Les enfants tenaient au bout d'un fil de gros ballons de baudruche. A la quête, on recueillit des perles de verre, des billes, un paquet de graines de volubilis, un ordre d'appel sous les drapeaux. Mais c'est toujours en Californie que vient de se produire l'exemple le plus parfait d'illumination : à San Francisco, dans l'église catholique Saint-Ignace, près de Haight-Ashbury, l'archevêque catholique, Mgr McGucken, a consacré un nouvel évêque catholique en présence du cardinal-archevêque de Los Angeles, d'un patriarche oriental, d'un archevêque russe orthodoxe, d'un évêque épiscopal et d'un rabbin. J'en suis fier pour l'Amérique et pour la Californie.

Après la conférence, les étudiants posèrent des questions à l'orateur.

— Y avait-il un prêtre noir à la consécration de l'évêque catholique ? demanda un Noir.

L'évêque Pike dit que non. L'œcuménisme avait une faille.

— Etes-vous pour la guerre du Vietnam ? demanda quelqu'un.

— Je ne suis pas pour la guerre du Vietnam, dit-il, mais je n'approuve pas ceux qui refusent d'y aller. Il y a l'esprit critique, mais il y a le devoir de citoyen. Je soutiens le droit de manifester parce que c'est une façon de manifester d'abord sa liberté ; mais je désapprouve qu'on résiste, quand la police dissout la manifestation qui empêche de circuler, parce que c'est s'opposer à la liberté d'autrui et au devoir de la police.

Quelqu'un lui demanda ce qu'il pensait du révérend Coffin, chapelain presbytérien de Yale, qui dirige des manifestations pour le Vietcong et qui, envoyé en Inde par le département d'Etat, avait fait prier les Hindous pour la défaite de Goldwater. Je souris parce que le révérend Coffin, passionné de musique et qui avait épousé une fille du pianiste Arthur Rubinstein était gradué de la Phillips Academy et en fut chapelain lorsque j'y étais avec Jim. L'évêque Pike répondit que le révérend Coffin devait savoir ce qu'il faisait puisque, avant d'être ordonné prêtre, il avait appartenu à la C.I.A. Tout le monde se mit à rire.

Quelqu'un demanda à l'évêque Pike ce qu'il pensait de l'homosexualité.

— Je me déclare incapable de juger les autres pour des actes sexuels, dit-il. Je crois que personne ne peut condamner quelqu'un là-dessus. Ce sont des problèmes trop graves pour en parler légèrement. Du reste, la condamnation biblique de l'homosexualité à cause de la destruction de Sodome repose sur un mythe :

226

Sodome évidemment a été détruite par un séisme et non par la colère du ciel. L'Eglise anglicane a bien fait de contribuer à supprimer la loi anglaise qui interdisait l'homosexualité et qui, ainsi, ne défendait pas la vertu mais permettait le chantage. D'autre part, chez nous, dans l'état présent des lois, peut-on critiquer le département d'Etat d'exclure les homosexuels puisqu'ils sont soumis au chantage ? Le clergé épiscopal de Californie s'est honoré, l'an dernier, en protestant contre les arrestations d'homosexuels opérées par la police de Los Angeles. J'approuve le révérend Smith, de l'Eglise méthodiste, qui a présidé, à Los Angeles, un meeting des organisations homosexuelles de Californie. Ce n'est pas encourager l'homosexualité : c'est reconnaître qu'elle existe et qu'il est plus charitable de la comprendre.

Quelqu'un lui demanda ce qu'il pensait du communisme. Il répondit en riant :

— J'en pense à peu près ce que je pense de l'homosexualité. Défendons-nous-en. Ne condamnons pas à la légère. Tâchons de comprendre.

Un ecclésiastique que je ne voyais que de dos, demanda si ce n'était pas là, sauf tout le respect dû à l'orateur, une réponse également un peu légère pour un problème aussi grave : un parti qui veut s'emparer du pouvoir pour étouffer toutes les libertés, à commencer par la liberté religieuse, doit être condamné sans rémission. Il ne sert à rien de comprendre l'ennemi qui cherche à nous détruire.

Il y eut un frémissement dans la salle : c'était la première botte portée contre un évêque chéri.

— Je crains, répondit-il, que nous ne puissions plus rien au fait que la moitié du monde soit communiste. Cette simple constatation nous ordonne, me semble-t-il, de tâcher de comprendre. Nous autres, Américains, nous sommes deux cents millions, avec dix mille communistes inscrits, d'après le dernier Year Book de l'Encyclopœdia Britannica, ou cent mille, d'après le chef du F.B.I. Ce ne doit pas être un terrible effort pour cent quatre-vingt-dix-neuf millions neuf cent mille ou plus d'en comprendre cent mille ou dix mille.

L'ecclésiastique consulta un papier qu'il tenait à la main, et déclara :

— Lorsque les communistes prirent le pouvoir en Russie, ils étaient moins de cent mille. Lorsque, en novembre 1944, ils le prirent en Albanie, pays d'un million d'habitants, ils étaient douze mille (aujourd'hui cinquante-trois mille) ; lorsque, en novembre 1945, ils le prirent en Yougoslavie, pays de quatorze millions d'habitants, ils étaient cent quarante et un mille (aujourd'hui un million) ; lorsque, en octobre 1946, ils le prirent en Bulgarie, pays de sept millions d'habitants, ils étaient deux cent mille (aujourd'hui cinq cent mille) ; lorsque, en août 1947, ils le prirent en Hongrie, pays de neuf millions d'habitants, ils étaient sept cent cinquante mille (aujourd'hui cinq cent quarante mille — ils ont même diminué) ; lorsque, en février 1948, ils le prirent en Tchécoslovaquie, pays de douze millions d'habitants, ils étaient treize cent mille (aujourd'hui seize cent mille) ; enfin, lorsque, en décembre 1948, ils le prirent en Pologne, pays de vingt-trois millions d'habitants, ils étaient cent mille, comme chez nous (aujourd'hui dix-sept cent mille). Et aujourd'hui, en U.R.S.S., pays de cent vingt-cinq millions d'habitants, il n'y a que douze millions de communistes. Ils gouvernent la Chine, pays d'environ sept cents millions d'habitants, et ils sont dix-huit millions. Ils tiennent Cuba — huit millions d'habitants —, et ils sont cinquante mille. Dans ces conditions, Fidel Castro n'a pas eu tort de dire, en s'installant, que « le monde est sur le chemin du communisme » : cette idéologie arrive à de grands résultats avec un petit nombre de troupes. Et l'on est assez fondé à penser que les treize cent mille communistes italiens et les deux cent quatre-vingt mille communistes français (je cite les chiffres du Year Book, comme l'évêque Pike) pourraient devenir les maîtres de l'Italie et de la France sur un simple coup de téléphone de Moscou. Heureusement qu'il y a le « téléphone rouge » entre la Maison-Blanche et le Kremlin.

Je m'amusai d'entendre, par ces chiffres, la contre-partie de ceux que j'avais relevés pour la religion. J'avais pensé à la religion et ce religieux avait pensé au communisme. A cet instant, je le vis de trois quarts et le reconnus : c'était le chapelain catholique de Berkeley, le très discret père spirituel de Jim.

— Tout cela, répliqua l'évêque Pike, montre que les chiffres ne signifient pas toujours grand-chose. Dans la lutte des idées, c'est souvent le petit nombre qui l'emporte : nous l'avons vu par le christianisme. Le petit nombre croit fermement à la religion nouvelle, tandis que le grand nombre ne croit plus à la sienne que par habitude et se laisse vivre. Et il s'aperçoit trop tard qu'on l'a dépossédé. C'est pourquoi j'invite à la compréhension plutôt qu'à l'indifférence ou à la lutte.

L'évêque Pike ressemblait aux Youth Freedom Speakers qui étaient contre l'apathie et le contentement de soi. Une jeune fille augmenta la confusion de cet assaut de chiffres : elle dit que, d'après le tout dernier gallup, quatre-vingt-dix-sept pour cent des Américains croient en l'existence de Dieu. Cela infirmait donc ce qu'avait déclaré le Centre de recherche d'examen de Berkeley, à moins que l'on eût interrogé uniquement les baptistes du Sud.

— Sans doute en est-il de la foi comme du foie, dit l'évêque Pike. Si nous faisons faire une analyse du sang après un excès de boisson ou de nourriture, l'analyse sera inquiétante. Après une période de sobriété, elle sera négative. Par rapport à Dieu, il y a des jours où nous sommes baptistes et des jours où nous sommes méthodistes.

Quelqu'un fit observer que les fluctuations étaient les mêmes dans les gallups politiques : tantôt il y avait soixante-quatorze pour cent d'Américains en faveur de la guerre du Vietnam, tantôt cinquante-deux pour cent. Cela dépendait des bonnes ou des mauvaises nouvelles. La jeune fille qui avait déjà parlé du gallup sur l'existence de Dieu, ajouta que la dernière miss America avait dit qu'elle devait sa victoire « surtout à Dieu » : elle était certainement baptiste.

L'évêque Pike demanda au chapelain quelle secte il représentait. Sur sa réponse, il saisit la balle au bond et lui demanda pourquoi le concile du Vatican II n'avait pas condamné le communisme. Il semblait ravi : il avait rendu la botte. Le chapelain répondit que cette question exigeait un véritable discours, d'autant plus qu'il la connaissait à fond ; mais il n'était pas venu pour se substituer à l'évêque Pike : il était venu humblement pour l'entendre et peut-être faire une simple objection. L'évêque et plusieurs personnes le prièrent de s'expliquer. Le chapelain se leva.

— Je suis allé plusieurs fois à Rome pendant le concile, dit-il, et j'ai pu suivre la question d'assez près grâce à l'un de nos pères conciliaires américains. Je peux donc vous fournir des renseignements en partie inédits. J'aurais préféré me taire mais puisque, vous autres protestants, parlez si librement de vos églises, je veux qu'un catholique ne soit pas en reste.

Le vif mouvement d'intérêt que produisirent ces paroles déplaça tout à coup l'attention : l'évêque Pike était rejeté au second plan.

— Pie XII, d'éternelle mémoire, reprit le chapelain, avait condamné le communisme, comme l'avait fait Pie XI. Le pape Jean donna au concile qu'il avait convoqué une empreinte de miséricorde. Il avait seulement rappelé que l'Eglise, l' « épouse du Christ », avait « condamné des erreurs avec une très ferme sévérité », mais que ces erreurs avaient produit « des fruits tellement mortels que les hommes aujourd'hui les condamnaient d'eux-mêmes ». Cette vue un peu particulière de l' « erreur » communiste avait été corrigée, dans les travaux préparatoires du concile, par les déclarations des évêques et religieux des pays communistes et il était difficile de s'y conformer totalement. Mais les partisans de la thèse papale firent observer qu'une condamnation risquerait d'aggraver les choses pour les catholiques de ces pays. On déclara qu'on aurait soin d'écarter du vote leurs évêques et religieux. La Commission préconciliaire des évêques et du gouvernement des diocèses rédigea un chapitre sur « la cure des chrétiens infectés par le communisme » — c'est la traduction littérale des mots latins. Il était spécifié que ce texte de douze pages, imprimé par la Polyglotte vaticane, était secret. Un document identique avait été dressé par la Commission préconciliaire de la discipline du clergé et du peuple chrétien.

« Là-dessus — et ceci est révélé pour la première fois —, le patriarche de Moscou fit savoir au cardinal Tisserant, doyen du sacré collège, que les églises orthodoxes des pays communistes étaient prêtes à envoyer des observateurs au concile, à condition qu'il n'y fût pas question de communisme et on le lui promit. Sans doute est-ce également ce qui avait été demandé et promis dans l'entretien du gendre de Khrouchtchev et du pape Jean. Aussi les textes établis par les deux commissions et discutés à la Commission centrale préparatoire furent-ils profondément remaniés et fondus en un seul, où le mot de matérialisme remplaçait le mot de communisme. A la deuxième session du concile, ce texte même fut mis à l'écart et à la troisième, il avait disparu.

« C'est le cardinal Suenens, archevêque de Malines, qui protesta le premier, suivi de plusieurs autres cardinaux et évêques, notamment de Mgr Wright, évêque de Pittsburg (Pennsylvanie). Ainsi fut élaboré le schème XIII qui traitait de l'athéisme, mais non pas du communisme. Alors intervint Mgr Elko, exarque apostolique pour les Ruthènes dans ce même diocèse de Pittsburg : ses paroles eurent raison de cette dérobade et quatre cent trente-cinq pères conciliaires signèrent un manifeste demandant la condamnation formelle du communisme. Il y avait six

Américains, sept Canadiens, trois Anglais, treize Français, dix-neuf Hindous, vingt-cinq Brésiliens, cent trois Italiens. Je reconnais cependant que le schème, bien qu'il ne parlât pas du communisme, formulait une condamnation plus énergique que celle du texte primitif. Cependant, les rédacteurs eurent le front d'y inscrire que « deux pères avaient demandé que l'athéisme fût nommé de son nom propre » — deux pères de la commission et quatre cent trente-cinq pères conciliaires ! Encore fallait-il escamoter ces derniers. Ils s'aperçurent que leur pétition n'avait pas été portée à la connaissance de leurs collègues, malgré la règle du concile selon laquelle tout amendement, même proposé par un seul père, devait être communiqué à tous les autres pour que l'assemblée se prononçât.

« Le texte du schème avait été distribué à l'assemblée le 13 novembre 1965 et devait être voté le 15. J'étais alors à Rome et fais gloire d'être l'un de ceux qui, le dimanche 14 novembre, à l'entrée des pères dans la basilique Saint-Pierre, ont distribué la pétition. Mais il était trop tard, la bataille était perdue d'avance. Il aurait fallu sept cents votes pour renvoyer le texte de la pétition à l'examen de la commission. Cela n'empêcha pas la presse communiste de se montrer offensée par le schème parce qu'il rappelait les condamnations précédentes. Mais rappeler n'est pas renouveler. Le tour était joué, toutes les compromissions étaient possibles avec le communisme, du moment que, même s'il est athée, il n'est pas l'athéisme. Et cela faisait l'affaire — je devrais dire les affaires —, de ceux qui, en Italie, préparaient l' « ouverture à gauche ». La Fiat demande de l'argent à l'Amérique pour bâtir des usines d'automobiles en U.R.S.S. ; la sœur de son propriétaire, Agnelli, a fait des déclarations enflammées, à son retour du Vietnam, sur les horreurs commises par les Américains. Excusez-moi d'avoir été si long.

Le chapelain s'assit, l'assistance l'applaudit et l'évêque Pike le remercia. Il ne pouvait mieux lui

232

manifester l'intérêt avec lequel il l'avait écouté, qu'en lui posant une nouvelle question :

— Vous avez vu, dit-il, que je partage certaines idées de Paul VI ; mais je ne connais pas assez l'Eglise romaine pour savoir s'il a eu l'occasion de s'exprimer au sujet du communisme. Pouvez-vous me renseigner ?

Le chapelain se leva de nouveau :

— Dans la première encyclique de son pontificat, donnée en plein concile, Paul VI a formellement et nommément rappelé la condamnation du « communisme athée ». Il ajoutait que c'était moins une condamnation qu'une « déploration », plus « une lamentation de victimes qu'une sentence de juges ». En ayant l'air d'atténuer, il ne faisait que renforcer. Il a été aussi explicite dans le discours qu'il a prononcé aux catacombes de Domitille avant la quatrième et dernière session du concile ; mais, comme pour la pétition des quatre cent trente-cinq pères, c'était trop tard.

L'évêque Pike tira la morale de cet exposé en revenant à ses propres paroles :

— S'il est trop tard pour condamner, il n'est jamais trop tard pour comprendre.

15

J'allai présenter mes devoirs à l'évêque Pike, puis me hâtai pour féliciter le chapelain. Il était entouré d'un groupe d'admirateurs aussi nombreux que celui qui entourait l'évêque. Un gallup aurait marqué une avance du catholicisme au collège de Los Angeles. Je m'en réjouissais, comme d'un succès de l'anticommunisme.

Une jeune Noire, évidemment catholique, demanda au chapelain pourquoi il n'avait pas fait allusion au récent pèlerinage du pape à Fatima : la Vierge avait condamné indirectement le communisme en disant que « les nations sans Dieu seraient le fléau choisi par Dieu pour châtier l'humanité ». Célébrer avec éclat le cinquantième anniversaire de son apparition, c'était condamner le communisme. Le chapelain répondit en souriant qu'il avait bien songé à ajouter ce pèlerinage au crédit de Paul VI, mais que l'on ne parlait pas de la Vierge dans une assemblée protestante.

Nous sortîmes ensemble pour nous promener un moment dans les allées de tamaris du collège. Il me dit qu'il revenait d'Italie où il avait vu et entendu des choses lamentables : le cardinal-archevêque de Bologne aux pieds du maire communiste de la ville, qui l'avait reçu en triomphe parce que le concile n'avait pas condamné le communisme ; les prélats de l'archevêché inaugurant les écoles du parti communiste ; l'un d'eux déclarant, dans son discours inaugural, que « les trois grands maîtres de notre époque étaient Freud, Einstein et Marx ».

— Pour bien goûter le sel de ces paroles, dit le chapelain, il faut savoir que dans cette même province de l'Emilie, d'où ma famille est originaire, cinquante-deux prêtres furent massacrés par les communistes à la libération. Mais c'est le propre des catholiques communisants de fermer leurs yeux à la réalité. Ils sont déchaînés dans tous les pays occidentaux en faveur du Vietcong qui a tué des milliers de catholiques dans la région de Hué. Hô Chi Minh, présenté aujourd'hui comme un vénérable patriarche, fut accusé par les Français d'avoir fait égorger mille femmes de Hanoï pour crime de francophilie.

« Le cardinal Ottaviani, malgré sa démission, reste une des colonnes de l'Eglise. C'était le pro-préfet de la congrégation de la Doctrine de la foi, ex-Saint Office, autrement dit le personnage le plus important après le pape. Jusqu'au bout, il a rappelé que le décret de 1949 frappant d'excommunication ceux qui professent le marxisme est toujours en vigueur. Le cardinal Seper, archevêque de Zagreb, qui lui a succédé, est payé, si je puis dire, pour savoir ce que c'est que le marxisme-communisme-léninisme. Mais un vent de folie souffle sur l'Eglise et le pape lui-même a dû chapitrer les jésuites. Un jésuite italien est en prison pour escroqueries cinématographiques et l'on fait son apologie dans les journaux communistes ; on y commémore un jésuite bolivien qui a été tué « en se battant pour la révolution du peuple ». A vrai dire, ce qui se passe en Italie ou en Bolivie n'a peut-être pas une très grande importance. Mais soyons viligants sur ce qui se passe chez nous.

Il me complimenta lorsque je lui eus appris que Jim et moi fondions un groupe de Youth Freedom Speakers à Berkeley. Je ne lui dis pas que l'on y parlerait guère de religion ni que mes statistiques étaient l'envers des siennes, même si elles se corroboraient pour la défense de la liberté.

— J'aurais pu citer bien d'autres chiffres, dit-il, mais je ne voulais pas accabler l'évêque Pike... ni l'auditoire. Il a déclaré que le nombre ne signifiait rien : le nombre ne signifie jamais rien, si ce n'est lorsqu'il s'agit du communisme. Le mot de Castro que j'ai rapporté est encore plus effrayant si l'on se rappelle qu'il a débarqué à Cuba avec quatre-vingt-deux guérilleros. Aujourd'hui, son ex-ministre et lieutenant Che Guevara agite plusieurs républiques de l'Amérique latine avec quelques centaines d'individus ; partout, ces bandits prennent le nom d'armée de libération nationale. Et comme ils ont le sens de l'humour, ils vont se réunir à La Havane en « Congrès culturel.

— C'est leur cynisme qui est sans limite, dis-je.

— Je regrette, poursuivit le chapelain, de ne pas être d'accord avec l'évêque Pike sur le sens du mot idée. L'idée de ces libérateurs de l'Amérique latine, c'est le terrorisme. Les quatre-vingt-deux hommes de

235

Castro ont commencé par terroriser un village, puis un autre et ainsi de suite jusqu'à la capitale. C'est le procédé qu'emploie le Vietcong ; c'est le procédé communiste là où l'emploi des armes est possible.

J'acquiesçai en disant que la guerre du Vietnam n'était pas une guerre d'idéologies, mais une guerre de la lumière contre les ténèbres, de l'intelligence contre la stupidité, de la machine à laver contre le « lavage de cerveaux ».

Le chapelain poursuivit :

— On prétend que nous défendons le Sud-Vietnam malgré lui et l'empêchons de devenir communiste. Il suffit de rappeler que plus d'un million d'habitants du Nord se sont enfuis dans le Sud, tant que l'option fut possible. Hô Chi Minh ferma la frontière avant que le délai eût expiré : il n'aurait plus eu personne à gouverner. Naturellement, on a dit que ceux qui avaient pris la fuite étaient de pauvres imbéciles catholiques, persuadés par leurs évêques et leurs curés que le diable était à leurs trousses. La plus belle réponse au communisme est cette fuite éperdue que l'on peut constater dans tous les pays communistes. S'ils ouvraient leurs portes, il leur arriverait ce qui arriva au Nord-Vietnam. Est-ce Berlin-Ouest qui a dû bâtir un mur pour empêcher ses habitants de passer à Berlin-Est ou n'est-ce pas le contraire ? L' « Opération Bon Refuge » après la révolution hongroise a-t-elle transporté en Hongrie vingt et un mille cinq cents Hongrois des Etats-Unis ou n'est-ce pas le contraire ? Que sont ces paradis d'où l'on ne peut sortir qu'au péril de sa vie ou à la faveur d'une révolution ? Laissons à part ce qu'ils nous envoient : leurs touristes triés sur le volet, leurs poètes lauréats, leurs ballets et leurs cirques. Leur dernière propagandiste est la fille de Staline, censée être venue nous demander asile pour nous parler gentiment de son père. Que l'homme qui dispute à Hitler le titre de plus épouvantable monstre des temps modernes ait pu nommer sa fille Alliluyeva et qu'elle ose raconter, au Waldorf-Astoria, devant des centaines de journalistes attendris, que « les domestiques de Staline ne pouvaient lui reprocher aucun despotisme, aucune cruauté », ce sont des choses qui illustrent une époque. Imaginez que la roue de l'Histoire ait tourné dans l'autre sens : nous aurions, au Waldorf-Astoria, la fille adoptive de Hitler — nommons-la Angelica — nous parlant de son père d'une manière aussi touchante. Et il y aurait les mêmes dupes.

Je ris de bon cœur, en disant au chapelain que j'étais plus que jamais de son avis.

— Aux Etats-Unis, reprit-il, le communisme n'est pas l'hydre aux mille têtes que nous voyons déjà dans beaucoup de pays de l'Europe occidentale. Mais nos communistes se remuent et, là encore, l'évêque Pike a raison en disant que le nombre ne signifie rien. J'ai été chapelain à Columbia avant d'être à Berkeley. Je connais donc les choses de New York. Aux élections municipales, un candidat communiste réunit à peu près mille voix. Mais ces mille voix en représentent dix mille, cent mille, un million, dont elles sont le levier ou plutôt le virus. Il existe, certes, dans chaque groupe, association, ligue, club, des éléments perturbateurs, mais ces éléments, qui seraient réduits à l'impuissance par leur petit nombre, reçoivent la foi, l'espérance et le manque total de charité du communiste qui s'y est faufilé. Dans un pays violent tel que le nôtre, il n'en faut pas plus pour produire une explosion de violence. C'est ce que vous avez vu toutes ces années-ci avec la lutte des droits civils. C'est ce qui continue sur les traces du pasteur King, lequel assure qu'il n'y a « pas plus de communistes autour de lui que d'Esquimaux en Floride » (d'où le surnom de « roi des Esquimaux » que lui a donné le journaliste Alan Stang). Et c'est ce que vous verrez à Berkeley, avant qu'il soit peu.

« J'ai eu des renseignements précis sur une activité secrète des communistes destinée à soulever les campus. On commence par Berkeley qui, mieux que Harvard, représente l'esprit nouveau. Bien que je ne fasse pas le métier d'espion, j'ai averti notre président et le gouverneur. Ils en feront ce qu'ils voudront mais ils auront à faire, croyez-moi.

Sans chercher à me mettre dans le complot adverse, je saisis cette occasion de me renseigner sur le catholicisme américain, dont Jim n'était qu'un membre honoraire. Le chapelain s'offrit volontiers à me répondre et nous nous assîmes sur un banc.

— Le catholicisme américain, dit-il, c'est le cardinal Spellman. Et il est assez malade.

— Le catholicisme ou le cardinal ?

— Les deux.

— Quoi ! m'écriai-je. Après avoir eu enfin un président catholique, vous n'êtes pas content ?

— Vous aussi, vous avez donné dans le panneau. Rien de plus naïf que l'explosion de joie des catholiques étrangers à l'élection de Kennedy. Nos catholiques votèrent beaucoup moins pour lui que les juifs et les Noirs, enchantés d'avoir un président de minorité. Le cardinal Spellman en fut désolé : il aurait plutôt supplié Kennedy de ne pas se faire élire. La même chose s'est passée en France avant la guerre lorsque le juif Léon Blum devint président du conseil : le grand rabbin de France l'avait conjuré de ne pas accepter.

« Le catholicisme américain a toujours les faveurs de la Maison-Blanche sans avoir besoin d'un président catholique. Déjà, bien avant la guerre, lorsque les catholiques eurent un candidat démocrate dans la personne d'Alfred Smith, (qui fut battu par Hoover), le Ku Klux Klan avait fait campagne sur la devise : « Ne laissons pas entrer le pape à la Maison-Blanche. » Depuis lors, Paul VI est venu aux Nations unies, si ce n'est à la Maison-Blanche, mais la photographie où l'on voit Johnson lui serrer la main, d'un air à la fois ironique et réservé, montre ce que peut penser d'un pape un président des Etats-Unis. Cependant, une fille de Johnson s'est convertie au catholicisme. Espérons que ce n'est pas pour enlever quelques voix catholiques à Bob Kennedy, qui sera candidat démocrate contre lui aux prochaines élections présidentielles. Du reste, la méfiance de nos présidents envers le chef de l'Eglise romaine ne va pas jusqu'à méconnaître les services qu'il peut rendre, notamment lorsque la paix est en danger : en 1939, Roosevelt, si profondément épiscopal et maçon, dépêcha auprès de Pie XII, à titre d'envoyé personnel, un industriel protestant, Myron Taylor, auquel succéda Harold Tittman, et Johnson lui-même s'est arrêté à Rome pour saluer Paul VI, en revenant du Vietnam. Mais les Etats-Unis n'ont toujours pas de relations diplomatiques avec le Saint-Siège. Eisenhower voulut avoir l'honneur de commencer et nomma comme ambassadeur le général Clark ; le Sénat s'y opposa sous le prétexte de ne pas donner à une religion un traitement préférentiel. Kennedy se le tint pour dit. Il porta la neutralité jusqu'à refuser de servir les intérêts des catholiques dans la question des écoles. Sa propre famille lui avait appris l'opportunisme : durant son enfance, on l'avait retiré d'une école catholique du Connecticut pour le mettre dans une école « non-sectaire ».

« Vous ne devez pas me juger très tendre à l'égard du malheureux président : mais je n'aime pas le catholicisme qui n'est ni chair ni poisson. De plus, la manière dont la tribu Kennedy exploite ce drame la rend odieuse et déprécie le catholicisme américain. Jacqueline Kennedy est la veuve abusive de l'Amérique. Et Bob cherche à nous persuader que le seul moyen pour nous d'expier l'assassinat d'un président Kennedy est d'en élire un second et, autant que possible, de ne pas l'assassiner.

« Ce qui est plus grave, c'est qu'il se fait le complice du roi des Esquimaux. La collusion du pasteur King avec le communisme a été surabondamment prouvée par les journalistes patriotes et les groupements patriotiques. Or, Bob Kennedy a eu l'impudence de dire : « D'après les renseignements indiscutables du F.B.I., il n'y a pas de preuve qu'aucun chef des principaux groupes des droits civils soit communiste ou contrôlé par les communistes. C'est aussi vrai pour le pasteur Luther King, contre lequel cette nisme, *Maîtres de mensonge*, ce mot suffit.

« Ces paroles de l'ancien attorney général des Etats-Unis sont en contradiction flagrante avec celles du directeur du F.B.I. qui n'a cessé de dénoncer toutes ces collusions. J. E. Hoover n'a pas traité le pasteur King de communiste, mais l'a proclamé « le plus grand menteur des Etats-Unis ». Pour qui n'a pas oublié le titre de son livre sur le communisme, *Maîtres de mensonge*, ce mot suffit. »

Je dis que j'avais une autre raison de ne pas aimer Bob Kennedy : il faisait campagne contre la guerre du Vietnam, ce qui était trahir à la fois Johnson, l'Amérique et la mémoire de son frère.

— Là, dit le chapelain, nous retrouvons le cardinal Spellman. Si ce dernier n'avait pas décidé Eisenhower à soutenir au Vietnam le chef catholique Diem, jamais Kennedy n'aurait eu le courage de commencer pour ce pays une « guerre non déclarée ».

J'ignorais que l'archevêque de New York eût joué un tel rôle et rapportai ce que mon père m'avait dit de l'intervention de la C.I.A.

— La C.I.A., c'est une chose, dit le chapelain, et le cardinal Spellman, c'est autre chose. Diem était venu à New York pendant la guerre française d'Indochine, et son frère l'évêque Thuc, aujourd'hui archevêque de Hué, lui fit connaître le cardinal. A partir de ce moment, toute l'opération fut montée. Un des rouages essentiels en a été le Secours catholique, dont l'Agence spéciale pour l'Extrême-Orient fut longtemps administrée par Mgr Harnett, au soixante-cinquième étage de l'Empire State Building. (Petite parenthèse : Mgr Harnett est maintenant directeur du Secours américain à Rome et Mgr Thuc s'est retiré à Pompéi.) Quand il y eut l'exode de la population indochinoise du Nord, chaque habitant reçut du cardinal Spellman quatre-vingt-neuf dollars : c'était l'équivalent du revenu d'une année, dans un pays où le revenu moyen est de quatre-vingt-cinq dollars.

« Je souhaite que le cardinal vive assez pour voir la fin de cette aventure, mais je crains qu'elle ne dure plus que lui. On lui a reproché d'avoir prononcé, en visitant nos troupes, des paroles belliqueuses, au moment où le pape en prononçait d'apaisantes. Mais le pape n'est pas américain et le cardinal Spellman, vicaire militaire des Etats-Unis, est le « pape américain ».

« Il est le pape américain, parce qu'il a le sens de l'argent et le génie d'en produire. Je l'ai entendu discuter des placements avec des chefs de communautés religieuses, de la même manière qu'un « Wall Streeter ». On m'a rapporté un mot sur lui de Mrs Roosevelt : « Si le cardinal Spellman n'était pas archevêque de New York, il devrait être secrétaire du Trésor. » Son entregent est à l'égal de ses connaissances financières. Il s'est emparé, avec une habileté consommée, des biens de la paroisse française de New York, biens qui sont considérables, et personne, ni l'aumônier de la colonie française, ni l'ambassade de France, ni même le Vatican n'est arrivé à les lui faire rendre. Et savez-vous ce qu'est devenu l'ancien presbytère de la paroisse française ? Une maison de cure de désintoxication pour les prêtres irlandais ivrognes.

« Il ne faudrait pas, malgré tout, se représenter le cardinal comme un esprit rétrograde, uniquement occupé d'intérêts sordides ou chauvins. C'est un homme dont l'évêque Pike dirait qu'il est plus enclin à comprendre la jeunesse qu'à la condamner. Par exemple, il a donné la permission à l'Université Fordham — la grande institution des jésuites à New York —, de célébrer, sans tambours ni trompettes, mais non pas sans guitares, des messes « modernes » dans la chapelle souterraine de cette université. J'ai assisté à plusieurs de ces offices où, grâce au ciel, ne viennent ni photographes ni journalistes — on respecte la consigne de discrétion donnée par le cardinal — et je dois avouer que c'est très émouvant. Rendez-en hommage au vieux prince de l'Eglise. Lui aussi il introduit dans nos sanctuaires « la Blanchisserie de Marthe ».

« En dehors de ce personnage exceptionnel et irremplaçable, nous avons Mgr Fulton Sheen, évêque de Rochester et suffragant de New York, qui fut l'un de ses auxiliaires. C'est un homme éloquent et habile, qui se prodigue à la télévision : on le surnomme « l'évêque des ondes ». Ses regards, ses gestes et ses jeux d'anneaux de croix pectorale font dire qu'il est hypnotiseur. Il a longtemps fait écho aux paroles du cardinal Spellman en faveur de la guerre du Vietnam ; mais depuis que le cardinal a un pied dans la tombe, son ancien collaborateur a changé subitement de langage et l'on pense que c'est un acte de candidature à sa succession. Le pape incline par force du côté des colombes. Je crois qu'il choisira l'un des vicaires généraux du cardinal : Mgr Térence Cook, qui est jeune libéral, spécialiste des questions raciales, bref, au goût du jour.

« Mgr Fulton Sheen s'était acquis pourtant un grand titre à la reconnaissance du Vatican : c'est lui qui a converti Mrs Booth Luce au catholicisme et qui a fait entrer ainsi dans l'orbite secrète de l'Eglise romaine l'énorme machine journalistique Time-Life. Autre mérite de cet évêque : il va lancer une édition anglaise de l'*Osservatore Romano*, qui sera diffusée dans quarante pays. Enfin son zèle pastoral l'a conduit au temple B'rith Kodesh de Rochester pour participer à une assemblée de juifs et de chrétiens.

Je dis que j'approuvais une telle initiative, aussi chaleureusement que l'évêque Pike les exemples d'illumination.

— J'approuverais si j'étais protestant, dit le chapelain. Applaudissez le père jésuite Gannon, président émérite de l'Université Fordham, qui a participé au banquet de la Grande Loge de New York. (En fait de jésuites, un fils du feu secrétaire d'Etat Foster Dulles, le père Avery Dulles, appartient à ce

242

séminaire de Woodstock, dont l'évêque Pike a parlé.) C'est la première fois qu'un membre du clergé catholique américain était invité par des francs-maçons. Comme ils étaient partagés entre le Waldorf-Astoria et le Commodore, le père Gannon s'est déplacé de l'un à l'autre et a prononcé deux discours. Il évoqua l'ombre du « bon pape Jean », qui passe pour avoir voulu supprimer l'excommunication de la maçonnerie, comme l'a révélé un écrivain français — la nouvelle qui a couru récemment de cette levée d'excommunication a été démentie. Les chevaliers de Colomb, sorte de maçonnerie catholique, se mettent aussi à fraterniser avec les maçons.

Je dis que je me réjouissais de voir toutes les forces spirituelles du monde s'unir pour la défense d'un idéal commun.

— Certes, dit le chapelain. Quand l'évêque Pike a vanté la consécration œcuménique de San Francisco, je songeais à l'un des plus beaux traits de la dernière guerre : l'héroïsme des « quatre chapelains », promus héros nationaux — deux protestants, un catholique et un rabbin —, qui donnèrent leurs ceintures de sauvetage et leurs vies pour permettre à quatre marins de s'échapper de leur vaisseau torpillé.

« L'Eglise romaine est un autre vaisseau torpillé, d'où se sauve qui peut. Il a été torpillé par ce concile du Vatican dont tous les non catholiques font l'éloge, précisément pour cette raison. La hiérarchie américaine vient de consulter le jeune clergé sur le mariage des prêtres. Dieu merci, il n'y a eu, l'an dernier, que quatre de nos prêtres qui se soient défroqués pour se marier, mais la majorité s'est prononcée en faveur du mariage. C'est la révolution sexuelle dans l'Eglise. Où allons-nous ?

— Au protestantisme, dis-je.

— Je ne vous le fais pas dire, continua le chapelain. Voyez en ce moment le scandale provoqué par vos voisines de Hollywood, les sœurs du Cœur Immaculé de Marie. Elles ont été contaminées par les stars. Mgr Montrose, directeur des collèges de l'archidiocèse, me parlait hier de leurs prétentions extravagantes : elles ne veulent plus se lever à cinq heures du matin, elles veulent porter des robes qui ne descendent qu'au genou, se faire faire des permanentes, sortir seules, danser, aller au cinéma. Elles veulent même instruire leurs élèves du bon usage des moyens anticonceptionnels. Après tout, pourquoi pas ? Nos jésuites, dans leur revue *America*, préconisent l'usage de ces moyens entre époux : l'évêque Pike a oublié de les en féliciter.

« Il a fait allusion, sans le nommer, au vénérable archevêque de Los Angeles, le cardinal McIntyre, qu'il n'aime pas parce que c'est un cardinal à la Spellman, mais qui serait trop heureux d'avoir à présider seulement des cérémonies œcuméniques. La Californie est son purgatoire. Après avoir interdit l'enseignement aux nonnes de Hollywood, qui font appel au pape, il a suspendu « a divinis » le père DuBay, de Santa Monica, fondateur d'un syndicat de prêtres catholiques, qui revendique le droit de grève et qui proteste aussi à Rome. Détail plaisant : la Fédération Américaine du Travail et le Congrès des Organisations Industrielles, dont le président commun est un catholique, George Meany, s'est refusé d'admettre ce syndicat.

« Le problème de l'autorité n'est pas spécial à la Californie. L'archevêque de Chicago se débat avec une association presbytérale aussi agitée que le syndicat du père DuBay. Le premier acte de celle de Detroit — (ces associations se réclament du concile) —, a été de demander que les émoluments des prêtres soient doublés. Notre épiscopat a publié au début de l'année une lettre pastorale de vingt-cinq mille mots pour déplorer la « crise d'obéissance » du clergé américain. « Lorsqu'un prêtre chancelle, y est-il dit, toute l'Eglise vacille. »

« Qu'adviendra-t-il quand auront disparu ces deux piliers que sont le cardinal Spellman et le cardinal McIntyre ? Ils représentent une tradition et j'ai une tendance à croire à la tradition, avant d'avoir

244

pu apprécier l'avantage de la nouveauté. La messe en américain, la suppression du maigre le vendredi déconcertent les fidèles, à tel point que dans certains diocèses ou certaines paroisses on n'a pas osé les instituer. Les catholiques étaient fiers de se distinguer en cela des protestants. Une autre mentalité va se créer, j'espère, mais je ne la vois pas encore sortir de l'ombre.

« Il est vrai que les fidèles sont ce que sont les prêtres et notre recrutement, à base irlandaise, est médiocre. L'élite est attirée par la vie monacale comme pour mieux réagir contre la trépidation américaine. J'ai connu un archevêque de Hartford (Connecticut), oncle de l'écrivain Steegmuller : il est mort de chagrin de ne pas trouver pour son diocèse de prêtres irlandais intelligents, sobres et capables. Ce n'en est pas moins ce clergé qui domine dans la hiérarchie, mais il fournit peu de McIntyre. Il y a des millions de catholiques italo-américains et, pour les deux cent cinquante évêques ou archevêques des Etats-Unis, il n'y en a qu'un d'origine italienne — encore est-ce simplement l'un des évêques auxiliaires de New York, Mgr Pernicone. Nos Espagnols ne ressemblent pas tous, heureusement, au père Gonzales Ruiz, qui, d'Oakland, fait l'éloge du marxisme dans *The Catholic Voice*. Je vous cite son nom parce que son journal est vendu à Berkeley, mais je vous en citerais beaucoup d'autres qui jouent avec le diable, en Amérique comme en Italie. Il y en a aussi en France, où un dominicain prêche la lutte des classes.

« Je songe à ce que dit Manzoni, dans son livre sur « la Révolution française », à propos d'une phrase des « Mémoires » de Bailly, le maire de Paris qui fut guillotiné et qui « transmettait à la postérité » les noms des trois premiers curés qui se rallièrent aux tiers état : « Le nombre des hommes qui ont commencé des choses, terminées au rebours de leur intention, est allé trop en augmentant pour que la postérité puisse retenir leurs noms. »

16

Carl nous avait invités, un soir, Sunny et moi, à
une « tea-party ». Il ne s'agissait évidemment pas
de prendre une innocente tasse de thé : c'était l'expression des initiés pour dire une invitation à fumer le « thé du Texas », c'est-à-dire le marijuana.
Peut-être, selon l'habitude nouvelle de moquer les
souvenirs historiques, raillait-on ainsi la tea-party de
Boston, où l'on jeta à la mer les ballots de thé de
l'Angleterre, ce qui fut le signal de la guerre d'Indépendance. Les tea-parties d'aujourd'hui étaient aussi un geste d'indépendance, mais soigneusement
clandestin. Mon départ pour Berkeley était immi-
nent : la tea-party serait un nouveau lien avec Sunny avant notre séparation.

L'appartement de Carl avait cette singularité d'être
un des derniers de Los Angeles du type « chemin
de fer » : une enfilade de pièces sans fenêtres, éclairées par des vasistas. Jason nous ouvrit la porte. Dans
la dernière chambre, deux jeunes filles, en sweaters
de Santa Barbara et en blue-jeans, étaient assises
sur un divan, de chaque côté de Carl. Il changeait
de filles, mais non d'université. Quand il nous eut
dit que c'étaient les deux sœurs, je flairai une odeur
d'inceste, conforme aux histoires qu'il nous avait
racontées. Une lumière orange faisait ressortir les
affiches psychédéliques, les plats indiens de cuivre,
les tapis aux teintes vives.

Le rite n'était pas commencé. Sur une table basse,
il y avait des paquets de cigarettes ordinaires, des
bouteilles de vin rouge et des chips ; mais personne
n'avait bu. Carl prit dans un tiroir un sac de cello-

phane contenant des feuilles et des fleurs séchées de chanvre femelle. Il les pulvérisa avec ses doigts et en roula une cigarette. Cette drogue était un cadeau fait par les Noirs au reste de l'Amérique. C'est eux qui l'emportèrent dans le Nord, en même temps que le jazz, et c'est d'eux que les beatniks la reçurent, avant de la transmettre aux hippies. Elle avait même été consacrée par la guerre car les Noirs l'avaient emmenée avec eux en Europe, comme ils l'emmenaient au Vietnam. Aussi était-elle un objet d'étude pour les médecins militaires aussi bien que pour les médecins d'universités. Elle fut, un moment, à la fois militaire et universitaire : les vétérans l'avaient fait pénétrer dans les campus, lorsque la loi des Droits du soldat leur permit d'achever gratuitement leurs études, à la fin des hostilités. Un rapport, établi à la demande de l'ancien maire de New York, La Guardia, l'avait proclamée sans danger, pour défendre les habitudes de la population noire et portoricaine de la ville. Récemment, la Société médicale du comté de New York avait déclaré que les chiffres publiés par la presse sur l'usage de la marijuana dans les universités étaient exagérés : pour tel campus où l'on prétendait qu'il y avait de vingt à cinquante pour cent de fumeurs, une enquête plus sérieuse en avait trouvé un pour cent. En Californie, on était arrivé à onze pour cent mais beaucoup d'étudiants avaient dit, comme c'était mon cas, n'avoir fumé qu'une fois ou deux. Les adversaires du thé du Texas et le Bureau fédéral des narcotiques justifiaient son interdiction en assurant que cette drogue plus ou moins innocente conduisait à d'autres tout à fait nocives, telles que l'héroïne, mais ses adeptes le niaient énergiquement.

Carl, ayant roulé la cigarette avec un soin attentif, la mouilla d'un coup de langue, l'alluma et en aspira un peu de fumée au plus profond de ses poumons. Il la tendit ensuite à Sunny qui aspira de même et qui la fit circuler jusqu'à moi. L'âcre odeur de feuille brûlée commençait à flotter dans l'air.

Nous restâmes la tête penchée, les yeux fermés, retenant notre souffle, parce que l'effet est plus fort si l'on garde la fumée plus longtemps. Carl nous avait dit qu'il réussissait parfois à la garder cinq minutes, ce qui était un record. A côté du sac de marijuana, il avait posé une pipe au long tube et au minuscule fourneau. Jason, pendant la confection de la cigarette, avait mis en mouvement l'électrophone et un disque des Beatles retentissait, comme un écho de Cheetah. Puis il avait branché un interrupteur spécial, qui faisait clignoter la lumière orange en alternance avec une lumière bleue, — autre discret rappel de ce haut lieu.

Quand j'avais fumé à Berkeley, dans une partie semblable, je n'avais pas éprouvé grand-chose ; c'est probablement que l'atmosphère ne s'y prêtait pas. Nous étions entre camarades et cette clandestinité masculine ne m'inspirait aucune idée sensuelle ou métaphysique. Mais ce soir, la présence de Sunny, cette musique, ces lumières, ces deux filles étranges, le beau Jason, tout cela m'aidait à comprendre la marijuana. Sunny releva la tête et son regard plongea dans le mien : nous exhalâmes ensemble notre fumée qui se mélangea. Mes impressions étaient plus sensuelles que métaphysiques. Cela me rassurait sur mes réactions à l'égard de ce qui pouvait se passer. En d'autres circonstances, j'aurais été inquiet et même jaloux ; ici, avec l'adjuvant du chanvre femelle, je mettais Sunny et notre amour au-dessus de ce que nous ferions.

La cigarette circula de nouveau. J'aimais ce rite qui avait quelque chose de religieux, ce bout de papier qu'avaient touché des lèvres fraternelles — une fraternité pareille à celle de ces sectes chrétiennes primitives, où tout était permis au nom de cette fraternité, et où les choses auxquelles on était le moins préparé semblaient naturelles parce qu'elles étaient faites par un frère... ou par une sœur. Je ne m'étonnais pas que les hippies, dans leur goût de la fraternité et de la nature, se fussent ralliés à la marijuana. Jim, qui était plus expérimenté que moi, avait vu, au cours de tea-parties, des jeunes gens anti-homosexuels se laisser traiter comme des filles, et d'autres m'avaient dit avoir eu raison, par ce moyen, de filles qui leur avaient résisté. Le peu d'effet produit sur moi par cette drogue m'avait fait croire qu'elle servait d'excuse à certains d'entre nous, comme l'alcool pour mes prédécesseurs. Mais à présent que grandissait mon excitation, quelle qu'en fût la cause, j'étais obligé de conclure que le thé du Texas volatilisait peu à peu toutes les idées morales. Une autre sensation très curieuse était celle d'une sorte de légèreté : il me semblait avoir perdu ma pesanteur, comme les cosmonautes dans l'espace. J'étais pourtant assis sur un divan, en face de celui où était Sunny, et très conscient du poids d'une certaine partie de mon corps. Le silence que nous observions augmentait ce mystère et cette griserie, aux sons de cette musique assourdissante.

Lorsque la cigarette fut à toute extrémité, Carl en mit le bout dans la pipe, qu'il donna à Sunny pour finir : il n'y avait dans le fourneau que la valeur d'une bouffée. Elle posa la pipe comme un objet du culte et ferma les yeux en gardant son souffle. Jason caressait les seins d'une fille ; l'autre s'était affalée sur Carl, qui lui tripotait le derrière en contemplant sur le mur l'affiche d'un sage hindou.

Jason abandonna son lourd pelotage pour faire notre prochaine cigarette. Mais il employait un autre procédé : il vida une cigarette ordinaire, la remplit et nous en fit admirer la rondeur. Il en aspira la première fumée. La musique augmentait d'intensité, les lumières d'éclat, les désirs de véhémence, mais nous prenions plaisir à nous refréner.

Deux fois encore le rite recommença, troublé seulement par nos profondes aspirations et expirations. Carl nous avait dit qu'il fallait plusieurs cigarettes pour obtenir le résultat parfait. J'éprouvais maintenant une extraordinaire euphorie, à la fois dans un monde imaginaire et dans le monde réel. Tout à coup Sunny se dirigea vers un grand miroir et se regarda. Le cercle magique était rompu. Je me levai à mon tour pour me placer derrière elle, la tête sur son épaule, mais elle semblait ne pas me voir. Peut-être au moins me sentait-elle. Les yeux agrandis, elle ne cessait de se regarder comme si elle découvrait quelque chose de nouveau. Je la serrai dans mes bras, égarai mes mains, que masquait notre position. Cela lui restitua la parole.

— Je me regarde, dit-elle, parce que je sens tourner mes yeux à toute vitesse.

Pour la rappeler aux réalités, je me collai sur elle comme j'avais fait dans le sous-sol, mais elle ne me demanda pas d'être plus subtil. Voulut-elle trouver un point fixe au milieu de son tournoiement ? Elle inséra sa main entre elle et moi. Je m'écartai un peu en vue de faciliter son geste. A ce moment, Jason vint me présenter la pipe où restait un peu plus de marijuana que les autres fois. Il avait le torse nu et en baissant les yeux je constatai qu'il était dans le même état que moi. Il était hypnotisé par la main de Sunny qui, à ma grande surprise, continuait de me caresser comme si nous étions seuls. Nous ne formions plus un cercle magique, mais érotique. J'avais tiré une bouffée et mis la pipe entre les lèvres de Sunny qui aspira avec ivresse.

Nous nous en retournâmes enfin tous les trois vers le divan. Les deux filles s'embrassaient à pleine bouche. Carl ôtait à l'une d'elles son sweater et elle apparaissait le torse nu, comme Jason. Le disque des Beatles faisait entendre le chant du coq, évocateur de pure campagne, mais n'était-il pas juste de les associer à la marijuana puisqu'ils avaient le courage de demander en Angleterre qu'elle fût autorisée ?

Je m'étais assis sur l'autre divan d'où j'avais le spectacle des deux couples : Jason s'était précipité sur les seins nus de la fille. J'attendais Sunny. Pour achever de me surprendre ou de m'impatienter elle

250

s'était mise à danser une danse étrange. Les pieds nus, les mains au-dessus de la tête, on eût dit qu'elle portait des offrandes vers un dieu invisible. Ce dieu n'était pas moi : elle dansait devant le miroir. Pourtant j'étais en droit de me dire que c'est à moi qu'elle offrait son corps à défaut de sa danse. Ses mouvements suivaient le rythme de la musique, mais ce n'étaient ni les contorsions sauvages du rock'n'roll ni les saccades obscènes du jerk : c'était l'épanouissement voluptueux, non pas de sa personne, mais de sa personnalité. Cela me faisait penser à ce que prétendent les habitués du L.S.D. 25 : que cette drogue conduit à exprimer d'une façon totale son subconscient et son vrai moi. Il y avait aussi dans le thé du Texas quelque chose d'équivalent au précepte de Delphes : « Connais-toi. » La manière dont Sunny s'agitait, prêtresse de mystère et d'oracle, était tellement captivante que les autres avaient interrompu leurs jeux pour la contempler. Elle imposait, par ses attitudes, l'idée d'un érotisme supérieur à tous les actes.

Cet effet ne dura pas. Mes vis-à-vis reprirent leurs gestes avec plus d'impudeur. Jason achevait de dénuder la fille qu'il avait enlevée à Carl. Celui-ci, débraguetté, se pressait contre l'autre, qui suivait la danse d'un œil avide. Elle se leva soudain pour s'asseoir aux pieds de Sunny et les entourer de ses bras. La danse ne fut bientôt plus qu'un frémissement car le cercle se refermait, et enfin, lorsque la fille lui eut saisi une jambe qu'elle couvrit de baisers, Sunny se laissa tomber sur le tapis. Elle la regarda, se rappelant peut-être un soir d'orage dans son collège, et ne tarda pas à lui rendre caresse pour caresse. L'autre fille gémissait sur le divan, entre Jason et Carl qui la pénétraient. J'admirais la manière dont ce dernier s'y était pris pour avoir sexe AC/DC : il était du côté orthodoxe et il avait les yeux dans les yeux de Jason.

Il m'était difficile de rester simple spectateur. Je me glissai près de Sunny, luttai avec la main qui s'était emparée d'elle et qui se fit mon alliée. Je n'avais besoin d'aucune aide, mais je goûtai le plaisir d'être aidé. Moi aussi, comme Carl avec l'autre fille et Jason, j'étais à la fois avec Sunny et avec cette fille qui nous embrassait tous les deux. L'intervention d'un tiers, c'était la marijuana. Cependant, je voulus prouver que, même un peu tard, elle ne me faisait pas oublier mes devoirs de galant homme :

— Tu n'oublies pas ta pilule ? dis-je à l'oreille de Sunny.

— Idiot ! répondit-elle en se pâmant sur ma bouche, tandis qu'elle faisait pâmer la fille sous sa main.

Nous remîmes un peu d'ordre dans notre tenue. Sunny et les deux étudiantes allèrent ensemble prendre une douche. Carl, Jason et moi leur succédâmes. Notre douche à trois sous le même jet me fit penser à celles de mes jeunes années avec Jim. A la Phillips Academy il y avait deux douches dans la salle de bains de notre chambre, mais côte à côte et sans séparation : c'était provoquer des garçons de quinze ans. Un bouton des hippies disait : « Douchez-vous avec un camarade. » Notre distingué collège avait devancé les hippies. Carl se livrait à quelques libertés qui inspirèrent cette réflexion à Jason :

— Dire que je prends ici une douche à trois et que je n'en prendrais pas à deux !

Chacune d'un côté, Sunny et l'une des filles étaient allongées, leurs têtes sur les genoux de l'autre qui leur lisait à voix basse le *Livre d'amour* de la poétesse hippie Lenor Kandel. Cette plaquette érotique avait été l'objet, à San Francisco, d'une condamnation pour obscénité. Les œuvres littéraires proposées à la génération des fleurs paraissaient vouées à des verdicts de ce genre : le romancier Burroughs avait eu affaire aux tribunaux de Boston pour son premier roman, *Déjeuner nu*.

Carl alluma de l'encens dans des coupes afin de

252

dissiper l'odeur de la marijuana et je compris pourquoi les hippies aimaient tant l'encens. Puis il nous versa à boire ; mais comme il ne buvait pas, nous lui en demandâmes la raison : il voulait prendre du L.S.D. 25 et il fallait être à jeun depuis plusieurs heures — il fallait surtout ne pas avoir absorbé d'alcool. Aussitôt, Sunny déclara qu'elle ne boirait pas car elle voulait tenter la même expérience. Jason avait débusqué la fille allongée et s'était mis près de la lectrice dont il avait saisi la main. Elle le palpa sur son blue-jean, pour commenter la lecture qu'elle fit à haute voix :

« ... Ton membre dans ma main — Remue comme un oiseau... Tu es beau — Je te caresse avec mes mains ouvertes, — Mes longs doigts aux ongles roses. — Je te caresse. — Je t'adore... »

Pendant que la fille lisait, Sunny lui baisait les cheveux et Carl donnait à l'autre fille une leçon de culture française.

« Connaître le tremblement de ta chair dans la mienne, disait la lectrice, dont la voix aussi tremblait un peu. — Sentir les doux jus épais courir, sauvages... — Mon sexe est un royaume de miel. — Nous sommes couverts de sperme et de miel... — Sacré mon sexe sacré ! — Sacré le membre sacré ! — Sacré le beau sperme ! »

Nous répétâmes tous en chœur : « Sacré le beau sperme ! » Tout ce miel, tout ce sperme qui coulaient de source n'étaient pas moins un ruisselet modeste, puisqu'ils n'avaient abouti qu'à quelques strophes. Je me demandai si les juges de San Francisco avaient lu Walt Whitman qui, enfin classique après plus d'un demi-siècle d'ostracisme, avait « baigné ses chants dans le Sexe » et célébré « le rigide instrument masculin », « l'abri surveillé de l'œuf double », « la limpide liqueur au-dedans du jeune homme ». Mais enfin on ne pouvait nier à Lenor Kandel un certain mérite. La fille dont Carl s'occupait commençait à vibrer. Elle soupira en cadence aux derniers vers que lisait sa sœur :

« J'ai mûri l'amour dans tous les orifices de ton corps, — Comme tu me l'as fait. — A moi. — Tout mon corps est en train de devenir mon sexe... »

Elle avait beau caresser Jason tant qu'elle pouvait celui-ci avait besoin de repos. Bravant les lois, il but une gorgée de vin californien. Cela fit un nouvel intermède. Sunny déclara qu'elle avait bien observé la partenaire de Carl et qu'elle était curieuse de savoir si sa jouissance n'était pas du type « à orgasmes successifs ».

— Oui, dit la jeune fille. Je me suis découverte dans le livre de Masters et Johnson.

— Moi, dit Sunny, dans la *Technique moderne du sexe*, de je ne sais plus quel autre médecin. Mes orgasmes sont le plus souvent « syncopés » : une minute, une seconde, une seconde ; une seconde, une seconde ; une seconde, une seconde ; une seconde ; une seconde. J'ai rarement l'orgasme « en ondes », qui dure une minute. Je me suis étudiée montre en main... pas quand je suis avec Jack.

— Le livre de Masters et Johnson, dit l'autre étudiante, est très important pour nous qui avons l'obsession de la frigidité.

Je dis que l'évêque Pike l'avait cité au cours de sa conférence à propos de la Vierge Marie.

— Le Dr Masters et la professoresse Johnson, dit Carl, ont toutes les chances : communication au Congrès du Vagin à New York, publication intégrale dans les annales de l'Académie des Sciences de New York... et citation de l'évêque Pike. Leur livre est le nouveau rapport Kinsey ; mais ils ont été plus loin : Kinsey soumettait à des interrogatoires, subtils et détaillés ; Masters et Johnson faisaient agir. Ajoutez que leur entreprise, qui s'est déroulée durant onze années à l'Ecole de Médecine de l'Université Washington, de Saint-Louis (Missouri), avait le concours du Service de la Santé publique. Y a-t-il un autre pays au monde où six cent quatre-vingt-quatorze volontaires se seraient fournis comme cobayes, pour éjaculer dix mille sept cent soixante-deux fois dans l'intérêt de la science ? Masters et Johnson ont dépassé les rêves de Tibère et de Messaline. Ils firent pratiquer tous les actes sexuels avec toutes leurs variantes, mais principalement la masturbation dont il est facile de vérifier les moindres réflexes. Je suppose qu'elle fut un peu tintinnabulante pour les hommes à cause de la quincaillerie qui leur était accrochée. Pour les femmes, c'était plus sourd, puisqu'on leur mettait des éprouvettes électroniques dans le vagin, reliées à des plaques de cinéradiographie. Afin d'échauffer les esprits, qu'intimidait cette mise en scène, on donnait à lire des livres pornographiques et on recommandait de se titiller les tétons. Vive la science américaine !

Je dis que Masters et Johnson auraient dû faire fumer de la marijuana pour ôter les complexes.

— C'est terrible, dit une des filles, j'ai tant pris goût à jouir en public que je m'y sens prête, même sans marijuana.

Je regardai Sunny en clignant de l'œil, pour lui rappeler la scène avec les surfers, qui avait été nos débuts dans le déploiement public d'affection. Elle félicita Masters et Johnson d'avouer l'utilité des lectures érotiques, des films érotiques, des disques érotiques et fit une allusion au poème de Crowley. Carl cita un article sur « la Femme normale », publié par le Journal international de Sexologie, dont l'auteur, Ilda O'Hara, racontait avoir eu son premier orgasme à la lecture d'un livre érotique. Jason demanda si Masters et Johnson ne fournissaient pas aussi à leurs clients des photographies obscènes.

— Probablement, dit Carl, la science ne doit pas avoir de limites ; mais ce détail ne figure pas dans *Réponse humaine sexuelle*.

Je dis qu'une certaine science médicale devenait une forme de voyeurisme pour ceux qui l'exerçaient.

— Le voyeurisme, dit Carl, est multiplié à présent par ces appareils d'espionnage électroniques dignes de ceux de Masters et Johnson. J'ai oublié dans quelle ville le directeur d'un palace s'est tué parce qu'on a découvert chez lui un système de télévision branché sur les chambres des clients.

Je songeai aux craintes de Mr Armer pour certains perfectionnements du computer ; mais les moyens classiques utilisés par les voyeurs servaient aussi à la police : Jenkins, le collaborateur de Johnson, avait été pris grâce à un miroir sans tain, derrière lequel on le photographia mais ce n'était pas pour Masters et Johnson. Je relatai cet épisode célèbre.

— Lindsay, le maire de New York, dit Carl, a accusé l'Institut National de Santé d'installer, dans des appartements de Washington, des miroirs semblables, qui permettent à des couples consentants d'être vus d'une pièce voisine.

— Espérons, dit Jason, que ce n'est pas à la Maison-Blanche.

— Nous sommes des exhibitionnistes, dit Sunny. C'est pour cela que nous aimons tant nous embrasser en voiture dans les lieux publics, sans parler des cinémas « drive-ins » où l'on fait plus que s'embrasser.

— Le maquereau qui a de si belles histoires, dit Carl, va souvent dans une villa de Malibu voisine de celle où Paul Getty a ses collections. Elle appartient à un couple de Los Angeles : le mari veut que sa femme et le maquereau, entièrement nus, aient sexe sur la plage au clair de lune. Il les regarde de la terrasse de la villa, d'où il fait glisser de temps en temps le rayon d'un projecteur. Parfois des enfants, des passants, des voisins viennent jouir du spectacle et sont pour le mari un autre spectacle.

— Cela réchauffe les collections de Paul Getty, dit Sunny.

— Je pense, dis-je, que les satellites soviétiques qui photographient l'Amérique, comme les nôtres photographient la Russie, envoient quotidiennement ce message : « Erotisme américain pas mort. »

17

« Et maintenant, poursuivit-il, nous abordons la seconde partie du programme.

« Je ne cherche pas à faire des prosélytes, contrairement à beaucoup de mes pareils : la « haute science » ne doit ouvrir ses secrets qu'à ceux qui le demandent expressément. Je félicite Sunny. C'est tout.

« Jusqu'à ces derniers temps, Timothy était le nom de la tortue dans les dessins de Walt Disney. Aujourd'hui, c'est le prénom le plus cher à des gens comme moi puisque c'est celui de l'ancien professeur de Harvard, Leary, qui a perdu sa place pour avoir recommandé à ses élèves l'usage du L.S.D. 25 ; mais vous avez entendu honorer son nom dans la réunion hippie de Devonshire Meadows. Pour nous, c'est Timothy et c'est aussi un prophète : c'est le prophète Timothy.

« Je suis membre de la ligue qu'il a fondée — « Ligue pour la découverte spirituelle », qui a les mêmes initiales que L.S.D. 25. Pourquoi 25 ? Je ne saurais vous le dire, mais c'est ainsi que l'on doit dire. L.S.D. signifie Lysergic acid, etc. Je suis abonné à la publication de Timothy, la Revue Psychédélique. Comme on voulait faire un exemple, on l'a condamné à trente ans de prison pour avoir transporté une demi-once de marijuana à travers le Rio Grande, condamnation dont il a fait appel. L'apôtre du L.S.D. 25, c'est-à-dire de la bombe atomique, encourt une peine extravagante à cause d'un pétard. Mais si les lois fédérales en matière de drogues étaient appliquées avec cette rigueur, il n'y aurait pas assez de place dans les prisons. Ces lois ont été renforcées dernièrement, à cause du tapage fait par Timothy, dont le zèle est excessif. Pour avoir fumé la marijuana, nous écoperions sérieusement : deux à dix ans — cinq à vingt ans la récidive.

« Rappelez-vous que cet été même, à San Francisco, le danseur Nureyev et la danseuse Margot Fonteyn, dans une tea-party de notre genre, furent arrêtés sur le toit d'une maison. On les relâcha en déclarant que c'était une « erreur ». C'était une leçon. Mais on n'a pas relâché le fils de Steinbeck, arrêté pour détention de marijuana, quand il revenait de se battre au Vietnam. On n'a pas relâché non plus l'écrivain Leslie Fiedler, arrêté avec sa femme, sa belle-fille, deux de ses fils et deux jeunes nègres, à la suite de tea-parties répétées. Il y perdra son poste de professeur à l'Université d'Etat de New York à Buffalo. Et savez-vous comment il fut pris avec toute sa bande ? Par la trahison d'une fille de dix-sept ans, qui était de la police, qui était devenue l'amie de Mrs Fiedler et qui avait un microphone caché dans son porte-monnaie.

« En Californie, six mille personnes sont en prison pour le thé du Texas et la plupart ont moins de vingt-cinq ans. Les jeunes distributeurs ou « pousseurs » sont souvent dénoncés par la mafia de la drogue — organisation italo-américaine, baptisée « Cosa Nostra » —, qui supprime d'une façon ou d'une autre rivaux ou regrattiers. Du reste, c'est cette même mafia qui déploie ses efforts pour empêcher que l'on autorise la marijuana, comme les bootleggers étaient les défenseurs de la prohibition.

« Le L.S.D. 25 est autre chose. Ce n'est pas l'équivalent d'un alcool, ce n'est pas un excitant. Comme Timothy l'a dit, c'est la clé de « l'expansion de la conscience ». Les réactions haineuses provoquées par cette drogue viennent du fait, comme il l'a bien spécifié, que « le danger n'est ni physique ni psychique, mais socio-politique, car elle transforme nos idées de la nature humaine, de l'existence humaine, des pouvoirs humains ». Il veut « changer le jeu » et ainsi il menace « l'Etablissement » — tout notre système politique, législatif et social. Il fait un parallèle entre les préjugés qui existent aujourd'hui contre le L.S.D. 25 et ceux qui existaient contre l'automobile à ses débuts : certains prétendaient que la vitesse rendrait fou (comme la masturbation), que le bruit empêcherait les vaches d'avoir du lait, que les chevaux s'emballeraient, que les criminels deviendraient insaisissables, que ce serait la ruine de plusieurs industries, alors que l'automobile fait partie de la vie familiale et qu'elle est devenue la plus grande industrie américaine. Selon Timothy, le monde sera transformé dans vingt ans par les nouvelles visions que fournit le L.S.D. 25. Et de même que nous avons les quatre libertés — de parole, de religion, d'absence de besoin et d'absence de crainte —, il demande que nous ayons la cinquième : celle que donne l'expansion, la dilatation de la conscience.

L'éloquence du prophète Timothy était passée en Carl son disciple. Je doutais que les visions de ce qui arriverait dans vingt ans grâce au L.S.D. 25 fussent approuvées par la Rand. Mais Carl entamait un chapitre plus aisément vérifiable. Il faisait allusion à une interview de Timothy dans *Playboy*, où ses propos étaient tout autres que ceux de Mr Hunt. Il avait exalté les vertus aphrodisiaques de cette drogue qui ne semblait donc pas dilater seulement la conscience. « Chez une femme bien préparée, avait-il déclaré, le L.S.D. 25 peut produire plusieurs centaines d'orgasmes. — Plusieurs centaines ? lui fit répéter Playboy. — Oui, plusieurs centaines. » Cela devait faire rêver les frigides.

— Plusieurs centaines ? s'écria Sunny. C'est un peu trop.

— Mettons que Timothy ait exagéré, dit Carl : même si ce ne sont que quelques dizaines, cela vaut d'être tenté.

Je demandai à Carl combien de centaines d'éjaculations étaient promises aux hommes de bonne volonté. Il me répondit que, pour prendre le L.S.D. 25, il fallait d'abord être un homme de bonne foi. Je racontai qu'avant le renforcement de la loi, j'avais assisté à un festival de L.S.D. 25 à San Francisco. On distribuait des bonbons, des gâteaux, du café, du punch, du Coca-Cola drogués. Comme pour la marijuana à faible dose, les uns disaient éprouver une sensation, les autres rien du tout. Quant à moi, je m'étais borné à observer : je me rappelais qu'un identique festival avait eu lieu à Watts et que plusieurs nègres avaient été malades comme des chiens.

— Les mélanges avaient été mal faits, dit Carl, ou peut-être voulait-on faire une expérience d'expansion majeure sur ces bons Noirs.

Malheureusement, c'est ce qui a incité la législature de Californie à mettre hors la loi le L.S.D. 25.

Je jugeais pourtant comme une preuve de nos libertés et aussi de notre anarchie que le groupe des « Joyeux lurons » continuât de circuler à travers la Californie, dans un autobus de propagande en faveur de cette drogue. L'autobus a été acheté par leur chef, l'écrivain Kesey, autre prophète qui, à l'exemple de Timothy, a pour premières recrues sa femme et ses enfants. Toutefois, quand la police de la haute route ou de la libre route fouille l'autobus et ses occupants, elle ne trouve même pas une demi-once de L.S.D. 25. Mais on semble avoir juré la perte de Kesey, qui a déjà subi deux procès pour la marijuana, et qui a été acquitté.

L'électrophone tournait maintenant en sourdine. Carl éteignit le lampadaire orange pour ne laisser allumé que le lampadaire bleu. Sur la table, il mit une petite boîte contenant des pilules roses et blanches : la différence de couleur, dit-il, ne venait que de la préparation, la dose était la même.

— Aujourd'hui, c'est le règne de la pilule, dit une des étudiantes.

Carl nous dit que naguère le L.S.D. 25 était liquide et s'administrait sur un morceau de sucre : cela permettait de « psychédéliser » à leur insu des gens à qui l'on offrait une tasse de thé ou de café. Mais comme il était difficile de bien doser, on y avait renoncé à la suite d'accidents identiques à celui des nègres de Watts. Le plus grave avait concerné les deux bébés d'un professeur de l'Université Stanford qui avaient croqué, après les avoir trouvés dans le réfrigérateur, des morceaux de sucre humectés de L.S.D. 25.

Il prit une de ces pilules et la tendit à Sunny :

— Je dois te dire ceci : quand tu auras avalé cette pilule, tu ne seras jamais plus celle que tu étais auparavant. Fais un heureux voyage : c'est le terme de la consécration. Il faut à peu près quarante-cinq minutes pour que les portes s'ouvrent.

— Je veux faire le voyage, dit Sunny, mais je ne veux pas changer. Je veux être encore plus, encore mieux la même.

Carl ne dit rien et elle avala. Dès qu'il l'eut imitée, il s'allongea, les yeux fermés, sur un divan. L'une des filles l'entoura de ses bras. Sunny s'était allongée près de moi et je lui dis à l'oreille :

— Avertis-moi au bon moment.

Elle rouvrit les yeux pour me dire :

— C'est à toi de me réveiller pour que j'aie... un long moment.

Jason, qui avait bu, s'était assoupi, dans une tenue désordonnée, auprès de l'autre fille. Malgré les regards qu'elle me lançait, je décidai de rester observateur, comme au festival de San Francisco. Sunny m'avait donné l'exemple de l'infidélité avec cette même fille, mais personne ne m'attirait plus que Sunny.

Des livres et des revues étaient posés sur le plateau inférieur de la table. Je pris la Revue Psychédélique dont je voyais un numéro pour la première fois. La liste des rédacteurs témoignait que Timothy avait su réunir autour de lui une certaine élite où l'anticonformisme voisinait avec le monde officiel : Ferlinghetti, le poète ; Watts, le « penseur », avec Timothy, du mouvement psychédélique et dont le nom m'évoquait les tours de Simon Rodia ; deux professeurs d'université, Lee et Mogar, et, à ma grande surprise, un autre professeur, rattaché à la Rand, McGlothlin. Pouvais-je douter désormais des prophéties de Timothy ?

J'admirai ce mélange qui me paraissait aussi faire l'éloge des libertés américaines. Dans les autres pays occidentaux, les professeurs d'université ne prouvent leur indépendance que comme militants d'extrême-gauche ; chez nous, ils ont ce courage sur tous les terrains, comme les étudiants. Ces trois-là n'hésitaient pas à faire figurer leurs noms dans une revue apologétique de la drogue la plus combattue. Je pensai à un professeur de l'U.C.L.A., dont Sunny m'avait parlé, qui traitait ouvertement de l'homosexualité dans ses cours d'histoire ; à un autre, dont m'avait parlé Jim, qui, au M.I.T. de Boston, faisait tous les ans une leçon de littérature intitulée : « La grâce intellectuelle de l'homosexualité », et à l'un de nos maîtres de Berkeley, si affiché que pour ses dix ans d'enseignement, ses élèves lui avaient offert une pipe sur le tuyau de laquelle ils avaient gravé : « Nous te comprenons. »

L'article de tête comparait la transformation de l'homme par les procédés psychédéliques à celle des alchimistes qui cherchaient à transformer en or divers métaux. Le L.S.D. 25 n'était pas seul en cause : on énumérait d'autres drogues, désignées aussi par trois lettres — D.M.T. (1), D.E.T.... (2) —, la mescaline, la psilocybine. Puis une psychiatre californienne décrivait en toute honnêteté les troubles que lui avait causés, à elle et à son mari, une de ses expériences avec le produit d'un champignon vénéneux que l'on trouve dans l'Oregon. Suivait un article nébuleux de Timothy, analysant d'une manière psychédélique des textes de Kœstler et de Hermann Hesse ; l'arti-

(1) Dimethyltryptamine.
(2) Diethyltryptamine.

cle d'un professeur de psychiatrie de Yale, Freedman, sur la « pharmacologie des drogues psychotropiques », avec des graphiques dignes de ceux de la Rand. Mao se lisait plusieurs fois dans cet article mais, comme les noms grecs formés par les sigles de certaines fusées, celui du dictateur de la Chine rouge n'était ici que l'abréviation de l'aldéhyde déhydrogénase.

Plus compréhensible était l'article littéraire de deux médecins : le Dr Prince, de l'Université McGill de Montréal, et le Dr Savage, de l'hôpital Spring Grove (Maryland). Pour démontrer l'intérêt de certains excitants sur le travail de l'esprit, ils invoquaient le mathématicien français Poincaré qui avait fait une de ses principales découvertes après avoir bu du café, et ils auraient pu nommer bien des écrivains et des artistes de tous les pays, redevables de leur inspiration aux excitants. Sainte Thérèse leur servait à expliquer le mécanisme de l'extase ; Edgar Poe celui de l' « écran de rêve » ; Jacob Boehme celui de l' « ineffabilité » ; Plotin, celui de la « qualité poétique ». Saint François de Sales était accouplé à Frankenstein pour expliquer autre chose.

Le clou me parut être le second article de Timothy Leary sur une « communication programmée d'une expérience de D.M.T. » dont il avait été le héros. Il racontait en détail son aventure avec cette drogue nouvelle que, disait-il, on pouvait extraire du « mimosa hostilis ». Après l'avoir vue expérimenter par quelqu'un, il s'y était soumis lui-même, avec tout un apparat scientifique qui rappelait celui de Masters et Johnson dans les séances de coït et de masturbation. Il tenait à prouver, en effet, qu'il entendait ce qu'on lui disait et qu'il était capable de dicter ses impressions, cela au moyen de deux claviers reliés à un polygraphe. La relance de l'interrogateur et la réponse du patient se faisaient toutes les deux minutes. Ayant reçu une piqûre de soixante milligrammes de D.M.T., l'ex-professeur de Harvard partit pour ce voyage. Son dialogue avec son assistant ressemblait à ceux des astronautes avec l'équipe de contrôle :

« Timothy, où es-tu ? — ... Je vois des criquets vénusiens aux couleurs éclatantes. Leur regard interrogateur est indicible... Je vois une grande montagne grise, mouvante, percée de petits trous et dans chaque trou est une antenne de radar. Je vois des insectes qui courent, pleins d'une joyeuse énergie érotique. » Deux minutes plus tard, il était « dans la cornue ronde d'un alchimiste cosmique » et il demande « où est la clé pour l'explosion stellaire de l'an trois mille ». A la minute six, il voit « une chandelle de flammes »... A la minute dix, il est dans « l'extase inorganique de l'après-vie », mais également dans « l'extase organique sexuelle, moite, biologique, de la force de vie Kundalini ». A la minute douze, il est « un computer, une robe de computers, lançant un message électronique en technicolor ». A la minute quatorze, « la lumière du soleil brille sur la boue précambrienne... il y a un serpent d'un milliard de miles qui chante d'une voix de flûte hindoue ... un pénis dont la tête palpite ».

Ce méli-mélo d'érotisme, d'hindouisme, d'insectes, de serpents et de computers ne risquait pas de me convertir au D.M.T. ni au L.S.D. 25. Il n'était qu'un appendice à la littérature des « paradis artificiels ». En découvrant à l'Amérique de nouvelles drogues, Timothy croyait avoir découvert l'Amérique. Plutôt que « des criquets vénusiens » engendrés par soixante milligrammes de D.M.T., j'aimais mieux voir un iguane manger une fleur d'hibiscus.

Sunny avait rouvert les yeux. Je me penchai vers elle pour lui dire :

— Sunny, où es-tu ?

Elle frissonna en me répondant :

— Je suis heureuse que tu sois là.

Elle s'étira, mit sa tête contre ma poitrine, me toucha le sexe et resta ainsi un moment comme pour reprendre possession, en silence, d'un monde qu'elle avait perdu. Puis elle murmura de nouveau :

— Je suis heureuse que tu sois là.

Carl ne somnolait plus et entendit ces mots.

— Il faut toujours une atmosphère amicale dans ces expériences, dit-il, du moins au début. On doit être assez exercé pour supporter seul le choc du L.S.D. 25 et encore plus pour en reprendre une deuxième dose comme je viens de le faire. Je vous ébahirais, si je vous racontais mon rêve.

— Je viens de le lire, dis-je en montrant la revue.

— Chacun a ses visions, dit Carl. Et elles sont chaque fois différentes. Aujourd'hui, j'ai fait des opérations financières fantastiques, je culbutais Wall Street, mais c'était avec mon membre. Un tel résumé est grossier par rapport à de telles choses. Et toi Sunny ? C'est toi qui nous intéresses. Tu es la néophyte.

Elle se redressa et parla d'une voix absente :

— Les choses et les êtres, vagues et précis — c'étaient vous et ce qui nous entoure, mais comme dans une peinture surréaliste —, se sont tout à coup déformés, transformés. Je participais à ces transformations sans que ma conscience en fût atteinte. Brusquement, je n'étais plus spectatrice : je me suis retrouvée une enfant, avec ma mère et ma gouvernante. Je me rappelais exactement les paroles qu'elles m'avaient dites et que je leur avais dites — je suis sûre que ce sont mes propres paroles, car je n'avais pas oublié les événements, mais j'avais oublié les paroles. Elles leur correspondent si bien que je me demande comment elles étaient sorties de ma mémoire. Je me voyais aussi en classe, avec mes premiers professeurs, mes premières camarades, écrivant mes devoirs, faisant des opérations au tableau. Puis j'ai revécu la nuit d'orage dans ma high school et il m'a semblé que je jouissais exactement de la même façon. Je ne devrais pas dire : « Il m'a semblé... »

« De mon enfance, je suis passée directement à Jack. Il était à la fois Jack et l'un de mes frères. Mais ce que je n'ai jamais fait avec l'un de mes frères, je le faisais avec lui. Je l'ai fait.

265

Elle éclata de rire, d'une façon qui me surprit, et me sauta au cou pour me dire :

— Mais toi, tu ne l'as pas fait.

Pour la dégriser un peu, je lui demandai combien de centaines de fois elle l'avait fait. Elle se leva et dit qu'elle avait envie de partir. Il était deux heures du matin.

— C'est juste l'heure du couvre-feu pour les étudiants de Santa Barbara, dit l'une des filles, mais nous s'y sommes pas encore.

— Venez à Berkeley, dis-je : le couvre-feu y est à deux heures trente.

Nos adieux furent rapides mais affectueux, avec beaucoup de gestes incongrus.

L'air vif nous saisit et nous restâmes un moment à le respirer sous les arbres de l'avenue. Je fis quelques commentaires de notre soirée, mais Sunny ne disait mot. Un bruit de sirène se rapprochait. Je n'ai jamais compris pourquoi nos ambulances font ce vacarme en pleine nuit alors qu'il n'y a aucun obstacle devant elles : ce n'est évidemment pas pour inspirer aux gens, réveillés en sursaut, une pensée charitable à l'égard d'un mourant ou d'un blessé. Il faut donc que ce soit pour nous donner, même la nuit, une impression qui satisfasse notre goût de violence. Le mourant ou le blessé est logé à la même enseigne que le voleur ou le criminel, emmené dans une voiture de police dont la sonnerie imite le cri de la hyène. Ces réflexions, que j'exprimais à haute voix, ne recueillirent pas plus d'écho.

— Tu rêves encore ? demandai-je à Sunny.

Nous étions devant ma voiture et je cherchais les clés pour l'ouvrir. L'ambulance arrivait en trombe, avec sa lumière qui tournait sur le toit comme un éclairage stronboscopique. Avant que j'eusse le temps de m'y reconnaître, Sunny s'élança pour se jeter sous les roues ; je fus glacé d'épouvante. Mais elle trébucha au milieu de la chaussée et s'étala. Je courus la relever. Le chauffeur avait freiné et regardait par la portière. Je fis signe que ce n'était rien et il repartit, dans son bruit de sirène, sous sa lumière tournante. Cette ambulance avait failli provoquer ce que les journaux auraient appelé « un drame de la drogue ». J'avais lu souvent le compte rendu de ces suicides de drogués se jetant sous une voiture ou se tuant dans leur voiture, mais je n'avais jamais imaginé qu'une seule séance de drogue — de L.S.D. 25 —, pût avoir ces conséquences.

Tremblant d'émotion, je transportai Sunny dans mes bras et l'allongeai sur la banquette arrière. Elle réagissait à sa propre émotion en sanglotant. Je m'agenouillai devant elle, ma tête touchant la sienne, et trouvai délicieuse la chaleur de ses larmes sur mes joues. C'est la première fois que je la voyais pleurer et cela me donnait l'illusion de son enfance, qu'elle avait évoquée. Je repensais à nos compagnons, si proches et si loin de nous. Mais pouvais-je en vouloir à Carl ? Il ne nous avait pas dissimulé la gravité de cette initiation. Il avait dit aussi qu'elle devait avoir lieu dans une atmosphère amicale ; certainement qu'il n'aurait pas laissé sortir Sunny si elle eût été seule. La lucidité qu'elle avait montrée pour nous décrire son voyage avait dû le ressurer. J'étais plus sévère à l'égard du prophète Timothy qui exaltait la valeur absolue d'une expérience si dangereuse et d'une valeur si relative. Il fallait pourtant reconnaître le courage avec lequel il se livrait lui-même à des expériences encore plus risquées, par goût de la découverte, et la loyauté qui lui faisait publier dans sa revue des récits propres à calmer la curiosité. Mais la jeunesse l'écoutait plus qu'elle ne le lisait. Il en allait pour lui comme pour tous les apôtres : il ne persuadait que parce qu'il parlait de valeur absolue. L'Amérique ne goûte pas les nuances.

Une autre voiture arrivait, avec une lumière tournante sur le toit : il ne nous manquait, cette nuit, que d'avoir rencontré la police. Mais elle était silencieuse. Je baissai la tête pour n'être pas vu et n'avoir pas à fournir d'explication. Il est vrai que la maniè-

re dont Sunny était allongée nous aurait fait soup-
çonner d'autre chose que d'une crise de L.S.D. 25.
La voiture ne s'arrêta pas, m'épargnant une scène
ridicule après une scène pénible. Mais cette alerte
était un appel de la morale, comme la brève folie
de Sunny avait été une revanche de la morale sur
les désordres des sens.

— Reconduis-moi à la maison, me dit Sunny.

Je l'invitai à s'asseoir près de moi mais elle aima
mieux demeurer allongée. Elle me pria de faire jouer
un peu de musique. Je tournai le bouton de la radio
et un poste inconnu versa un air de blues.

Je filais dans la direction de Hollywood lorsque,
en un instant, je dus stopper : Sunny, à demi soule-
vée, frappait du poing contre la glace et commençait à la briser. Je saisis sa main, qu'elle avait à peine
écorchée, et, sans réfléchir, lui donnai une gifle. Puis
j'enjambai mon siège pour la prendre dans mes
bras, lui demander pardon, la couvrir de baisers.
Elle m'étreignit de toutes ses forces.

— Tu m'as fait du bien, dit-elle. Je crois que j'étais
en train de devenir folle. Maintenant je suis sûre
que c'est fini. Et en voici la preuve.

Se détachant de moi, elle m'appliqua un soufflet
magistral :

— Nous sommes quittes.

Les deux gifles avaient été pour nous, non seulement une délivrance, mais un coup de fouet. Les
baisers recommencèrent, plus français que jamais :
ce n'était plus « l'extase inorganique de l'après-vie ».
Mais je n'avais jamais été réduit avec Sunny à faire
l'amour en voiture. Où aller ? A cette heure, ce n'était
possible ni chez elle ni chez moi.

— Puisque nous avons à bouger, dit-elle, je
t'avouerai d'abord que j'ai faim. Revenons vers Sunset Boulevard où il y a un « drive-in » ouvert toute
la nuit.

Nous repartîmes côte à côte.

Les hamburgers, les glaces et le Coca-Cola que nous
commandâmes à une servante noire me rappelèrent

le garçon de Dallas. Je dévorai, moi aussi, avec un appétit de douze ans, sur mon plateau fixé à la portière.

— Tu vas me trouver assommante, dit Sunny, mais je veux chasser les souvenirs de la soirée. A présent que je me suis restaurée, j'ai envie de prendre un bain.

Ce petit matin de début septembre était frais. Les plages, qui n'étaient d'ailleurs pas toutes proches, ne nous attiraient pas plus pour une baignade que pour l'amour, même avec la perspective hypothétique d'y retrouver les surfers. Au loin brillaient les lumières jaunes du Century Plaza. Je les montrai à Sunny :

— Après « l'appartement chemin de fer », je t'offre l'appartement de luxe.

Elle se mit à rire en me disant que je me ruinais. Je répondis que je n'épargnais rien pour une nuit de noces — une vraie nuit de noces puisque nous allions nous inscrire, selon la règle, comme mari et femme.

— Heureux pays, dit-elle, où l'on ne demande jamais de papiers si ce n'est le permis de conduire !

En évoquant le restaurant castillan et le restaurant japonais de cet hôtel, dit « le plus beau du monde » et gloire récente de Los Angeles, nous nous amusâmes d'avoir pris un hamburger au drive-in. Les parents de Sunny et les miens avaient assisté, cet été même, au banquet de bienfaisance que Johnson était venu y présider et pendant lequel avaient eu lieu, sur la place environnante, de tumultueuses manifestations contre la guerre au Vietnam.

— Hélas ! s'écria-t-elle, il faut renoncer au Century Plaza : un couple sans bagages n'est pas admis dans un hôtel sans certificat matrimonial.

L'objection était sérieuse. Un reste de marijuana m'avait empêché d'y penser : « l'après-vie » du L.S. D. 25 rendait plus lucide. Le drive-in, devant lequel nous étions encore, effaçait la lointaine image du restaurant castillan. Mon visage s'éclaira :

— Quelle chance ! J'ai dans le coffre de la voiture une valise toute neuve que j'ai achetée pour mon départ.

— Mais elle est vide, dit Sunny, et un client du Century Plaza ne porte pas sa valise lui-même. Le portier sera obligé de nous signaler comme des clients suspects qui ont peut-être l'intention de piller la chambre.

Je descendis de la voiture, ouvris le coffre, remplis la valise avec des outils que j'enveloppai soigneusement dans une couverture. Il ne fallait pas donner l'impression, par un bruit de ferraille, que nous transportions un matériel de cambriolage.

Sunny s'arrangeait les cheveux devant la glace de la voiture. Elle me repeigna, rajusta mon nœud de cravate et me dit que nous avions été bien inspirés d'aller chez Carl dans une tenue décente. Mais qui aurait pensé qu'une suite d'heures si diverses aurait une fin si cocasse ?

Les lignes légèrement incurvées des seize étages de cet énorme gâteau de miel, dessiné par un architecte japonais, avec les alvéoles et les balcons de ses huit cents chambres, grandissaient peu à peu devant nous, dans sa corbeille d'arbres tropicaux, entre ses miroirs de piscines. Je laissai la voiture à l'un des portiers galonnés, vêtus en garde de la tour de Londres ; un chasseur s'empara de notre précieuse valise ; le détective de service nous enveloppa d'un regard bienveillant et, à trois heures et demie du matin, Mr et Mrs Jack Montague entraient dans leur appartement, au seizième étage de l'hôtel le plus beau du monde.

TROISIÈME PARTIE

1

Je parcourais des yeux l'assistance qui était devant moi. Pour cette première conférence des Youth Freedom Speakers à Berkeley, je n'avais demandé au doyen des étudiants ni le Wheeler Auditorium ni le théâtre grec : je m'étais contenté d'une assez grande salle de cours. Aux premiers et aux derniers rangs étaient répartis les cinquante camarades — filles et garçons —, que j'avais embrigadés : nous nous appelions les « freedomistes », selon le mot forgé par Mr Hunt.

J'avais été étonné de voir avec quelle facilité on constituait un parti. Au lieu de chercher du monde, j'avais dû en refuser, pour ne pas devenir tout à coup un personnage important ou redoutable. Trente-deux freedomistes de plus m'auraient donné l'impression d'être Castro allant libérer Cuba. Au moins avais-je pu faire un choix. Ni chez les filles ni chez les garçons, je n'avais recherché les charmes physiques : les Straight A's composaient le fond de ma troupe, mais je n'avais pas manqué, fidèle aux conseils de Mr Hunt, d'y mêler des Noirs et des juifs, aussi caractérisés que possible. Ce succès initial m'avait fait plaisir, autant pour moi que pour Mr Hunt, et encore plus pour la cause que je voulais défendre. Mon voyage à Dallas ne s'était fait, en réalité, que d'accord avec Jim et quelques-uns de nos camarades. Et nous nous demandions l'effet que produirait sur d'autres le nom de l'homme le plus riche du monde. La jeunesse d'aujourd'hui n'est plus très sensible au prestige du dollar et celle de Berkeley moins que toute autre. Je constatais avec joie qu'elle se ralliait au mot de liberté sans se croire la servante du capitalisme. Au fond de la salle se tenaient deux policiers du campus, prêts à tout événement. Quelques-uns de mes professeurs étaient venus. Le chapelain catholique était assis près de Jim.

Pour bien montrer que nous cultivions des idées simples, j'avais annoncé mon discours sous ce titre : « les Etoiles et les Bandes ». Je voulais faire flotter le drapeau américain sur Berkeley, comme il flottait à la Rand devant l'usine de Mr Palewsky, devant la maison du général Walker et devant celle de Mr Hunt. Puisque des Américains se croyaient permis de le brûler, il fallait que des Américains ne fussent pas honteux de l'arborer. Je commençai :

— Le 14 juin 1777, le Congrès adopta une résolution qui créait le drapeau des Etats-Unis. George Washington le décrivit en ces termes : « Nous prenons les étoiles du ciel, le rouge de notre mère patrie en le coupant de bandes blanches, parce que nous nous sommes séparés d'elle, et les bandes blanches seront à la postérité un symbole de liberté. »

— Le blanc était alors le drapeau français, dit un interrupteur, et c'était le symbole de la monarchie, du despotisme, de la féodalité qu'allait renverser la glorieuse révolution française.

Je répliquai que nous n'avions à insulter ni la monarchie française, qui fut notre alliée, ni les nobles Français, qui avaient combattu à côté de nos ancêtres.

Comme tous mes compatriotes, je m'assimilais aux « pères fondateurs », si ce n'est aux « pères pèlerins ». Nous devions oublier nos origines nationales ; sans cela, il n'y a guère que les Indiens qui auraient le droit de parler de l'Amérique. Avec quatre générations de Montague américains, j'étais persuadé d'avoir ce droit plus que beaucoup d'autres.

— Les Français luttaient contre l'Angleterre, reprit l'interrupteur.

L'assemblée scanda le titre de ma conférence pour mettre fin à ces interruptions : « Stars and stripes... Stars and stripes... » Une jolie négresse se mit à crier :

— Ces bandes ne sont que des barres — les barres d'une prison. Le drapeau des Etats esclavagistes était plus franc : il avait des étoiles et des barres — « Stars and bars ».

— « Stars and stripes »... « Stars and stripes », scanda l'assemblée de nouveau.

Je poursuivis :

— Le 14 juin, jour du drapeau, commémore à la fois la résolution du Congrès qui l'a créé et les prouesses de notre armée. Ce symbole de liberté, elle l'a fait triompher d'abord sur ce continent, puis dans la vieille Europe durant les deux guerres mondiales, et aussi en Asie durant la seconde, comme ensuite durant la guerre de Corée, comme aujourd'hui elle le défend glorieusement au Vietnam.

— Elle y défend Wall Street, hurla un autre interrupteur. Elle y défend les sociétés financières et industrielles qui gagnent dix milliards de dollars par an au prix du tableau de chasse suivant : trente mille G.I.'s tués, cent cinquante mille Sud-Vietnamiens tués, deux cent mille Nord-Vietnamiens tués, deux cent mille enfants nord-vietnamiens tués, deux cent cinquante mille maisons nord-vietnamiennes détruites, cinq cent mille acres de forêts dévastées. Les voilà, les étoiles et les bandes.

— Il est de mauvais goût, dis-je, de faire assaut de statistiques pour des morts d'enfants ; mais je vous sais gré d'avoir réduit à deux cent mille nos infanticides. On nous a longtemps accusés d'en avoir commis plus d'un million. On nous accuse aussi de

273

bombarder systématiquement les hôpitaux, les asiles et même les léproseries. Mais on ne parle plus des lépreux depuis qu'un médecin nord-vietnamien a déclaré qu'ils sont d'héroïques combattants.

La jolie négresse agitait un papier :

— Ecoutez, dit-elle, le poème écrit par une petite fille de douze ans et publié par le Bureau presbytérien d'éducation chrétienne : « ... Ecoutez, Américains, — Ecoutez... — Les enfants pleurent — Dans les jonques de Haïphong... » Le département de la Défense a annulé ses treize mille abonnements à ce magazine pour la publication de ces vers d'une enfant américaine.

— Je voudrais savoir, dis-je, si les enfants ne pleurent pas quand les terroristes vietcong font éclater des bombes dans les villes, tuent ou enlèvent dans les villages — onze mille civils tués, cinquante mille enlevés. Les « amis de la paix », les « colombes » parlent toujours de « nos crimes de guerre » et nous traitent de « faucons », mais ils ne parlent jamais des crimes de nos ennemis, des atrocités de nos ennemis. Ils ont un grand avantage : celui d'être citoyens d'un pays où il leur est loisible de recueillir de l'argent et même de donner leur sang pour les barbares qui tuent et torturent nos frères.

— Les barbares, c'est nous, cria la jolie négresse.

— Nous voulons nous emparer des matières premières de l'Asie du Sud, dit le premier interrupteur. Eisenhower l'a avoué, en déclarant que la perte du Vietnam entraînerait celle de la Malaisie et que nous avons besoin de leur étain et de leur tungstène.

— Je présume, dis-je, que le monde communiste veut s'emparer de ces contrées pour les mêmes raisons. Mais les ressources du Sud-Vietnam appartiennent au Sud-Vietnam et nous ne prétendons pas lui donner celles du Nord-Vietnam. Nous prétendons que chacun garde les siennes. Pour les communistes, le mot de liberté signifie seulement qu'il n'y ait pas d'obstacle à l'expansion du communisme... vers l'étain et le tungstène. Nous avons bien fait, d'autre part, d'aider l'Indonésie à conserver ses ressources. Il est trop facile, dans ces pays-là, de créer de soi-disant mouvements populaires. On dit que nous défendons au Sud-Vietnam un soi-disant gouvernement. Tout est « soi-disant » en Asie.

« Le monde a été partagé à Yalta » : il n'y a aucune raison que les communistes soient seuls à gagner à la main. Qu'ils se tiennent tranquilles derrière leurs divers rideaux et nous tiendrons de même sous nos drapeaux étoilés. C'est déjà beaucoup de leur laisser Cuba, en violation de la doctrine de Monroe, car leur présence est l'équivalent d'une intervention étrangère en pays américain.

— On a aujourd'hui le droit d'être américain et communiste, dit un autre interrupteur. Mais on n'est pas fier d'être américain lorsque des avions américains lancent du napalm, des bombes à fragmentation et même des bactéries.

— Les bombes incendiaires font partie des guerres modernes, dit Jim à qui le chapelain venait de glisser quelques mots à l'oreille. Nous avons employé contre l'Allemagne nazie des bombes au phosphore qui ont tué cinquante mille personnes à Hambourg et détruit la moitié de la ville. Ceux qui nous blâment aujourd'hui nous applaudissaient alors ou nous auraient applaudis. Ils nous ont ou nous auraient applaudis quand la bombe atomique a mis fin à la guerre avec le Japon impérialiste. Les bombes au napalm ont été utilisées abondamment durant la guerre de Corée où les Nations unies soutinrent la Corée.

— Il y a une commission japonaise qui enquête sur nos crimes de guerre contre le Japon, dit mon interrupteur, et un tribunal international vient de condamner nos crimes de guerre au Vietnam.

Je répliquai par les arguments du juif de la Rand au sujet de ce prétendu tribunal et rappelai les crimes de guerre commis aussi bien par les Soviets que par les nazis.

— Le vrai crime est la guerre, dis-je, mais les vrais responsables sont ceux qui la rendent fatale.

— La guerre bactériologique, reprit Jim, est aussi un argument de discours communiste peu sérieux. On a déjà cherché à l'accréditer pendant la guerre de Corée : nous lancions par avions des tonnes de rats pesteux et d'aliments empoisonnés. Ce qui n'est pas une fable, ce sont les pièges atroces semés dans la jungle par le Vietcong.

— Si nous avons consenti à laisser violer la doctrine de Monroe tout près de la Floride, dit un autre interrupteur, pourquoi être intervenus dans une guerre civile au Vietnam, qui n'a rien à voir avec les accords de Yalta, mais avec une certaine conférence de Genève que nous n'avons pas signée ?

— Nous sommes une puissance mondiale, comme l'U.R.S.S., dis-je ; nous agissons en vertu de nos doctrines et de nos traités. Nous avons laissé violer la doctrine de Monroe à Cuba, parce que Castro s'était bien gardé de se dire communiste. Nous pouvons avoir à défendre l'Europe, en vertu du traité de la N.A.T.O. ; certaines puissances d'Extrême-Orient, en vertu du traité de la S.E.A.T.O. Nous avons prêté une aide économique et militaire à la Grèce et à la Turquie, au nom de la doctrine Truman de défense des pays libres contre le communisme. Nous sommes intervenus au Liban, d'après la doctrine Eisenhower de soutien de la paix dans le Moyen-Orient. Nous sommes intervenus au Sud-Vietnam, à la demande du gouvernement de Saigon, et c'était pour faire respecter l'esprit, sinon la lettre, des accords de Yalta. C'est le motif qui nous a empêchés de soutenir la révolte hongroise : nous avons respecté à la lettre les accords de Yalta.

— En Hongrie, nous avons respecté la paix, continua l'interrupteur ; au Vietnam, nous faisons la guerre.

Je vis que le chapelain glissait discrètement un papier à Jim, qui prit la parole :

— On lit cette phrase du cardinal romain Ottaviani dans un livre du révérend Ginder : « Lorsque Caïn peut encore massacrer Abel sans que personne proteste, que des nations entières sont encore tenues en esclavage sans que personne aille à leur secours, que, tant d'années après la révolte hongroise, l'effusion de sang continue par la condamnation à mort d'étudiants, de paysans et d'ouvriers coupables d'avoir aimé une liberté qui a été écrasée par des chars d'assaut étrangers, sans que le monde soit soulevé d'horreur par un tel crime, il est impossible de parler d'une vraie paix, mais d'un consentement à un massacre. »

Cette noble période, toute cicéronienne, me rappela le mot de Paul VI que le chapelain avait cité à Los Angeles. Lequel avait inspiré l'autre ?

— Ce cardinal est l'homme de la réaction, dit l'interrupteur. Je serais curieux de savoir s'il nous approuve d'avoir pulvérisé la cathédrale de Nam Dinh, dans le Nord-Vietnam.

— Il n'y a pas de cathédrale de Nam Dinh, cria Jim à qui le chapelain soufflait toujours. Il n'y a pas d'évêché de Nam Dinh. Il y a une petite ville de Nam Dinh qui a une église ou qui ne l'a plus. La presse d'extrême-gauche enfle tout ce dont elle parle s'il s'agit de nous accabler. Il n'est pas possible que des églises ne soient touchées quand il y a des bombardements. Durant la dernière guerre mondiale, l'Italie publia des timbres qui montraient les églises endommagées par nos bombes.

L'assemblée répéta : « Stars and stripes ». L'interrupteur demanda la permission de dire encore quelques paroles qui ne s'éloignaient pas du drapeau :

— Une preuve de plus que nous ne défendons pas la liberté du Vietnam mais nos intérêts, c'est l'aveu fait par l'ambassadeur Cabot Lodge : il a déclaré, à une séance secrète du Comité sénatorial des Affaires étrangères, que, même si le gouvernement vietnamien nous priait de nous en aller, nous laisserions des forces dans le pays. Du reste, nous en maintenons dans la Corée du Sud, pays libre et indépendant.

— Nous sommes obligés de laisser des forces là où les forces adverses pénétreraient immédiatement après notre départ, répliquai-je. Et d'ailleurs, nous avons un traité avec la Corée du Sud. S'il n'y avait pas de forces chinoises dans la Corée du Nord, elle ne serait sans doute pas communiste. S'il n'y avait pas de forces russes dans les pays satellites ou sur leurs frontières, ils s'empresseraient de se « désatelliser ».

— « Stars and stripes », cria quelqu'un.

— Notre drapeau, continuai-je, s'est appelé « Vieille gloire », mais c'est une gloire que chaque génération se doit de rajeunir. Et voici ce que nous avons lu dans un journal de La Nouvelle-Orléans du 14 juin de cette année :

« Les drapeaux que l'on fait flotter fièrement aujourd'hui à travers la ville sont propres et neufs. Ils ne portent aucune tache du sang, aucune goutte des sueurs, aucune trace des larmes qui les ont amenés là en ce jour du drapeau. Un jour du drapeau ne devrait pas être nécessaire dans une grande démocratie... Peut-être le rouge, le blanc, et le bleu ne devraient-ils plus être les couleurs du drapeau. Peut-être le drapeau devrait-il être rouge brun, à cause des flots de sang humain qui ont été versés pour lui. Peut-être devrait-il être jaune, pour les sueurs et les larmes des hommes qui peinent, réduits en esclavages, et des femmes qui pleurent. Peut-être devrait-il être couleur de boue, à cause des fermiers, des maçons, des creuseurs de digues et des constructeurs de routes, dont les sales métiers permettent de faire flotter le drapeau. Peut-être qu'il devrait être noir pour le deuil des veuves et pour les idéals déçus, les tristes vérités et les laideurs politiques avec lesquelles la démocratie a toujours à lutter. Mais il ne l'est pas. Il est propre et rouge, bleu et blanc. Peut-être devrait-il flotter un peu plus haut. »

La jolie négresse applaudit vigoureusement ce texte sacrilège, que huèrent mes camarades.

— Je ne suis pas le seul étudiant de Berkeley, disje, à m'indigner de voir nos aînés traiter ainsi les enseignes de la patrie, que nous avons saluées chaque jour, dans la cour de nos écoles, durant notre enfance. Mais nous en trouvons heureusement qui ont porté le drapeau encore plus haut que ne le demande ce journaliste. Vous vous rappelez quelle émotion ressentirent nos deux astronautes, Divitt et White, lorsque le soleil, pendant leur marche dans l'espace, éclaira les couleurs de notre drapeau sur leurs équipements.

Les freedomistes acclamèrent cette allusion. La jolie négresse déclara que ceux qui brûlaient le drapeau n'insultaient pas la patrie, mais protestaient contre l'exploitation du drapeau. Je devinais qu'elle avait été endoctrinée pour me répliquer. Une négresse équivalait désormais à un bataillon, surtout si elle était jolie. M'inspirant de l'évêque Pike, je répondis que la liberté a pour limite la loi, comme les droits de chacun sont limités par ceux d'autrui. Une loi de 1917 déclare illégal de « profaner ou mutiler » le drapeau. Je pensai, dans un éclair, à mes ébats avec Sunny, vêtue d'une robe-drapeau. Moi aussi, j'avais deux morales.

— En 1917, nous étions en guerre, dit un interrupteur. Il est vrai que nous ne sommes jamais plus en guerre. L'intervention en Corée fut présentée par Truman comme une simple « opération de police » — opération qui nous a coûté trente-quatre mille morts et cent mille blessés (sans oublier les seize cent mille morts de la Corée du Nord et les trois cent mille de Corée du Sud). Ne vous étonnez pas que beaucoup d'Américains en aient assez de cette manière de faire flotter le drapeau.

La jolie négresse m'interpellait :

— Vous n'avez pas été frappé que, le 3 novembre 1965, un Américain se soit brûlé devant le Pentagone, en signe de protestation contre la guerre du

Vietnam ? Voilà un drapeau vivant. Avez-vous pensé, comme le disait des bonzes du Vietnam cette bonne catholique de Mrs Nhu, que c'était un simple barbecue ?

— L'esprit de sacrifice, répondis-je, est toujours admirable, mais il ne prouve pas toujours quelque chose. La preuve que notre drapeau est celui de la liberté, même si certains Américains en doutent, c'est la haine qu'il inspire aux ennemis de la liberté dans tous les pays. Des étudiants communistes l'ont brûlé à Paris. Ailleurs, on l'a fait manger à nos consuls. En Amérique centrale, les partisans de Castro et de Mao se font un devoir de l'insulter. Déjà, à la mort de MacArthur, une de ces républiques refusa de mettre son drapeau en berne à côté du nôtre, et ainsi, pour la première fois dans l'Histoire, un drapeau flotta au-dessus du drapeau américain : c'était celui du Panama, le seul pays du monde qui n'ait ni armée, ni aviation, ni marine de guerre. Ne soyons pas surpris que nos négociations avec lui pour le renouvellement du traité du canal soient si difficiles.

Même la jolie négresse esquissa un sourire. Je continuai mon discours :

— Quand Bob Hope est rentré de son voyage au Vietnam, il a rapporté un message au peuple américain. « La chose la plus dure de cette guerre, a-t-il dit, la chose qui la rend peut-être plus dure que nulle autre dans l'histoire de ce pays, c'est que les combattants, les hommes qui font face à un cruel et perfide ennemi, croient que les gens d'ici ne les soutiennent pas. Vous imaginez-vous, revenant fatigué, affamé ou malade, d'une patrouille dans la jungle funeste et lisant que les Américains manifestent contre vous, parce que vous êtes là ? Pensez à ce qui doit traverser l'esprit d'un G.I., en traitement dans l'hôpital d'une base, quand il lit que des jeunes gens en Amérique brûlent leurs ordres d'appel et que d'autres font tout pour travailler à notre défaite ? Nous sommes tellement absorbés par les répercussions internationales de cette guerre que nous tendons à oublier les G.I.'s qui la font. Presque tous ceux à qui j'ai parlé partagent le sentiment d'un marin à qui je demandais s'il avait un message à me confier pour sa famille. Il secoua la tête : « Pas pour ma famille, répondit-il, mais dites à ces « brûleurs » que, s'ils voyaient les agissements du Vietcong, ils feraient vite réimprimer leurs ordres d'appel. »

Une grande partie de la salle applaudit.

— Vous n'ignorez pas, repris-je, que, sur les prisonniers vietcongs, nos soldats trouvent souvent les coupures de journaux de Hanoï qui montent en épingle nos manifestations pour la paix et nos autodafés de cartes, déplorés par Bob Hope et le G.I.

— Bob Hope est Bob Hope, dit un interrupteur, mais c'est aussi le plus riche de tous les artistes américains. Dans la dernière liste de nos milliardaires, il figure après les Ford. Je ne m'étonne pas qu'il soit partisan de la guerre du Vietnam.

— Je ne vois pas ce que la guerre du Vietnam peut rapporter à Bob Hope, dis-je. Je le citais parce que c'est plus original que de citer John Steinbeck. Mais voilà un écrivain, prix Nobel de littérature, considéré comme un homme de gauche — s'il ne l'était pas, aurait-il eu le prix Nobel ? —, et qui devient patriote, parce qu'il est allé au Vietnam, sans que cette guerre le rende milliardaire. Il a vu, lui aussi, les horreurs de ceux qu'il appelle les « vietniks » et il souhaite la victoire des Vietnamiens du Sud et de nos soldats. Lorsque le poétereau soviétique Evtouchenko, playboy qui visite l'Amérique du Nord et du Sud en récitant ses poèmes, dignes de Mao Tsé-toung, écrivit à Steinbeck pour lui demander de s'opposer à la guerre des Américains au Vietnam, celui-ci lui demanda spirituellement de s'opposer à l'envoi d'armes soviétiques au Nord-Vietnam contre le Sud. Saluons un intellectuel qui croit au drapeau. Mais la jeunesse américaine y croit aussi. Je lus les vers d'un garçon de seize ans, élève d'un collège de New York, qui célébraient Vieille Gloire et qui faisaient un juste contrepoids à ceux de la petite fille de douze ans sur les enfants de Haïphong. Je terminai en racontant cette scène qui avait eu lieu au Central Park à New York. Des étudiants de toutes sortes d'universités (même de Harvard, de Fordham, de Cornell) y sont venus, après une de ces longues marches qui sont à la mode, pour brûler le drapeau — ou plutôt, disaient-ils, « ce torchon ». Ils commençaient de le brûler lorsqu'un étudiant se précipite sur eux, le leur enlève, l'éteint et le fait flotter sur sa tête, devant ces inconscients, abasourdis. Aussitôt, plusieurs centaines se rangèrent autour de cet étudiant dont le geste et le courage avaient dessillé leurs yeux.

— Pour vous prouver qu'il ne faut désespérer de personne, dis-je, il me reste à vous apprendre le nom de cet étudiant américain, défenseur de la bannière étoilée : DeMao.

Les freedomistes entonnèrent le refrain d'un chant de Berkeley « Palmes de victoire », qui, en réalité, ne prétend célébrer que nos victoires sur les équipes de Stanford :

— « Palmes de victoire, palmes de gloire...

Cali — Cali — fornia. »

La jolie négresse, qui avait ri avec tout le monde de mon dernier mot, vint pourtant à moi d'un air agressif :

— Combien Mr Hunt vous a-t-il payé ce discours ? me demanda-t-elle.

— Les Youth Freedom Speakers ne sont pas payés, lui dis-je, mais si vous êtes une « agit-propist » du parti communiste, tout le monde sait que vous gagnez trente dollars par semaine.

— Je ne suis membre d'aucun parti, répliqua-t-elle, mais je me suis inscrite au « Free Speech Movement » et ne m'inscrirai pas chez les Youth Freedom Speakers.

— Il ne faut jurer de rien, lui dis-je.

Elle partit, en me faisant admirer sa tournure, et

j'enviais cette jeune zélatrice à ce « Mouvement du Libre Discours », qui était, avec le nôtre, une des nouveautés de la rentrée. Mes camarades me félicitèrent. Un de mes professeurs de sociologie vint me dire d'un air ironique que j'avais oublié Betsy Ross, qui avait été chargée de coudre le premier drapeau et qui fit des étoiles à cinq pointes, au lieu de six demandées par Washington.

Mon professeur de français me dit, à propos de l'article du journal de La Nouvelle-Orléans, que les Américains n'avaient pas seuls le privilège d'insulter leur drapeau : en France, ce thème avait été longtemps cultivé par les pacifistes dont l'un, Jean Zay, devenu ministre, avait été assassiné pendant la guerre, et l'autre, l'écrivain Aragon, venait d'entrer à l'académie Goncourt.

Le chapelain m'invita avec Jim à me rafraîchir à la cafeteria.

— Vos débuts sont tumultueux, dit-il, mais c'est la confirmation de ce que je vous ai annoncé. Les plans communistes sont toujours bien concertés. Avec les étudiants d'un côté et les Noirs de l'autre, on donnera l'impression que toute la machine se détraque et l'on persuadera le gouvernement qu'il faut en finir avec la guerre du Vietnam. C'est là le grand but, naturellement. J'ai eu des détails nouveaux sur toute cette trame. Il suffit, d'ailleurs, de lire les manifestes publiés dans le *Cal Reporter* par le Free Speech Movement et de voir la composition de ce groupe.

Le Cal Reporter était l'organe de notre gauche estudiantine, en opposition au journal même de l'Association des étudiants, le *Daily Californian*. On n'y parlait que de « nouvelle société à bâtir », de « monde en révolte », de la « contre-révolution faite par l'Amérique en Corée du Sud et au Sud-Vietnam », des « révolutions nationales populaires », des « êtres humains dont l'esprit enflammé et les estomacs affamés crient pour la liberté », des « Noirs qui vivent dans les bouges avec les punaises et avec les rats ».

C'était le roulement de tambour qui précédait l'assaut de Berkeley où il n'y avait ni punaises ni rats et où plusieurs Noirs avaient été fort heureux de se joindre à mon groupe pour la défense de la liberté.

Les agitateurs trouvaient un prétexte dans une mesure prise par l'administration : des plaques de cuivre, posées à l'entrée du campus, Bancroft Way et Telegraph Avenue, déclaraient cet endroit « propriété des régents de l'Université de Californie ». Jusqu'alors, cette zone avait appartenu à la ville de Bekerley, ce qui permettait à certains d'y braver les règlements. Il était interdit, en effet, dans l'enceinte du campus, d'effectuer des collectes pour des partis politiques ou des œuvres non reconnues. La décision des régents étendait à cette zone les règlements en vigueur. Quelques étudiants de droite avaient protesté, mais les plus nombreux étaient les étudiants de gauche et d'extrême-gauche qui encombraient ces parages avec leurs affiches sur chevalets, leurs tablées de prospectus et leurs quêtes pour les Noirs ou pour la paix. Leur attitude agressive donnait l'impression aux promeneurs que l'université était aux mains de véritables commandos. C'est donc la gauche qui se sentait visée et elle prétendait relever le défi.

— S'il n'y avait pas eu cette affaire, nous dit le chapelain, on aurait trouvé autre chose.

Du reste, il y avait également autre chose. A la mesure des régents pour la zone Bancroft-Telegraph, s'ajoutait un discours prononcé par le président de l'université à la veille des vacances. Il y faisait le procès de l'enseignement universitaire d'aujourd'hui, qualifiait l'université de « multiversité », disait que les campus étaient devenus un « marché », que les étudiants, après avoir réagi contre « la vieille alma mater », parce qu'elle agissait « in loco parentis », seraient fondés désormais à lui reprocher d'agir « in absentia » car elle ne remplissait plus son vrai rôle, et cela expliquait, ajoutait-il, « un commencement de révolte ».

284

— Je regrette, dit le chapelain, qu'il ait cru toute notre jeunesse capable de le comprendre. En faisant preuve de liberté, il aura déchaîné la licence et peut-être pis. Il s'est illustré dans l'arbitrage des conflits sociaux et je crains qu'il ne produise un conflit universitaire. Ceux qui dirigent ne doivent pas se mettre du côté de ceux qu'ils ont à diriger. Le président est le fonctionnaire le plus payé de la Californie — plus même que le gouverneur —, et aucun autre n'a une telle charge d'âmes. Cet homme de poids a parlé avec la légèreté d'un gradué qui cherche le vacarme. Pensez aussi que, tandis que vous preniez tranquillement vos vacances, vous Jack au Texas et à Beverly Hills, et vous Jim à New York et en Europe, nombre de vos camarades ont été en voyage clandestin à Cuba, ont fait le coup de poing dans le Sud contre les derniers ségrégationnistes ou par-ci, par-là contre la police et l'armée, en faveur de la paix au Vietnam. Il ne manque rien pour mettre le feu aux poudres.

La jolie négresse repassa devant nous, fière et cambrée. Son coup d'œil méprisant ne m'empêcha pas d'en jeter un tout autre sur sa silhouette. Ses petits seins semblaient prêts à percer son sweater bleu ; sa mini-jupe jaune la moulait aussi étroitement. Elle portait les couleurs de Berkeley, bleu et or. Son nez droit, ses lèvres fines, ses cheveux lisses la mettaient en dehors de sa race dont elle affichait pourtant l'outrecuidance. C'était une « fraîchette de première année » car je ne l'avais jamais vue.

2

Jim m'avait approuvé de ne donner aux Youth Freedom Speakers qu'une adhésion relative, même si je n'en avais rien dit à Mr Hunt. Je n'avais prononcé, dans notre groupe, ni le mot de religion ni celui de morale et personne ne les avait prononcés à ma place.

Je me gardais également de suivre les idées de Life Line en politique étrangère. Elles me paraissaient aussi loin des réalités d'aujourd'hui que celles de la John Birch Society dont Sunny m'envoyait les bulletins. Mr Hunt n'allait pas, comme Mr Welch, jusqu'à demander l'expulsion des Nations unies, mais il les poursuivait de ses sarcasmes. Il représentait « l'Américain cent pour cent », qui croit pouvoir se passer du reste du monde ; c'était probablement son cas, malgré ses intérêts subsidiaires dans des pays arabes, mais nous n'étions pas Mr Hunt. Il n'avait pas eu, dans sa jeunesse, comme Jim et moi, des camarades étrangers ; il était né au temps où l'Amérique commençait à peine d'être une puissance mondiale et nous étions nés à la fin de la Seconde Guerre mondiale. Le « splendide isolement » n'était plus possible pour personne, mais un certain patriotisme me semblait pouvoir aller de pair avec un certain internationalisme.

La « coexistence pacifique » témoigne, de la part des Soviets, la compréhension dont nous devons faire preuve. Un auteur français a dit que « si Dieu et le diable se rencontraient, ils se salueraient ». Khrouchtchev s'est discrédité au Kremlin, non seulement par sa brouille avec Mao, par l'échec de sa politique économique et par les activités intempestives de son gendre, mais par ses manières grossières avec l'Occident : il signa sa perte le jour qu'il retira l'une de ses chaussures pour en frapper de grands coups sur la tribune des Nations unies. Et ce n'était pourtant pas un buveur de sang : il avait gagné des cœurs américains en offrant à Jacqueline Kennedy un petit de la chienne soviétique de l'espace. Hitler aussi, il est vrai, offrait des chiens. Les nouveaux personnages que les Soviets envoient dans le monde sont désormais presque aussi distingués qu'auraient pu l'être les représentants du tsar ; leurs maréchaux, plus décorés que ne l'était Gœring. Kossiguine m'avait paru un peu nerveux à Glassboro, mais il ne l'était pas toujours. Lorsque, dernièrement, notre « navire espion », le Pueblo, fut saisi par la Corée du Nord, les communistes d'un côté et les chauvins de l'autre attendaient une déclaration du Premier soviétique qui eût jeté de l'huile sur le feu. « Simple incident de procédure », déclara-t-il. Et le feu s'éteignit, à la déception de tout le monde. Jim faisait les mêmes commentaires que moi à ces divers événements.

Il était ravi par les photographies de Dallas. Nous avions les deux chambres voisines dans un bel immeuble de la ville de Berkeley, comme nous les avions eues dans la maison de notre fraternité Sigma Alpha Epsilon, aux abords du campus. En souvenir de nos privautés d'Andover, il frappait à la cloison quand il rendait hommage à ce patriarche dont m'avait parlé le pornophotographe. Cela ne faisait que le confirmer à mes yeux dans sa qualité de fruit écrasé. J'avais remarqué, en effet, que les homosexuels sont beaucoup plus portés à l'onanisme que les autres : ou bien leur fringale est insatiable, ou bien ils trouvent rarement ce qu'ils désirent, ou ils sont rarement satisfaits par ce qu'ils trouvent. Pour ses plaisirs solitaires, Jim ne faisait pas seulement la chasse aux photographies et aux magazines nudistes, mais à ces « courtes histoires » qui circulent dans les universités, de génération en génération, et qui n'ont presque jamais été imprimées : la plupart ont un fond homosexuel.

Nos récits de vacances étaient plus colorés que

ceux que nous avions échangés, Sunny et moi. Je lui avais raconté mes nouvelles amours avec elle sans lui cacher l'effrayant épisode du L.S.D. 25. Il n'avait heureusement pas plus de goût que moi pour les toxiques et avait su, de son côté, un accident irrémédiable arrivé à l'un de nos anciens camarades de la Phillips Academy : ce garçon, ayant pris de cette drogue et étant resté plusieurs heures au soleil, était devenu aveugle. « Timothy, où es-tu ? » Sunny, en tout cas, n'aurait été avec lui qu'une fois, mais une fois qui comptait encore pour elle. Son intention avait été de m'accompagner durant cette longue course de quatre cents miles que je devais faire en voiture pour regagner Berkeley. Elle y avait renoncé, craignant d'éprouver en route quelque accès inattendu et ne voulant pas reprendre seule l'avion de Los Angeles. Bien que sûre d'être guérie, elle ne se fiait pas tout à fait à sa guérison.

Les histoires des deux mois que Jim avait passés en Europe nous occupèrent plus longtemps. Ce vieux monde dont nous étions originaires était pour nous tous un problème, comme nous étions un problème pour lui. Heureuse époque où il ne s'agissait que des aventures européennes de nos héritières ! Comme un reste de ce passé, une Américaine occupait encore le plus petit des trônes — Monaco. La France de mes arrière-arrière-grands-parents paternels m'intriguait autant que l'Angleterre de mes arrière-arrière-grands-parents maternels. Jim, dont la famille avait la même ancienneté américaine, était écossais par son père et allemand par sa mère. A la différence de beaucoup d'Américains, l'Europe ne l'avait pas conquis. Il me disait avoir vérifié l'exactitude du mot d'Emerson : « Nous allons en Europe pour devenir américains et pour rencontrer quelques hommes. »

Ce qui l'avait d'abord frappé, c'était la prétention des Européens à en savoir plus que nous, même s'ils reconnaissent la supériorité de nos forces. Le préjugé que nous sommes des sauvages est enraciné chez eux à un point tout ensemble comique et tragique. Quand nous tentons de leur parler de notre civilisation, ils nous rient au nez et certains ont même trouvé une formule : que nous sommes en décadence sans avoir été civilisés. Je pensais au mot, rapporté par Sunny, de l'étudiant anglais qui ne nous reconnaissait pas de culture. Il est certain que l'Europe a des siècles d'avance et des trésors que nous ne pourrons jamais tous lui acheter. Mais si nous considérons que la révolution industrielle du XIXᵉ siècle a changé les données de la civilisation et que le computer est en train de changer la révolution industrielle, les Etats-Unis sont en tête et ne pourront être dépassés. Seul notre pays, qui a une structure sociale fluide, qui n'a ni classes ni castes (l'Establishment ne subsiste que dans certaines hauteurs), peut s'adapter à cette civilisation de demain. L'Europe, communiste ou non, a des structures rigides, des groupes sociaux paralysés, des élites congelées qui retardent la transformation. J'aimais à retrouver dans les idées de Jim, fondées sur ses observations, un écho de celles de Mr Armer, fondées sur les computers.

Le mépris des Européens à notre égard traduit surtout une jalousie instinctive : ils nous en veulent d'avoir des moyens qu'ils n'ont plus et de ne pas en faire l'usage qu'ils en feraient à notre place. Oubliant qu'ils ont eu plusieurs guerres par siècle et qu'ils nous ont entraînés dans les deux dernières, ils sont persuadés que nous empêchons la paix de régner aujourd'hui dans le monde. Quand ils nous reprochent de ne pas être aimés des pays que nous soutenons, nous devrions leur demander s'ils le sont tellement de leurs anciennes colonies, qui vivent pourtant à leurs frais. L'Europe devrait se réjouir qu'une puissance occidentale, sa propre fille, fût encore capable de tenir tête au reste du monde, pour faire survivre cet idéal de liberté qui demeure celui de la race blanche. Si nous disparaissions ou nous nous désintéressions d'elle, elle aurait lieu de le regretter.

Jim avait admiré l'Allemagne occidentale : c'est

là qu'il avait vu l'esprit le plus européen. La réconciliation avec la France lui avait paru sincère. Le mérite en revenait grandement au général de Gaulle dont c'était l'œuvre la plus méritoire. Berlin, plaie ouverte, représentait le prix de la paix. La liberté des mœurs de cette ancienne capitale avait semblé à Jim une autre preuve d'un vrai retour aux principes démocratiques.

A Londres, les gardes de la reine, immobiles sous leur bonnet à poil et qui sont presque tous des prostitués, étaient l'image de cette fausse respectabilité britannique qui nous a marqués. En revanche, la jeunesse anglaise l'avait conquis par son appétit de liberté. Le désir d'imiter nos hippies allait même plus loin : il avait vu, à Hyde Park, deux filles de quinze et seize ans, juchées sur une caisse à savon, prêcher les joies de Lesbos au milieu d'un cercle de gentlemen aussi sérieux que les gardes de la reine. Il avait eu accès dans quelques clubs élégants où subsistait la morgue envers les « cousins d'Amérique », mais où la familiarité devenait déplaisante après quelques whiskies. Une anecdote illustrait cette froideur affectée, comme une glose de sir Richard Burton aux Mille et Une nuits. Pour habituer les officiers de l'armée des Indes à garder leur sang-froid, on mettait jadis, dans leurs repas de corps, sous les tables recouvertes de grandes nappes, des boys qui s'occupaient d'eux tour à tour et nul ne devait trahir la moindre émotion. De là venait cette devise qui avait franchi les océans et qui était devenue même américaine : « Restez froid ».

Le pacifisme des jeunes Anglais et Anglaises touchant au délire, Jim avait eu des incidents au sujet du Vietnam. Une fille, qui l'avait pris pour un Canadien, le quitta, horrifiée, en plein flirt, dès qu'elle le sut américain. Il avait été bousculé dans une manifestation contre nos atrocités.

Ces sottises ne l'avaient pas empêché d'être sensible à l'effort de ce qui avait été un grand peuple pour conserver un vestige de grandeur. Les sacrifices qu'un gouvernement travailliste imposait au pays, en bravant l'impopularité, montraient que « tout n'était pas pourri dans le royaume de Danemark ». Nous étions heureux que notre pays eût décidé de prendre la relève de l'Angleterre dans les points du globe d'où elle retirait ses troupes à une date déterminée. Balancée entre l'Europe et nous, elle n'a pas moins définitivement pris conscience de la réalité européenne et nous souffrons pour elle de l'obstination avec laquelle, non pas la France, mais le chef de l'Etat français, l'exclut du Marché commun.

Jim s'était diverti du procès que nous font les Anglais et d'autres Européens pour « drainage de cerveaux ». Ils en ont établi le compte : quinze mille en sept ans — cinq mille cerveaux anglais, trois mille allemands, cinq cents français, puis des italiens, etc. — et cent mille en dix-huit ans, à peu près dans les mêmes proportions. Comme principaux perdants, les Anglais veulent récupérer ces fugitifs, mais que leur offrir à leur retour ? Ainsi que je le disais à Sunny, nous seuls possédons les moyens de recherches qui peuvent faire avancer la science au bénéfice de tous. Un professeur de l'Université de Londres a imité le pasteur King qui a évalué à des sommes astronomiques les souffrances des nègres esclaves : il assure que les Etats-Unis, par ce vol de cent mille cerveaux, ont épargné quatre milliards de dollars. Et, comme le pasteur King, il nous les réclame. Le délégué américain qui est chargé à Londres de ce drainage, a promis de demander au département de la Défense un geste de compensation : cent millions de dollars pour des contrats d'études en Angleterre. « Voilà ce que c'est d'être riche. »

Il ne s'agissait d'ailleurs pas seulement d'être riche. En garçon intelligent et en digne fils de son père, qui est un des dirigeants new-yorkais de DuPont de Nemours, Jim avait fait des observations sur ce qui rend l'Europe notre inférieure. Alors qu'elle ne croit l'être que par notre avance technologique, il y a bien d'autres motifs que celui-là et même que le drainage des cerveaux. Elle n'a pas les simples techniciens sans lesquels la technologie reste en panne. A Londres, et ensuite à Paris, Jim entendit les lamentations provoquées par nos computers que toute grande entreprise se doit d'adopter et dont elle n'arrive pas toujours à savoir se servir. (A ce propos, il se demanda pourquoi les Français, « nés malins », ont baptisé ordinateurs, ce qui ne veut rien dire, une invention américaine dont le nom vient d'un ancien verbe français.) Il manque donc la base de cet édifice que l'Europe nous envie et qu'elle cherche à bâtir. Elle parle de « défi américain » selon l'expression mise à la mode par le livre que détestait le juif de la Rand : autant vaudrait parler du défi de l'intelligence, de la technique et de l'efficacité. C'est l'Europe qui nous défie en nous copiant.

Une remarque non moins intéressante faite par Jim concernait l'administration des affaires. Il leur manque, en Europe, le mouvement d'ascension qu'elles ont chez nous et qui est à la fois vertical et latéral. Là-bas, on naît, on reste et on meurt généralement dans la même profession ; ici, on change aussi volontiers de profession que d'Etat, ce qui enrichit une expérience par une autre et entretient l'enthousiasme. C'est un autre exemple de notre goût pour la nouveauté et l'un des secrets de notre jeunesse.

La Belgique, dont la superficie était seulement le double de celle de Los Angeles, avait fait à Jim l'effet d'un vaste boulevard où les habitants des deux côtés s'insultent en deux langues. L'Italie avait été pour lui, comme pour tout le monde, le pays de l'amour, du sourire et des musées, où des nostalgies de fascisme luttent avec des turbulences de communisme, dans un équilibre instable entre l'Eglise catholique et la démocratie chrétienne. On lui avait parlé, à lui aussi, de ces prêtres et même de ces évêques auxquels le chapelain avait fait allusion et qui trempent l'hostie dans la vodka.

La France l'avait charmé, irrité, inquiété. Elle était

toujours la grande statue de la Liberté, de l'autre côté de l'Atlantique, mais elle tendait à n'être plus qu'une statue. Sclérosée et coulée en bronze dans la personne de son général, elle cultivait les rois nègres (Jim avait vu deux fois, durant son séjour à Paris, les Champs-Elysées pavoisés de drapeaux africains), entassait l'or sous ses pieds d'argile et, de sa bouche de bronze, lançait des oracles. Le président de la République allait se faire applaudir au Laos, en Andorre. Chez nous, au surnom de Gaulle-finger que lui donnait même Mrs Hunt, du haut des mille milliards de dollars de son mari, il venait d'ajouter celui de « moucheron », que lui décernait *The Magazine of Wall Street*. Et c'était plus que le moucheron de la fable : non seulement il tourmentait le vieux lion britannique, mais il vrombissait jusque chez nous, aux oreilles de l'âne démocratique et de l'éléphant républicain.

On avait conduit Jim au bar qu'avaient fondé deux prix Nobel américains, Sinclair Lewis et Hemingway, comme si c'était le seul monument élevé en France par l'Amérique. Sans l'Amérique, il y aurait quelques monuments de moins en France car ils seraient tombés en ruine : les Rockefeller, en donnant un milliard d'anciens francs, ont sauvé le château de Versailles — et le Petit Trianon et le château de Fontainebleau et la cathédrale de Reims. Mais Versailles reste la plus grande sangsue artistique de l'Oncle Sam. On dirait que l'Amérique n'a été découverte que pour entretenir, réparer, orner le château de Versailles. Les dons pour Versailles — et pour Israël — sont les seuls dons à l'étranger qui puissent être défalqués du montant de nos revenus. La fondation Mary Laskers, la fondation Kress-Rush, créées pour tout autre chose, vont encore, par des canaux secrets, faire jaillir les grandes eaux de Versailles. David Bruce, notre ancien ambassadeur à Paris, Barbara Hutton, Mrs Merriweather-Post, Mrs Frank Jay-Gould doivent donner des meubles, des tableaux, des tapis pour Versailles. Le plus grand bal de la saison new-yorkaise a beau s'appeler « Avril à Paris », c'est encore au profit de Versailles et il n'y a pourtant que deux cent cinquante mille Américains d'origine française. Il y a quatre millions d'Américano-Allemands, qui n'ont pas de bal « Avril à Berlin », et qu'on a lancés dans deux guerres mondiales pour le château de Versailles — et la seconde est sortie d'un traité que laissa perpétrer Wilson, ébloui par Versailles. Bref, Jim s'était senti un peu chez lui à Versailles.

Sans l'Amérique, il y aurait moins de grands couturiers parisiens et moins de grands parfums français et moins de grands vins français, non pas du seul fait de notre clientèle, mais parce que nous avons redoré leurs blasons. La presse et la littérature nous reprochent les capitaux de nos industries qui s'implantent en France, mais elles se montrent discrètes sur ces domaines qui sont du prestige français.

Naturellement, la jeunesse française avait séduit Jim. Peut-être avait-il fait plus d'efforts pour la comprendre. Grâce à des étudiants américains et à ses recommandations personnelles, il avait pénétré dans des familles, ce qui avait étendu son enquête au-delà du cercle facile de Saint-Germain-des-Prés et autres lieux. Partout il avait fait la même constatation que Sunny et moi à Devonshire Meadows. Il avait connu des garçons et des filles de quinze à dix-huit ans, aussi différents de leurs aînés immédiats que ceux-ci pouvaient l'être de leurs propres parents. Cette extrême jeunesse ressemblait plus à la jeunesse américaine, anglaise ou allemande du même âge qu'au reste de la jeunesse de son pays. Sa principale caractéristique était une liberté complète envers tous les préjugés, à commencer par les préjugés sexuels. Jim avait entendu des filles et des garçons raconter tranquillement devant lui, étranger, et devant des camarades aussi âgés que lui, des choses que ces derniers et lui-même n'auraient pas osé dire. Et ces garçons ou ces filles les racontaient sans chercher un instant à troubler leurs auditeurs : ce n'était ni coquetterie ni cynisme ; c'était le goût de la vérité et la joie de parler des choses de la vie.

— Pas de généralité, dis-je : un exemple !

Jim rêva un instant.

— Voici, dit-il. Une fille de dix-sept ans, élève d'un grand lycée parisien, racontait une surprise-partie devant l'un de ses frères qui a mon âge : « J'étais seule dans une pièce, en compagnie de deux garçons qui m'avaient persuadée de faire l'amour avec eux. Je me suis vite aperçue qu'ils s'intéressaient beaucoup plus l'un à l'autre qu'à moi. Et finalement c'est eux qui ont fait l'amour ensemble. J'étais tellement excitée de les voir que je me suis satisfaite toute seule... » Tu es content ?

J'étais content de penser qu'il y avait partout dans le monde une génération animée d'un esprit nouveau, décidée à ne plus jouer le jeu de l'hypocrisie sur lequel notre société repose depuis des siècles et dont elle semblait ne jamais pouvoir sortir, malgré les efforts de quelques esprits libres. Maintenant, une race avait poussé spontanément et c'est elle qui serait un jour à la tête du monde ; ces garçons et ces filles seraient les pères et les mères, les électeurs, les électrices de demain. Les éducateurs de demain. Jim avait rencontré dans des bars spéciaux, des élèves de l'Ecole Normale supérieure — l'équivalent de Berkeley et de Harvard —, qui estimaient n'avoir pas à cacher des goûts qui font partie de la nature humaine et qui même, selon les Grecs, font partie de l'éducation.

En m'avouant à demi des aventures homosexuelles, Jim ne me cacha pas que les Français sont nos maîtres... et que les Françaises devraient être nos maîtresses. Il attribuait cette supériorité au fait que l'amour avait gardé en France et même généralement en Europe sa qualité de produit de luxe. Nous le ravalons trop souvent au niveau inférieur en l'appelant sexe, si bien qu'il perd jusqu'à cet attrait et n'est plus qu'une fonction. Rien ne l'a mieux prouvé que la longue panne d'électricité de New York en 1965 : neuf mois après, les naissances montaient en flèche. L'Américain fait l'amour quand il n'a rien de mieux à faire. En France, l'amour est, sinon la réalité, au moins le rêve de la plupart des gens. Un jeune Français, une jeune Française qui arrive sur le seuil de l'amour, entre dans un monde enchanté où tous les rêves peuvent s'accomplir. Même quand ils sont aussi délurés que la lycéenne, les jeunes ne sont pas des cyniques, non plus que les hippies. Ils sont naturels. Ils se sont emparés de ces royaumes interdits, justement parce qu'ils pouvaient à la fois y accomplir leurs rêves et s'accomplir. Leur modernisme est un mélange de classicisme et de romantisme.

Paris se prête moins que Londres à l'existence et aux manifestations des hippies et les rares que Jim eût vus étaient presque tous des étrangers de passage. Amsterdam, où il avait fait un saut, était leur vraie capitale européenne : ils y avaient un représentant au conseil municipal. En Italie, ils occupent quelques caves à Milan et l'escalier de la Trinité-des-Monts à Rome.

— Ma conclusion, dit Jim, reste la même sur tous les chapitres : si intéressante que soit la jeunesse européenne, c'est nous qui sommes le pays de la jeunesse. D'abord, chez nous, tout le monde est jeune ; ensuite notre jeunesse est la plus nombreuse de la race blanche et, dans peu d'années, plus de la moitié de notre population sera formée par des jeunes de moins de vingt-cinq ans. Enfin, nous croyons à la jeunesse, non seulement parce qu'elle représente le nombre et qu'elle est l'idéal de tous, mais parce que les jeunes sont seuls capables de produire dans notre civilisation très compliquée. Mr Palewsky t'en a donné un exemple. En Europe, on ne se soucie que d'une chose : empêcher les jeunes de grimper ; ici, on est obligé de leur prêter la main.

— On leur prête la main pour qu'ils consomment, dis-je : trente milliards de dollars par an. S'ils refusent d'acheter, comme le font les hippies, l'équilibre est en péril. Mais il fallait un frein à cette folie de consommation. Il fallait un frein au computer.

<h1 style="text-align:center">3</h1>

« Abstenez-vous de quoi que ce soit, m'avait dit le chapelain : ne vous laissez pas entraîner. » Je ne voulais pas me laisser entraîner, mais ne pouvais m'abstenir de tout, dans l'affaire Bancroft-Telegraph. Mon groupe était le dernier né ; je devais en manifester l'existence autrement que par des discours. D'ailleurs, après ma harangue sur le drapeau, j'avais été obligé d'admettre cinquante freedomistes de plus. Bien malgré moi, je faisais figure de chef. Allais-je refuser mes cent chevaliers aux manifestations que préparait le Free Speech Movement ? Je voyais bien la ruse de la gauche qui prenait une initiative à laquelle nous étions tous intéressés, mais c'était comme l'alliance avec les Soviets contre le nazisme : c'était la défense de la liberté.

Dix-huit groupes d'étudiants, parmi lesquels le mien, eurent leur premier choc avec le doyen et la doyenne des étudiants qui sont nos intermédiaires auprès de l'administration. Nous obtînmes quelques concessions : des tables et des affiches pourraient être placées dans la zone litigieuse, mais seulement en nombre restreint, et il demeurait interdit de recueillir des fonds pour des « activités hors campus ». En outre, on nous accordait le droit de faire notre propagande, avec les mêmes réserves, jusque sur le perron de Sprout Hall, le bâtiment administratif — nous devions nous borner à en occuper les côtés pour ne pas gêner le passage, et sans utiliser des microphones pour ne pas gêner le travail. Mon groupe s'estimait satisfait, mais les extrémistes ne l'étaient pas. L'un d'eux me dit que l'on avait pas besoin de recruter des fonds quand on représentait Mr Hunt, mais que, pour les pauvres Noirs et les pauvres Nord-Vietnamiens, il y aurait toujours à faire.

Le *Cal Reporter* reprit sa campagne et il y eut de nouvelles démarches. Le doyen et la doyenne répondirent qu'il n'y avait pas à revenir sur ce qui avait été décidé. Soixante-quinze étudiants firent une veillée de protestation toute la nuit devant Sprout Hall. L'extrême-gauche s'était adjoint des étudiants de droite pour donner le change, mais aucun de chez moi. Le sénat de l'Association des étudiants, qui était d'opinion modérée, ne voulut pas être en reste et revendiqua à son tour le droit de solliciter des fonds pour n'importe quelle activité, dans la zone Bancroft-Telegraph et dans les huit autres endroits du campus où il était permis d'installer des tables. La gauche était parvenue à diviser la droite.

Le président de l'université commença de s'émouvoir. Il déclara que « le fait de quêter ne semblait pas indispensable pour le développement intellectuel des étudiants ». Il rappela qu' « une institution éducative, administrée pour des raisons éducatives », n'avait pas à remplir « une activité politique directe ». Cet homme au long visage glabre et froid, aux yeux impassibles derrière ses lunettes, toujours vêtu d'un costume bleu et d'une chemise blanche, continuait ainsi à alterner le langage de l'ironie et celui du devoir. Mais l'un et l'autre paraissaient voués désormais à l'échec. Il avait trop parlé de « l'industrie du savoir », trop parlé de ces « minorités » actives qui encombrent les universités, trop parlé de « la révolte commençante » : il l'avait.

Pour réagir peut-être contre les conseils du chapelain, Jim me persuada de participer avec mon groupe à un rallye devant Wheeler Hall. En effet, les étudiants républicains et libéraux ne s'étaient pas encore désolidarisés du mouvement et nous semblions faire bande à part. Nous trouvâmes les extrémistes qui portaient des placards outrageants pour le président et une grande banderole où se lisait : « Sprout Hall tombera ». Le président de l'Association des étudiants passait par-là et je lui demandai s'il était beaucoup plus fier d'appuyer ces plaisanteries que nous de participer au rallye. Il m'avoua qu'il déplorait cette manifestation. La seule chose qui me consolât un peu, c'était d'y avoir revu la jolie négresse bien qu'elle eût fait semblant de ne pas me voir.

Le chancelier de l'université vint annoncer que le droit de faire des campagnes politiques, mais limitées à oui ou non, était accordé pour Bancroft-Telegraph et les huit autres endroits du campus. Un cri de triomphe retentit et les meneurs nous remontrèrent combien ils avaient eu raison. Jusqu'au rallye, le principal d'entre eux avait été un nommé Goldberg dont les bulletins animaient le *Cal Reporter* ; mais à partir de ce jour il fut distancé par un gradué en philosophie, nommé Savio, qui avait été l'un des créateurs du Free Speech Movement. L'un et l'autre avaient, assisté à ma conférence, mais sans prendre la parole : probablement avaient-ils estimé que cela n'en valait pas la peine ; le drapeau était pour eux une question dépassée. Savio proclama que l'affaire Bancroft-Telegraph avait été le signal de la victoire du « libre discours » et qu'il ne fallait pas s'arrêter avant d'avoir fait de tout le campus « un bastion du libre discours ».

Le droit d'installer des tables continuait d'exclure celui de recueillir des fonds et n'était toujours accordé qu'aux organisations qualifiées. Afin de ne pas laisser à la gauche les apparences et le bénéfice de ce succès, notre groupe, ainsi que les Jeunes républicains et d'autres, installèrent des tables à Bancroft-Telegraph, jusqu'à Sather Gate. Nous distribuâmes les « discours de liberté » de Melvin Munn et les articles de Mr Hunt : ils eurent au moins autant de preneurs que les feuilles du Free Speech Movement, malgré les vociférations de Goldberg, les gesticulations de Savio et les effets de poitrine de la jolie négresse.

Le lendemain, 30 septembre, à midi, comme nous sortions de Barrows Hall où avaient lieu les cours de sociologie, nous vîmes Savio et Goldberg installer des tables à Sather Gate et recueillir des fonds. Nous nous arrêtâmes pour observer la suite des événements. Il nous amusa de constater qu'après avoir placé leurs troupes, les deux chefs avaient disparu. Bientôt un policier du campus avertit les mutins que leur activité était illégale : il leur demanda leurs noms et leur dit qu'ils étaient convoqués à trois heures devant le doyen.

A la cafeteria, on ne parlait que de cet incident. Les cinq étudiants convoqués faisaient figure de héros ; Savio et Goldberg avaient reparu et prétendaient les accompagner, comme chefs du mouvement. Nous admirions, Jim et moi, la manière dont ce fils de l'Italie organisait sa propagande. Sans doute en avait-il pris leçon de ce fils d'Israël. Des étudiants que nous ne connaissions pas allaient de table en table vanter ses mérites, dire qu'il avait toujours été le plus combatif des étudiants non-violents, qu'il avait failli être tué dans le Mississipi comme « cavalier de la liberté », qu'il avait brandi le drapeau du Vietcong au Comité du Jour du Vietnam, qu'il avait participé à la manifestation d'Oakland où l'on tenta d'arrêter un train chargé de soldats, qu'il avait été l'un de ceux qui, à Berkeley, avaient bloqué la voiture du vice-président Humphrey et lui avaient crié : « Brûle, baby, brûle ! » bref, que c'était un dur. Il ne lui manquait que d'avoir été à l'école communiste de Monteagle (Tennessee) avec le pasteur King ou au campus Maplehurst (Michigan), dans lequel les étudiants pour une Société démocratique s'entraînent à combattre nos troupes au Vietnam. Le juif Goldberg se souvenait sans doute de ces juifs qui avaient aidé le bolchevisme à prendre le pouvoir et qui furent ensuite sacrifiés ; il se souvenait même aussi, probablement, de ceux qui sont persécutés aujourd'hui encore chez les Soviets : il se déclarait pro-chinois. Les éclats de voix de Savio parvenaient jusqu'à nous : je ne sais s'il était communiste, mais ce démagogue au petit pied était le type parfait de ce que nous appelons un « rabble-rouser » — un « souleveur de populace ».

Enveloppé dans son imperméable crasseux, il se leva de table pour se diriger vers la porte, d'un air qui évoquait à la fois Hitler rejoignant ses troupes d'assaut et Bonaparte au pont d'Arcole. Nous sortîmes peu après, mais je dis à nos camarades que nous n'avions plus à nous mêler des affaires de Savio, Goldberg et compagnie. En revanche, il nous était difficile de ne pas être curieux. A trois heures, les deux compères et un autre, nommé Fuchs, se mirent en marche vers Sprout Hall pour monter au second étage où était le bureau du doyen. Quelque cinq cents étudiants les applaudissaient. Du balcon du second étage, Savio nous harangua : c'était se conduire en pays conquis. Il nous exhortait à soutenir les cinq étudiants menacés de renvoi. Ses sectateurs faisaient circuler une pétition à laquelle était ajouté un mensonge : les signataires affirmaient avoir contrevenu au règlement, comme les cinq. Au lieu de laisser les cinq entrer chez le doyen, Savio lui fit porter cette pétition, avec une requête : que toute sanction fût supprimée jusqu'à ce que l'université clarifiât l'incident. Le doyen répondit qu'il ne pouvait accéder à la requête ni tenir compte de la pétition : les mesures disciplinaires ne seraient prises qu'à l'égard de ceux dont on avait relevé les noms. De plus, comme les chefs de certaines organisations avaient rendez-vous avec lui à quatre heures, il faisait savoir que ce rendez-vous était annulé. D'autre part, il rappelait aux cinq étudiants qu'il les attendait et qu'il recevrait volontiers avec eux, en dehors de toute pétition et de toute requête, les trois qui avaient sollicité de les accompagner. Savio décida de ne pas obtempérer :

— Puisque l'on se moque de nous, dit-il, nous passerons la nuit dans Sprout Hall. N'ayez pas peur des sanctions. Nous sommes les plus forts. C'est eux qui ont peur. Ils ne peuvent rien contre nous si nous restons unis.

Il montrait, sur son imperméable : « Student Power ».

Aussitôt, l'édifice fut envahi, au chant de « Nous vaincrons », et je jugeai assez bizarre de voir ces Blancs entonner l'hymne de résistance des Noirs, même s'il y avait peu de Noirs parmi eux et une jolie négresse. Mais ces mots ne formaient-ils pas la devise de tous les militants des droits civils ? « Nous vaincrons », avait dit Johnson avant de faire voter l'acte qui devait consacrer ces droits. Il oubliait son discours d'Austin (Texas) où, quinze ans auparavant, il les déclarait « une farce et une honte ». Il ne pouvait aujourd'hui que tenir un autre langage, comme président, mais cela n'infirmait pas celui de naguère, qui répondait encore aux sentiments de nombreux Américains.

Je dis à Jim que tous ces « pouvoirs » se nuisaient un peu l'un à l'autre — « Pouvoir noir », « Pouvoir des fleurs, « Pouvoir étudiant ». Il était plus sensible que moi à celui-ci dont nous voyions à Berkeley la première manifestation ; mais il m'accompagna à la bibliothèque pour travailler.

Trois heures après, au moment du dîner, (on dîne assez tôt, à Berkeley comme dans tous les campus), la cafeteria était en effervescence : des filles échevelées, des garçons hagards empilaient dans des cartons des sandwiches, des fruits, des bouteilles de lait et de boissons douces, payaient à la caisse en donnant des poignées de billets et couraient ensuite vers Sprout Hall. On nous dit qu'il y avait eu une collecte pour l'armée de Savio. Pendant notre repas, nous vîmes plusieurs de ces allées et venues. Je ne m'étonnai pas d'apercevoir la jolie négresse qui déployait son zèle sur tous les terrains. Sa réapparition me frappait, car on ne rencontrait pas toujours les mêmes personnes dans des endroits différents. C'est à peine si j'avais revu, depuis mon retour, les deux ou trois dates que Sunny, même de loin, avait remplacées — et j'avais évité de les embrigader pour ne pas être tenté de la tromper. Certes, je reconnaissais plus facilement la jolie négresse, comme le petit Noir, fils d'un collaborateur de Kennedy, disait avoir été reconnu par le président parce qu'il avait une culotte verte. Mais la jolie négresse, ce n'est pas à sa mini-jupe jaune et à son sweater bleu que je la reconnaissais.

Après dîner, nous nous promenâmes devant Sprout Hall. Des hymnes martiaux retentissaient toujours, mais ces centaines de guerriers non-violents n'en avaient pas eu assez avec les sandwiches et les boissons de la cafeteria : d'autres ravitailleurs arrivaient avec des pains, des jambons, des boîtes de conserves ou de jus de fruits.

Nous montâmes l'escalier et pénétrâmes dans le hall. Des filles faisaient des sandwiches. La jolie négresse, avec un poinçon, perçait deux trous aux boîtes de jus de fruits. Je m'approchai et elle me tendit une boîte d'un air farouche en disant :

— Nous donnons à boire même aux Youth Freedom Speakers.

Je la remerciai en jetant un coup d'œil sur la boîte.

— Vous faites gagner de l'argent au chef des freedomistes, lui dis-je.

C'était une boîte des H.L. Hunt Products. La jolie négresse ne put s'empêcher de rire, mais d'autres buveurs nous séparèrent. Soudain, je me trouvai face à face avec l'un de mes contradicteurs de l'autre jour. Il me demanda avec insolence ce que je faisais ici. Avant que j'eusse le temps de répondre il s'écria :

— Nous ne recevons pas les fascistes.

Jim dit que nous avions manifesté avec les autres groupes le premier jour et que, d'ailleurs, les freedomistes n'étaient pas des fascistes.

— Allez vous envelopper dans Vieille gloire, répliqua cet olibrius.

La moutarde commençait à me monter au nez et, regardant celui de mon interlocuteur, je lui demandai s'il était un Américain de vieille souche.

— Raciste ! hurla-t-il.

Je serrai les poings, mais Jim nous écarta. Quelques étudiants nous entouraient et demandèrent de quoi il s'agissait.

— C'est Montague, le chef des Youth Freedom Speakers, qui a l'audace de venir parmi nous, dit l'autre en me désignant.

On était allé chercher Goldberg.

— N'importe qui a le droit d'être ici, déclara-t-il, mais non par curiosité : il faut rester ou partir.

— Peut-être n'avez-vous pas besoin de nous pour ce soir, dis-je en souriant.

Nous partîmes. Je tournai la tête et mon regard croisa celui de la jolie négresse. Je ne pus dire si elle était soulagée de mon départ ou si elle le regrettait.

Jim me fit observer que j'avais posé au contradicteur une question imprudente.

— Les Européens, dit-il, sont tous préoccupés de leurs origines et surtout de celles des autres. C'est un reste de l'esprit d'inquisition et de féodalité. Ce garçon que tu insultais a l'un de ces nez que tu as été heureux de recruter pour montrer que nous ne sommes pas des racistes. Mais qui sait s'il n'a pas une grand-mère française ou anglaise ? C'est notre cocktail de races qui a fait l'Amérique. Vois Johnson : il est d'ascendance irlandaise, écossaise, anglaise et française. Et il y a même des Johnson juifs. Enveloppons tout le monde dans Vieille gloire, même nos adversaires.

4

J'achevais ma toilette quand Jim m'apporta les nouvelles de la nuit. Il n'avait pu se tenir de retourner sur les lieux et avait assisté à la dernière phase de la lutte.

— La dernière ? lui dis-je. La lutte ne fait que de commencer.

A minuit, le chancelier était venu lire une déclaration : il blâmait les excès commis par « un petit groupe d'étudiants », renouvelait la défense de recueillir des fonds et de faire du recrutement pour des activités hors campus, et annonçait que les huit étudiants qui ne s'étaient pas présentés chez le doyen étaient suspendus de l'université. Il ajoutait qu'il était prêt à discuter la discipline future avec les chefs des organisations. « Bande de bâtards ! » avait hurlé Savio du haut d'un balcon, à l'adresse de l'administration. Mais, après avoir poussé ce cri de rage, puisqu'il était un des huit suspendus, il trépigna de joie en disant : « Nous avons fait craquer la machine universitaire. » Il fit acclamer une motion qui exigeait l'amnistie. Après quoi, la majorité résolut d'aller se coucher et Sprout Hall fut évacué à deux heures quarante du matin. Mais un rallye était prévu à midi sur les marches. Cela nous promettait encore un jour animé. Pour reprendre des forces, nous allâmes avaler en hâte notre verre de jus de fruits, nos œufs au bacon, nos toasts et notre tasse de café au lait.

Devant Sprout Hall, des tracts polycopiés couvraient le sol : ils invitaient les étudiants et aussi les professeurs à se solidariser avec les étudiants suspendus et à prendre part au rallye. Pendant les cours, cette situation insolite distrayait les esprits des maîtres et des élèves. Ceux-ci cachaient mal leur distraction et ceux-là affichaient un excès de calme. Venant de lire une histoire de la révolution d'octobre, j'évoquais les ministres de Kerenski, enfermés au Palais d'hiver et faisant semblant de travailler tandis que les bolcheviques enfonçaient la porte. « Que voulez-vous ? » leur demanda le ministre de l'Intérieur.

Lorsque nous sortîmes du second cours à onze heures trente, une foule déjà nombreuse occupait les abords de Sprout Hall. Jim me fit observer combien il est aisé d'attrouper les gens par l'espoir du brouhaha. Les freedomistes étaient un mouvement d'ordre et les free-speechistes un mouvement de désordre. Ces derniers s'inspiraient plutôt, pour l'acception du mot liberté, de la « libre bagarre », où tous les coups sont permis.

Une table du Congrès pour l'égalité raciale était installée au pied des degrés de Sprout Hall et nous avions vu, en revenant, qu'il y en avait deux autres hors de Sather Gate : à la mine de ceux qui les gardaient, on devinait que c'étaient des corsaires plutôt que des étudiants. Comme dans tous les troubles arrivaient les éléments troubles. Le président de l'université avait plaint et raillé à la fois ceux qu'il nommait les « victimes de la multiversité » : les ratés sans diplômes (les « dropouts »), les gradués qui ne savent pas ou ne veulent pas tirer parti de leurs diplômes, les licenciés qui travaillent à des thèses de doctorat jamais finies (je pensais à celui dont m'avait parlé Sunny), tous préférant la vie de bohème à une profession, vivant au jour le jour et constituant une sorte de sous-culture, en marge de la culture. Il aurait pu ajouter que cette écume, après avoir déferlé dans l'agitation des droits civils, bouillonnait aujourd'hui pour le Vietcong.

A 11 h 45, le doyen des étudiants arriva avec le lieutenant de police de l'université et s'approcha d'un homme qui recueillait des fonds à la table de Sprout Hall. Ils lui demandèrent son identité qu'il refusa de donner. Alors, ils le prièrent de quitter la table.

Comme il s'y refusait également, le lieutenant l'arrêta pour résistance à la force publique et activité indue sur le campus. Cet homme — identifié ensuite comme un certain Weinberg, ancien étudiant de mathématiques —, fit exprès de boiter, selon les procédés de la désobéissance civile. L'officier, au lieu de le traîner dans le commissariat de Sprout Hall, envoya chercher le car de police qui était hors de Sather Gate. Le car se présenta devant les degrés, juste au moment où commençait le rallye. Les policiers hissèrent le faux boiteux à l'intérieur. Savio, du haut du perron, se mit à hurler :

— Lâchez-le ! lâchez-le !

Et il dévala vers le car. Une centaine d'étudiants répondirent à son appel, sinon pour reprendre l'homme, au moins pour empêcher le car de bouger. Savio avait compris que c'était son grand jour : il grimpa sur le toit du car, comme sur un piédestal. Ses cris et ce spectacle rameutèrent une milice de plus pour renforcer le barrage ; mais comme certains chantaient « Nous vaincrons » et que d'autres l'applaudissaient sans l'écouter, il était difficile de comprendre ce qu'il disait. Il se rattrapait par des gestes dignes de son origine italienne. Craignant peut-être qu'on ne le prît pour un Mussolini en herbe, il retira ses chaussures et les brandit comme des armes, à la façon de Khrouchtchev.

Le chapelain qui passait nous aperçut, Jim et moi, et s'arrêta :

— Constatez, dit-il, que l'Italie n'envoie pas seulement à l'Amérique des chapelains et des gangsters. Mais ce Savio ne me paraît pas de la même famille que le plus jeune canonisé d'après-guerre : Domenico Savio, le saint de la pureté. Il arrive ce que je vous avais prédit. Reconnaissez autour du car tous vos camarades communistes : la fleur de Guss Hall. C'est bien la « toile d'araignée » (The Web), conformément au titre du journal de leur Club W.E.B. Du Bois.

307

— Il n'y a que des communistes pour vouloir séduire avec une toile d'araignée, dis-je.

La fille Aptheker, égérie de ce club, cavalière de la liberté, paladine du Vietcong, bloqueuse du train d'Oakland et de l'automobile de Humphrey, comptait ses rouges, plus nombreux que ses Noirs. Son œil vipérin était pourtant celui d'une colombe, au moins officiellement. Près d'elle, se tenaient la fille Lima et le fils Wilkinson, dont les pères étaient aussi notoirement communistes que celui de leur compagne. L'an dernier, chacun de ces pères nous avait fait une conférence, qui avait été un échec — Mr Wilkinson sortait alors de prison. Ces deux preuves de libéralisme du président n'avaient pas été sans provoquer quelques remous chez les régents, mais lui avaient valu le prix libertaire Meiklejohn. On ne s'en souvenait plus. Il est vrai que, si l'on permettait désormais aux communistes de venir parler, comme du reste aux nazis, il leur était interdit d'avoir un poste d'enseignement.

— Je ne voudrais pas, reprit le chapelain, avoir l'air de parler contre des étudiants à des étudiants ; mais avouez que ceux-là exagèrent. Ils ne sont d'ailleurs pas les seuls. On dirait que notre époque est menée par les étudiants — des étudiants de tous les âges, de vrais étudiants, de faux étudiants, d'éternels étudiants. En Bolivie, en Corée du Sud, au Soudan, les étudiants ont renversé des gouvernements. En Allemagne occidentale, où le parti communiste est interdit, les étudiants d'extrême-gauche sont déchaînés, comme s'ils voulaient ressusciter le nazisme ; En Italie, comme s'ils voulaient ressusciter le fascisme. Au Japon, ils rendirent impossible la visite d'Eisenhower et notre flotte dans les ports japonais doit compter avec eux. En Chine, ils gouvernent. N'est-ce pas le signe d'un infantilisme général ?

— Voyons, père, dit Jim, ne faites pas l'éloge de la gérontocratie. Je ne suis pas pour le Free Speech Movement ni pour ses émules, mais il faut reconnaître que notre administration et notre police leur font beau jeu. Nous voyons pour la première fois une révolte d'étudiants à Berkeley, mais pour la première fois aussi nous y voyons un car de police. Les étudiants sont jaloux de leurs privilèges, dont l'un est le caractère sacré du campus.

Je rappelai qu'à Santa Barbara, il y a quelques années, un étudiant avait été tué durant une initiation de fraternité et qu'aucune poursuite n'avait eu lieu.

— Le président de l'université vous a déjà rendu un service, dit le chapelain, lorsqu'il s'est refusé à vous punir pour des condamnations prononcées hors campus à titre politique. « On ne punit pas deux fois pour la même peine », avait-il dit. Il doit se demander quel genre de sanction encourent les étudiants qui bravent les lois sur le campus.

— Mais on brave les lois du campus, répéta Jim.

— Que Dieu vous assiste ! dit le chapelain en nous quittant.

Les simples spectateurs commençaient à se disperser : l'heure du déjeuner les appelait vers les « dining commons ». Une vivandière apporta des sandwiches à Savio, qui n'abandonnait pas son poste. La scène de la veille se renouvela autour du car ; il fallait alimenter les résistants. Nul ne songeait au malheureux Weinberg, objet de cette émeute. Il baissa une glace du car pour crier famine : on le sustenta en sandwiches et en lait. Comme pour donner raison à ce que Jim avait dit, le président de l'Association des étudiants, qui avait demandé à Savio de lui céder la place sur le toit du car, déclara que la manifestation était juste parce que les droits du campus avaient été violés. Savio et lui se mirent d'accord pour aller trouver le doyen, qui les renvoya au chancelier. Celui-ci posa une condition préalable à l'entrevue : la fin immédiate de la manifestation. Les deux émissaires revinrent bredouilles et, bien que le président de l'Association s'offrît à discuter de nouveau, la foule lui en refusa le droit. Savio régnait en maître.

Les déjeuners avaient été rapides, mais ce n'était pas pour permettre de gagner la bibliothèque ou les cours : chacun voulait voir comment cela finirait. Néanmoins, beaucoup s'étaient assis sur l'herbe, sur les bancs et se mettaient à lire ou à écrire. Le campus était devenu tout ensemble un lieu de révolte et une salle d'études. Il était temps pour Savio de ramener à lui l'attention générale. A deux heures et demie, il proposa aux manifestants d'entrer à Sprout Hall pour bloquer la porte des doyens. Au mot de bloquer, la fille Aptheker, le poing levé, courait déjà. Un groupe la suivit, les autres entourant le car et chantant « We shall overcome ». Au bout d'une heure, on apprit qu'un comité de « professeurs indépendants » allait négocier avec l'administration. A l'intérieur du car, Weinberg s'agitait : il avait un besoin pressant. Quelqu'un lui fit passer une grande boîte de fer-blanc mais ne la reprit pas.

Quarante-cinq minutes avant l'heure normale de clôture, la police du campus commença de fermer les portes de Sprout Hall. Il est évident qu'on voulait prévenir un nouveau sit-in. Ceux qui obstruaient la porte des doyens, ne recevraient pas de renfort et seraient pris au piège. Mais aux cris de Savio, un peloton se rua vers les portes pour empêcher la fermeture. Deux policiers furent jetés sur le sol ; l'un d'eux fut dépouillé de ses chaussures et mordu à la cuisse par l'enragé Savio. L'entrée ayant été envahie, les policiers refluèrent jusqu'au bas de l'escalier pour que les manifestants ne pussent rejoindre ceux qui assiégeaient les doyens. Goldberg cria au lieutenant de police que, si ses hommes subtilisaient Weinberg à la faveur de cette diversion, on le reprendrait par la force. Une discussion s'engagea, par-dessus la tête des policiers, entre les deux groupes de manifestants. Savio, en fin de compte, donna l'ordre à tout le monde de se retirer. On apprit alors que les doyens étaient sortis depuis longtemps par une fenêtre intérieure.

Jim trouvait très drôle leur escapade. J'étais d'un

autre avis. Il ne me semblait pas que l'administration se couvrît de gloire en faisant fuir par la fenêtre des gens que l'on empêchait de sortir par la porte. Un des articles du journaliste noir George Schuyler, que m'avait envoyés Mr Hunt, contenait une observation assez judicieuse. Il reprochait aux autorités fédérales ou locales d'avoir souvent, par leur faiblesse, encouragé les fauteurs des droits civils et rappelait l'exemple de l'ancien maire de New York, Wagner, filant à travers les sous-sols de l'hôtel de ville plutôt que d'affronter les piquets. Il aurait pu citer McNamara s'esquivant de Harvard par le souterrain du chauffage et même Johnson renonçant à prononcer un discours en public après l'annonce d'une contre-manifestation pacifiste. Mais notre gouvernement ne tenait-il pas à prouver son esprit démocratique en laissant l'opposition tempêter et en évitant avec elle des heurts inutiles, sans se laisser intimider pour sa politique ?

Le car était toujours immobile avec son prisonnier dont la gêne ne faisait que croître. Savio répétait que l'on ne faiblirait pas, mais nul ne demandait son avis à Weinberg. Un nouveau rallye était prévu pour le lendemain midi et un nouveau blocus des doyens. Il me parut y avoir un flottement dans l'esprit des chefs. Le ridicule de la situation était flagrant. Sprout Hall n'était pas tombé et Savio était prisonnier du car, autant que Weinberg.

J'étais rentré chez moi, mais Jim vint me chercher à dix heures du soir. Plusieurs groupes de droite avaient résolu de lancer une attaque nocturne contre les free-speechistes avec des armes appropriées — ce n'étaient pas les fusils de Watts. Jim avait déjà rallié presque tous nos freedomistes. L'admiration secrète qu'il avait pour Savio avait trouvé ce moyen inattendu de se manifester. Et moi, j'avais à m'exprimer avec la jolie négresse.

Selon le plan établi, notre troupe se rassembla près de Sather Gate à 11 heures. En voiture, nous avions raflé, dans les drugstores de la ville, cartons d'œufs et sacs de tomates que nous empilâmes près de la grille. Nous étions environ cinq cents, ce qui représentait un arsenal de plusieurs milliers d'œufs et de tomates. Un de nos éclaireurs évalua à deux mille les compagnons de Savio. Ils avaient dû être informés de ce qui se préparait : ce n'étaient pas des vivandiers et des vivandières que l'on voyait courir, comme la veille, mais des munitionnaires pour les armements. Ils n'avaient ni œufs ni tomates, mais, malheureusement pour nous, des pommes de terre.

Je crus avoir trouvé l'injure la plus humiliante pour leur chef : nous lui criâmes : « Mickey Mouse » et l'attaque commença. Il était très visible sur le toit du car, dans le faisceau lumineux d'un lampadaire. Au moment où il hurlait : « Nous vaincrons », il reçut un œuf en pleine bouche, qu'il écrasa entre ses dents. Plusieurs de nos camarades se vantèrent d'avoir si bien visé. Je crois que Jim eut raison quand il prétendit avoir écrasé une tomate sur le front de la fille Aptheker pour y raviver l'éclat de son étoile rouge. Quant à moi, je ne choisissais pas mes cibles, mais mon dernier œuf réussit à épargner la jolie négresse. Furieux et dégoulinant, Savio s'était jeté au bas du car et courait sus à nous. Quelques coups de poing furent échangés aux avant-gardes. Nos armements épuisés, il nous était difficile de soutenir un combat inégal. Nous fîmes volte-face. L'intervention des policiers, qui se relayaient pour garder Weinberg et qui s'étaient écartés pour ne pas être pris entre deux feux, nous sauva d'une défaite certaine et peut-être cuisante.

A Sather Gate, nous nous regardâmes en riant pour compter nos blessures. Jim avait été épargné, mais une pomme de terre, lancée par Goldberg, m'avait fait sur une tempe une bosse presque aussi grosse que son nez. Nous nous dispersâmes en chantant « We shall overcome ».

5

Nous étions persuadés qu'au petit jour le chancelier aurait annoncé une mesure d'apaisement, fait évacuer ainsi le campus et rendu Weinberg aux mathématiques. Tous les étudiants, y compris sans doute bien des free-speechistes, auraient poussé un soupir de soulagement. Nous fûmes donc très surpris de savoir, en nous levant, que les choses étaient dans le même état, comme si l'administration ignorait ce qui se passait.

Jim, qui n'était jamais si heureux que lorsqu'il pouvait rendre hommage au camp adverse, le faisait encore plus volontiers.

— Note la progression, me disait-il : Savio n'avait même pas cent légionnaires. En vingt-quatre heures, il en a eu cinq cents ; hier au soir, il en avait deux mille. Aujourd'hui, il en aura cinq mille. C'est toujours la démagogie qui gagne. C'est Castro qui a raison. Nous défendons une cause perdue. Nous avons eu beau prendre des juifs et des Noirs ; les autres ont des juifs encore plus juifs et des Noirs encore plus noirs. Tu n'as pas assez suivi les conseils de Mr Hunt.

Je pensais que les autres avaient surtout une jolie négresse.

— C'est curieux, dis-je : pour entraîner les foules, il faut être ou juif ou noir ou rouquin ou avoir un imperméable crasseux.

Le mail, devant Sprout Hall, semblait un camp de bohémiens. Les pelouses, les allées étaient jonchées de sacs de couchage, de draps, de couvertures, de livres, de détritus, de boîtes de conserves, de pommes de terre, de tomates, de coquilles d'œufs. Stoïque, le dernier carré de free-speechistes, maculés en omelette espagnole, montait la garde autour du car, sur les vitres duquel séchaient des traces de même couleur. Weinberg, tout pâle, avait l'air hébété. Les policiers, impeccables, les bras croisés, surveillaient le va-et-vient.

On s'arrachait les bulletins des événements de la veille. Ils publiaient une déclaration du gouverneur de Californie, approuvant le président et le chancelier de l'université et assurant qu'on ne tolérerait pas le désordre dans le campus ; une déclaration du chancelier, répétant ses affirmations précédentes ; une déclaration du président de l'Association des étudiants, faisant appel au calme. Le *Daily Californian*, dans un article encadré de noir comme une nécrologie et signé du bureau éditorial des seniors, lamentait ce qui était advenu.

Cependant, nous ne pouvions rester à regarder le car et nous gagnâmes nos cours où l'atmosphère n'avait pas changé : nous étions de plus en plus nerveux et les professeurs de plus en plus olympiens. Est-ce que certains membres du département de sociologie étaient au nombre de ces professeurs indépendants qui négociaient avec l'administration ? Nous soupçonnions que notre maître préféré, le très distingué Mr Petersen, était plutôt de notre côté : il s'était dit souvent ami de l'ordre. Nous savions que deux autres étaient âprement divisés : Mr Glaser, qui avait présidé l'an dernier un discours à Berkeley du chef californien de la John Birch Society, préparait, disait-on, un mémoire contre Mr Selznick qui pactisait avec les free-speechistes. Cela prouvait que chez les professeurs comme parmi les étudiants, les juifs n'étaient pas dans un seul camp.

A midi, quatre mille personnes encombraient le mail. La plupart étaient de simples spectateurs, comme la veille au même moment. Savio, du haut de son estrade, cria que le président et le chancelier recevraient les chefs de la révolte à cinq heures. Il devait être le premier à souhaiter la fin de cette aventure : mal lavé des éclaboussures de la nuit dernière et ayant peu dormi, il dodelinait de la tête

314

et sa voix était pâteuse. Dans le car, Weinberg dormait, la bouche ouverte. Que n'avions-nous un œuf ou une tomate ! Maintenant, j'admirais la sagesse de l'administration : elle avait trouvé le meilleur moyen de dompter la révolte, en la laissant pourrir.

Après déjeuner, nous nous installâmes de nouveau sous un arbre avec nos cahiers et nos livres, attendant la fin de la comédie. A quelque distance, des membres du club DuBois discutaient sérieusement s'il ne faudrait pas demander la mise en accusation du président de l'université en cas d'échec des pourparlers. J'avais envie de leur répliquer, ne fût-ce que par un éclat de rire, mais Jim me fit observer que j'avais déjà une bosse.

— Pour le moment, ajouta-t-il, il n'y a plus d'adversaires. Nous sommes tous des étudiants sur le pavé et chacun peut dire librement ce qu'il pense.

Il me rappela que les demandes de mises en accusation devant le Congrès étaient nombreuses aux Etats-Unis, mais qu'elles ne signifiaient pas toujours grand-chose. Le dernier cas remontait à plus de trente ans — un juge de Floride condamné pour banqueroute. De même que la John Birch Society multipliait les signatures pour faire mettre en accusation Earl Warren, président de la Cour Suprême, un de ses premiers juges, Chase, avait été incriminé pour arbitraire mais fut acquitté. Ferlinghetti a écrit un poème intitulé « Banquet en l'honneur de la mise en accusation du président Eisenhower ». Dans les manifestations contre la guerre du Vietnam, on promenait la photographie du président Johnson, « recherché pour meurtre », et certains demandaient aussi sa mise en accusation, comme d'autres l'avaient condamné à Stockholm. Devant Sather Gate, le Comité de la Faculté pour la Paix, le Comité du Jour du Vietnam et le Parti Progressiste du Travail avaient arboré maintes fois des panneaux semblables, et c'est notamment ce scandale auquel prétendait couper court la mesure prise à la rentrée. L'extravagante demande relative à Johnson avait d'ailleurs un précédent avec son propre homonyme — seul cas d'un président des Etats-Unis mis en accusation : il y a juste un siècle, Andrew Johnson fut inculpé de « mépris du Congrès » et acquitté par le Sénat à une voix de majorité.

En regardant Savio, affalé sur le toit du car, nous nous disions qu'il avait tout l'air d'un homme « recherché par la police » et en même temps protégé par la police, qui ne se lassait pas de garder ce car. Soudain, une estafette vint l'avertir que cinq cents policiers, dont plus de cent à motocyclette, se massaient autour du campus. Beaucoup étaient munis des longs bâtons « anti-manifestants ». Savio se dressa sur ses pieds. On lui apporta un microphone pour clamer cette nouvelle qui fit sensation. Comme il n'y avait pas de motocyclistes dans la police de Berkeley, on présumait que c'était la patrouille des hautes routes de Californie, connue pour ne pas y aller de main morte, et spécialisée dans la chasse aux gangsters. Cela paraissait une insulte inouïe au campus.

— Bientôt, cria Savio, on nous fera l'honneur de nous traiter comme les Noirs dans le Sud : la police viendra avec des chiens et des aiguillons électriques.

Encore une fois, on apportait de l'eau au moulin du Free Speech Movement. Jim se déclara indigné et moi-même trouvai maladroit, autant qu'excessif, ce déploiement de forces. Après avoir somnolé trop longtemps, l'administration avait perdu la tête. J'étais stupéfait qu'un homme aussi fin que le président eût imaginé de recevoir les chefs de la révolte à l'ombre de cinq cents policiers armés de gourdins. Nous ne nous étions pas doutés, après le combat de la nuit dernière, que nous serions remplacés par de telles troupes.

La nouvelle s'était répandue, ainsi qu'il appartenait, comme une traînée de poudre. On voyait accourir de tous côtés spectateurs ou émeutiers. Le balcon de l'Union des Etudiants, le toit des dining commons étaient noirs de monde. Sept mille personnes fixaient les yeux vers le car ou vers le portail. Manifestement, il y avait un grand nombre de gens étrangers à l'université.

Sur le toit du car, qui fléchissait peu à peu, Savio, son microphone à la main, trépignait comme un chanteur de rock'n'roll. Weinberg, effrayé, levait la tête vers ce nouveau danger de sa réclusion. Les deux héros allaient-ils se retrouver en cage après l'effondrement qui menaçait ? Nous souhaitions au premier de plonger d'abord dans la grande boîte qui tenait compagnie au second. Savio recula sur le bord du car pour prendre un meilleur appui et donner ses instructions :

— Enlevez de vos poches tout objet pointu (une simple lime à ongles peut vous faire accuser d'avoir voulu tuer un policier) ; desserrez vos ceintures ; restez les uns contre les autres pour faire bloc ; ne croisez pas les bras ; et naturellement, boitez. Aux questions, ne répondez qu'en donnant vos nom et adresse ; demandez à voir votre avocat ; ne faites aucune déclaration. Que les femmes enceintes se retirent, les enfants aussi, et tous ceux qui ont moins de dix-huit ans, ceux qui ne sont pas citoyens américains, ceux qui sont en liberté provisoire sous caution ou sur parole.

Un employé apparut à une fenêtre de Sprout Hall pour dire, au moyen d'un autre microphone, que le président attendait les délégués et qu'il n'y aurait aucune action de la police jusqu'à la fin de l'entretien. Savio et Goldberg, accompagnés du président de l'Association des Etudiants et de six autres de nos camarades, se dirigèrent vers la maison de l'université.

La rencontre dura deux heures. Nous avions pu mesurer, en circulant entre les groupes, la diversité de la multiversité. Beaucoup souhaitaient une bagarre à mort avec la police, d'autres que la police balayât la place ; certains proposaient une police d'étudiants, un référendum en Californie sur les problèmes de Berkeley, etc. Un éhonté disait que l'administration capitulerait devant cette levée de boucliers, comme elle avait capitulé devant les trous de gloire. Un free-speechiste stigmatisait l'esprit rétrograde des régents et relevait qu'il n'y avait en majorité parmi eux que des gens riches. Quelqu'un lui dit que, sans les gens riches, nous n'aurions ni le gymnase, ni la piscine, ni le théâtre grec. Comme toujours, le temps travaillait pour l'administration. Savio n'était plus qu'un négociateur qui se perdait dans des discussions interminables. J'étais sûr qu'on l'avait maté.

A sept heures trente, il revint avec son escorte, salué par les applaudissements de la clique. Remontant sur le toit du car, il lut le texte de l'accord : la manifestation cesserait aussitôt ; un comité où entreraient ses chefs, des professeurs et des administrateurs, établirait le nouveau règlement du campus ; Weinberg, après avoir décliné son identité à la police, serait relâché et l'université « ne demanderait pas de poursuites contre lui » ; la durée de suspension des étudiants déjà incriminés serait soumise dans la semaine à un comité d'étudiants et de professeurs ; l'université étudierait la possibilité de laisser mettre des tables au bout de Telegraph Avenue. Savio demanda que cet accord fût accepté par acclamation et que l'on se retirât « avec dignité ». Les mécontents étaient nombreux, mais la résistance était usée. Au seuil de Sprout Hall, le président et le chancelier, que nous fûmes des rares à remarquer, avaient observé cette scène. L'attention était fixée sur le malheureux Weinberg qui sortit de sa prison en titubant, après deux jours et demi d'immobilité : il donna son nom et son adresse à un officier de police qui les connaissait par cœur et il fut porté en triomphe jusqu'à Sather Gate.

Nous espérions ne plus entendre parler de Weinberg, de Goldberg et de Savio. Mais c'eût été comme vouloir espérer ne plus entendre parler du pasteur King.

6

Le 2 décembre, au début de l'après-midi, un rallye de mille étudiants était réuni autour de Savio devant Sprout Hall.

A vrai dire, ce n'était une surprise pour personne, attendu ce qui s'était passé depuis l'accord. Les premiers jours, chacun s'était employé à faire oublier ces désordres pour restituer à l'université son visage habituel. Il y eut même une collecte, qui rapporta trois cent trente-quatre dollars, destinée à réparer les dommages causés au car de police ; et la police ouvrit généreusement les portes de son service d'objets trouvés où des centaines d'étudiants et d'étudiantes allaient chercher leurs affaires, perdues au cours des incidents. Mais les divers partis n'avaient pas tardé à reprendre leurs positions.

Weinberg était inculpé par l'attorney du district : quand le Free Speech Movement s'en indigna, l'administration fit observer qu'elle avait seulement promis de ne pas demander de poursuites ; ce que décidait l'attorney ne la regardait pas. Savio cria d'autant plus à la trahison que Goldberg et lui furent suspendus pour six semaines, les autres ayant été graciés. Cent quatre-vingt-seize professeurs assistants (qui n'étaient rien de plus que de simples gradués) signèrent une pétition en faveur du Free Speech Movement et elle fut contresignée par six cent cinquante membres de trente-sept fraternités et sororités. Le torchon brûlait. Mon groupe signa une contre-pétition, avec plusieurs autres de droite : le Conseil Interfraternité, le Conseil Panhellénique, le Casque

Ailé, les Etudiants Associés et même l'Association musicale « la Clé de sol ». Comme pour répliquer à celle-ci, Savio, en vrai démagogue, avait fait venir, le 20 novembre, la chanteuse Joan Baez. Cette zélatrice de la paix et des pauvres descendit de sa Jaguar à Sather Gate et chanta des airs de son répertoire au milieu des free-speechistes. On disait qu'elle allait revenir le 2 décembre. Joan Baez avec ses chansons, c'était un peu comme le pasteur Luther King avec ses cantiques : leur arrivée quelque part annonçait que « ça allait chauffer ». La veille, Savio était rentré d'un tour sur les campus californiens, à la faveur des loisirs que lui donnait l'université. Un coup de téléphone de Sunny m'avait dit que son succès avait été mitigé à l'U.C.L.A. alors que ses partisans à Berkeley nous décrivaient les ovations qu'il recevait partout. Enflammé par les ovations ou aigri par l'insuccès, il présentait un ultimatum en débarquant : toute sanction devait être supprimée dans les vingt-quatre heures, faute de quoi « une action directe suivrait ». Ce rallye en était le prélude.

— Est-ce que tu ne crois pas qu'il faudrait assommer ce Savio une bonne fois ? me dit un de mes Noirs. Nous sommes ici pour travailler, pour nous donner les moyens de gagner notre vie, de fonder une famille, d'entreprendre la « poursuite du bonheur ». Et nous ne pouvons plus penser à autre chose qu'au Free Speech Movement ; nous sommes harcelés par ces crapules jusque dans les bibliothèques et dans les salles de repos.

J'aimais beaucoup ce Noir qui, pour se moquer de la coiffure de Rap Brown adoptée par le Black Power, mettait ses cheveux en boule sur le front. Je le calmai, tout en me souvenant de ce que j'avais dit à Sunny de l'insolence des pro-Castro, pro-Mao et pro-Hô, qui m'avait poussé à créer un groupe pro-Américain. J'avais à peine fini de parler que nous vîmes arriver Joan Baez.

Il n'y avait plus de car de police pour servir d'estrade à Savio, mais il avait un microphone à grande puissance qui devait faire sursauter le président dans son bureau lointain de la maison de l'université.

— Il arrive un moment, dit-il d'une voix lasse, où le mécanisme de la machine devient si insupportable que vous en avez mal au cœur, que vous ne pouvez plus y participer et que vous devez mettre votre corps sur les changements de vitesse et sur les leviers et sous les roues, car c'est le seul moyen de l'arrêter. Et vous indiquez ainsi à ceux qui la conduisent, à ceux qui la possèdent, qu'à moins que vous ne soyiez libre, la machine ne marchera plus.

— Peut-être que cet imbécile, dis-je à Jim, croit à ce qu'il dit.

Exactement comme le pasteur King, il jouait l'homme accablé qui n'en peut plus d'avoir retardé, pendant des semaines, l'heure inéluctable de l'insurrection. J'avais envie de crier pour lui arracher ce masque : « Attention ! Il mord. » On avait publié le constat de sa morsure à la cuisse gauche du policier : « L'étoffe a été lacérée, la peau déchirée, la chair meurtrie. » Quelle joie pour lui d'avoir donné un coup de croc à l'un de ces représentants de l'ordre qui se servaient de chiens contre les nègres ! Il passa le microphone à Joan Baez qui chanta : « Nous vaincrons ». Près d'elle, la fille Aptheker semblait la Pasionaria de la guerre d'Espagne, avec passeport « californien ». Elle empoigna le microphone dès que la chanteuse eut terminé et le retendit à Savio.

— En avant sur Sprout Hall ! hurla-t-il, hurla-t-elle.

Toujours le poing levé, elle semblait cette fois brandir une torche pour mettre le feu à la « machine à penser » capitaliste. Joan Baez reprit le microphone et dit langoureusement :

— Entrez à Sprout Hall avec l'amour dans le cœur.

Le mot des hippies reparaissait là d'une façon imprévue.

Laissant la foule entrer avec amour, nous allâmes vers la bibliothèque pour travailler. Notre profes-

seur de français, rencontré en chemin, nous fit le
commentaire du spectacle, comme le chapelain l'autre jour. Lui non plus n'était pas pour les free-
speechistes. Mais, en sa qualité de Français, il évitait
en public les opinions tranchées. Aussi était-il resté
à l'écart de l'agitation qui avait gagné même la faculté. Avec nous, il savait pouvoir parler sans crainte.

— C'est quelque chose d'affreux que certains intellectuels, dit-il. Ils justifient le mépris qu'a pour
eux votre civilisation. Elle les a baptisés « têtes
d'œuf » et je vous félicite d'avoir cassé quelques
œufs, l'autre nuit, sur ces têtes-là. Ces intellectuels
n'ont que faire des Muses : il leur faut le trottoir,
la foule, le microphone. Naturellement, ils sont toujours de gauche. Ils sont nés révoltés ; ils sont les
éternels révoltés on ne sait pas pourquoi. Ils sont
révoltés ici, parce que les Etats-Unis ne sont pas
l'U.R.S.S. ; ils sont révoltés en U.R.S.S., parce que
l'U.R.S.S. n'est pas la Chine ; ils ne sont pas encore
révoltés en Chine, parce qu'il n'y a plus d'intellectuels, sauf notre ministre Malraux quand il va parler
chinois avec Mao, mais ils ne tarderont pas à se ré-
volter dès qu'il y en aura, parce la Chine n'est pas
la lune. Soyez certains que les intellectuels de la
lune seront des révoltés et appelleront les étudiants
de la lune à la révolte. Ducis, académicien français
du XVIIIᵉ siècle, disait qu'il voudrait « aller dans la
lune pour cracher sur le genre humain ».

C'est le type français de la tête d'œuf, qui est
né non seulement révolté mais cracheur. Avec le
temps, il est même devenu pisseur : notre Sartre est
allé pisser sur la tombe de Chateaubriand. Je ne
connais pas d'acte qui puisse mieux illustrer la mentalité d'une de nos têtes d'œuf françaises. Sartre
doit monter sur la tour Eiffel pour pisser sur Paris.
Mais cela ne produit pas le même effet qu'avec Gar-
gantua qui, en pissant du haut des tours de Notre-
Dame, noya deux cent soixante mille quatre cent dix-
huit Parisiens, « sans les femmes et petits enfants ».
Sartre a pissé aussi sur New York, au lendemain de

la guerre, et les gratte-ciel sont toujours là. Bref comme les intellectuels révoltés pissent beaucoup du haut des tours mais ne se jettent jamais en bas, ils se jettent dans les universités, dans la littérature, dans la critique, dans la politique. Moi qui aimais vos campus américains, et surtout celui de Berkeley, comme les dernières tours d'ivoire de la culture !...

Quand notre professeur nous eut quittés, Jim me montra le campanile vénitien qui est au centre du campus.

— Rappelle-toi, Jack, me dit-il, qu'on a dû fermer les arcades du clocher avec du verre infrangible parce qu'il y avait trop de suicides. Je ne sais si les intellectuels se jettent du haut des tours, mais des étudiants — des étudiants comme nous —, se jetaient du haut de celle-là. C'est donc la preuve que tous les révoltés n'allaient pas au club DuBois.

— Ils vont au Free Speech Movement, dis-je.

A l'heure du dîner, nous assistâmes à la même scène que le jour du premier sit-in ; vivandiers et vivandières avaient repris leur office. Les policiers n'avaient pas eu à fermer prématurément les portes puisque les lieux étaient déjà occupés par environ mille personnes, mais ils firent savoir qu'ils les fermeraient, comme toujours, à sept heures et que, jusque-là, chacun pouvait sortir librement : ceux qui resteraient auraient violé la loi. Le fait qu'il n'y eût aucune tentative ou menace d'expulsion semblait montrer que les autorités étaient indécises : le président et le gouverneur se trouvaient à Los Angeles ; c'était une chance de plus pour le succès de la manifestation. Au balcon de Sprout Hall, Joan Baez souriait, entre Savio et Goldberg.

Quand nous sortîmes de la cafeteria, l'état de siège était déclaré : devant les portes closes se promenaient les policiers, indifférents en apparence. Ils l'étaient même au trafic qui s'établissait entre le sol et le balcon pour ravitailler les prisonniers : selon un système que Jim avait vu pratiquer en Italie, on se servait de paniers tirés par des cordes.

Des manifestants en retard demandèrent à être guindés de cette façon. Ce fut un nouveau sujet d'amusement, sous les yeux des policiers impassibles. Le balcon étant au second étage, l'entreprise n'était pas sans danger et il y eut quelques culbutes, qui ne nécessitèrent pourtant pas l'arrivée d'une ambulance. Des familles du voisinage étaient venues sur le mail, comme au spectacle.

Nous nous étions assis, mais Jim frémissait d'impatience. Il m'avoua que s'il avait eu des œufs et des tomates, il ne les aurait pas jetés ce soir à la tête des free-speechistes : il les aurait mis dans les paniers pour nourrir ces vaillants et il ne savait qui le tenait de les rejoindre. Je le regardai, estomaqué.

— Quelle mouche te pique ? lui dis-je. Quel Savio t'a mordu ?

— Il ne s'agit pas de plaisanter. Jusqu'à présent ce n'était qu'une révolte ; maintenant, c'est une révolution.

— Tu cultives les mots historiques.

— Justement ; et je souffre de rester les bras croisés devant un événement historique. Si l'on ne marche pas avec son temps et avec sa génération, on n'est pas de sa génération et de son temps. Je déteste et même je méprise autant que toi ce Goldberg, ce Savio « e tutti quanti », mais ce qu'ils ont fait les a dépassés. Il devrait y avoir avec eux les trente mille étudiants de Berkeley. Par son manque de loyauté, l'administration est la vraie coupable. Il me semble difficile, dans un conflit pareil, de me ranger du côté du chapelain et du professeur de français. Nous les avons approuvés parce que nous sommes nés amis de l'ordre, comme il y a ceux qui sont nés révoltés, et nous répugnons à tout ce qui est démagogie. Cependant, comme nous le disions, ceux de nos camarades qui ne peuvent plus se jeter du haut du campanile se sont rassemblés entre ces murs à l'appel de quelques énergumènes. Mais eux ne sont pas des énergumènes ; beaucoup sont de notre milieu ; ils prouvent, par conséquent, que tout ne va pas bien dans les rapports de la jeunesse et de la société. Ce qui est extraordinaire, c'est que la jeunesse ne se rebelle pas contre la société pour des raisons politiques ou économiques, mais pour des raisons intellectuelles et morales. Cette rébellion est le complément et sans doute la conséquence de celle des hippies. Les uns ne veulent plus étudier, les autres veulent étudier autrement ; les uns se passent de la société, les autres veulent faire plier la société. Je suis le défenseur de la société, mais je suis un jeune. Il y a autant de choses en moi pour me solidariser avec ces garçons et ces filles que pour me solidariser avec l'administration. Il y en a peut-être même davantage car, ce qui m'exalte d'abord, c'est d'être jeune.

La chaleur de ses propos me touchait. Mais, pour ne pas en faire l'aveu, je lui dis qu'il ne lui manquait que le microphone.

— Ne me rends pas Savio encore plus sympathique, dit-il. Nous l'avons pris trop longtemps pour le chef d'une révolte et c'est encore mon diable de chapelain qui t'a induit en erreur avec ses discours de Los Angeles. Il n'y a de chef de révolte qu'avec l'espérance de vaincre. Or, Savio est sûr au moins d'une chose : c'est qu'il sera vaincu. Il a beau se battre, courir les campus, mobiliser mille personnes : il n'est pas possible qu'il ne soit pas suspendu et il restera haï de tout ce qui compte, même des professeurs qui ont eu l'air de lui donner raison. Il est à jamais la brebis galeuse ; il n'est pas le triomphateur car il n'a que des triomphes postiches : il est le sacrifié. Ce n'est pas l'admiration qui me pousse à le rejoindre, mais la pitié. Il est la dupe du mot de liberté. Cela seul devrait nous le faire estimer.

Je rappelai que nous avions fait cause commune au début avec le Free Speech Movement, mais que la présence de l'extrême-gauche et notamment des communistes nous avait vite montré qu'ils nous prenaient pour dupes.

— Je ne veux pas enfler la voix, dit Jim, mais n'oublie pas que les communistes ont participé à de vraies luttes en faveur de la liberté. On ne peut pas les exclure du domaine de la liberté sous prétexte qu'ils en abusent. Tu m'as dit un jour les raisons qu'a eues Eisenhower de respecter les Soviets dont les millions de morts nous ont peut-être permis de gagner la guerre. Nous avons trouvé des justifications au mac-carthysme, mais il changeait l'Amérique en camp de concentration. Tu m'as dit aussi que défendre la liberté n'était pas empêcher les autres d'être libres. En ce moment, nous représentons, assis sur ce banc, cette classe de jeunes Américains du discours que fit réciter devant toi Mr Hunt : nous sommes apathiques et contents de nous, et faussement libres. La liberté est avec les prisonniers de Sprout Hall.

— Mais pas avec les prisonniers de Gus Hall, dis-je.

— Voyons, Jack, un bon mouvement ; allons !

Il se levait déjà. Je le retins :

— Pas si vite. Nous ne sommes pas tout à fait indépendants. Nous appartenons à un groupe qui nous a pris en charge — gratuitement, mais idéalement. Que dirait Mr Hunt s'il nous voyait agrippés à ces cordes pour rejoindre la fille Aptheker et Joan Baez ?

— La fille Aptheker, tu sais ce que j'en pense : elle est payée pour ça, comme son père, qui a été à Hanoï ; elle fait même des cours dans les écoles d'entraînement de la Toile d'araignée. Mais Joan Baez, après tout, c'est une femme généreuse qui n'a pas besoin pour sa réputation de chanter ici. Tu disais qu'elle se mêle de ce qui ne la regarde pas ; tout le monde se mêle de ce qui ne le regarde pas. Même si elle n'habite pas loin, elle prend la peine de venir ; d'autres auraient refusé. Tu invoques Mr Hunt, avec son armure de milliards, à la façon d'un dieu tutélaire. Pourquoi ne pas invoquer ton père, en tenue d'amiral ? A Berkeley, il n'y a pas d'autre uniforme que celui de policier. Tu avoues

326

que tu ne suis pas plus les idées de ton père ou de Mr Hunt en morale qu'en politique étrangère. Tu montres bien par-là, comme tu me l'as dit, que tu es de ta génération et de ton temps et non de la leur. Ton anti-communisme même est nuancé. Bref, toi aussi tu as beaucoup plus de choses en commun avec ces garçons et avec ces filles qu'avec Mr Hunt. D'ailleurs, nous n'engageons pas les Youth Freedom Speakers en allant dans Sprout Hall. Nous ne signerons aucun manifeste.

— Mais nous en avons signé un contre le Free Speech Movement, dis-je.

— Nous dirons que nous venons à titre personnel. Le groupe s'est déclaré contre le groupe, mais les membres peuvent fraterniser une fois. Sois tranquille : ce sera la dernière.

— Je ne marche pas pour des mots.

— Nous marchons tous pour des mots. Habituellement, nous donnons à celui de liberté un sens qui est plutôt celui de l'âge mûr : liberté sagement contrôlée, respectueuse du trône et de l'autel. Donnons-lui pour une fois un sens qui soit uniquement celui de la jeunesse, parce qu'il est déraisonnable : un sens hippie. Tu affectes beaucoup de sympathie pour les hippies, mais tu les regardes du dehors. Voici une occasion d'observer du dedans les hippies de la multiversité.

— Tu ne considères la question que de notre point de vue, dis-je. Ne passerons-nous pas pour des curieux indésirables, comme à l'autre sit-in ?

— Ce soir, ce n'est plus de la curiosité : c'est de l'illégalité.

— Ainsi, nous n'aurons lutté contre Savio que pour aller le retrouver à la force du poignet ?

— Non : pour t'aider à retrouver une jolie négresse.

— Canaille ! dis-je en lui prenant le bras pour le suivre.

7

Nous nous avançâmes sous le balcon de Sprout Hall.

— Hey ! cria Jim à ceux qui surveillaient d'en haut. Lancez-nous une corde.

— S'ils nous laissent retomber, nous ne l'aurons pas volé, dis-je.

— Ils ne nous laisseront ni tomber ni retomber, dit Jim. Au gymnase, nous avons appris de monter à la corde et de tomber sans nous casser les os.

Une grosse corde descendit lentement jusqu'au gazon.

— A tout seigneur tout honneur, me dit Jim.

Il cria :

— Honneur au président des Youth Freedom Speakers de Berkeley !

Je lui donnai un coup de pied, serrai la corde entre mes mains, mes jambes et mes chevilles et montai vers l'aventure.

La première personne que je vis, après avoir enjambé le balcon, fut la jolie négresse. Je me penchai pour lancer la corde à Jim et aider à le tirer. Les policiers du campus contemplaient la scène comme les précédentes, sans se départir de leur calme.

— Si j'étais à leur place, dit quelqu'un, je tirerais un coup de revolver pour casser la corde, ce qui aurait un petit air de western.

— Merci pour l'intention, dit Jim qui arrivait.

Nous nous regardâmes en riant.

— Vous aussi, vous venez dans la souricière, nous dit-on.

— Ils ont rejoint Mickey Mouse, dit la jolie négresse.

— Les paroles s'envolent, lui dis-je, mais ce soir nous restons.

« Ah ! vous, ajoutai-je, il est temps que je sache votre nom, depuis que vous m'insultez : je m'appelle Jack Montague.

— Je le sais. Moi, je m'appelle Narcissa Z.

— Z ?

— Oui, Z. Il y a des Américains qui se dispensent de porter des noms américains.

Tous mes Noirs avaient des noms véritables, mais je me rappelai Malcolm X. Je me rappelai même qu'on disait quelquefois, pour désigner le Français typique : « Pierre Q, Français ».

— Quand on a un aussi joli prénom que Narcissa, dis-je, on n'aurait même pas besoin de nom.

— Vous savez, avec moi, les compliments ça ne prend pas, dit-elle.

Et elle me tourna le dos. L'idylle avait été brève. Je suivis des yeux cet étrange narcisse noir dont, malgré tout, les événements me rapprochaient. Jim m'entraîna pour visiter les quatre étages.

Les employés avaient fermé les bureaux avant leur retraite et ils avaient même eu la malice de fermer les chambres de repos. On respectait les bureaux, mais on avait ouvert deux des chambres, l'une pour les hommes, l'autre pour les femmes : on avait dévissé les gonds avec le plus grand soin. Partout régnait une activité normale et rien ne semblait rappeler que l'on était là à titre illégal. Les uns lisaient et écrivaient, comme ils avaient fait sur le mail durant les manifestations précédentes ; les autres bavardaient, discutaient. D'autres dormaient, comme Joan Baez, écroulée sur un siège. C'est au second étage qu'était installé le microphone. Des étudiants y faisaient des effets de voix pour le régler. Dans un coin du palier, Savio dictait un article. On l'interrompait à tout instant pour lui demander des consignes ou lui apporter des nouvelles. Il me reconnut, mais je ne m'approchai pas. Au troisième étage, on dansait sur des airs de transistors. Au quatrième, des étudiants juifs, coiffés de calottes, célébraient la fête de la Hanukkah devant un chandelier spécial à huit branches. Nous redescendîmes.

— Je m'étonne, dis-je à Jim : il manque une séance de l'Ecole du soir sur le Vietnam — le « teach-in » —, et cependant il y a là tous les membres du comité qui l'ont instituée. C'est le premier soir que l'on oublie Hô Chi Minh à Berkeley.

— Hô Chi Minh est à Berkeley, dit Jim.

Il me montra un cercle d'étudiants et d'étudiantes, assis par terre autour de Goldberg qui, bonze au nez crochu, leur lisait religieusement les pensées de Mao.

Au premier étage, un avocat, membre connu du parti communiste, donnait des conseils juridiques. Des journalistes, munis de magnétophones, circulaient pour enregistrer des déclarations. Nous n'étions plus entre étudiants. Savio avait pris toutes les précautions, non seulement comme toujours pour assurer sa publicité, mais aussi pour garantir les droits des manifestants et leur donner l'appui éventuel de la presse. La radio et la télévision avaient fait grand bruit sur ses aventures : il ne doutait pas *d'attacher sur lui seul les yeux de l'univers*. Au sous-sol, on projetait un film de Laurel et Hardy. On apercevait un peu de pelotage, mais qui n'était pas lourd. C'était la veillée de Mars et non de Vénus.

Joan Baez se réveilla. Jugeant qu'elle en avait fait assez, elle demanda discrètement si elle pouvait partir. Du balcon, Savio parlementa avec les policiers qui voulurent bien entrouvrir la porte, et la chanteuse s'éclipsa sans chanter « We shall overcome ». Après avoir regagné son coin, Savio réussit à finir son article. Il le lut au microphone pour nous faire passer le temps. C'était la paraphrase de tout ce que nous lisions, depuis des semaines, dans les feuilles ronéotypées et dans le *Cal Reporter* : il déclamait contre les pouvoirs « autocratiques » qui voulaient opprimer la vaste majorité ; il parlait de « situation kafkaesque », de l'université « devenue la colonie d'un gouvernement impérialiste », de la « lugubre existence » des étudiants de Berkeley, du « paradis chromé » dont ils ne voulaient pas et sa péroraison aurait fait rire si les mille étudiants qui l'écoutaient l'eussent entendue ailleurs : « Aujourd'hui émergent des hommes et des femmes qui aimeraient mieux mourir que d'être standardisés, remplaçables et inconsistants. »

— Plutôt mourir ! répéta la fille Aptheker, propagandiste d'une civilisation où les hommes ne sont ni standardisés, ni remplaçables, ni inconsistants.

On voulait tâcher de dormir. Les lumières des couloirs furent éteintes ; seules restèrent allumées celles des escaliers. Nous nous accommodâmes d'une place, au hasard — Jim allongé, la tête appuyée sur son sweater plié en quatre ; moi, adossé au mur. La situation ne me paraissait pas kafkaesque, mais inconfortable. Je ne songeais guère à aller à la recherche de la jolie négresse. Un sommeil léger me la fit bientôt oublier.

A trois heures du matin, nous fûmes réveillés en sursaut. Le chancelier, avec un porte-voix « corne de buffle », nous interpellait, devant l'entrée principale de Sprout Hall : nous eûmes l'impression de revivre, du haut de nos murailles, l'histoire des trompettes de Jéricho.

— Puis-je obtenir votre attention ? disait-il. J'ai un communiqué à vous faire. Votre attitude est devenue telle que les fonctions et le travail de l'université sont matériellement atteints. Il y a des actes de désobéissance et d'indiscipline qui ne sauraient être tolérés dans un centre d'éducation ni dans aucune autre partie de notre société. L'université a témoigné une grande retenue et une grande patience en vous donnant la possibilité d'exprimer vos différents points de vue. Elle demeure prête à s'engager dans les procédures établies, pour résoudre les différences d'opinion. Je vous demande, à tous et à chacun, de rompre ce rassemblement illégal. Je vous conjure, individuellement et collectivement, de quitter cet édifice et de vous disperser. Tout refus entraînera une action disciplinaire. Je vous en prie, allez-vous-en !

Ce discours matinal était assez émouvant. Il traduisait le désarroi de l'administration mais aussi son paternalisme, puisqu'elle consentait à passer l'éponge si l'on voulait bien décamper. Revenus de Los Angeles en toute hâte, le président et le gouverneur mettaient les fers au feu. Plusieurs d'entre nous estimaient qu'il fallait obéir. Mais ceux qui étaient au balcon et aux fenêtres nous dirent que, dans la pénombre du mail, on décelait une armée de policiers et je pus moi-même m'en rendre compte. De nouveau, c'était l'intimidation à côté d'une preuve de bonne volonté. Et de nouveau, par conséquent, l'administration faisait le jeu de Savio et de Goldberg. Cette fois, elle semblait résolue d'avoir le dessus. Un des policiers du campus nous avertit charitablement que les renforts étaient au nombre de six cent trente-cinq. Mais qui aurait osé demander à sortir ? Heureuse Joan Baez !

Voyant que l'appel du chancelier restait sans effet, un employé vint lire, avec le même porte-voix, un communiqué du gouverneur :

— Au nom du peuple de Californie, je viens de donner l'ordre d'arrêter et de conduire en prison les étudiants et tous autres qui se tiendront dans Sprout Hall en violation de la loi. Ces ordres seront exécutés avec calme par les officiers de police du comté d'Alameda ; la patrouille des hautes routes de Californie prêtera l'assistance nécessaire. Ainsi sera-t-il prouvé que la loi doit être respectée en Californie.

Il était trois heures quarante-cinq. L'éloquence du gouverneur était plus laconique, mais aussi plus énergique, que celle du chancelier. L'allusion finale à la patrouille des hautes routes nous laissait entendre qu'il serait vain de résister aux policiers du comté dont Berkeley fait partie. Si malgré nos différends passagers avec elle, nous avions plus ou moins suivi le principe : « Soutenez votre police locale », ce n'était pas le moment de le lui rappeler.

Quelques minutes s'écoulèrent pour laisser aux assiégés le temps de réfléchir. Puis le lieutenant de police de Berkeley s'avança pour ouvrir la porte principale. Il déclara, par la corne de buffle, que ceux qui voudraient sortir étaient encore libres de le faire. Les autres seraient arrêtés : ils auraient le choix ou de marcher ou de se faire traîner. J'admirai cette précision, très américaine, comme j'avais admiré celle du gouverneur indiquant la qualité de ses envoyés. Après avoir fait un geste de camaraderie auquel rien ne m'obligeait, je trouvais stupide de repousser l'ultime geste de clémence de l'administration. Je dis à Jim que j'allais rejoindre les apathiques et laisser à la grâce de Dieu, de Castro, de Mao et de Hô ce millier de héros de tout acabit. Il m'approuva et nous fûmes plus de deux cents à quitter la place. Toutefois, je restai l'un des derniers pour observer les opérations.

Elles étaient aussi bien conduites que celles du Free Speech Movement. Des policiers étaient munis, non seulement de magnétophones, mais d'appareils photographiques et de tampons pour les empreintes digitales. L'identité vérifiée, on était expédié au soussol par l'ascenseur, et ensuite les hommes à la prison d'Alameda et les femmes à celle d'Oakland. Si l'on boitait, on était traîné par les bras. La fille Aptheker, qui refusait de se laisser prendre par les bras, fut traînée par les jambes et hurlait comme si on la violait. Un journaliste, qu'elle avait aposté pour photographier cet exemple de brutalité policière, en fut empêché par le lieutenant.

Je constatai avec plaisir que la jolie négresse évitait les simagrées. J'avais vu tout ce que je voulais voir.

QUATRIÈME PARTIE

1

J'étais rentré à Beverly Hills après les vacances de Noël. J'avais fait onze fois l'amour avec Sunny (il fallait me rattraper de ma chasteté au campus — chasteté relative grâce aux rêves humides dont nous avions discuté avec les surfers), et il n'avait été question de fumer ni marijuana ni de prendre du L.S.D. 25 : elle était redevenue la même malgré les prédictions de Carl.

J'avais croisé la jolie négresse et nous avions échangé un sourire. J'avais appris que Savio allait se marier : que Bertrand Russell lui avait envoyé un télégramme de sympathie ; qu'un gallup californien avait recueilli quatre pour cent de voix favorables au Free Speech Movement ; que dans les écoles, collèges et campus de notre Etat, cinq pour cent des élèves ou étudiants connaissaient le nom de Savio, mais que tous connaissaient Mickey Mouse ; que des écrivains noirs, des chanteurs noirs, des musiciens noirs viendraient réchauffer les cendres de la révolte; qu'un sculpteur blanc, Bufano, offrait un ours de marbre qui serait vendu pour payer les amendes des défenseurs de la liberté ; que le F.B.I. mettait en garde contre l'action, dans les universités, de « prétendus étudiants ». Les chiffres lui donnaient raison : sur les huit cent quatorze personnes arrêtées à Sprout Hall, il n'y avait que cinq cent quatre-vingt-dix étudiants — parmi les autres, quarante-cinq communistes militants et trente-huit repris de justice.

J'avais écouté les derniers scandales de New York, rapportés par Jim : le moindre était une orgie d'hommes masqués dans une villa de New Jersey où ils se satisfaisaient sur le cadavre d'un jeune homme.

Je fus étonné de recevoir une longue enveloppe jaune, timbrée de San Francisco, et qui était de l'écriture de Sunny. Nous nous étions quittés à Los Angeles il y avait une semaine et elle ne m'avait soufflé mot de ce voyage. Le papier aussi était jaune, comme celui de toute Américaine qui se respecte — je venais de voir, dans un journal, que Jacqueline Kennedy écrivait aussi sur du papier jaune. Mon étonnement fut encore plus grand lorsque je lus ce message, tracé par la main chérie :

« Vous êtes prié d'assister, ce vendredi, à vingt et une heures, à la messe de l'Eglise de Satan, chez le révérend Anton Szandor La Vey, Californian Street, tel numéro, San Francisco. »

Un superbe cachet timbrait l'invitation : il représentait une tête de bouc dont les deux cornes, les deux oreilles et la barbe s'inscrivaient dans un pentacle. Je tombais vraiment des nues. Quels secrets, à la fois excitants et effrayants, m'avait donc cachés cette adorable fille que j'aimais depuis plus d'un an ? Je cherchais ce qu'elle pouvait avoir de satanique, si ce n'est de m'avoir envoûté. Heureusement que j'étais un peu détaché de mon église épiscopale, ce qui ne m'obligeait pas à faire le signe de croix pour chasser le diable. Je n'avais aucune envie de chasser Sunny, même si une autre feuille jaune, où était imprimé le manifeste de l'Eglise satanique, portait au dos l'image complète de Satan avec sa tête de bouc et des seins de femme. Comme ce papier également était jaune, je ne savais plus si l'Eglise de Satan s'inspirait de Sunny ou Sunny de l'Eglise de Satan. Cette Eglise, « la première fondée aux Etats-Unis sous cette invocation », m'apprenait qu'elle

336

avait pour doctrine la jouissance au lieu de l'absti-
nence, la vérité au lieu du mensonge, la sagesse au
lieu de l'hypocrisie. Même sans la perspective de
rencontrer Sunny, une cérémonie sous de tels auspices aurait eu de quoi tenter moins curieux que
moi. C'était évidemment autre chose que d'être à
Sprout Hall avec le Free Speech Movement.

Jim me supplia de le faire inviter. J'avais à répondre pour ma propre invitation : un numéro de
téléphone était marqué, à cet effet, au bas de la
première feuille. J'appelai d'abord Sunny à Hollywood : on me confirma qu'elle était à San Francisco, mais on ne me dit pas chez qui. Je téléphonai
au numéro indiqué : c'était celui de l'Eglise de Satan. J'avais Mrs Szandor La Vey au bout du fil.
Quand j'eus formulé ma requête, elle déclara d'une
voix charmante que, le révérend n'étant pas là, elle
ne pouvait la lui soumettre, mais qu'elle me conseil-
lait, pour cette première visite, de venir seul. C'est
certainement, ajouta-t-elle, ce que souhaitait Sunny.

Jim fut déçu. Je lui promis un compte rendu dé-
taillé si l'enfer me rendait à lui. Nous n'avions que
deux jours à attendre. Le silence observé par Sunny
me parut un raffinement.

Pour se venger d'être tenu à l'écart, Jim employa
ce délai à des discours qui sentaient le fruit écrasé.
Il me remontrait le peu de confiance que méritait
une femme. Aurions-nous pu nous dissimuler l'un à
l'autre un tel secret pendant un an ? Les devoirs
que se reconnaît l'amitié n'existent-ils donc pas en
amour ? Une telle révélation, disait-il, équivalait à
celle d'un cocuage : Sunny me trompait avec Satan.
Espérons même qu'elle ne me trompait pas avec
son grand prêtre. Il est vrai qu'il était marié ; mais
quelles étaient les mœurs d'une église qui prêchait
la jouissance ? La dernière flèche du jaloux fut de
me demander ce que dirait Mr Hunt.

Je répliquai que Mr Hunt n'avait rien à faire là-
dedans et que ma confiance en Sunny était accrue :

337

contrairement à la fable, il y avait au moins une femme capable de garder un secret. Mais la silhouette de ma jolie diablesse, mêlée à la voix si juvénile de la grande prêtresse de Satan, traversa souvent mon esprit pendant le cours de sociologie urbaine de Mr Petersen, toujours aristocrate, et les séminaires de théorie sociologique de Mr Glaser et de Mr Selznick, redevenus sereins.

Je choisis naturellement un taxi jaune pour me mener Californian Street. Qui plus est, le chauffeur était noir. Jim avait fait exprès de m'emprunter ce soir-là ma voiture, pour une date peut-être imaginaire. Californian Street est une des rues les plus interminables de San Francisco et l'Eglise de Satan vers l'extrémité la plus lointaine. Le chauffeur m'arrêta devant une maison isolée à un étage et au toit triangulaire, peinte en noir. Un corbillard stationnait qui me rappela celui de Los Angeles, mais il n'y avait pas d'inscriptions joyeuses sur le pare-chocs. La rue était déserte. Les maisons voisines semblaient ignorer l'existence de celle où j'allais entrer. Au rez-de-chaussée surélevé, une grande baie à pans coupés était masquée par des rideaux jaunes, qui laissaient filtrer la lumière. On jouait au piano une valse de Chopin. Je montai, assez ému, un étroit escalier de pierre. Il n'y avait pas de sonnette, mais un marteau. Je heurtai. Un jeune homme, en costume de clergyman, m'ouvrit : le diacre de l'Eglise de Satan. Je le suivis le long d'un couloir où étaient accrochés des tableaux plus ou moins sataniques que séparaient des affiches psychédéliques. Le hippisme avait pénétré chez Satan.

Dans un grand salon, quinze personnes environ étaient assises, écoutant le grand prêtre qui jouait du piano. C'était un bel homme d'une quarantaine d'années, vêtu en clergyman comme le diacre, grand, le visage pâle avec un collier de barbe noire, le crâne entièrement rasé. Sans s'interrompre il me salua d'un signe de tête et une aimable jeune femme en pyjama rose, ses longs cheveux blonds tombant jusqu'aux fesses — la femme du grand prêtre —, s'avança aimablement pour me montrer une place sur un canapé. C'était près de Sunny. Je ne l'avais pas aperçue tout de suite. Elle avait un regard ironique et triomphant. Elle portait des insignes que je ne lui connaissais pas : à son cou, une large médaille d'émail rouge où était dessiné en blanc le chiffre 666 — le chiffre du diable —, et, au médius de la main gauche, une bague identique.

Elle n'était pas seule à arborer ces ornements : je les voyais sur la grande prêtresse comme sur la plupart des hommes et des femmes qui étaient là —, même sur une fille de treize ou quatorze ans, assise à côté de la grande prêtresse et qui ressemblait au grand prêtre. De l'autre côté, une petite fille, qui ressemblait à la grande prêtresse, berçait un gros ours de peluche mais ne portait aucun insigne. Je regardai de nouveau Mr Szandor La Vey, qui était un véritable virtuose : il jouait sans partition avec autant d'art que de mémoire. Il avait une façon curieuse de laisser tomber les doigts d'assez haut. A l'un d'eux brillait une énorme bague. Je regardai ensuite plus attentivement le reste de l'assistance. Une fille de seize ou dix-sept ans, assez jolie, écoutait d'un air d'extase. D'autres personnes paraissaient méditer, la tête penchée sur la poitrine. Un homme brun, au teint mat et aux longs favoris, leva les yeux : je reconnus Kenneth Anger. Sans doute Sunny lui avait-elle annoncé un de ses anciens auditeurs de Berkeley car il me sourit, et je le saluai. Je devinai alors ce qui me valait cette rencontre, promise par elle l'été dernier. Elle avait bien fait les choses. D'autres images que celles des films de Kenneth me revenaient à l'esprit : celles des films du sous-sol de Hollywood et je m'amusai de penser qu'il était, lui, un des maîtres du cinéma « souterrain » c'est-à-dire d'avant-garde. Entendrions-nous un disque de Crowley ?

Le décor méritait également quelque attention. Devant nous, sur une cheminée de brique à large tablette que dominait un dessin de la tête de bouc, étaient posés des chandeliers garnis de bougies violettes, un hibou empaillé et une statue de bronze représentant le diable, les ailes étendues. Sous le piano, un chien loup, empaillé lui aussi, montrait ses crocs et des yeux flamboyants. Derrière nous, une immense bibliothèque. Le piano à queue, un harmonium, le mobilier de style, les tapis épais, quelques toiles anciennes donnaient l'impression d'un certain luxe.

Deux coups de marteau avaient retenti depuis mon arrivée et le diacre était allé ouvrir. D'abord entra un homme distingué que le grand prêtre accueillit par un joyeux : « Hello, John ! » sans cesser de jouer ; ensuite, une ravissante fille de dix-sept ou dix-huit ans — chapeau cloche rouge, mini-robe bleue, les jambes nues, des souliers blancs ultra-pointus. Son élégance avait cette dernière note d'anticonformisme, puisque les femmes de San Francisco ne portent jamais de souliers blancs. « Hello, Rosalyn ! » dit le grand prêtre. Comme il n'y avait plus de siège libre, nous lui fîmes place sur le canapé. J'avais à ma gauche les cuisses de Sunny et à ma droite celles de cette fille qui arborait les mêmes insignes. Elle tournait la tête vers le piano, qui était à notre gauche, ce qui me permettait de la regarder du coin de l'œil. Jamais son regard ne rencontra le mien : elle était toute à la musique et déjà prise par le mystère auquel cette musique nous préparait.

Enfin, le grand prêtre quitta le piano et j'allai à lui avec Sunny. Il avait la voix caressante, le regard pénétrant. Quand je le félicitai de son talent de pianiste, Sunny dit qu'il jouait aussi bien du hautbois.

— J'aurais pu faire bien des métiers, dit-il, même celui de dompteur. J'ai eu ici pendant longtemps un lion qui assistait à nos cérémonies, mais ses rugissements gênaient le voisinage et j'ai dû le donner au zoo.

Kenneth Anger nous rejoignit. Sunny nous fit faire officiellement connaissance.

— Jack n'est pas encore des nôtres, dit-elle, mais il le deviendra puisqu'il est mon fiancé.

Je souris à ce titre qu'elle me redonnait dans l'Eglise de Satan et qui me rappelait une séance d'un autre genre à Huntington Beach. Nous n'avions jamais parlé mariage, parce que cela aurait donné un air intéressé à nos relations. Toutefois, je ne repoussais pas la perspective de m'unir à une fille aussi séduisante. Cette initiation ajoutait aujourd'hui un lien inattendu à tous ceux que nous avions déjà. Mais peut-être pouvions-nous attendre, pour de vraies fiançailles.

Ce colloque terminé, le grand prêtre me présenta à l'assistance en m'indiquant la qualité de chacun : un industriel, un directeur de l'I.B.M., un ethnologue, un professeur du campus Davis, un écrivain et sa femme, un peintre, une directrice d'institut de beauté, un ami de l'actrice Jayne Mansfield. La fameuse actrice, qui venait de mourir, près de La Nouvelle-Orléans, décapitée dans un accident de voiture, avait été membre de l'Eglise satanique : Mrs Szandor La Vey ouvrit un grand album pour me la faire voir, photographiée à genoux devant le grand prêtre.

— Envions-la, dit celui-ci : elle est chez notre prince.

« J'ai des nouvelles intéressantes pour les vivants, ajouta-t-il. C'est aujourd'hui le jour de la Victoire — de notre victoire —, « V Day ». Ce matin, le gouverneur m'a appris que j'avais enfin le droit de célébrer des mariages légaux selon le rite de l'Eglise de Satan. Désormais, nous sommes sur le même pied que les autres confessions.

Les fidèles applaudirent.

— Quelle joie ! s'écria l'écrivain en étreignant sa femme. Notre mariage va être légalisé.

— Cela n'a pas été sans mal, reprit le grand prêtre. L'obstacle majeur venait de l'archevêque catholique de San Francisco. J'avais demandé au gouverneur, selon le droit de tout citoyen, de me faire savoir qui m'avait calomnié. Lorsqu'il me l'eut avoué, j'écrivis à l'archevêque une lettre à cheval et vous en voyez le résultat.

J'évoquai ce personnage que l'évêque Pike avait loué pour son œcuménisme. Il avait dû en faire preuve avec l'Eglise de Satan.

Kenneth Anger me prit à part pour me dire que ce succès inouï prouvait la haute moralité du chef de cette Eglise : s'il y avait eu la moindre tache à son casier judiciaire cette permission ne lui aurait pas été accordée. Le cinéaste ajouta que le grand prêtre ne s'était pas borné à écrire à l'archevêque : il avait fait une « conjuration satanique » dont l'effet est irrésistible. Ce que lui-même avait dit de Crowley attestait sa foi dans la magie.

— Le clergé catholique de Californie est indigne d'être californien, dit l'ethnologue. Il s'oppose, devant notre législature, au vote de la loi qui facilite l'avortement. L'attitude de Floyd Begin, l'évêque d'Oakland, est un scandale.

Je souris, parce que le chapelain catholique m'avait vanté les efforts des jésuites en faveur des procédés anti-conceptionnels, mais on ne pouvait leur demander encore de bénir l'avortement.

— Cette loi, dis-je, a été déposée par le sénateur Beilenson, qui est de Beverly Hills et un ami de ma famille.

— Notre Eglise, me dit le grand prêtre, n'est pas une contre-Eglise. Il y a eu, dans le passé, des cultes semblables qui étaient anti-chrétiens et qui, par conséquent, rendaient un hommage indirect au christianisme. Pour nous, le christianisme et les autres religions n'existent pas. Nous n'avons donc pas à les attaquer et nous ne leur demandons qu'à nous laisser en paix. Satan, le noir seigneur, prince de ce monde et de l'autre, est au-dessus de tous les dieux.

La petite fille jetait en l'air son ours et le rattrapait :

— C'est un oiseau, disait-elle. C'est une fée. C'est un ange brun.

Kenneth la prit dans ses bras en lui demandant si elle était contente de cet ours qu'il lui avait offert.

— Quelle gentille sorcière tu feras ! lui dit-il.

— Il me tarde de l'être, comme ma sœur, dit-elle. Je n'ai pas eu peur, au baptême satanique, même quand on m'a mis le doigt sur la flamme d'une bougie.

— Nous baptisons par les quatre éléments, dit le grand prêtre : le feu, l'air, la terre et l'eau. Et nous consacrons tout le corps à la jouissance.

— Joyeux baptême, me dit Sunny à mi-voix : on est tout nu et le grand prêtre, avec la pointe d'une épée, vous touche la tête, les seins, le nombril, le sexe, les fesses et le gros orteil, en disant : « Je te consacre au plaisir de Satan, de la tête aux pieds. »

La fille aînée apporta des verres, du Coca-Cola et deux bouteilles sur un plateau — une bouteille de vin rouge et une bouteille de vin blanc. La grande prêtresse nous servit du vin rouge et au grand prêtre du vin blanc. Il leva son verre :

— A Satan, dit-il.

Nous répétâmes :

— A Satan.

Même les jeunes sorcières ne burent que du Coca-Cola, ainsi que la petite. Elle nous fit rire lorsqu'elle murmura :

— A Satan.

Sa mère dit qu'elle allait la coucher et lui fit saluer l'assemblée. Avec cette gracieuse enfant qu'elle tint un moment dans ses bras au milieu de nous et qui serrait contre elle l'ours en peluche, elle offrait le spectacle idéal de l'amour maternel, sous les traits de l'Eglise satanique. Elle s'excusa d'avoir à nous faire un peu attendre : elle baignait sa fille avant de la mettre au lit.

Kenneth me dit que la fille aînée était celle du grand prêtre et de sa première femme : l'actuelle grande prêtresse, qui n'avait pas encore la trentaine, espérait lui donner un petit sorcier pour continuer le magistère.

Prenant la main gauche de Sunny, je lui demandai pourquoi elle mettait sa bague au médius et non pas à l'annulaire.

— C'est le doigt phallique, dit Kenneth.

Il me fit voir sa propre bague, qui était plus extra-ordinaire : le signe de Satan y était combiné avec un phallus.

— Ce phallus, dit-il, est l'initiale du prénom de Crowley — Aleister —, et celui de Szandor La Vey —, Anton.

Les deux boucles terminales et la barre de l'A tracées à l'anglaise formaient le membre viril.

— Je porte ailleurs cette marque et d'autres, dit Kenneth, en retroussant la manche gauche de sa chemise de soie jaune.

Sur son avant-bras, il s'était fait tatouer en rouge, dans un cercle rouge — (« couleur du soleil », dit-il) —, le signe de Satan et l'A majuscule. Au-dessous était un second tatouage rouge qu'il me pria de bien regarder.

— C'est une rose, dis-je.

— Un héraldiste préciserait qu'elle est figurée en bouton et mouvante de deux feuilles, dit Kenneth. C'est pourtant encore un phallus et le symbole de Crowley.

Au-dessus des deux tatouages était peint un cœur qui me rappela celui des deux filles de Devonshire Meadows.

— J'ai peint ce cœur, dit-il, parce que je suis amoureux d'un garçon.

— Pourquoi ne l'avez-vous pas amené ? lui demanda Sunny.

— Parce que je suis moins indiscret que vous... ou

344

que j'ai moins de pouvoir. Du reste, à lui seul mon cher Bob est une église. Néanmoins, je viens de le consacrer, pour ses vingt ans, à une église existante. J'ai choisi celle de Crowley parce que j'ai été crowleyen avant d'être sataniste et que je suis encore étroitement lié avec tous les crowleyens du monde. Enfin, je ne suis qu'un fidèle de l'Église satanique tandis que je suis un prêtre de l'Eglise crowleyenne. Il va sans dire qu'elles vénèrent le même dieu : ici, on l'appelle Satan ; là-bas, Lucifer.

Je lui demandai s'il y avait des crowleyens à San Francisco.

— Il y a Bob et moi, répondit-il, mais le siège de notre Eglise américaine est en Californie — à Pasadena, près de Los Angeles.

Nous nous exclamâmes, Sunny et moi. Pasadena, c'était pour nous le siège de l'Institut Californien de Technologie, de l'observatoire de Palomar, du printanier « tournoi des roses » et de Rose Bowle — le plus grand stade des Etats-Unis. Kenneth avait des secrets envers Sunny comme elle envers moi.

— Le lieu s'appelle l'Abbaye de Théléma, poursuivit-il ; mais on n'y entre qu'en montrant patte blanche ou noire. L'Eglise anglaise de Crowley est également importante ; le centre mondial est en Suisse. Quelle belle devise que la sienne, empruntée d'ailleurs à Rabelais : « Fais que voudras ! » Les crowleyens me sont reconnaissants parce que c'est moi qui ai découvert, sous un enduit de plâtre, les fresques érotiques peintes par Crowley dans le « temple d'amour » qu'il avait fondé en Sicile d'où il fut expulsé sous le fascisme. J'ai raconté tout cela et le secret du V de la victoire à un écrivain français de mes amis.

— « Fais que voudras ! » répétai-je. Cela signifie-t-il qu'il se passe à l'Abbaye de Théléma les orgies que l'on imagine ?

— Il se passe ce qui doit se passer, dit Kenneth. Dans des lieux comme celui-ci, le mot d'orgie n'a pas de sens. Toute église a un fond austère. On consacre d'autant plus son corps à la jouissance que l'on sait le respecter. Mais il y a des cérémonies où le mot de jouissance prend sa vraie signification.

— Et aussi le mot d'orgie, dit Sunny.

Le grand prêtre vint lui demander si elle voulait « faire l'autel ».

— Proposez-le plutôt à Rosalyn, dit-elle : Jack pourrait être surpris.

— Elle l'a déjà fait la semaine dernière, dit le grand prêtre.

— Je suis ravie de recommencer, dit la jeune fille.

Comme je regardais avec curiosité la main du grand prêtre où brillait son énorme bague, Kenneth le pria de me la montrer : c'était une améthyste à onze facettes sur laquelle était gravée une arabesque — non plus le signe, mais la signature de Satan.

On avait retiré les verres et les bouteilles et on allumait, dans des coupes, les grains d'un parfum, mélange de bois de santal et de gingembre, qui s'appelait « Abramabu ». Le diacre, vêtu d'une robe noire à capuchon, nous en apporta des semblables dont nous avions à nous revêtir. Elles me firent penser à celles de nos universités. Puis le diacre alluma sept bougies aux chandeliers qu'il mit sur le piano, et une huitième, rouge, sur un rebord du manteau de la cheminée. Il en couvrit la tablette avec une étoffe à l'extrémité de laquelle il plaça un coussin. Il éteignit l'électricité et s'assit à l'harmonium. Nous nous levâmes. Une musique majestueuse se fit entendre :

— L'hymne de Satan, me dit Sunny.

Le parfum qui flottait, cet éclairage aux reflets rouges et violets, cette musique, la fière attitude des assistants, tout créait l'atmosphère idéale pour la messe de l'Eglise satanique qui fêtait aujourd'hui sa victoire.

Le grand prêtre arrivait. En d'autres circonstances, j'aurais souri de son bizarre couvre-chef : deux petites cornes blanches de bélier, plantées à son capuchon. Son noble visage parvenait à leur faire contrepoids, autant que sa cape noire doublée de rouge. Suivait la grande prêtresse, en robe noire, ses longs cheveux blonds toujours dénoués, une épée à la main. A côté d'elle, Rosalyn, sans chapeau et sans chaussures, les cheveux épars ; nue sous sa mini-robe ouverte qu'elle avait remontée et que, de la main où était sa bague, elle retenait sur l'épaule : elle couvrait ainsi son dos, sa poitrine et son sexe, mais découvrait ses fesses. Cinq hommes en robe noire marchaient derrière elle ; le dernier avait le capuchon sur la tête et tenait un gros cierge tronqué. L'hymne fini, le diacre alla les rejoindre, un missel à la main.

Ils s'étaient arrêtés devant la cheminée. Le grand prêtre se tourna vers Rosalyn et la souleva entre ses bras jusque sur l'autel.

Elle s'allongea vers nous, le buste appuyé au coussin.

— Etes-vous à votre aise ? lui demanda l'officiant.

— Oui, dit-elle avec gravité et sans nous regarder.

Il écarta les pans de la robe, couvrit son corps un instant avec les pans de la cape et la montra entièrement nue. Sa pose était aussi charmante que sa personne : ses jambes fines, ses cuisses rondes, le petit triangle châtain, son ventre plat, son nombril, ses seins parfaits sur lesquels retombaient des mèches de ses cheveux, faisaient d'elle une statue vivante de la Volupté. Près de moi je sentais palpiter Sunny.

Le diacre tendit au grand prêtre une cloche. Celui-ci parcourut l'assistance d'un regard dominateur ; ensuite, baissant les yeux, comme par respect pour le prince qu'il allait évoquer, il donna vers l'autel un coup d'une sonorité retentissante et, avant que l'écho se fût dissipé, un autre coup non moins sonore, vers les trois autres points cardinaux. Il recommença une seconde fois. La pièce semblait une énorme cloche dont les vibrations se mêlaient aux parfums, aux lumières, aux reflets de l'épée et à cette fille nue.

Puis, tourné vers l'autel, le grand prêtre cria :

— Salut, Satan.

Le mot salut — « Hail ! » — faisait calembour avec « Hell », enfer. L'assistance répéta :

— Salut, Satan.

Au milieu des voix graves on percevait les voix légères de la grande prêtresse et des jeunes filles. Rosalyn, immobile sur l'autel, toujours le regard fixe, disait ces deux mots de sa bouche de rose avec une conviction extraordinaire.

Maintenant, le grand prêtre lisait dans le livre que le diacre tenait ouvert et que le servant à capuchon éclairait avec le cierge. Les mots qu'il prononçait étaient incompréhensibles et harmonieux. Kenneth me dit à l'oreille que c'était le langage des Ethers, le langage « inokyon », le langage capté, sous la Renaissance, par le magicien de la reine Elisabeth, John Dee — l'homme qui avait provoqué la tempête où fut détruite l'invincible Armada.

— Crowley, ajouta-t-il, avait également utilisé cette langue.

La lecture fut assez longue. Tous les noms du prince de ces lieux y défilaient : Ariel, Asmodée, Astaroth, Chamos, Dagon, Mammon, Belphégor, Bélial, Baphomet, Léviathan, Lucifer... De temps en temps, le grand prêtre s'interrompait et, regardant l'autel, criait de nouveau l'invocation qui était reprise par tout le monde :

— Hail, Satan.

Enfin, il donna quatre grands coups de cloche, comme au début, et, les pans de la mini-robe ayant été rabattus, il posa la jeune fille sur le sol. Le cortège se reforma pour la sortie. Nous nous débarrassâmes de nos accoutrements.

— Es-tu content de ta première messe satanique ? me demanda Sunny.

— Je n'en ai jamais rêvé d'autre, dis-je.

— J'aime Satan, dit Sunny, parce qu'il m'a aidée à mieux jouir de moi et de toi.

— Je n'avais pas besoin de lui pour cela, dis-je en riant.

« Et la messe luciférienne ? demandai-je à Kenneth.

— Toutes ces messes se ressemblent, dit-il, mais il y en a une spéciale chez Crowley pour célébrer la puberté des garçons. Je vous la décrirai une autre fois.

— Pourquoi pas tout de suite ? dit Sunny.

— Parce que ce n'est pas une messe pour jeune fille.

— Vous faites encore des différences entre fille et garçon ? demanda-t-elle.

— Uniquement pour les choses sacrées, dit-il.

La grande prêtresse reparut, sous son pyjama rose, et nous invita à prendre une tasse de café. La salle à manger où elle nous conduisit était décorée d'un squelette aux gros os et à la mâchoire caricaturale, debout dans un cercueil de verre.

— C'est un de mes cadeaux, dit Kenneth, comme l'ours en peluche. J'ai réussi à l'enlever, une nuit, d'un hôpital désaffecté, avec le secours d'un médecin sataniste. Je voulais offrir à Anton un squelette pour sa salle à manger, comme les Egyptiens en avaient dans leurs banquets. J'aurais aimé le squelette d'un éphèbe ou d'une fille mais je n'avais pas le choix. Ce malheureux est mort d'une maladie qui déforme les os et la contraction de ses mâchoires lui donne un aspect comique. N'est-ce pas un symbole que cette expression comique laissée à un squelette par la souffrance ?

La table sur laquelle la prêtresse posait les tasses faisait un digne accompagnement du squelette : c'était la pierre tombale d'un marin et la croix y était gravée.

— Nous ne brisons pas les croix, me dit le grand prêtre. Mais nous n'avons pas peur de la mort puisqu'elle est l'autre royaume de Satan. C'est pourquoi nous en multiplions les images autour de nous. Peut-être avez-vous remarqué un corbillard devant ma porte : c'est ma voiture.

La bonne humeur n'étant pas exclue de l'Eglise satanique, tout le monde éclata de rire.

— Anton a beaucoup de succès, dit quelqu'un, lorsqu'il descend de son corbillard devant un magasin, avec sa femme et ses deux filles.

— La nuit, déclara le grand prêtre, j'allumais la lumière rouge qui est sur le toit de la voiture, mais la police m'a dit que c'est illégal parce que nous ne transportons pas de mort.

La fille aînée annonça que le café serait prêt dans quelques instants.

— Viens voir la cuisine, me dit Sunny.

Les murs étaient couverts d'affiches françaises de « la Belle époque ».

— Savez-vous, dit Kenneth qui nous avait accompagnés, qu'Anton est d'origine française comme vous ? Les Français arrivent à tout en Californie.

En revenant vers la salle à manger, nous rencontrâmes Rosalyn qui sortait de la salle de bains.

— Oh ! darling, fit Sunny en l'embrassant, tu étais si belle sur l'autel. J'ai quelque chose à te dire.

« Vous avez des histoires qu'une fille ne peut entendre, ajouta-t-elle à notre adresse. Nous avons les nôtres. »

Elle poussa Rosalyn dans la salle de bains et s'y enferma avec elle d'un tour de clé.

Je ne pus que sourire avec Kenneth, mais d'un air moins détaché que lui.

2

Sunny habitait à un endroit de Berkeley où je n'étais jamais allé. On prenait un chemin en zigzag sur les collines, à travers bois, et l'on arrivait à une petite place entourée de quelques maisons. Cette solitude prolongeait le mystère de la soirée satanique. J'avais également ignoré l'existence de la discrète cousine qui lui offrait l'hospitalité, qu'elle me dépeignait comme une idéaliste et qui se nommait Barbara. A cette heure tardive il ne fut pas question de pénétrer dans son appartement. Aussi fîmes-nous l'amour sous ses fenêtres, à l'intérieur de sa voiture. Tout était silencieux et il n'y avait pas à craindre de passage : la route n'allait pas plus loin. Je n'avais pas demandé d'explications sur ce qui s'était passé dans la salle de bains et l'on ne me demanda pas si j'associais à nos délices l'image d'une belle fille nue qui invoquait Satan.

Le lendemain à midi, je quittai le campus pour regravir la colline. Le sommeil avait été un peu court, mais la nuit bien remplie. C'est à peine si j'avais eu le temps de faire à Jim une relation sommaire qui le laissa sur sa soif. Quant à lui, il disait que sa date lui avait posé un lapin et qu'il s'en était consolé en errant dans quelques bars gais de San Francisco. Il n'y était allé, disait-il, que pour voir s'il y avait certains de nos camarades, soit comme clients, soit comme go-go boys. Mais il y a vingt-trois mille étudiants mâles à Berkeley et deux cents bars gais à San Francisco, ce qui a valu à cette ville d'être appelée par *Time* « la capitale de l'homosexualité américaine ».

Je montai le long escalier que m'avait indiqué Sunny. Il menait d'abord de la place au bas de la maison, ce qui représentait la hauteur de deux ou trois étages, et il fallait ensuite monter au troisième étage de la maison, bâtie sur un éperon de la colline. Barbara, qui m'ouvrit la porte, répondait à la description que Sunny m'en avait faite. Sa blondeur vaporeuse, son air diaphane, ses grands yeux au regard évanescent convenaient à quelqu'un qui avait quitté sa famille — riches industriels du Nevada —, pour se vouer à l'éducation des enfants noirs.

On était en pleine nature, mais pas du tout à la façon d'un « ranch d'opérette ». Les arbres touchaient les baies vitrées, qui étaient sans rideau, car ce bois, qui appartenait à la ville, était ceint de murs et interdit au public. On voyait brouter quelques daims et voleter des oiseaux rares. En dehors d'une minuscule salle de bains virginale et d'une cuisine encore plus petite, l'appartement n'avait que deux grandes pièces. Celle où couchait Sunny était tapissée d'affiches mêlées à des photographies d'artistes noirs ; sous l'abat-jour chinois, des clochettes pendaient à de longs fils que l'on heurtait en passant. Des nattes à damier bleu et blanc couvraient le sol. Dans la chambre de Barbara, les murs s'ornaient de cartes postales, de photographies de petits nègres et de petites négresses, de guirlandes de papier, de chapelets d'ambre, de rosaires à grains sculptés, de colliers de verroterie. Près du lit, il y avait un encadrement de petites icônes — la mère de Barbara était d'origine russe. Tout le long du vitrage des deux pièces, une bordure de cactus aux fleurs multicolores semblait prolonger le bois extérieur. Jusqu'à hauteur d'appui s'élevaient des étagères de livres.

Nous bûmes un verre de vin rouge californien en écoutant un disque de Miriam Makeba, puis j'emmenai déjeuner mes deux compagnes.

L'invitation ne serait pas ruineuse : elles voulaient aller simplement au « drugstore-café » de Haight Street, chez les hippies. Leur goût commun pour cette libre jeunesse montrait combien d'esprits différents elle était capable d'attirer. Mais la jeunesse attire d'abord la jeunesse. Barbara n'était pas éloignée de ceux qui, tel l'évêque Pie, voyaient chez les hippies une sorte de christianisme primitif. Sunny ne lui avait évidemment pas raconté nos conversations de Devonshire Meadows.

Le drugstore-café était fier de ce nom de café qui venait de France. En fait, les premiers cafés commençaient d'apparaître aux Etats-Unis : j'avais vu l'an dernier à New York ceux de Greenwich Village ; à Los Angeles, Sunset Boulevard avait les siens et même le Century Plaza en avait un. Celui de Haight Street était moins un café qu'un restaurant. On commandait les plats au comptoir et, lorsqu'ils étaient prêts, on revenait les chercher pour les porter sur une table : la seule différence avec une cafeteria ou une « fontaine » était cette obligation d'attendre, comme dans un restaurant ordinaire. Sur une corniche, des pots de pharmacie et de vieux médicaments justifiaient le nom de drugstore.

Les hippies qui étaient là justifiaient, de leur côté, le nom de café. La plupart, en effet, n'avaient sur leurs tables que du café ou de la bière : un plat n'arrivait devant eux que lorsqu'il était offert par un amateur ou un camarade plus argenté. Les uns remerciaient d'un simple mouvement de tête, sans même regarder qui le leur donnait ; d'autres, au contraire, levaient les yeux d'un air empressé et disaient un merci dont on ne savait s'il était ironique ou sincère. Quelques-uns, ce qui me parut moins ragoûtant, achevaient les assiettes des autres. Leur attitude à tous n'aurait pu surprendre qu'un étranger : cette mendicité discrète ou ce cynisme n'était ni une affectation ni la marque d'un besoin. Nous avions vu, au coin de la rue, une affiche leur annonçant qu'ils pouvaient se présenter tous les jours, de six à sept heures, à telle adresse, en se munissant d'un bol et d'une cuillère. Ils étaient donc assurés de ne pas mourir de faim. Mais, comme la proclamation du même genre que nous avions entendue à Devonshire Meadows, il ne s'agissait pas de « soupe populaire » comme pour des clochards. Sunny avait assisté à l'une de ces distributions dans la cour d'une église presbytérienne de West Hollywood, dont le pasteur était un piocheur attitré. Outre les hippies, notre drugstore-café rassemblait deux Japonais ahuris, deux pasteurs et une dame très sérieuse qui lisait son journal.

Barbara parlait avec amour de ses petites négresses et de ses petits nègres, amour qu'ils lui rendaient par de touchantes attentions et des vers naïfs dont elle nous récita quelques-uns. Elle était pour eux « l'ange blond ». Mais elle ne croyait qu'aux anges noirs. Nous l'enchantâmes en lui racontant notre visite au Centre d'Art de Watts et la scène attendrissante avec le petit nègre illettré. Sunny avait oublié comme moi le plan noir pour brûler Los Angeles. Je ne lui avais pas avoué mon infidélité morale avec la jolie négresse de Berkeley, mais je me plaisais à l'en tenir à demi-responsable. Moi aussi je pouvais avoir un secret — un noir secret.

Les Noirs ne me quittaient plus : j'en avais un pour voisin, en face des deux jeunes filles, les quatre places de chaque table ne restant jamais inoccupées. C'était un homme de moins de trente ans, son chapeau sur la tête, qui déjeunait d'une tasse de café au lait. Sans prendre intérêt à notre conversation, il tira de sa poche un cahier et l'air très absorbé, se mit à écrire. J'y jetai un coup d'œil machinal et ce que je lus excita ma curiosité : il faisait ses comptes, mais les comptes du mois prochain. Il avait mis en tête : « Budget de février. » Au-dessous : « Demander à John soixante dollars pour ma chambre. » Il avala une gorgée, enfonça un peu plus son chapeau, réfléchit et écrivit : « Demander à Tom dix dollars pour ma nourriture de la première semaine. » Nouvelle gorgée, nouvel enfoncement du chapeau, nouvelle réflexion, puis, d'une plume résolue : « Demander à Sean dix dollars pour ma nourriture de la deuxième semaine. » Après deux mimiques semblables : « Demander à Mike dix dollars pour ma troisième semaine... Demander à Harry dix dollars pour ma quatrième semaine. » Il était à la dernière gorgée de café au lait. Elle lui permit de rassembler ses esprits pour ajouter : « Dépenses imprévues : demander à Fred dix dollars. »

Il compta soigneusement les sommes alignées les unes au-dessous des autres, fit un trait, écrivit : « Total, cent dix dollars. » Il referma le cahier d'un air satisfait : son budget était en équilibre. Il ne souriait même pas ; il était comme les hippies qui jugent toutes naturelles les grâces qu'on a pour eux. Il avait trouvé le bonheur, lui aussi, dans le détachement des biens de ce monde : il ne le demandait ni aux piocheurs ni au pasteur King. S'il avait fait naguère la marche de Selma, il préférait maintenant se laisser vivre à Haight-Ashbury. A quoi bon aurait-il été chez les hippies ? Il avait adopté leurs principes. Au moment où il se levait je glissai vers lui un dollar, comme contribution de la grande société. Et je fus étonné qu'il me remerciât.

— Le pauvre homme ! dit Barbara quand je lui eus appris les moyens d'existence de ce dilettante. Nous aurions tort de rire de lui. Imaginez la peine qu'il aura pour soutirer cet argent. Tous ceux à qui il a affaire sont sans doute aussi pauvres que lui.

— Je crois, dis-je, qu'il a assez réfléchi pour dénicher les moins pauvres.

— Ah ! les Noirs sont bien à plaindre, dit Barbara.

— Beaucoup de sociologues, dis-je, assurent qu'ils sont surtout à plaindre parce qu'ils ne veulent pas travailler.

— Qui vous dit que celui-là ne veut pas travailler ? s'écria Barbara. Ils sont, comme les hippies, victimes de l'automation, victimes du progrès.

Je dis que les hippies étaient fort demandés par le progrès et que certains d'entre eux y collaboraient. C'était peut-être plus difficile pour les Noirs, mais la future génération s'adapterait au progrès et à l'automation.

Deux hippies, manifestement drogués, étaient debout, appuyés à l'entrée du drugstore, la tête baissée, les yeux mi-clos. Barbara dit qu'il faudrait les envoyer à l'acteur noir George Kirby qui, après avoir été un toxicomane enragé, se faisait l'apôtre de la lutte contre la drogue.

Nous nous promenâmes dans Haight Street. Même quand on est familier de ces parages, on s'y avance avec une curiosité toujours en éveil. N'est-il pas arrivé à certains d'y voir des jeunes gens complètement nus, et le sexe peint en rouge, se promener tranquillement jusqu'à l'arrivée d'un car de police ? Des filles, aussi complètement nues, mais peintes de marguerites, traverser la rue d'une maison à l'autre ? Généralement, le sexe peint en rouge sert de prétexte pour éviter la conscription : l'homosexualité avouée suffit à en faire dispenser, mais ceux qui préfèrent un argument plus pittoresque se peignent ainsi : ils sont déclarés psychopathes et impropres au service. Il n'y avait aujourd'hui, Haight Street, ni jeunes gens ni filles nus. Barbara, qui voyait tout avec des yeux candides, comptait ne pas manquer la fête que les hippies donnent au parc de Golden Gate, le jour du printemps : ils se dépouillent des vêtements de l'hiver et s'assoient nus dans l'herbe pour communier avec la nature.

Cette rue aux maisons à un étage, qui a été longtemps une des plus paisibles de la ville, a pris un aspect tout à fait nouveau par la présence des hippies. Beaucoup y sont logés et parfois, de leurs fenêtres, ils jettent des bouteilles vides sur les cars de police ou des fleurs sur les passants. Mais leur logis peut être simplement une de ces vieilles automobiles rangées le long de la chaussée. Comme ils se considèrent ici dans leur vrai royaume, ils se sentent encore plus libres qu'ailleurs. Ils arborent des couronnes de feuillages, des coiffures de plumes qu'ils ne porteraient pas dans une rue de Los Angeles, de Dallas ou de New York. Ils occupent les trottoirs, assis contre les murs ou dans l'embrasure des portes, formant des groupes autour d'un joueur de guitare, riant, rêvant. Quand une fille et un garçon se rencontrent, ils s'embrassent, puis s'écartent, les mains de l'un sur les épaules de l'autre, en restant collés ventre à ventre.

— Comme on voit le rôle que joue le sexe dans la vie des hippies ! dit Sunny. Le sexe est la base de leur existence.

— Ils jouent le sexe, dit Barbara, mais leur frugalité ne doit pas leur donner des désirs insatiables.

— La marijuana sert à quelque chose, dit Sunny.

— Il se peut qu'elle serve à quelque chose, dit Barbara, mais il faut des nourritures plus positives.

— Ils les ont, dit Sunny. Le nombre de leurs enfants le prouve bien.

— Il prouve aussi leur candeur, dit Barbara. Un jour, j'étais allée avec une amie noire chez une amie hippie qui était en train d'accoucher. Il y avait là une dizaine de personnes, toutes hippies, et l'accouchement eut lieu devant nous, comme celui des reines qui se faisait en public.

— Les enfants de ces couples formeront, eux aussi, une société nouvelle, dis-je — une race qui n'est pas devenue hippie, mais qui sera née hippie.

— Ils seront les vrais enfants des fleurs, dit Barbara.

— Ce qui est inquiétant, dis-je, ce sont les maladies qui se répandent chez les hippies. Certains refusent de se faire soigner pour mieux montrer leur mépris envers la société.

— Cependant, dit Barbara, ils ont Clayton Street, une clinique gratuite qui est ouverte toute la nuit.

— Dernièrement, après une réunion à Boston des hippies de la côte Est, repris-je, les services de Santé de la région ont signalé une recrudescence de vingt-cinq pour cent des maladies vénériennes. C'est dommage que la génération des fleurs laisse de tels souvenirs de son passage. Mais on ne peut la condamner pour cela. Sinon, ce serait imiter nos communistes qui, pour condamner davantage la guerre du Vietnam, accusent à la fois nos G.I.'s de donner des maladies aux Vietnamiennes du Sud et les Vietnamiennes du

Sud d'en donner aux G.I.'s — étant bien entendu que les Vietcongs n'en ont pas.

— Quoi ! dit Barbara, vous approuvez la guerre du Vietnam ?

— Jack est un faucon, lui dit Sunny, mais je lui rogne le bec et les griffes.

Barbara leva les yeux au ciel comme pour y chercher un vol de colombes. Puis elle nous fit entrer dans un magasin où étaient exposés des boutons, fixés sur des bustes de mannequin, et choisit pour moi : « Pendez Johnson par les oreilles. » J'épinglai sur son imperméable deux boutons « Black Power », à la hauteur des seins. Et je fixai sur le manteau de Sunny : « J'aime les filles. » Barbara eut le rire de l'innocence, mais non pas Sunny.

Nous nous amusâmes à regarder une liste d'annonces interhippies, qui portait ce titre en français : « Les enfants des fleurs. » L'une d'elles disait : « Je suis une fille de dix-neuf ans qui veut étudier la science des fleurs. Je ne peux payer, mais je vous donnerai quelque chose pour votre temps. » Une autre : « Fille romantique est demandée par fille romantique pour partager un local romantique de vingt dollars. » — cette chambre romantique était moins chère que celle du nègre du drugstore. Ces annonces à double sens rappelaient celles de *Barb*, le journal hippie de Berkeley. Un grand nombre se contentaient de demander ou d'offrir une place en voiture pour telle ou telle ville lointaine. Les hippies voyagent de la sorte quand ils ne font pas de l'auto-stop. Le nomadisme, qui est une caractéristique américaine, atteint chez eux son apogée. Il ne les empêche pas d'avoir des lieux de prédilection, comme celui-ci, ni d'aimer les rassemblements de masse dans tel ou tel parc, voire dans les canyons du Colorado. Ainsi manifestent-ils leur existence et leur présence en augmentant à chaque fois leurs effectifs, leur prestige et leur mauvaise réputation.

Le magasin vendait également des affiches et de grandes photographies dont l'une montrait l'orchestre des « Morts Reconnaissants » : cinq hommes barbus, vêtus de noir, campés au milieu d'une rue déserte. Sur un éventaire étaient quelques livres de Timothy Leary, d'Aldous Huxley et même, à ma grande surprise, de Crowley — mais seulement sa prose. Je notai aussi Hermann Hesse, que j'avais vu à l'honneur dans la Revue Psychédélique : ce prix Nobel oublié ressuscitait grâce à la drogue.

Un enfant noir entra tout à coup, jouant à la balle. Il la faisait rebondir sur les mannequins, sur les annonces, sur les affiches, sur les photographies et sur les personnes présentes. Mais nul n'aurait osé se plaindre et encore moins le mettre dehors car c'était un enfant noir.

— « Petit garçon de sucre », dit Barbara, bien qu'elle ait reçu deux fois la balle sur la tête.

Ayant acheté des bâtonnets de bois de santal, elle en alluma un et le donna à l'enfant noir. Il sortit devant nous et s'avança lentement dans la rue, sa balle sous le bras, le bâtonnet grésillant à la main, comme pour une procession magique.

— Les Noirs sont tous des poètes, dit Barbara — des poètes de la forêt vierge. Cet enfant n'est plus avec nous, gênant et gêné, dans les pattes de notre société. D'instinct, je l'ai renvoyé à sa forêt vierge, à sa magie, à sa race. Quand on sait comprendre les Noirs, on ne peut que les aimer et rien n'est plus facile que de s'en faire aimer. Malheureusement, ils ont des chefs qui leur prêchent la haine. On dit qu'ils sont « le grand problème de l'Amérique » : ils sont la chance de l'Amérique. Que les Blancs finissent par le comprendre et le problème est résolu.

Sunny me serra le bras d'émotion à ces paroles. Je les appréciai aussi, mais surtout en pensant à ma jolie négresse de Berkeley. Barbara devina ce que voulait dire notre silence et continua avec flamme :

— Quel pays, si ce n'est le nôtre, a un dixième de sa population qui représente un permanent potentiel électrique — et un potentiel à jamais inassimilable, un potentiel qui restera donc un potentiel ? Toutes les autres civilisations et toutes les autres races ne tendent justement qu'à une chose : assimiler, polir, « civiliser », mais aussi, par conséquent, abâtardir. Il ne leur reste plus, après y être arrivées, qu'à prendre doucement le chemin des décadences. L'Amérique ne sera jamais en décadence à cause des Noirs. Un seul pays a une chance équivalente à la nôtre et c'est, comme par hasard, notre adversaire : l'U.R.S.S. Elle n'a pas de Noirs, mais elle a, en nombre beaucoup plus limité, des Kazaks et autres peuples turco-mongols presque inassimilables. C'est ce contact qui la fait rester aussi intrépide que nous ; mais, grâce aux Noirs, nous serons toujours avant elle.

Je me souvenais de ce que Sunny m'avait dit à Cheetah, devant l'orchestre noir, sur la collaboration des Noirs et de l'Amérique. Je soupçonnais maintenant Barbara de lui avoir éclairé ces questions.

— Vous êtes plus qu'un apôtre, lui dis-je : vous êtes une voyante car je suis certain que vous avez raison. Nous sommes américains par les Noirs, autant que par les Blancs.

J'évoquai de nouveau Narcissa qui, après avoir trouvé dans Sunny une alliée, en avait une de plus dans sa cousine.

— Tenez, Barbara, lui dis-je, je vais vous faire un cadeau : c'est simplement un mot de Gobineau sur les Noirs, mais je parie que vous ne le connaissez pas.

— Le mot d'un raciste ?

— Oui, d'un raciste intelligent : « Là où tombe une goutte de sang noir, tout refleurit. »

Barbara m'embrassa, mais plus convenablement qu'un hippie. Pour changer de ton, Sunny lui demanda si elle avait couché avec un Noir. Elle parut suffoquée.

— Quelle idée saugrenue ! dit-elle. Quand on aime les Noirs comme je les aime, on ne pense jamais à leur sexe. Je m'en voudrais même d'y penser car je me sentirais moins forte et j'aurais moins de confiance dans mon jugement à leur égard.

« Vous avez vu que j'étais contre l'assimilation : j'aurais l'air, en faisant l'amour avec un Noir, de chercher à l'assimiler ou de chercher à m'assimiler.

— Faire l'amour, dis-je, ce n'est pas avoir sexe. Quand vous aurez trouvé un Noir que vous aimerez, vous ne penserez plus à l'assimilation.

— C'est possible, dit Barbara.

Je songeai à la fille de Devonshire Meadows qui avait répondu de même à propos du lourd pelotage.

— Il y a également des filles qui couchent avec des Noirs, moins par sexualité que pour se libérer d'un complexe, reprit Barbara. Je crains que la plupart des Blanches avec lesquelles les Noirs sont si fiers de coucher obéissent à ce désir secret, qui n'est pas tellement flatteur pour eux.

— On voit que tu n'es pas renseignée sur la question, dit Sunny en riant : les Blanches qui couchent avec des Noirs sont des femmes à tempérament et non à préjugés.

— N'importe, dit Barbara. Moi, j'accomplis un devoir de tendresse. L'humain n'est pas à base de coucherie.

— Il consiste aussi à coucher, dis-je.

— C'est mon avis, dit Sunny, qui me serra le bras de nouveau — mais cette fois ce n'était plus en l'honneur des Noirs.

— On peut coucher avec le cœur, dit Barbara : je pardonne beaucoup à Johnson, pour l'œuvre que sa femme a créée en faveur des enfants pauvres et surtout noirs : « Head Start » — mais c'est moins un départ de la tête que du cœur. On les prépare, dans des jardins d'enfants où tous les soins leur sont donnés, à entrer à l'école primaire et à s'y adapter, au lieu d'y rester butés et insociables, à cause de leur milieu familial.

— Oui, dis-je, mais n'est-ce pas quelque chose de tragique que l'insuccès de cette mesure ? On n'arrive pas à donner à ces enfants un départ qui ne soit pas du pied gauche ; on n'arrive pas à les empêcher de buter avec la tête contre le mur de notre société. Après les deux ans de jardin, ils sont au même point qu'avant et refusent de participer aux jeux et aux classes mixtes de l'après-jardin.

— Nous ne devons pas nous décourager, dit Barbara. On va créer le « Follow Through » pour « suivre à travers les années » ces enfants noirs. Du reste il ne faut pas leur jeter la pierre plus qu'aux autres : les petits pauvres Blancs des Appalaches sont aussi difficiles à s'adapter. Ce n'est donc pas une question de race, mais de milieu.

Je dis que l'on en revenait toujours au même mot, qui est la conclusion de tous les rapports sur ce point.

Nous avions déjà parcouru Haigh Street dans les deux sens, sur un trottoir et sur l'autre. De nombreuses vitrines arboraient les inscriptions pacifistes que chérissent les hippies : « Paix et Amour », « Faites l'amour et non la guerre », « Aimez et ne tuez pas », « Arrêtez les massacres au Vietnam ». Cela rendait plus remarquable l'hommage de Barbara à l'œuvre négrophile d'un président qui n'était pas en bonne odeur à Haight-Asbury et dont mon propre bouton demandait la pendaison par les oreilles. J'en achetai un à l'intention de Jim : « Les homosexuels sont pour la paix. »

Une odeur flottait, au moins figurément : celle du thé de l'Etat dont Johnson était originaire. Boutons, inscriptions, affiches se plaisaient à en proclamer le nom déguisé : outre « Spot Pot », il y avait « Mary Warner », « Ras », « Acapulco », « Bhang », « Djamba », « Ganja », « Mutah ». C'était comme une obsession qui accompagnait le promeneur ; mais s'il entrait pour demander autre chose qu'un bouton, on lui proposait des bananes.

Il y avait aussi les vitrines de produits macrobiotiques, pour les adeptes du Zen. On voyait des hippies acheter dévotement un petit paquet de riz brun. L'exagération américaine se manifestait même dans ces choses : certains avaient suivi cette diète jusqu'au point de mourir de faim.

362

Sur une porte entrouverte on lisait : « Les exercices des trompettes spirituelles commencent à cinq heures. » C'était bientôt l'heure, mais Barbara nous dit qu'elle avait déjà entendu ces trompettes et qu'il y avait beaucoup mieux à Berkeley. Décidément, c'est par elle que je découvrais un Berkeley inconnu. Nous repartîmes.

La maison où elle nous guida, dans une rue haute de la ville, appartenait à un peintre. La porte était entrouverte, comme celle des trompettes spirituelles; mais ici l'office était déjà commencé : les sons d'une musique sourde et rythmée parvenaient du premier étage. Au rez-de-chaussée, qui était désert, Barbara nous fit rapidement visiter une grande pièce encombrée de livres et de tableaux mystérieux ; puis l'atelier, où s'entassaient des palettes, des tubes et des pots de peinture, des châssis et des toiles, autour d'un chevalet vide ; ensuite la cuisine, avec un énorme réfrigérateur sur lequel était collé une inscription : « Servez-vous. Refermez doucement. Merci. » J'ouvris, croyant à une gasconnade, et aperçus toutes sortes de provisions. Je refermai doucement.

— Merci, dit Barbara.

Sur la pomme de l'escalier était posé un chapeau d'enfant.

— Il n'y a pas d'enfant dans la maison, dit Barbara, mais c'est un symbole d'innocence.

Nous montâmes, aux sons grandissants d'une batterie que frappaient des marteaux et que des voix rauques scandaient d'un chant étrange.

— Nous sommes au Tibet, dit Barbara d'un air pénétré.

Dans une salle obscure, située à l'extrémité d'un couloir, une quinzaine de personnes étaient assises sur des nattes, écoutant en silence l'électrophone qui répandait cette musique, et balançant le buste avec la régularité d'un balancier. Nous nous assîmes à l'entrée. J'arrivai à distinguer les visages à la faible clarté du couloir. Une jeune femme en kimono blanc interrompait parfois son balancement pour agiter sa tête de droite à gauche, comme certains hippies à Devonshire Meadows. Barbara nous dit que c'était l'amie du maître de maison, mais que celui-ci n'était pas là. Beaucoup d'assistants avaient les yeux fermés. L'un d'eux, qui était en face de moi — beau jeune homme blond d'une vingtaine d'années —, me regardait droit dans les yeux et la fixité de ce regard semblait chercher à m'hypnotiser dans la pénombre. Il ne me fallut pas longtemps pour deviner que le balancement dont il l'accompagnait avait un sens érotique. Et j'avais l'air d'y répondre parce que je me balançais, moi aussi, comme Sunny et Barbara, et que je le regardais. Cette atmosphère, que nous n'étions peut-être pas seuls à créer, dut agir sur la jeune femme au kimono blanc. Elle se leva de sa natte, ôta son vêtement d'un geste brusque et se mit à danser nue au milieu de nous.

Je me rappelai Sunny dansant chez Carl, le jour de la tea-party. Ce spectacle était à la fois sensuel et irréel, comme l'autre l'avait été ; mais le regard fixé sur moi, entre les mouvements de la danseuse, en accentuait le premier caractère. Elle avait des pas si légers que ceux qui fermaient les yeux ne se doutaient de rien. Ceux qui la regardaient restaient aussi impassibles que s'ils ne l'avaient pas vue. Elle se rhabilla, et, aussitôt assise, se reprit à alterner oscillations du buste et de la tête.

Soudain, ce rythme envoûtant fut rompu par des appels de klaxons, des vrombissements de moteurs, des coups de sifflets, des ordres brefs — les bruits du monde extérieur, l'intrusion de la société, l'irruption du caporalisme dans les exercices mystiques. Des hauteurs du Tibet on nous précipitait en Amérique. Le beau jeune homme plissa le front et cria, furieux :

— Pas de ça !

Mais, peu à peu, les accords sacrés dominaient le tumulte profane et, quand ils s'estompèrent à leur tour, ce fut dans l'harmonie retrouvée des chants et du rythme. Nous avions passé là une heure envoûtante, très loin de Berkeley et de Haight-Ashbury, dont ce lieu était néanmoins l'aboutissement.

Quand nous descendîmes, laissant sous le charme d'une autre musique ces gens à qui nous n'avions pas dit un mot, le beau jeune homme courut après nous dans l'escalier.

— Qui êtes-vous ? me demanda-t-il.

Il se tenait appuyé des deux mains à la rampe ; une légère moiteur couvrait son front et le rebord de ses lèvres. Je lui dis que j'étais un étudiant de Berkeley.

— Je suis un étudiant de New York, me dit-il, et je viens jouer de la guitare en Californie. Vous aimez la guitare... ? Venez m'entendre demain soir à sept heures à l'Auditorium Maçonnique. Je joue avec l'orchestre de Bismillah Khan, le chanteur hindou.

Il était immobile au milieu de l'escalier et moi en bas, près du chapeau d'enfant. Il ne descendit pas plus bas et je ne remontai pas vers lui. Son regard étonnamment fixe me bouleversait, sans me troubler, et je ne savais que faire ni que dire. C'était un monde nouveau qui se présentait à moi : il n'avait rien de commun avec mes souvenirs d'Andover, liés aux jeux de la puberté, ni avec les histoires de Carl et de Jim, chroniques de l'animalité de l'adulte. Il comportait des sentiments qui n'étaient pas faits pour moi, mais qui étaient au-dessus de l'ordre vulgaire et, si je ne cherchais pas à les éprouver, je me croyais capable de les comprendre. C'était la morale de mon ex-évêque, James Pike.

— Eh bien ? dit Sunny, impatiente.

Je regardai une dernière fois le jeune homme immobile et je partis.

— Est-ce que tu nous invites chez Bismillah Khan ? me demanda Sunny d'un ton pointu.

— Je ne vous invite pas, dis-je, car je n'irai pas.

— Tu es difficile : ce garçon est si beau que je lui pardonne de t'avoir raccroché en notre présence.

— Raccroché ? dit Barbara. Est-ce qu'il avait le bouton : « J'aime le sexe » ? Il aime la musique et la jeunesse qui lui ressemble. Son mélange de naïveté et d'audace me rappelle les Noirs. Ne le juge pas avec ta blancheur douteuse.

Je me sentais près d'aimer Barbara mais la place était prise. Elle nous proposa gentiment de finir la soirée chez elle par une dînette. Nous remontâmes sur la colline.

Le charmant gynécée m'accueillit une fois de plus. On ne me laissa pas faire le moindre service. Assis sur le divan de Sunny, je voyais la table se garnir de paella, de salades, d'avocats et de guirlandes. Les clochettes tintaient, Barbara alluma les bâtonnets de santal, puis de petites bougies de Noël qui lancèrent des feux d'artifice le long des baies et sur les arbres.

Une soirée poétique et une journée hippie, après une soirée satanique, c'était très californien.

3

Nous étions très excités aujourd'hui. Jim et moi, en allant au cours de français, à Dwinelle Hall. Et notre cher professeur de français arriva, lui aussi, fort excité. Toute cette excitation, que partageait un certain nombre de nos camarades et que nul ne songeait à déguiser, ne venait plus du Free Speech Movement. L'un d'eux avait écrit sur le tableau : « Vive la France libre ! »

Ces mots étaient une réponse américaine à la dernière algarade du général de Gaulle, surnommé par nous Gaullefinger. Il avait provoqué à la fois un incident diplomatique et des émeutes durant une visite officielle au Canada, en criant à Québec : « Vive le Québec libre ! » Jamais un chef d'Etat ne s'était comporté ainsi en agitateur. Naturellement, son amour nouveau pour le Canada n'était que la dernière invention de son anti-américanisme. Nos journaux avaient prématurément annoncé qu'il visiterait Castro sur le chemin du retour ; mais, ulcéré par la réaction du Canada britannique, il avait regagné Paris plus vite que prévu, en lisant, pour se distraire, les *Antimémoires* d'un de ses ministres. Il devait regretter d'avoir été plus discret, lors de sa visite à La Nouvelle-Orléans en 1960 : j'y avais lu, gravée dans le bronze devant une fontaine, une de ses phrases amphigouriques sur la liberté, mais il n'avait pas crié : « Vive la Louisiane libre ! »

Je ne suivais guère la politique européenne dont nous n'avions en Californie qu'une idée assez vague. L'Europe, notre aïeule, nous intéressait moins que cette Asie vers laquelle nous étions tournés et qui représentait pour nous l'avenir. J'ai déjà dit pour quelle raison nous chérissions la mémoire de Mac-Arthur. Cet avenir inquiétant, mais passionnant, nous étions les seuls de la race blanche à oser l'affronter ; nous remplacions, dans ces contrées, la France vaincue, la Hollande chassée, l'Angleterre impuissante, et seule la France nous poursuivait de ses sarcasmes et de ses traquenards. La France ? Ce n'était pas celle qu'avait aimée Jim, mais en tout cas c'étaient son chef, son Premier ministre, son parlement fantôme et sa valetaille ministérielle. A ces provocations en Asie, voilà que s'en ajoutait une autre en Amérique. Telle était l'atmosphère qui précédait notre leçon de français.

Il s'agissait de la poésie du XVI⁰ siècle. Notre cher professeur, qui avait fait semblant de ne pas voir l'inscription, commença de lire :

France, mère des arts, des armes et des lois,
Tu m'as nourri longtemps du lait de ta mamelle...

L'étudiant qui avait tracé l'inscription leva le doigt pour parler :

— Est-ce qu'elle va nourrir aussi le Canada ?

Notre cher professeur ferma violemment son livre, mais la violence de son geste n'était pas causée par cette question. Il sentait probablement qu'il ne pouvait parler aujourd'hui des poètes du XVIᵉ siècle.

— J'aurais mieux aimé ne pas m'expliquer publiquement sur ce qui vous occupe, dit-il, mais nous sommes au pays de la liberté, au pays sans lequel il n'y aurait plus de liberté dans le monde. Le mien malheureusement est égaré par un homme illustre qui se survit à lui-même, qui ne sait plus ni ce qu'il dit ni ce qu'il fait, sauf pour être désagréable à l'Amérique, et qui ne subit plus chez nous le frein de personne. Les libertés qu'il prend avec vous me donnent le droit de vous parler de lui librement.

Cet exorde me fit songer à celui du chapelain, quand il annonçait, au collège de Los Angeles, des vérités cruelles pour le catholicisme. Nous applaudîmes et les étudiants français ne furent pas les moins chaleureux. Leur nationalité ne suffisait d'ailleurs pas toujours à en faire les meilleurs élèves en la matière. Il n'y avait pas de Canadiens français dans notre cours, mais un Canadien anglais tint à remercier notre cher professeur.

— Le général de Gaulle, dit-il, offre au Canada français le soutien de la France. Cela ne l'engage pas beaucoup, parce que les quatre-vingt-dix pour cent des intérêts étrangers au Canada français sont américains. Ce qui est plus grave, c'est que, en ayant l'air d'encourager l'indépendance, il fait le jeu du communisme.

Notre camarade s'excusa de nous lire un charabia de Leslie Morris, ancien secrétaire général du parti communiste canadien : « Il y a une fusion entre la lutte anti-capitaliste et la révolution nationale au Canada français, révolution qui tend à une autodétermination et qui va jusqu'à la sécession. La force des mouvements de libération nationale à travers le monde, et en particulier les événements de Cuba et les droits civils des Noirs aux Etats-Unis, ont affecté les Canadiens français. L'avènement d'une révolution démocratique et nationale canadienne française dans un Etat impérialiste tel que le Canada, constitue une preuve étonnante de cette vérité du marxisme-léninisme que, sous le règne de l'impérialisme, les mouvements nationaux prennent inévitablement un caractère anti-impérialiste et préparent le chemin au socialisme. » Notre camarade ajouta qu'en fait, parmi les terroristes arrêtés au Canada français, il y en avait qui s'étaient entraînés à Cuba.

Un étudiant français fit observer que la présence des communistes dans un mouvement de libération n'impliquait pas nécessairement que cette libération serait communiste : c'était arrivé à Cuba et ailleurs, mais non en France, ni en Allemagne occidentale, ni en Italie. En dépit de leur progrès électoral et des imprudences du général de Gaulle, il semblait impossible que la France devînt jamais communiste. Jim lui répliqua que ce n'est pas ce qu'on lui avait dit en France, mais qu'une telle éventualité supposait une intervention extérieure — vingt à vingt-cinq pour cent de « chance » pendant vingt ans, dirait la Rand.

Le phénomène du général de Gaulle, reprit le jeune Français, s'expliquait justement par l'équivoque, savamment entretenue, des souvenirs de la libération, à laquelle participèrent les communistes. Ils avaient d'abord participé à la défaite de la France en sabotant la défense nationale, pendant que la Russie fut l'alliée de l'Allemagne, et participé ensuite à la collaboration jusqu'à ce que l'Allemagne eût déclaré la guerre à la Russie. Le général de Gaulle avait fait le cumul de toutes ces équivoques : mirage de l'alliance russe et retour à la collaboration franco-allemande, condamnation et exploitation du communisme, militarisme et politique anti-anglo-saxonne...

— Il est assez curieux, conclut le jeune Français, que l'homme qui prétend le mieux représenter la France et qui parle de la France plus qu'aucun roi n'en a jamais parlé, ne représente que lui.

— Certains vous répondraient que c'est déjà quelque chose, dit notre cher professeur ; mais « le phénomène du général de Gaulle » n'a reçu de tentative d'explication que de plats thuriféraires, fussent-ils académiques, qu'il est le premier à mépriser, ou de pamphlétaires, qui prennent des effets de style pour des vérités. Ce phénomène ne peut s'expliquer que par un diplomate ou un psychiatre — un diplomate qui montrerait les vieilles rancunes de l'exilé transformées en doctrine politique ; un psychiatre qui éclairerait l'extraordinaire identification faite par cet homme entre lui et la France.

« Je tiendrai un instant le rôle de diplomate pour vous raconter une anecdote de son séjour à Londres pendant la guerre. Son entourage le surprit un matin dans une vive discussion avec sa femme, qui lui disait : « Voyons, Charles, vous n'êtes pas encore la France. » Le plus inouï, c'est qu'il est devenu la France à force de se persuader qu'il l'était. Et la France, sans se reconnaître tout à fait en lui, n'a pas encore osé lui en donner le démenti.

« Vu du dehors, le phénomène semblerait donc ressortir à l'autosuggestion d'un côté et à la suggestion de l'autre. Ce ne serait pas assez dire : le général de Gaulle réunit en lui les contradictions de tous les Français, trompant et satisfaisant tantôt les uns, tantôt les autres, oscillant tantôt à droite, tantôt à gauche, les flattant d'une folle indépendance et d'une fausse grandeur, et couvrant toutes ses volte-face de son panache, de son nom et de son verbe. Vous voyez, par ce dernier mot, que j'approche de mon terrain et je tenterai de vous expliquer le général de Gaulle, avec les simples lumières d'un professeur de français.

« Ce panache, auquel la France se rallie dès qu'il y a des nuages à son horizon, est le plus modeste des généraux qui l'aient gouvernée : le général de Gaulle n'est pas le vainqueur d'Austerlitz, ni le vainqueur de Malakoff, ni le vainqueur de Verdun. On assure qu'il est le vainqueur de Montcornet. Mais les Français croient en son panache aussi sincèrement que lui. Voilà un point de départ qui est déjà une imposture ou du moins une équivoque. L'équivoque est d'ailleurs, comme le faisait remarquer l'un de vous, la caractéristique de ce personnage que les bonnes âmes qualifient de providentiel. Il est vrai que les équivoques et les impostures peuvent s'amasser et se renforcer au point de prendre une valeur historique.

« Le général de Gaulle est sorti tout armé de son nom, comme Minerve sortit du crâne de Jupiter. Ce nom semblait prédestiné et il avait, aux yeux des Français, jacobins sensibles aux choses aristocratiques, l'apparence de la noblesse et le prestige de la particule. Pour personne, en tout cas, ce prestige n'était plus grand que pour le général de Gaulle. Sa propre mythologie repose d'abord sur son nom. Son nom est ce qu'il est, sa noblesse est inexistante et sa particule est fausse.

« Les premiers à s'en être doutés sont les Américains. Vous avez deviné que cette particule faisait corps avec le nom, comme celle de l'ancien député noir de l'Illinois, DePriest, et vous appelez « DeGaullistes » ceux que la France appelle Gaullistes. Sans le vouloir, vous avez fait une plaisanterie qui nous amuse, nous autres Français des Etats-Unis, et à laquelle nos humoristes n'ont jamais pensé.

« Ensuite, le général de Gaulle a fait reposer ses droits sur une phrase : « La France a perdu une bataille, mais n'a pas perdu la guerre. » La phrase est sublime et méritait de frapper les Français ; mais ces mots n'étaient pas moins un mensonge : ils sont devenus une vérité, parce que d'autres ont gagné la guerre que la France avait bel et bien perdue. Un des éléments essentiels de la propre mythologie du général de Gaulle est d'être persuadé qu'il l'a gagnée.

« Je m'attends qu'il vous demandera, pour le musée des Invalides, le bâton de maréchal de Gœring, le béret de Mussolini au lac de Garde, qui sont conservés au musée de West Point, ou l'acte de mariage d'Hitler avec Eva Braun, qui est à la bibliothèque Eisenhower d'Abilene (Kansas).

« Si le général de Gaulle vit depuis vingt-huit ans d'une phrase sublime, on ne peut lui reprocher de ne pas nous avoir régalés, de temps en temps, de discours sublimes. En cela, il fait merveille : il est toujours au pouvoir, parce qu'il n'a pas encore trouvé en face de lui un orateur sublime. Ce sublime se borne souvent à une façon absolument unique de prononcer le mot France — mon jeune compatriote avait raison de noter l'abus qu'il en fait. Mais ce mot est irrésistible dans sa bouche et fait vibrer le cœur des Français. L'équivoque vient du sens qu'il lui donne en le faisant tourner à tous les vents. La France est une girouette tricolore aux mains d'un Bossuet en képi. Pour comprendre l'équivoque de sa politique, il n'est que de regarder le plus fidèle de ses compagnons.

« Qui donc ce général, issu du trône et de l'autel, va-t-il chercher, au lendemain de la libération, pour être son porte-parole et, au besoin, son porte-plume ? Un écrivain qui incarnait tout ce qui aurait dû lui faire horreur : roi du pathos et de l'inintelligible, c'est-à-dire de ce qui est le plus contraire au génie français, préfacier d'un livre obscène (l'*Amant de Lady Chatterley*), ancien aventurier en Extrême-Orient, ancien membre de comités communistes internationaux, ancien commandant de l'aviation rouge en Espagne. Dans sa notice du *Who's Who* américain, il se donne deux fois la qualité de « dynamiteur », étrange pour un homme de lettres, du moins en Occident. Non moins étrange ministre, à qui l'on ne conseillerait pas d'aller en Espagne, puisqu'il a versé le sang des Espagnols qui ne lui avaient rien fait, ni au Cambodge, puisqu'il y a été condamné pour vol, ni en Ethiopie, puisqu'il a fait croire indûment qu'il avait découvert la ville de la reine de Saba, ni au Canada anglais, puisqu'il y a semé les premiers troubles et qui, s'il vient aux Etats-Unis, voit mettre un zéro pointé aux étudiants qui citent ses théories sur l'art. Il est vrai qu'il peut aller en Chine. Notez à ce propos qu'il se donne la qualité d'ancien élève de l'École des langues orientales et l'on a prouvé qu'il n'y a jamais été inscrit. Si jamais il y eut une équivoque littéraire en France, c'est bien celle que représente cet esthéticien aux mains sanglantes : elle est le digne pendant de celle que représente son chef, au point de vue historique. Ils étaient faits pour se comprendre et pour se compléter. Ils sont tellement inséparables que l'aventurier littéraire est, de tous les collaborateurs successifs de l'aventurier politique, le seul à avoir fait partie de tous ses gouvernements.

« Ainsi s'est établie une fausse échelle des valeurs dont n'est exempt aucun domaine, et qui trouble jusqu'aux forces de l'opposition. Du fait que la France n'est plus expressément la France, mais la France du général de Gaulle, la liberté, les droits du citoyen, les droits de l'esprit, la littérature reçoivent un éclairage nouveau. Le mythe étant au pouvoir et la culture symbolisée par l'aventure, la vie française est une sorte de ballet joué par des masques. Aussi bien ceux qui soutiennent le général de Gaulle que ceux qui le combattent, ont perdu l'usage de la vérité.

« Il y a en France deux principaux hebdomadaires littéraires. L'un est à droite et dépend d'un grand quotidien : son critique littéraire, le meilleur que nous ayons bien qu'il soit d'origine belge, n'a pas le droit de parler des auteurs qui sont sur la liste noire de la maison ou sur celle d'une famille littéraire, toute-puissante dans la maison. L'autre est à gauche ou au centre-gauche ou plutôt au ventre ; il appartient à un célèbre juif converti : son critique littéraire est le plus illettré, le plus cuistre et le plus sot de tous les critiques littéraires français. Cela vous montre en quel mépris la littérature est tombée aux yeux des prétendus éclaireurs de l'opinion. Je ne dirai pas que c'est à cause de cela que la France est devenue ce qu'elle est — ce serait donner trop d'importance et à ceux dont parlent ces journaux et à ceux dont ils ne parlent pas. Mais cela est grave dans un pays qui passait pour celui de l'intelligence et qui prétendait tenir le flambeau de l'esprit. Aussi le divorce grandit-il entre ces fausses élites et le public qui n'y croit plus. Car il y a encore un public et il n'est pas dupe : il veut bien être ébloui par son général, mais il ne veut pas être chloroformé. Il y a surtout une jeunesse qui attend.

« Autre conséquence de l'état d'esprit ou d'absence d'esprit issu du régime actuel : les libertés qui firent la gloire de la France sont en train de disparaître lentement et sûrement. Il y a toujours eu une censure du cinéma, mais elle devient de plus en plus moralisatrice et aucun film étranger non conformiste n'est projeté sans coupures.

Il y a toujours eu une loi contre les publications obscènes, mais il y a désormais une censure secrète et perfide qui s'exerce sur toutes sortes de livres, les fait saisir, les interdit à l'affichage ou aux mineurs, etc. La presse est supposée libre et jamais il n'y a eu autant de procès pour offense au chef de l'Etat. La radio, la télévision ne sont plus que des instruments de gouvernement. Le Conseil d'Etat est notre magistrature suprême, aussi vénérée que votre Cour Suprême : ses arrêts ne sont exécutés qu'au bon plaisir du pouvoir. Les ministères sont des bastilles où nul citoyen ne peut se faire entendre, s'il n'est DeGaulliste. Jamais un mythe et une mythologie n'ont pesé d'un tel poids ni si longtemps sur la vie d'une nation contemporaine.

« Ce mythe, né d'un homme qui est censé de droite, s'est joint aux préjugés de l'extrême-gauche pour créer une obnubilation complète à l'égard de votre pays. Vous dirai-je que les Etats-Unis, dans la liste des postes à l'étranger demandés par nos professeurs, viennent après les pays sous-développés ? Les Français seraient étonnés d'apprendre que des professeurs américains font des thèses sur l'Astrée ou le Roman de la Rose, que les meilleurs spécialistes de Baudelaire et d'Apollinaire sont des Américains, que le meilleur spécialiste de Proust est un Américain noir, professeur à Harvard, que le meilleur livre sur Maupassant est d'un Américain, que les meilleurs livres sur l'art français sont écrits par des Américains, que les meilleurs articles sur les livres français sont publiés par *Time, Life* ou *Newsweek*. Ils s'étonnent moins d'apprendre que les plus beaux impressionnistes français sont dans des collections américaines, parce que cela leur semble une victoire de l'argent, encore que ce puisse en être une du goût. Mais savent-ils seulement que des Bonaparte, des Clemenceau, le petit-fils de Renoir, professeur ici même, sont devenus Américains ?

« Sauf le génial Tocqueville, qui avait su voir, dès vos origines, que vous formeriez la plus grande, la plus forte et la plus belle démocratie de l'avenir, presque tous nos écrivains vous ont peints comme une société d'automates. Et, malgré les entraînements de la publicité, vous êtes le plus individualiste de tous les peuples. Cet individualisme a fini par éclater à tous les yeux grâce aux hippies. C'est votre jeunesse qui a montré une voie nouvelle à la jeunesse du monde entier. Mais si c'est un aristocrate français qui a su le mieux vous comprendre, c'est grâce au caractère aristocratique, c'est-à-dire individualiste, de votre démocratie. C'est pour cela que vous êtes haïs des faux démocrates.

« Ma génération a été élevée dans le préjugé, flatteur pour nous, que tout Français qui débarquait aux Etats-Unis y perdait immédiatement ses qualités, fût-il artiste, écrivain, couturier, cuisinier. Je ne sais ce qu'il en était alors, mais je constate qu'aujourd'hui tout ce qui compte en France et dans le monde vient chez vous prendre un bain d'idée, d'inspiration et d'énergie.

« Ici, le talent doit se prouver sans cesse par le talent, c'est-à-dire par le travail. En France, dès que le moindre talent a pointé, il n'aspire qu'aux honneurs et aux sinécures. Les sinécures sont nombreuses. Les honneurs sont deux : la légion de ce nom et l'Académie française. Je ne voudrais pas dire trop de mal de la légion d'honneur, car je me sens honoré moi-même quand je vois certains Américains la porter fièrement en Amérique et la mentionner dans leurs notices biographiques. Mais si vous regardez en France qui l'arbore et sur canapé d'or, à titre littéraire, vous croyez avoir la berlue. Chez un écrivain, le canapé d'or n'atteste qu'une longue coucherie avec le pouvoir, quand ce n'est pas avec des pouvoirs successifs.

« L'Académie française... Sa gloire a commencé d'être atteinte lorsque le plus grand écrivain de notre époque, André Gide, n'en a pas fait partie ; et elle s'est déshonorée, à la libération, en expulsant quatre de ses membres, considérés soudain comme honteux : trois parfaits écrivains comme il n'y en a plus sous la coupole, et un maréchal de France, ex-chef de l'Etat, aux pieds de qui elle s'était prosternée pendant quatre ans, ne serait-ce que pour avoir un supplément de tabac. Depuis lors, elle élit n'importe qui.

« L'an passé, j'assistais à un dîner d'écrivains américains à New York et leur demandai ce que représentait pour eux l'Académie française : leur réponse fut un vaste éclat de rire. L'un d'eux m'écrit sa stupeur d'apprendre que le journaliste français le plus accrédité aux Etats-Unis, Raymond Cartier, vient de se présenter à l'Académie française contre un duc. En n'obtenant que cinq voix, ce journaliste a pu se rendre compte de ce qu'est le monde d'aujourd'hui pour l'Académie française.

« Je n'ai jamais vu M. Cartier, mais je sais qu'il est de petite taille. Un de vos plus grands journalistes et qui est un homme grand, le directeur du *New York Times*, m'a dit un mot très profond au sujet d'un homme aussi important que lui en France et qui est le directeur général du groupe *France-Soir* : « S'il avait eu vingt centimètres de plus, le ton de toute la presse française aurait changé. »

Vous êtes un pays d'hommes grands, mais il ne faut être ni trop petit ni trop grand.

« J'avais quinze ans au moment de la libération et j'ai entendu par hasard la plus extraordinaire des radios françaises : celle de l'ex-gouvernement de Vichy réfugié en Allemagne, à Sigmaringen. Le ministre de l'Education nationale du maréchal Pétain était un des académiciens que l'on était en train de sabrer, nommé Abel Bonnard. Il faisait un discours contre le général de Gaulle et, bien qu'il fût lui-même de petite taille, il répétait comme une antienne cette phrase : « Le général de Gaulle est un nain... Le général de Gaulle est un nain... » Il y a les complexes des hommes petits et il y a les complexes des hommes trop grands, qui sont des nains.

« Le général de Gaulle n'est pas un nain, mais il se fait illusion s'il croit que l'Histoire l'appellera Charles le Grand. Il avait promis à la France de lui conserver ses colonies et il les a liquidées. Il a repris le pouvoir pour lui conserver l'Algérie et il y a sacrifié les intérêts d'un million de Français. On peut dire de lui ce que l'on a dit de Philippe IV d'Espagne, que son Premier ministre avait surnommé le Grand, et qui perdit l'Artois, le Roussillon, le Portugal, le Brésil et des îles innombrables. Un dessin figura sa grandeur par un fossé, avec cette légende : « Plus on lui ôte, plus il est grand. »

Ayant dit, notre cher professeur remit en ordre une mèche de ses cheveux qu'avait dérangée le vent de la harangue. Personne de nous n'imagina d'applaudir, mais nous aimions encore davantage ce Français qui n'avait pas craint de nous parler français.

Il alla vers le tableau, effaça d'un coup d'éponge l'inscription et rouvrit son livre. De sa voix scandée, il reprit la lecture du sonnet là où il l'avait laissée :

Ores, comme un agneau qui sa nourrice appelle,
Je remplis de ton nom les antres et les bois...

4

Au printemps, le Free Speech Movement tenta de refleurir avec les roses. Toutefois, comprenant qu'il fallait changer de thème, il voulut suivre le mouvement de la sève et du rut : de Mouvement du libre discours, il devint « Mouvement du discours cochon » — « Filthy Speech Movement ». Il n'avait même pas eu à changer ses initiales mais ses enseignes furent nouvelles. Etudiants et étudiantes se promenèrent devant Sprout Hall avec des pancartes sur lesquelles était écrit en toutes lettres le mot de quatre lettres qui n'en avait que trois sur les boutons des hippies : « Fuck ». Ces plaisanteries durèrent quelques jours, jusqu'à ce que la police du campus eût procédé à des arrestations. Goldberg, Savio, et même Fuchs, dont le nom aurait pu signer les pancartes, étaient un peu en retrait dans cette affaire, qui était menée tambour battant par un de leurs affidés, nommé Weissman. Puis Weissman alla rejoindre dans les oubliettes Weinberg, Goldberg, Fuchs et Savio.

Tandis que l'ordre revenait à Berkeley, nous constations les effets, dans d'autres campus, de nos troubles des mois derniers. Le chapelain triomphait pour nous montrer l'action du parti communiste, qui travaillait les milieux d'étudiants, comme des milieux prolétaires. La méthode, inaugurée à Berkeley, était l'occupation des locaux universitaires, dans le style des occupations d'usine et des sit-ins du pasteur King. Un groupe extrémiste se forma, la Nouvelle Gauche, qui ajoutait à la constellation habituelle Mao-Castro-Hô, la nébuleuse de Marcuse. Ce sociologue, juif allemand réfugié en Amérique et dont nos professeurs nous avaient à peine cité le nom, était une sorte de Marx *redivivus* à usage plus particulièrement estudiantin. N'ayant eu à changer ni d'origine ni de doctrine pour prendre cette glorieuse succession, il avait néanmoins changé de couleur : il tendait à ses disciples non plus le drapeau rouge, mais le drapeau noir. S'il y avait ajouté la tête de mort et les tibias du « jolly Rogers », il aurait enrôlé même les enfants, ravis d'être les pirates de la société. J'allai entendre, une fois, un de nos camarades, Myerson, dont les glandes salivaires sécrétaient du Marcuse à jet continu et qui ponctuait ses postillons par de grands coups de poing sur la table, comme si, à chaque coup de poing, s'écroulait un gratte-ciel. Puis Marcuse et Myerson allèrent rejoindre dans les oubliettes Weissman, Weinberg, Goldberg, Fuchs, Savio et le discours cochon.

Il y avait longtemps que je n'avais revu Narcissa. Il est vrai que Sunny m'avait occupé plusieurs jours, puis un peu Barbara, qui avait été heureuse de me faire connaître ses petits Noirs. Mais qu'était devenue ma jolie négresse ? Elle n'avait pas défilé dans les cortèges du discours cochon ; elle n'avait pas guerroyé aux avant-postes de Marcuse. Après nous être rencontrés si souvent, nous nous étions reperdus. Elle ne fréquentait ni Dwinelle Hall où avaient lieu les cours de français, ni Barrows Hall, où avaient lieu les cours de sociologie, ni les mêmes salles de lecture et de travail que moi, ni la cafeteria aux mêmes heures que moi. Je ne l'avais pas vue non plus à un bal que notre fraternité avait donné à la salle Pauwley de l'Union des étudiants, ni à un piquenique que nous donnèrent des sororités à Strawberry Canyon.

Ce vendredi, jour de Vénus, je sortais d'une de nos onze bibliothèques où j'avais consulté quelques-uns de leurs trois millions de volumes et de leurs quarante mille périodiques, lorsque je me trouvai devant elle, qui allait entrer. Fut-ce un hasard ou l'effet de la surprise ? Elle laissa tomber les livres

379

qu'elle avait sous son bras. Je les ramassai et elle me remercia.

— Vous n'avez plus fait de conférence aux Youth Freedom Speakers ? me demanda-t-elle.

Je répondis que je les avais laissé faire par mes camarades, mais que j'y assistais et que notre activité demeurait très régulière.

— Je lis vos affiches, dit Narcissa, et j'attendais d'y voir votre nom.

C'était me dire à la fois qu'elle venait pour m'entendre, mais qu'elle ne cherchait pas à me voir. Je fus charmé de cette façon de s'exprimer sans coquetterie.

— Et moi, dis-je, je m'attendais à vous voir dans les dernières incarnations du Free Speech Movement.

— Ah ! fit-elle avec dégoût. Vous osez me parler de ça ?

J'aimai cette réaction et lui demandai si elle voulait bavarder un moment avec moi. Je lui proposai d'aller à la cafeteria ; elle préféra s'asseoir sous un arbre. J'étendis mon imperméable en guise de tapis. Mon cœur commençait à battre. De toutes mes conquêtes celle-là serait probablement la plus difficile, et, bien que tout m'y préparât, ce serait aussi la plus inattendue. Nous allumâmes une cigarette.

— J'ai quitté le Free Speech Movement, dit-elle. Et je l'ai quitté à cause du Filthy Speech Movement. Il m'en restera le souvenir d'avoir été transportée à la prison d'Oakland, libérée sous une caution de soixante-quinze dollars et condamnée à une amende de cent dollars (« occupation indue d'un édifice public et résistance à une arrestation ») — tout cela pour des gens que je croyais des hommes libres et qui n'étaient que des cochons en liberté.

— Oh ! m'écriai-je, vous m'intéressez beaucoup. Mais quel est donc votre parfum ? Il vous va si bien.

Elle sourit en me disant que c'était du narcisse.

— J'aurais pu m'en douter, fis-je.

Elle me regardait du coin de l'œil :

— Ainsi, dit-elle, je suis assise à côté d'un porte-drapeau, d'un membre d'une fraternité grecque (j'avais ce jour-là mon insigne Sigma Alpha Epsilon) et qui représente le contraire de ce que je suis.

Je lui demandai si elle cherchait un retour de compliments, après m'avoir dit qu'avec elle ils ne prenaient pas.

— C'est un jour très important pour moi, dit-elle. Jusqu'à maintenant, je ne me suis trouvée qu'avec des brûleurs de drapeaux, les contempteurs des fraternités aristocratiques, les ennemis de la société à laquelle vous appartenez.

— Ce jour aussi est très important pour moi, dis-je. Mais ce n'est pas du tout parce que vous représentez le contraire de ce qui me plaît.

Elle me regarda. Je soutins son regard. Il n'y avait entre nous que les volutes de nos cigarettes, mais il me sembla qu'en se mêlant, elles nous unissaient. Je ne sais ce qui me prit, mais j'enlevai mon insigne et l'épinglai sur son sweater. Cet hommage envers la fille que l'on choisit, je n'avais jamais songé à le rendre à Sunny, qui me disait son fiancé. Pourquoi allais-je si vite avec cette inconnue ? Subissais-je, à mon tour, l'envoûtement noir qui caractérisait l'Amérique ? Cet élan spontané était plus qu'une galanterie, de même que les remarques de Narcissa avaient été plus que de simples coquetteries.

Elle baissait les yeux et caressait légèrement cet insigne, qui m'avait permis de lui effleurer les seins. Elle souriait. Puis son visage se durcit. Elle releva la tête, tira une longue bouffée de sa cigarette et me dit, les yeux au loin :

— Reprenez votre insigne.

— Je vous l'ai donné.

— Vous ne me l'auriez pas donné si vous saviez qui je suis.

— Je m'en moque, dis-je.

— Je suis la fille d'une putain.

Je ne m'attendais pas à une telle déclaration d'identité ; mais puisque je m'accoutumais à braver les préjugés, un de plus ne comptait pas. J'étais

381

moins gêné d'avoir entendu cette confidence que de l'avoir provoquée. Cela me montrait que je n'étais pas indifférent à Narcissa, mais aussi qu'elle avait voulu tout de suite me mettre à l'épreuve. Ce qu'elle m'avait dit du Filthy Speech Movement me montrait également qu'elle ne tenait pas du milieu dont elle sortait. Elle rassembla ses livres comme si elle allait partir. J'appuyai ma main sur la sienne.

— Vous avez bien compris, lui dis-je, que quelque chose m'attire vers vous. Ce que vous venez de dire n'y change rien.

Elle retira doucement sa main et eut de nouveau un charmant sourire. Puis elle dit :

— Il se peut que vous ayez été attiré par l'espoir de coucher avec moi. Dans ce cas, vous perdriez votre temps... malgré ce que je viens de vous dire.

— Ecoutez, Narcissa, fis-je avec quelque impatience. Ne me reparlez pas de ce que fait votre mère; il me suffit qu'elle vous ait faite. Mais que, sous prétexte de ce qu'elle a fait, vous me disiez qu'il n'y a aucun espoir de coucher avec vous, je juge cela un peu ridicule. Tout garçon qui s'intéresse à une fille a l'espoir de coucher avec elle. Je n'ai jamais cru que, si j'arrivais à vous plaire, je coucherais avec vous le soir même ; mais à présent que nous sommes amis et que, pour ainsi dire, je me suis donné à vous d'emblée, en vous donnant cet insigne, n'élevez pas entre nous des barrières éternelles. L'espoir fait vivre l'amour.

— Nous sommes ensemble depuis une demi-heure et il s'agit déjà d'amour ! Vous êtes bien un Américain, toujours prêt à confondre le sexe et l'amour. Je suis américaine et fière de l'être et je me considère même plus américaine que vous. Mais si je me suis mise dans ces mouvements de gauche, c'était pour réagir contre une certaine « manière américaine de vivre » parce que j'en connais l'envers. Oh ! il ne s'agit pas des questions raciales, parce qu'elles sont pour moi dépassées. Je ne me sens aucun complexe d'infériorité envers les Blanches car je me

382

crois jolie, et le sort des pauvres Noirs ne me touche vraiment pas plus que celui des pauvres Blancs. Quand je parlais des barres d'une prison, à votre conférence, je ne pensais pas à la prison des Noirs, qui n'existe plus, mais à celle de l'idéal, prisonnier de la guerre et de la sexualité. Je serais pourtant ridicule, en effet, si je me refusais à la sexualité. Mais elle ne peut être pour moi l'objet d'un caprice ou d'une expérience. Je voudrais avoir le courage de vous préciser le sens de ce dernier mot.

J'étais intrigué, mais de plus en plus captivé. Cette première conversation était bien différente de celle que j'avais eue avec Sunny sur le bonheur des hippies, avec vue rapide sur les fleurs peintes autour de ses cuisses. L'instinct qui m'avait porté vers Narcissa ne m'avait pas trompé puisque je découvrais en elle, outre une vive intelligence, une sensibilité que de tristes choses avaient aiguisée.

— Moi aussi, dis-je, je ne cherche plus d'expériences. Je ne vous cacherai pas que j'ai mieux qu'une date : une fille en qui j'ai cru réunir le sexe et l'amour et qui déclare elle-même les avoir réunis en moi. Mais nos relations ont commencé par le sexe et se développent de plus en plus dans ce sens, à un point qui estompe l'amour. Elle n'habite pas à San Francisco.

— Vous vous doutez, je pense, dit Narcissa, que, moi, je n'ai eu de relations avec personne. Je déteste et même je hais le sexe qui n'est que le sexe. J'attends qu'il soit pour moi l'expression de l'amour.

— Moi aussi, dis-je, c'est ce que j'attends désormais.

— Si nous cherchons l'amour, nous cherchons ce qu'il y a de plus difficile à trouver en Amérique. La preuve, nous la voyons dans cette folie sexuelle qui est destinée à faire oublier l'amour, comme l'alcool et la drogue. Par réaction, j'ai failli devenir mystique et suis devenue révolutionnaire.

Je dis que cette folie sexuelle était également une réaction, peut-être excessive, à un long passé puritain. J'ajoutai en souriant qu'on l'attribuait parfois à l'influence des Noirs.

— Dire, s'écria Narcissa, que James Baldwin se plaint que l'Amérique soit un pays « anti-sexuel » ! Je ne sais si c'est lui et les autres écrivains noirs qui l'ont rendue sexuelle, mais la greffe équivaut à celle des singes de Voronoff.

— Vous n'êtes pas flatteuse pour James Baldwin, dis-je : mieux vaudrait parler du testosterone, qui est un extrait de taureau. C'est beau un taureau noir. Mais en fait d'écrivains, je pense que les vrais auteurs de cette révolution, ce sont les savants qui nous inondent d'ouvrages sexuels.

Narcissa me demanda si j'avais lu le livre de Masters et Johnson. Je dis que je l'avais lu comme tout le monde, puisque nous tombons tous dans le précipice du sexe — je l'avais lu, comme Jim et comme l'évêque Pike.

— Vous savez donc, dit Narcissa, que le Dr Masters et Mrs Johnson ont fait leurs recherches à l'Ecole de médecine de l'Université Washington à St Louis (Missouri). Peut-être vous souvenez-vous qu'ils ont photographié sept mille cinq cents orgasmes féminins, dont les plus instructifs furent ceux que procurait la masturbation.

Elle se mit à rire convulsivement et écrasa dans l'herbe la seconde cigarette que je lui avais allumée :

— Sur ces sept mille cinq cents orgasmes il y en a cinquante de ma mère.

Dans les vieux mélodrames français il était question de « la croix de la mère » ; dans la nouvelle comédie dramatique américaine ce seraient « les cinquante orgasmes de ma mère ». Quand on lisait ces ouvrages auxquels je venais de faire allusion, on oubliait les personnes dont il était question pour ne retenir que le cas. Et brusquement j'étais mis en présence de la fille d'une de ces personnes.

— Voulez-vous me donner une autre cigarette ? me dit Narcissa. Je vous ai parlé de ma mère, qui a bien mérité de la science, mais je ne peux rien dire de mon père : ma mère ne l'a jamais revu depuis ma naissance ; il disparut, après lui avoir fait un enfant. Une des conséquences de ce que l'on a appelé sans exagération la misère noire est le grand nombre d'enfants naturels : dans la classe pauvre, qui représente vingt-cinq pour cent des Noirs, vingt-cinq pour cent des naissances sont illégitimes et, dans la classe la plus pauvre, soixante-cinq pour cent. C'est cette jeunesse qui est la proie des agitateurs politiques et le bouillon de culture de la délinquance. Il ne faut pas oublier cet état de choses pour comprendre, par exemple, la révolte des Noirs à Boston : elle a éclaté quand on a supprimé les allocations de chômage des femmes — la plupart des Noires étaient des mères abandonnées. La mienne avait réglé la question du chômage par le métier que je vous ai dit. Et si elle le continua, si elle alla cinquante fois chez Masters et Johnson, ce fut pour payer ma pension dans une excellente high school blanche. On croirait un roman de LeRoi Jones, n'est-ce pas ?

« Parmi les collaborateurs de Masters et Johnson, il y avait un jeune Noir de vingt-cinq ans, étudiant en médecine, qui, lui aussi, pour contribuer aux frais de ses études, s'était masturbé dix fois en laboratoire, selon les règles de l'art. Un jour, ma mère et lui se sont rencontrés à la caisse : ils se regardèrent, ils se plurent, ils avaient tout compris. Ils ne revinrent pas chez Masters et Johnson et ils se sont épousés. Ainsi ai-je été reconnue, mais j'étais déjà grande et ma mère a eu assez de confiance en moi pour me dire la vérité. Mon père m'aime comme son enfant. Il n'a pas voulu en avoir un autre afin de ne pas être tenté de l'aimer davantage. Mais ma mère est encore jeune et belle et j'aurai sûrement un jour un frère ou une sœur. Elle dirige un orphelinat noir à Kansas City où mon père est médecin. Ils n'ont pas voulu me mettre à l'Université du Missouri parce que c'est une des plus tristes des Etats-Unis. Je suis donc à Berkeley pour préparer ma graduation, puis ma licence en histoire. Et je viens de vous raconter mon histoire. »

Je restai silencieux un moment. J'étais loin du monde dans lequel j'avais été élevé, du monde de Jim ou de Sunny, mais j'étais dans le monde de l'humanité sans fard et sans masque — dans un monde qui était le complément inavouable de l'autre. Il me semblait que cette fille était plus près de moi en venant de plus loin. Pour la première fois, j'étais avec un être qui ne représentait que lui-même. Et cela me suffisait. Cet être, dont le physique m'avait séduit, avait achevé de me séduire par sa confession. Je ne prétendais pas jouer avec Narcissa ce que j'étais censé représenter : je l'oubliais, au contraire, car il me suffisait également de ne représenter que moi. Quelques reflets de mon émotion secrète devaient lui expliquer mon silence. Mais son visage demeurait impassible, et le blanc de son œil, dans son parfait profil noir, semblait figé comme celui d'une statue égyptienne.

— Je suis encore plus heureux de vous avoir donné mon insigne, lui dis-je.

5

L'annonce de ma conférence sur la guerre du Vietnam mobilisait manifestement les forces adverses. L'affiche qui invitait à cette réunion des Youth Freedom Speakers avait été lacérée. On l'avait remplacée par la couverture d'un pamphlet du communiste Perlo, *Les Profiteurs du Vietnam*, montrant une tête de mort avec un dollar dans la cavité des yeux.

Un peu agacé de voir encore un juif brandi contre

moi, j'avais dit à Jim que je voulais faire une sortie antisémitique et les juifs de mon propre groupe m'approuvaient. J'avais pu juger, par le juif de la Rand, que les fils d'Abraham ne sont pas tendres pour ceux d'entre eux qui ne sont pas de leur camp. Et je pensais aux juifs hippies dont avait parlé Carl. Mais Jim fit observer, à juste titre, que l'antisémitisme américain était le plus absurde de tous, que les juifs sont, comme les Noirs, un élément indispensable et essentiel de notre civilisation, qu'un grand nombre de nos professeurs et un certain nombre des régents ou des bienfaiteurs de Berkeley étaient juifs : nous avions le gymnase Harmon, la piscine Lucie Stern, le club Haas, etc.

— Que dis-je ? s'écria Jim. Nous avons maintenant parmi nous un fils de Mendès-France, aussi bon en mathématiques que son père en finances.

Tant pis pour le juif communiste Perlo. Je ne me souviendrais que de l'ambassadeur Goldberg, ancien juge à la Cour Suprême, qui nous défendait vaillamment aux Nations unies, du rabbin Louis Mann, qui avait été l'un des orateurs de Ligne de Vie, sous les auspices de Mr Hunt, et des juifs archipatriotes qui formaient la « Jewish Society of Americanists », affiliée à la John Birch Society.

C'est la seconde fois que j'avais à examiner une salle du haut d'une chaire. Mes troupes étaient toujours aux mêmes places et leur dernière recrue, qui était aussi la plus charmante, Narcissa, était assise près de Jim au premier rang. J'étais étonné, en revanche, de ne pas voir les fortes têtes du campus — les Savio, les Goldberg, les Weissman. Sans doute avaient-ils décidé de nous traiter par le mépris. En tout cas, il y avait plusieurs de leurs délégués et je remarquai même une stratégie amusante que m'avait signalée d'avance le chapelain. (Il s'était excusé de ne pas assister à cette conférence parce que, m'avait-il dit, il n'aurait pu s'empêcher d'intervenir violemment.) La stratégie, qui était celle des communistes dans les assemblées de ce genre, s'appelait « le dispositif en diamant » — c'étaient les diamants du Kremlin. Au lieu de se grouper comme nous, ils se dispersaient pour se renvoyer la balle sans avoir l'air de se connaître : l'un était assis au centre d'un des premiers rangs, un second au centre d'un des derniers, un troisième de côté, un quatrième de l'autre côté.

Je remerciai ceux qui avaient mis un placard communiste sur l'affiche de la conférence : cela illustrait ce que venait de dire, devant la sous-commission sénatoriale de Sécurité intérieure, le général Trudeau, ex-chef du Service de contre-espionnage de l'armée et ex-commandant général en Corée : « Presque toutes les organisations d'étudiants radicaux, les prétendues organisations pacifistes et les groupes des droits civils sont criblés de communistes. » Personne ne broncha à cette déclaration, qui, en ce qui concerne les groupes des droits civils, était un nouveau démenti à celle de Bob Kennedy. J'ajoutai :

— J. E. Hoover avait affirmé déjà une chose semblable et il l'a répétée au moment où se sont produits ici certains troubles. J'estime néanmoins que des citoyens américains sont libres d'être communistes, mais nous avons le devoir de leur dire qu'ils mettent en péril notre liberté, qu'ils trahissent les cinq cent mille Américains qui luttent au Vietnam, et que leur prétendu pacifisme ne vise qu'à nous faire perdre cette guerre pour assurer le triomphe du communisme en Asie.

« Cette conférence est destinée à répondre à une partie de leur propagande la plus imbécile : celle qui consiste à ne voir, dans nos motifs de faire cette guerre, que des intérêts d'industriels alors que nos ennemis sont censés ne défendre aucun intérêt, mais simplement un idéal. La nôtre aussi défend un idéal ; si vous l'appelez le dollar, nous appellerons le vôtre le rouble... ou le yuan. Cette guerre est détestée de notre jeunesse, mais quelle guerre ne fut détestée par les mères et par les jeunes gens ? Chose étrange, il n'y a que dans les pays communistes que les jeunes ne détestent pas les guerres, parce qu'on ne leur demande pas leur avis et que, s'ils brûlaient leurs ordres d'appel, ils seraient fusillés. Mais notre jeunesse peut librement protester contre la guerre, sans que cela empêche la guerre, car malheureusement rien ne peut l'empêcher. A la veille de la Seconde Guerre mondiale, il y eut à Berkeley des manifestations antimilitaristes aussi violentes que celles que nous venons de voir et dont le vrai motif était encore l'antimilitarisme. Beaucoup de ces antimilitaristes furent ensuite de glorieux combattants.

« On dit que la guerre du Vietnam nous fait haïr dans le monde. Je voudrais savoir quelle grande puissance est aujourd'hui aimée. Quant à ces manifestations qui se déroulent contre nous dans divers pays du monde libre, que représentent-elles, si nombreuses et si indécentes qu'elles soient ? Une partie infime de leur population, la majorité étant nécessairement pour nous puisque nous sommes la lance et le bouclier du monde libre. De même, la presse d'extrême-gauche écrit en gros caractères que cent vingt-cinq de nos soldats stationnés en Allemagne ont déserté pour ne pas aller au Vietnam ; mais elle ne dit pas que dix mille cinq cents ont demandé d'y aller, elle ne dit pas qu'il y a cent mille volontaires au Vietnam. Détail de plus à l'actif des faucons : vingt pour cent de nos « marines » au Vietnam ont continué leur service après leur treize mois d'engagement. Pauvres colombes !

« Il est évident que, si cette digue du Vietnam tombait, tous les pays voisins deviendraient un marécage communiste. Tant que nous serons conscients de nos devoirs et de nos forces, nous ne pourrons le permettre. Comme j'ai remercié ceux de nos camarades qui ont affiché le portrait de Mr Perlo, je les remercie de ne pas m'avoir encore interrompu pour me lancer à la tête le pape et le secrétaire général des Nations unies. Le pape est venu parler de la paix à New York, il prie pour la paix, il intercède pour la paix : il fait son métier de pape. Le secrétaire des Nations unies fait le sien. Tous deux nous demandent la fin des bombardements pour permettre une trêve qui préparerait la paix. Nous nous refusons à l'accorder parce que nous avons une certaine mémoire, sans avoir besoin de recourir à celle des computers. Nous nous rappelons que la Corée du Nord nous demanda une trêve, qu'elle se réarma puissamment à la faveur de cette trêve et que les trois cinquièmes de nos pertes eurent lieu durant les interminables négociations de l'armistice. L'Asie avait réussi à nous prendre dans un de ses pièges.

« On dit également que le peuple du Sud-Vietnam se moque d'être libre ou d'être communiste. Nous pourrions en dire autant du peuple du Vietnam Nord. Mais que pensent les dizaines de milliers d'enfants que Hô Chi Minh garde pour otages alors que leurs parents se sont enfuis dans le Sud ? Il est vrai que les bourreaux d'enfants, c'est nous.

« Un autre argument de la propagande communiste est que la guerre du Vietnam risque de déchaîner une troisième guerre mondiale. Il est aussi sot et aussi hypocrite que les autres. Il n'y aura pas de troisième guerre mondiale tant que les Etats-Unis conserveront leur puissance et leur détermination. La Russie ne nous affrontera pas plus à propos du Vietnam qu'elle ne l'a fait à propos de Cuba. Du reste, mon anticommunisme n'est pas de l'antisoviétisme et j'ose le déclarer ici, bien que mon groupe soit patronné par Mr Hunt. Son speaker à Ligne de Vie est indigné parce que l'U.R.S.S. demande à concourir pour la fourniture de générateurs à turbine de six cent mille kilowatts, destinés à la digue de Grand Coulee sur la rivière Columbia, dans l'Etat de Washington. Moi, je m'en réjouis et je souhaite que nous fournissions aussi à l'U.R.S.S. les choses dont elle peut avoir besoin pour sa prospérité — j'ai visité l'été dernier une grande usine de computers, près de Los Angeles, et j'ai su avec plaisir qu'elle avait été autorisée à faire des fournitures aux Soviets. Mais que chacun reste maître chez soi et respecte dans le monde les positions adverses. Il reste à la Chine à le comprendre. Quoi qu'il en soit, nos experts nous assurent qu'elle est incapable de nous attaquer avant 1972. Mais en 1972, elle sera nucléairement au point où nous en sommes aujourd'hui et nous l'aurons distancée... la Russie également. Le risque de la troisième guerre mondiale pour le Vietnam n'est donc pas pour demain.

« Autre argument communiste : que cette guerre empêche d'améliorer le sort des Noirs. Mr Holifield, représentant démocrate de la Californie à la chambre, a dit récemment que « la nation peut fournir à la fois du beurre et des canons ». Alors que de 1941 à 1947, nos dépenses, y compris celles de la Seconde Guerre mondiale, laissaient un déficit équivalent à seize pour cent de notre revenu national, il n'a été, pour les sept dernières années, que les neuf dixièmes d'un pour cent de ce revenu, y compris les dépenses de la guerre du Vietnam. Aucun chiffre ne donne une idée plus extraordinaire des moyens dont nous disposons pour faire face à toutes les éventualités, grâce à la richesse de notre pays et à l'activité de ses citoyens. Le programme « anti-pauvreté » est donc à peine atteint par la guerre actuelle et les résultats acquis sont déjà satisfaisants. On vient de faire une enquête dans soixante-quatre de nos principales cités, dont la moitié ont été le théâtre d'émeutes l'an dernier. Il a été constaté que beaucoup de jeunes Noirs ont été récupérés pour l'ordre et le travail, que les arrestations pour délinquance ont considérablement diminué dans huit villes, que ce programme a changé en esprit mutuel de responsabilité ce qui était de part et d'autre un esprit de violence. Cette constatation est confirmée par le commentateur de Life Line, qui ne s'était pourtant pas montré favorable en principe à ce programme. Il conclut à ce sujet « qu'il n'y a rien de plus noble que d'aider des gens à s'aider eux-mêmes ». Ainsi tend à disparaître une cause de troubles qui réjouissait le plus ceux qui s'en faisaient les bons apôtres et qui, sous prétexte d'aider les Noirs, veulent seulement aider le communisme. Comme l'ont bien indiqué les guides éclairés du peuple noir tels que George Schuyler, et l'un des conseillers municipaux noirs de Los Angeles, Gilbert Lindsay, ce sont les communistes qui sont les pires ennemis du peuple noir parce qu'ils ont besoin de sa misère pour le maintenir en état de révolte. L'intérêt même des Blancs est exactement le contraire.

« Ceux qui nous critiquent à l'étranger, sans rien connaître de nous que par les discours de nos agitateurs ou par les mouvements de nos foules, et ceux qui, parmi nous, ne voient que ce qu'il faudrait faire et non pas ce que l'on fait, ne citent pas le montant du budget prévu pour l'aide à la pauvreté : trente-trois milliards de dollars — une fois et demie le budget d'un pays comme la France — et cela pendant dix ans. Mais, de même que la guerre du Vietnam n'empêche pas cet effort énorme, elle n'empêche pas l'étude et la préparation de ce qui sera le plus grand événement social des temps modernes — un événement qui rejette dans les ténèbres la révolution et la doctrine marxiste : c'est le revenu minimum garanti. Tout Américain ou étranger résident y aura droit, qu'il travaille ou non. Ainsi le pauvre, noir ou blanc, ne recevra-t-il plus la humiliante indemnité de chômage. Seul le capitalisme pouvait faire cette réhabilitation complète de ce que l'on appelle, partout ailleurs que chez nous, le prolétariat. C'est aussi une marque de confiance dans le goût du travail de notre peuple et dans son désir de progresser. Ainsi l'adulte pauvre aura son « head start », comme l'a aujourd'hui l'enfant pauvre. Ce rêve de demain commence à être une réalité pour huit cents familles du New Jersey — presque toutes de la communauté noire —, qui reçoivent les premiers « paiements de revenu négatif » — « Nip's » (1) —, représentant un crédit de quatre millions de dollars.

(1) Negative Income Payments.

« Dernier grief des pacifistes : les scandales de corruption qui se sont produits au Vietnam. Toute guerre crée ce genre de choses qui ne suffit pas à condamner le principe même de cette guerre. Les purges qui se succèdent dans les pays communistes montrent que la corruption est le fait de tous les régimes. Chez nous, elle se traduit par ces scandales : ils prouvent au moins qu'il y a un contrôle et des sanctions.

« Il est donc scandaleux que la compagnie chimique Olin Mathieson ait fraudé en obtenant des fonds de l'Aide à l'étranger et en faisant des comptes d'apothicaire, mais il est réconfortant de voir qu'elle a subi un procès et qu'elle a été condamnée à deux cent quatre-vingt-treize mille dollars d'amende. Soixante-dix commandants américains au Vietnam ont été poursuivis pour détournement ; quarante et un officiers sont passés en cour martiale pour marché noir ; le chef de notre programme d'importation au Vietnam a dû donner sa démission ; un important syndicat de construction est soumis à une enquête. J'en rougis pour ces Américains, mais je ne rougis pas pour l'Amérique.

« Mr Perlo, cela va sans dire, ne voit dans notre intervention que les intérêts de Wall Street. Il cite des chiffres que n'avait probablement pas à l'esprit celui de nos camarades qui fit la même remarque lors de ma première conférence, mais quand un communiste a dit Wall Street, il a tout dit. Cependant, Mr Perlo croit bon de relever que les profits de l'industrie de l'aéro-espace ont augmenté de cinquante-six pour cent grâce à la guerre ; ceux des transports aériens, de cent soixante-seize pour cent ; ceux de l'équipement électrique et de l'électronique de quatre-vingt-deux pour cent ; ceux des autres industries en général, de vingt-neuf pour cent. Il nous fait même observer que si l'industrie de l'aéro-espace ne s'est pas enrichie autant que certaines, c'est parce qu'elle opère sur de longs délais, de sorte que « ses plus grands profits de la guerre du Vietnam sont encore à venir ». Quant au bénéfice de vingt-neuf pour cent des autres industries, il représente, dit-il, « le glaçage du gâteau ». Merci, Mr Perlo.

J'avais failli dire : « Merci, Mr Savio ». Juste à ce moment, en effet, le héros du Free Speech Movement était entré dans la salle. Il resta debout au fond, les mains derrière le dos, entre les deux policiers du campus qui encadraient la porte.

— Ces chiffres, continuai-je, laissent supposer que sans la guerre du Vietnam, toutes nos industries n'auraient plus qu'à fermer leurs portes. Que deviendrait alors Mr Perlo ? Pourquoi n'est-il pas ravi, comme défenseur juré de la classe ouvrière, que la guerre du Vietnam fasse tourner les machines ? Peut-être enrichit-elle les capitalistes, mais elle n'appauvrit pas les ouvriers — et vous savez que beaucoup d'ouvriers, par exemple chez Ford, sont associés au bénéfice des industries, sans compter ceux qui font partie de nos vingt millions de porteurs de titres. Le vieux slogan des « marchands de canons » remonte à la Première Guerre mondiale et s'appliquait déjà moins bien à la seconde. Aujourd'hui, le matériel lourd de guerre ne joue plus le même rôle et le règne des marchands de canons est fini, même si Mr Holifield nous parle encore de canons à propos de beurre. La propagande communiste aurait été bien inspirée de changer son fusil d'épaule.

« Oui, dira Mr Perlo, mais voyez les bénéfices des industriels de l'aéro-espace, des transports aériens, de l'équipement électrique, de l'électronique : les voilà, les nouveaux marchands de canons. Dans le temple du capitalisme, il y aura toujours des marchands. » Je ne suis pas un économiste et n'ai pu faire mon enquête auprès de toutes ces industries : je laisse ce soin à Mr Perlo. Mais puisque Mr Perlo aime les chiffres, je vais citer d'autres chiffres aux amis de Mr Perlo. Ils sont indubitables et concernent nos trois plus grandes industries aériennes : Douglas, Lockheed et Boeing. Douglas était, l'an dernier, le vingt-quatrième fournisseur de la Défense et depuis qu'il s'est réuni à McDonnell, qui était le sixième, ils sont devenus le premier. Lockheed, qui était le premier, est aujourd'hui le troisième et Boeing, qui était le cinquième, est maintenant le sixième. Nous voici donc chez de typiques « profiteurs du Vietnam ».

« Si nous en croyions Mr Perlo, ces trois industries devraient se féliciter de cette guerre puisque leurs « profits » ont augmenté, soit de cent soixante-seize, soit de cinquante-six pour cent. Or, le marché militaire est ce qu'elles souhaiteraient le moins, car c'est ce qui les désorganise de plus. Il n'y a, en effet, dans ces commandes, aucun des trois avantages que présente le marché civil, à ce que l'on m'a dit : la stabilité, la connaissance préalable de la quantité à fournir et le paiement immédiat. Les deux premiers points s'expliquent d'eux-mêmes, le troisième fait allusion au contrôle des commissions du Congrès qui diffère le paiement.

« Chez Lockheed, le retard des commandes civiles est actuellement de soixante millions de dollars. Tout son programme de construction d'avions civils à long rayon d'action a été abandonné, alors que les frais d'études et de recherches étaient déjà effectués. A la demande du Pentagone, il a dû accorder la priorité à la construction d'hélicoptères géants qui n'auront vraisemblablement pas d'autre emploi qu'au Vietnam. D'autre part, le perfectionnement et les modifications continus du type d'armement exigent une main-d'œuvre spécialisée de plus en plus difficile à trouver, ce qui crée un problème étranger à la construction d'avions civils. J'ai visité la Rand Corporation ; ce sont des problèmes semblables qui furent à son origine durant la dernière guerre mondiale. Je signale qu'il y a les mêmes difficultés de main-d'œuvre, pour les mêmes raisons, à la General Dynamics (New York) — deuxième fournisseur de la Défense —, ainsi qu'à North American Aviation — septième fournisseur et californien,

comme Douglas et Lockheed —, dont le programme
« Jupiter », pour le voyage dans la lune est retardé.

« Chez Douglas, qui était un des plus grands constructeurs mondiaux d'avions, la situation a été si
grave, par suite de la guerre du Vietnam, qu'il a
failli être mis en liquidation. C'est pour cela qu'il
s'est associé avec McDonnell, de St Louis (Missouri).
A l'heure actuelle, Mc-Donnell-Douglas manque de
matières premières, de métaux rares, d'équipement
électronique et, lui aussi, de personnel ouvrier. La
priorité absolue est donnée aux commandes militaires, où — j'ai omis de le préciser —, la marge des
bénéfices est très réduite et même, dans certains
cas, inexistante (Mr Perlo appelle profit ce qui est
simplement l'augmentation du volume des affaires).
Le retard des commandes civiles s'élève, chez Mc
Donnell-Douglas, au chiffre fantastique de deux milliards de dollars. Si la guerre finissait demain, il lui
faudrait deux ans pour rattraper ce retard. Il lui
manque vingt-cinq mille ouvriers pour fabriquer le
nouveau modèle civil du D.C. 9. Il doit en recruter
de non qualifiés et les former à grands frais. Chez
Boeing, à Seattle (Washington) — la première compagnie pour le futur marché des transports super-
soniques —, le retard des commandes civiles atteint aujourd'hui un chiffre encore plus fantastique :
cinq milliards trois cent soixante-treize millions de
dollars. Ajoutez-y un retard de quatre cent vingt-deux
millions de dollars pour les commandes militaires et
faites la comparaison de l'intérêt de Boeing à travailler pour la paix ou pour la guerre. Je ne peux
mieux finir qu'en répétant ces deux chiffres qui démontrent toute la propagande communiste contre nos
industries, occupées à puiser des dollars dans des
têtes de morts : Boeing doit faire attendre cinq milliards trois cent soixante-treize millions de dollars
de commandes civiles pour ne pas faire attendre
quatre cent vingt-deux millions de dollars de commandes militaires.

« Pourtant, non : je veux finir sur Mr Perlo, puisque c'est lui qui a servi d'enseigne à ma conférence. Il ignore les chiffres que je viens de citer, mais il n'ignore certainement pas ceux que publie l'*Investor's Reader*, ce qui nous donne une preuve supplémentaire de sa bonne foi. Mr Perlo a donc vu que McDonnell-Douglas avait augmenté son volume d'affaires de trente et un pour cent depuis l'année dernière, mais il a fait semblant de ne pas voir que, pour les raisons que je vous ai dites, la marge de bénéfice est de moins de zéro pour cent. Il a pu voir que le volume d'affaires de Boeing avait augmenté de vingt-deux pour cent, mais il a fait semblant de ne pas voir que la marge de bénéfice était de trois pour cent. Il a pu voir que le volume d'affaires de Lockheed avait augmenté de sept pour cent, mais il a fait semblant de ne pas voir que la marge de bénéfice était de deux pour cent. Avouez que cette guerre d'industriels, qui bouleversent leurs industries pour gagner entre sept pour cent et moins de zéro pour cent est, comme disaient les Français, une « drôle de guerre ».

Les Youth Freedom Speakers me firent une ovation. Le sourire de Narcissa m'était doux. Jim, pour bien marquer que ce succès honorait l'Etat dont j'étais originaire et où nous faisions nos études entonna le cri officiel « Epelez Californie » :

— Donnez-moi un C !
— C !
— Donnez-moi un A !
— A !...

Mon groupe ne fut pas seul à épeler de plus en plus fort, et de plus en plus cacophoniquement :

— C.A.L.I.F.O.R.N.I.A.

J'étais stupéfait qu'il n'y eût pas eu un seul interrupteur durant ma conférence. Sans doute allions-nous subir l'assaut d'une contradiction d'autant plus violente que la Californie tout entière était censée m'avoir acclamé.

Un membre du club DuBois, assis au milieu du deuxième rang, me demanda si mes chiffres inédits m'avaient été fournis par le F.B.I. ou la C.I.A. Je répondis qu'ils m'avaient été fournis par mon père, qui avait eu un commandement dans la guerre du Pacifique et qui n'appartenait ni au F.B.I. ni à la C.I.A. Il me demanda si mon père n'était pas amiral.

— Vice-amiral, dis-je.

Il rétorqua que beaucoup d'amiraux ou vice-amiraux avaient eu des liens étroits avec la C.I.A. et cita les noms de Radford, Souers, Hillenkoetter, Leahy. Je répondis qu'il y avait forcément un service de contre-espionnage dans la marine, comme dans l'armée et dans l'aviation, mais que l'on savait qui en faisait partie : bien mieux, les membres de ces services inscrivaient eux-mêmes ce titre dans leurs notices du *Who's Who* — c'était le cas pour les trois premiers amiraux cités, qui vivaient encore (et Radford y faisait figurer, aussi fièrement que le président Truman, sa qualité de maçon).

— Après tout, dit mon interpellateur, Allen Ginsberg met bien dans sa notice : « ancien laveur de vaisselle ».

Je jugeai inutile de répliquer à cette gracieuseté.

Au centre de l'avant-dernier rang, un autre me demanda si je ne croyais pas que c'était assez d'avoir fait dix ans de guérillas ou de guerre pour le cardinal Spellman. Ce n'était évidemment pas le chapelain qui lui avait inspiré cette question. Je lui répondis que le catholicisme n'était pas seul en cause, mais tout ce qu'il est convenu d'appeler civilisation occidentale. Il revint à la charge pour dire que j'avais attribué aux seuls communistes une remarque faite aussi par Sargent Shriver, directeur du Bureau d'Opportunité économique : « A cause de la guerre du Vietnam, avait déclaré ce dernier, nous ne pouvons faire tout ce que nous voudrions. »

— Et cela est naturel, ajouta mon contradicteur, puisqu'elle nous coûte plus de quatre millions de dollars par heure. Il faut y ajouter, pour ne parler que d'une de nos pertes, huit cents avions à six millions de dollars chacun.

Je remerciai d'abord le contradicteur de ne pas nous avoir fait perdre plus de trois mille avions, comme le dit le service de propagande du Nord-Vietnam, et de citer le chiffre du département de la Défense. Puis je déclarai que le pauvre petit Nord-Vietnam était bien riche et bien puissant pour supporter des dépenses certainement équivalentes et pour payer tous les avions soviétiques que nous avions abattus. Mieux valait donc ne plus nous accuser de mener la guerre du fort contre le faible. Et mieux valait avouer que l'on était pour la force soviétique ou chinoise contre la force américaine.

Venant à la déclaration de Sargent Shriver, je dis qu'il avait parlé en d'autres termes quand Johnson l'avait muté de la direction du Corps de la paix à celle de la Guerre à la pauvreté : « A présent, dit-il à ses nouveaux collaborateurs, apprenez-moi comment il faut faire pour abolir la pauvreté. »

A l'extrémité gauche d'un rang du milieu, un troisième me demanda si je savais que les ouvriers vietnamiens touchaient un dollar quarante par jour pour dix heures de travail, alors que le minimum de salaire aux Etats-Unis est d'un dollar quarante par heure. Je répondis que l'on ne pouvait comparer les conditions d'existence dans les deux pays, que le revenu moyen au Vietnam par tête d'habitant — je me souvenais du chiffre que m'avait cité le chapelain à Los Angeles — est de quatre-vingt-cinq dollars, celui des Noirs américains les moins favorisés étant de mille six cents dollars. Pour illustrer cette manie de nos activistes, pressés de comparer des choses qui ne sont pas comparables, je citai une anecdote d'un spirituel journaliste italien que m'avait rapporté le chapelain. Ce journaliste non communiste étant à Moscou, en hiver, avec une consœur communiste, celle-ci lui faisait admirer des machines spéciales qui enlevaient la neige de la Place Rouge. « Nous n'avons pas cela à Rome », lui dit-elle. « C'est peut-être parce qu'il n'y a pas de neige », dit-il. La salle entière se mit à rire, excepté Savio. Il fit signe qu'il voulait parler.

— Peut-on savoir combien de fois vous avez donné du sang pour nos valeureux soldats au Vietnam, demanda-t-il.

— Une fois, dis-je.

— C'est déjà beaucoup et je vous félicite. Peut-on savoir aussi quand vous partez pour le Vietnam comme volontaire ?

Je soutins ce coup de boutoir et répondis, avec mon plus gracieux sourire :

— Tout de suite après ma licence de juin.

— A la bonne heure ! dit Savio ironiquement. Mais peut-être aurez-vous la chance que la guerre ait pris fin d'ici là.

6

En dépit de ces fléchettes, Jim et Narcissa me congratulèrent.

— Tu ne m'avais jamais dit que tu partais pour le Vietnam, me dit Jim.

Narcissa me regardait aussi, l'air étonné. J'avouai que je n'avais jamais pensé à ce départ avant que m'eût été posée cette question : je croyais m'engager seulement après mon doctorat si la guerre durait encore. L'avantage accordé aux étudiants de différer leur départ était si bien établi que nul ne le discutait par rapport à ses convictions. Cela nous laissait le droit de nous exprimer en toute indépendance. Mais comme il y avait également des tirages au sort pour le contingent de chaque Etat, je n'avais pas voulu risquer d'être pris au dépourvu et avais suivi avec Jim les cours de préparation militaire.

Ils n'étaient plus obligatoires depuis quelques années, grâce aux efforts des étudiants pacifistes.

— C'est à cet imbécile de Savio que vous devrez le « Cœur de pourpre », dit Narcissa.

Elle appuya le bout des doigts sur ma poitrine, comme pour y accrocher cette décoration, et je regardai mon insigne qui était accroché sur la sienne.

— Malheureuse ! dit Jim, vous lui souhaitez donc d'être blessé ?

Elle fut si effrayée que je me mis à rire.

— C'est si beau, ce nom de Cœur de pourpre, dis-je, que l'on oublie ce qu'il signifie.

— Bref, reprit Jim, tu pars pour la gloire à cause de Savio. Les secrets de l'héroïsme sont souvent aussi futiles. Mais tu as bien fait de répondre du tac au tac.

— J'avais déjà estimé le courage de Jack lorsqu'il est venu à Sprout Hall, dit Narcissa.

— Si je vous disais que c'est moi qui l'y ai poussé !... fit Jim malignement.

— Mettons qu'il y ait toujours quelqu'un qui me pousse, dis-je, mais enfin je marche sans boiter. Ce qui m'ennuie, c'est que, cette fois, je ne marche plus vers Narcissa.

— Qui sait ? dit-elle.

Elle sourit pour ajouter qu'elle ne se serait jamais attendu à faire désormais les mêmes vœux que les Dames coloniales ou les Filles de la Révolution américaine, qui venaient de publier des manifestes enflammés pour demander la fin des bombardements limités, le blocus de Haïphong et tout ce qui s'ensuit.

Jim parla des critiques soulevées par la manière « computérisée » dont se conduisaient les opérations. Même le commentateur de Life Line venait de s'insurger contre les statistiques publiées par le Pentagone sur les « proportions de tués », les « comparaisons de tir », les « projections d'unités combattantes », les « pourcentages d'augmentation du nombre des combattants ». Ce détachement avait subi tout à coup une rude épreuve quand les Vietcongs avaient failli s'emparer de Saigon et que notre ambassadeur avait dû s'enfuir en hélicoptère. L'analyse que faisait aussi le secrétaire à la Guerre McNamara sur « l'efficacité du coût », paraissait choquante. Il en était arrivé de tous ces calculs comme de ceux du computer soviétique jouant aux échecs, qui avait été battu par quatre vingts joueurs dispersés, ainsi que me l'avait raconté Mr Armer, et comme ceux de nos propres computers qui n'avaient pas décelé la présence de Vietcongs dans la jungle, ainsi que mon père l'avait rappelé à Mr Palewsky.

— Ton amie la Rand est sur la sellette, dit Jim. Si j'avais voulu être un de tes contradicteurs, c'est là-dessus que je t'aurais attaqué. Mais maintenant, tu n'es plus dans « la Montagne d'airain » (il faisait allusion à une satire publiée récemment contre cette technocratie qui dirige les guerres « du fond d'une caverne ») : tu es le soldat sur qui va tirer le Vietcong. Et le Vietcong ne tire pas d'après un computer. Si Narcissa passe du côté des Filles de la Révolution américaine, je vais aussi, pour t'aider, demander l'utilisation des armes nucléaires. Je serai plus tranquille.

Je pris la défense de la Rand en disant qu'elle servait justement à nous détourner d'un pareil recours. Sa théorie de la guerre limitée empêche les succès à grand spectacle, mais aussi les grands carnages, et tâche d'obtenir la fin d'une guerre de la même façon que fut obtenu ici l'enterrement du Free Speech Movement.

— Ce qui me fâche, dit Jim, c'est l'idée de ton propre enterrement. Je constate où nous mènent soudain les raisonnements abstraits. Nous sommes partis de l'anticommunisme dans le monde, de la défense de la liberté sur tous les horizons, et nous voici déjà, Narcissa et moi, au camp d'aviation militaire d'Alameda, en train de te dire, comme ce père juif à son fils qui part pour la guerre : « Vends ta peau chèrement. » Cela m'oblige à ravaler tous ces beaux raisonnements et à me demander, comme les colombes, si nous ne pourrions pas laisser les Vietnamiens du Sud et du Nord se rôtir ou se réconcilier comme ils l'entendent.

— Oui, dit Narcissa d'un air rêveur : tout change dès que, à la place des mots, il y a quelqu'un. Mais c'est quelqu'un qui ne reprend pas sa parole. Peut-être que les meilleurs combattants sont parmi les plus sceptiques. Au fond, je ne déteste pas de voir le porte-drapeau rester sur la brèche.

Je lui dis, les yeux dans les yeux, qu'en effet, je ne reprenais pas ma parole. J'ajoutai qu'un des motifs qui m'avait fait aimer les Noirs, c'était leur comportement au Vietnam : ce dix pour cent de notre population représente vingt-cinq pour cent des engagements volontaires au Vietnam.

— N'exagérez pas leur patriotisme, dit Narcissa. Peut-être que certains vont là-bas par désespoir, comme vous par amour-propre. Mais enfin, le résultat est le même.

— Au fond, dit Jim, l'absurdité de toutes ces guerres n'est-elle pas démontrée par la présence de ces Noirs ? Qu'allaient-ils faire en Europe ? Que vont-ils faire en Asie ?

— Bravo, Jim ! s'écria Narcissa. Je n'ai jamais entendu une chose si intelligente au Free Speech Movement, au Congrès pour l'Egalité raciale et chez les Etudiants non violents. Carmichael ne condamne que l'emploi des Noirs contre les Jaunes : il trouve bon qu'ils aient combattu les nazis. Et il les enrôlerait volontiers dans les troupes du Vietcong.

Encouragé par ce compliment, Jim se lança de plus belle :

— Quand je repense à mon voyage en Europe, à tous ces gens que nous croyons si près de nous et avec qui nous n'avons plus que des liens théoriques et même grinçants, je me demande pourquoi nous passons notre temps à nous mêler de leurs guerres ou à prendre leur succession dans les guerres qu'ils ont perdues. Nous sommes toujours les victimes des mots, mais de mots qui font des victimes. Que signifient cette N.A.T.O., prétendue défense de l'Europe, cette S.E.A.T.O., prétendue défense de l'Asie ? Sommes-nous des guerriers ou des marchands ? Si nous sommes ou voulons être des guerriers, il faut faire le grand branle-bas et lancer des bombes atomiques sur nos ennemis, au risque d'en recevoir quelques-unes. Si nous sommes des marchands, c'est-à-dire des hommes plus malins et peut-être plus intelligents que les guerriers, nous devons renoncer à toutes les guerres, même pour la défense de l'Europe, même pour la défense du Vietnam. Il s'établira nécessairement un équilibre et des relations normales de commerce et d'échange entre ces contrées et nous, quoi qu'il advienne d'elles. Cela se produit avec la Russie — tu en as donné toi-même des exemples ; cela se produira avec la Chine et avec le Vietnam, unifié par la Chine. Mr Hunt publiait dernièrement, avec indignation, la liste des pays soutenus par notre Aide à l'étranger et qui livrent des marchandises au Nord-Vietnam : la Pologne, naturellement, mais aussi la Grèce (deux cargos), Chypre (quatre cargos), Malte (un cargo). Et Cuba, avec qui nous nous interdisons de commercer, a reçu cinquante-trois cargos de la Pologne, cent soixante et onze de la Grèce et trente-neuf de Chypre — rien encore de Malte, mais cela viendra. Nous ne pouvons pas mieux être les dindons d'une double farce, qui s'appelle la guerre et l'anticommunisme. En cela je donne raison à Mr Hunt. Mais Mr Hunt, sauf le respect que je lui porte, voit les choses d'aujourd'hui par le petit bout de la lorgnette : voyons-les enfin avec nos yeux de vingt ans. Le plus grand ami de l'Amérique en Europe, c'est le général de Gaulle, qui nous invite à rester chez nous. Il en cuira sans doute à la France si nous le prenons au mot, mais personne ne saurait nous donner un meilleur conseil.

« Oui, en effet, qu'est-ce que cela peut bien nous faire, à nous Américains, que l'Europe soit « républicaine ou cosaque », comme disait Napoléon ? Je ne vois pas pourquoi on nous oblige à choisir une moitié de l'Europe plutôt que l'autre. S'il ne s'agit que de visiter des musées, je crois que ceux de l'U.R.S.S. sont aussi bien entretenus que ceux de l'Europe occidentale et tu m'as dit qu'en U.R.S.S., il y avait des bananes pour les touristes. Nous nous ruinons et nous nous tourmentons pour maintenir au milieu de l'Europe une pseudo muraille de Chine et tu vas mourir au Vietnam pour épauler la plus croûlante des vraies murailles de Chine.

« Nous ne parlons que de nos ascendances anglaise, française, allemande, italienne. Et notre ascendance russe ? Il est venu aux Etats-Unis plus d'émigrés russes que dans aucun autre pays du monde. C'est peut-être à eux que nous devons notre entêtement. On a déjà remarqué, du reste, qu'il y a de grandes analogies entre certaines choses de la société soviétique et de la société américaine. Nous sommes des frères jumeaux ennemis, mais ennemis à cause de l'Europe et de l'Asie.

— N'est-il pas étrange, en effet, dit Narcissa, que nos deux pays soient désignés par les mêmes lettres à l'envers, comme si c'étaient les deux faces de la même civilisation : U. S. (United States) et S. U. (Sovietic Union) ?

Il était temps de réagir, en vrai Youth Freedom Speaker.

— Allons, Jim, dis-je. Tu parles de l'Amérique comme un Européen, alors que tu veux nous détacher de l'Europe. Personne de nous ne voit le moindre rapport entre notre civilisation de liberté et celle des Soviets. Toutes les civilisations ont des ressemblances, mais l'Alaska n'a pas encore de camps de concentration pour des intellectuels comme toi. Nous n'avons pas exécuté des millions de nos concitoyens pour faire triompher un régime politique. Et je ne sais si beaucoup d'Américains d'origine russe voudraient troquer la Maison-Blanche pour la Place Rouge. Si l'Europe et l'Asie devenaient entièrement communistes, je ne donnerais pas cher pour la libre Amérique. Avec le fanatisme qui ne peut disparaître du marxisme, tandis qu'il n'y en a pas dans le capitalisme, on verra toujours, pour faire un rêve de marxisme-léninisme universel, un arrière-petit-fils de Lénine surgir de quelque purge ou un petit-neveu de Mao du fond d'un bol de riz. Nous ne défendons pas l'Europe à cause de nos ancêtres, mais parce qu'elle est notre boulevard avancé. Plus personne au monde n'a le culte des ancêtres, même pas les Chinois.

— Si vous renoncez à vos ancêtres, dit Narcissa, vous vous rapprochez des Noirs. Ce qui nous éloigne le plus de vous, ce n'est pas l'Amérique : c'est l'Europe. J'ai déjà dit à Jack que je ne me sentais rien de commun avec les Noirs de l'Afrique. Ce n'est pas l'Amérique qui nous a fait esclaves : c'est l'Europe. L'Amérique est le seul pays qui ait donné aux Noirs l'occasion de se mesurer vraiment avec lui. Nous vous devons notre dignité, parce que nous l'avons conquise. Et si cela peut contribuer à vous détacher de l'Europe, je m'en réjouirai d'autant plus. Le tort de l'Amérique a été de se croire la nouvelle Europe, parce qu'elle avait été la Nouvelle-Angleterre, la Nouvelle-France. Elle ne peut pas être une Europe, à cause de ses vingt millions de Noirs. Si elle finit par s'en rendre compte, ce sera son salut.

Je sentais la vérité de ces paroles, qui me rappelaient celles de Barbara, comme je sentais le parfum du narcisse. Je dis néanmoins que l'on ne pouvait sacrifier tout d'un coup un continent à un autre. Il fallait multiplier les échanges, aussi bien avec l'Europe qu'avec l'Afrique et l'Asie.

— J'avais détesté comme toi, me dit Jim, les accords de Yalta et leurs auteurs. J'étais presque comme Mr Hunt, que le nom d'Alger Hiss empêche de dormir. Maintenant, je croirais volontiers qu'Alger Hiss était un homme de génie et j'élèverais une statue à Roosevelt. Ils ont prouvé l'un et l'autre leur lucidité : la chute de la France, la folie de l'Allemagne ne pouvaient être assez compensées par la glorieuse résistance de l'Angleterre, qui aurait été vouée à un échec certain sans notre aide et sans celle de la Russie. Le monde n'a pas été partagé à Yalta en 1945, il l'a été en 1940. Notre accord avec la Russie n'a pas été fait pour sauver l'Europe ; il a été la conséquence de la chute de l'Europe. Et de même que nous nous sommes accordés avec la Russie, nous nous accorderons avec la Chine : notre protection acharnée de Formose, et je dirai même notre politique au Vietnam, en sont le gage et l'espoir. A la Russie, l'Europe ; à la Chine, l'Asie ; à l'Amérique, l'Amérique.

— Et l'Afrique ? demandai-je ironiquement.

— L'Afrique, nous l'avons : c'est elle qui nous a débarrassés de l'Europe.

— Vous voyez que vous avez bien fait de libérer vos esclaves, dit Narcissa : à leur tour, ils vous auront libérés.

7

Kenneth Anger m'avait téléphoné pour m'inviter à aller le voir un après-midi. Comme Jim mourait d'envie de le connaître, je lui avais demandé si je pouvais amener mon meilleur ami et il avait accepté sans hésitation.

Le cinéaste habitait Fulton Street, sur les hauteurs de San Francisco. Sa maison, de belle apparence, était appelée l'Ambassade parce qu'elle avait abrité une mission diplomatique russe, mais c'est la devise de l'abbaye de Thélèma ou de Thélème qui se lisait en lettres rouges sur la porte : « Fais que voudras. » Les poignées de la porte étaient aussi peintes en rouge. Un livre de Crowley, que j'avais acheté à

Haight Street, m'avait donné quelques lumières plus positives sur ce personnage qui avait été un annonciateur des hippies. « L'amour est la loi », était sa devise, avec celle que nous lisions sur cette porte. Un seul point différait entre les deux morales : il admettait le droit de tuer ceux qui faisaient obstacle à l'amour. En cela, il était plus proche des étudiants non violents que des hippies.

Un beau garçon de dix-huit à dix-neuf ans nous ouvrit. Il avait un chapeau haut de forme en velours vert, orné d'un cabochon vert, et qui laissait tomber sur ses épaules de longs cheveux châtains. A son cou pendait un collier de grosses turquoises ; son maillot blanc, à inscription sportive, était couvert de boutons hippies ; un pan retourné de son manteau de cuir jaune, en montrait la doublure de satin multicolore; ses cuisses et ses jambes étaient serrées dans un pantalon de daim tenu par une ceinture rouge à tête d'aigle dorée ; le revers de ses bottes mexicaines de daim blanc avait de longues franges ; des bagues brillaient à tous ses doigts. Comme il avait une main appuyée sur un bâton sculpté, on aurait pu croire qu'il s'apprêtait à sortir et non pas à nous recevoir. Nous étions restés interdits quelques secondes et, lorsqu'il jugea avoir produit son effet, il se présenta avec un charmant sourire :

— C'est moi Bob.

Kenneth nous accueillit au seuil d'une grande pièce. Jim parut enchanté de savoir que c'était la chambre de Bob. Le lit était dressé comme un trône dans l'embrasure d'une fenêtre condamnée : on y montait par un escabeau.

— C'est l'autel de Lucifer, dit Kenneth.

Au-dessus du lit était un vitrail à l'image de Baphomet. En me rappelant ce que m'avait dit Kenneth de ce garçon, je remarquai que, sous son collier de turquoises, il portait l'insigne rouge luciférien.

— Il incarne Lucifer dans le film que je prépare et qui aura pour titre « le Lever de Lucifer », continua Kenneth. Cela fera pendant à celui que je vous ai montré à Berkeley, « le Lever du Scorpion ».

Bob retira son chapeau et nous pûmes mieux admirer son extraordinaire chevelure.

— Ne sera-t-il pas un parfait Lucifer, le plus beau des anges, l'ange-démon de la beauté et de la lumière ? nous dit Kenneth. Regardez son poil follet sur les lèvres et sur les joues : il ne s'est encore jamais rasé. Ce sont les « touffes de jacinthe » des poètes persans.

De là, nous passâmes dans ce que Kenneth appelait son laboratoire. Des panneaux de papier rouge masquaient les fenêtres. Des étoffes, des mannequins, des têtes de bois, des morceaux de quartz, des accessoires de toutes sortes entouraient des projecteurs. A côté, la chambre de Kenneth : un lit précieux, de jolis objets, des lampes dont les ampoules renfermaient une fleur, un personnage, un Amour en pâte de verre. Je fus moins étonné de ne pas avoir vu chez Sunny ces fantaisies électriques lorsque j'appris que notre hôte les avaient achetées au Canada. Une boule de verre à mille facettes qui tournait au plafond projetait des étoiles sur les murs.

Pendant que Bob nous servait une boisson douce, nous regardâmes quelques curiosités de presse rassemblées par Kenneth. La couverture d'un numéro de *Look* de 1938 semblait faite pour aujourd'hui. « Contrôle des naissances. Jeunesse. Drogue... » étaient les sous-titres. Et le titre : « Entre deux guerres mondiales », aurait justifié les pessimistes.

— Rien ne change, dit Kenneth. Nous savons d'avance quelle sera la couverture de *Look* dans trente ans. Mais voici des extraits de magazines récents.

Une publicité pour un ballon montrait un garçon brun, accroupi sur un garçon blond, qui riait en le regardant, la tête entre ses cuisses. Une autre aurait pu inspirer l'United Fruit : un jeune garçon en maillot de bain, debout devant une automobile immatriculée « Florida », tenait contre lui une brassée d'énormes saucisses en baudruche. Jim ne se lassant pas d'admirer cette image, Kenneth la lui offrit.

— Je devine, lui dit-il, que vous aimez la Floride.

C'eût été le moment de raconter les histoires du maquereau de Los Angeles à Miami, mais je ne voulus pas trop pousser à la roue. Kenneth m'en dispensait; il tira de son dossier une brochure devenue introuvable bien qu'elle remontât seulement à quelques années et qu'elle fût un texte officiel : « Rapport du Comité d'enquête de la législature de Floride sur l'homosexualité en Floride. » Elle avait été imprimée à Tallahassee, capitale de cet Etat, à la diligence de trois sénateurs et de quatre députés.

— Cette brochure a fait un tel scandale, dit Kenneth, que l'homosexualité des quarante-neuf autres Etats a évité le même sort. Pour inspirer le dégoût de ces mœurs, les sept législateurs de Floride produisaient quelques photographies : d'abord deux hommes s'embrassant (c'était la page de titre) ; ensuite un jeune homme nu, attaché à une claie, qui attendait un sadique ; puis, dans des lieux à l'anglaise, un jeune homme utilisant un trou de gloire — il était debout, pantalon baissé, collé à la cloison et, de l'autre côté, un homme était agenouillé, la bouche sur la cloison. Le plus drôle est que le jeune homme, les yeux tournés vers la salle, témoignait une complète indifférence au fait d'être photographié et la légende relevait cette impudence. Elle ajoutait que le retrait des portes, destiné à empêcher les actes obscènes, ne servait évidemment à rien si ce n'est à leur procurer des spectateurs et même des photographes. Cette remarque me rappela celles de Carl sur la salle de repos de sa high school. Une page de photographies en miniature de tout jeunes garçons complétait le rapport : ils exhibaient presque tous leurs derrières, pour les raisons d'ordre légal que j'avais apprises à Dallas. Jim ne reconnut pas nos modèles.

Le texte de la brochure contenait des détails croustillants sur ce qui se passait dans les écoles. On disait que les jeunes garçons corrompus par les adultes homosexuels y fondaient des sociétés secrètes, où ils révélaient ces plaisirs à leurs camarades. Les législateurs de Floride paraissaient ignorer que ces choses se passaient spontanément dans toutes les écoles, sans les leçons des adultes. Quant à ces sociétés secrètes, elles ressemblaient à nos fraternités, dont certaines incluaient des obscénités dans les épreuves de candidature : j'en connaissais une qui exigeait parfois un exercice public de masturbation. Le rapport publiait la photocopie d'extraits de presse concernant des affaires de mœurs survenues en Floride dans l'enseignement. On voyait, entre autres, la suspension du chef du département de mathématiques de l'Université de Miami, mais il était précisé que, sur les quarante mille professeurs de l'État, il n'y avait eu, en dix ans, que soixante-quatre suspensions, quatre-vingt-trois étant encore à l'examen.

Les sept législateurs dénonçaient les studios de photographies, tels que ceux dont ils publiaient quelques clichés, et ils avaient même découvert l'usage du Polaroïd. Mais alors que, pour le photographe de Dallas, cet appareil mettait en danger son commerce, pour les sept législateurs, il était, disaient-ils, « un coup dur », car il facilitait les entreprises de l'obscénité, surtout chez les homosexuels. (Dans mes recherches sur les grandes sociétés américaines, pour ma dernière conférence, j'avais relevé que la Polaroïd, à Cambridge (Massachusetts) ne cessait de progresser : elle était déjà vers la trois centième place, parmi les cinq cents plus importantes « corporations ».) La brochure expliquait également, de peur que la photographie ne fût pas assez éloquente, l'usage des trous de gloire : il suffisait, selon les sept législateurs, d'introduire son doigt dans un de ces trous et de le retirer, pour voir apparaître... autre chose, ce qui permettait d'« accomplir en moins de cinq minutes, un acte homosexuel ». Ken-

411

neth, qui s'amusait à nous lire ce texte, éclata de rire à ce détail.

— Pourquoi cinq minutes ? dit-il.

Le rapport se terminait par la liste des principaux termes désignant ces actes répréhensibles et par celle des pénalités encourues. Kenneth nous fit observer que la loi floridienne, comme celle de presque tous les Etats, mettait au nombre des « crimes contre nature » ce que l'on appelait étrangement « sodomie orale ». C'était l'envers des trous de gloire. Les sept législateurs précisaient par leurs noms les parties du corps que l'on ne pouvait effleurer de la bouche sans risquer vingt ans de prison.

— Vingt ans de prison ! s'écria Jim.

— Nous nous croyons dans un pays libre, dit Kenneth, mais ce sont les citoyens qui se sont rendus libres. La loi reste la loi, même avec les atténuations que lui apporte de temps en temps la Cour Suprême. Il n'y a encore qu'un Etat, l'Illinois, qui permette l'homosexualité — cela grâce à l'Institut Kinsey. (Je suis l'ami de cet institut parce que j'étais ami du Dr Kinsey, et j'étais ami du Dr Kinsey parce qu'il s'intéressait à Crowley.) Dans cette Californie qui est censée le paradis des homosexuels, la sodomie est interdite même avec l'autre sexe. Il n'y a pas longtemps qu'un homme et sa femme ont été dénoncés par leur servante mexicaine qui les avait surpris en train de commettre ce crime épouvantable. Ils ont eu un an de prison, ce qui est la sanction dans notre Etat. Mais ne sodomisez personne dans le Nevada : vous pouvez y encourir la relégation perpétuelle. La Caroline du Nord n'est pas non plus recommandée à ceux que l'on nomme en France des « carolines » : cinq à soixante ans de prison.

— La relégation perpétuelle ! Soixante ans de prison ! dit Jim. C'est de plus en plus inimaginable.

— Et c'est pourtant vrai, dit Kenneth, mais on a peine à le croire pour le Nevada quand on sait ce qui se passe à Las Vegas : ces magnifiques hôtels où logent les joueurs du casino et les vedettes

412

d'Hollywood devraient être changés en prisons. Mais enfin, on est partout à la merci d'une servante mexicaine. Il est vrai que, pour les beaux jeunes gens, il y a une ressource : ils arrivent à se faire libérer en prouvant qu'ils ont subi les violences des autres prisonniers. Toutefois, l'Arkansas est à éviter sur ce chapitre, non seulement parce que la sodomie y est punie de vingt et un ans de prison, mais parce que les détenus y sont violés par les gardiens. Vous avez vu le scandale qui a fait découvrir, dans la ferme-prison de cet Etat, des dizaines de cadavres de prisonniers portés évadés et qui étaient des récalcitrants ou des malheureux, morts à la peine.

« Dans beaucoup d'Etats, on peut se racheter en payant une amende : à New York, mon cher Jim, c'est un an de prison, comme en Californie, ou cinq cents dollars. Le maximum est dans le Nouveau-Mexique, le New Jersey, la Pennsylvanie et la Caroline du Sud : cinq mille dollars.

— Quelle différence entre les deux Carolines ! dit Jim.

— Oui, dit Kenneth : dans l'une, on ne peut même pas recommencer ; dans l'autre, il suffit d'être millionnaire. Mais n'est-il pas honteux que les Etats de la Nouvelle-Angleterre conservent à cet égard une législation inspirée de la vieille Angleterre, alors que celle-ci s'est humanisée ? Dans le Massachussets, où il y a Harvard et le M.I.T., viviers traditionnels de l'homosexualité, elle est punie de vingt ans de prison.

— Heureusement que je n'ai pas su cela quand j'étais à Andover, dit Jim en me regardant. Vous me donnez des frissons rétrospectifs. Mais quelle mémoire de pénalités !

— Chaque Américain a son répertoire de chiffres, dis-je.

— Le mien prouve que j'ai voyagé, dit Kenneth. Ces petites informations sont de celles qu'un homme qui sait vivre doit prendre en débarquant sur l'une de nos cinquante étoiles.

— Si je vous ai bien entendu, dis-je à Kenneth, il vaut mieux ne pas voyager en Amérique.

— Oh ! dit-il, savoir ce que l'on risque donne parfois encore plus d'envie de le risquer. Mais enfin avouez que notre pays est un beau défenseur de la liberté ! C'est ce qui a empêché André Gide d'y venir quand il fallait déclarer, dans la demande de passeport, si l'on était homosexuel.

Kenneth referma le rapport qui avait au dos le grand sceau de l'Etat de Floride — un Indien près d'un palmier —, et notre devise : « In God we trust. »

Jim le félicita d'avoir été l'ami de Kinsey et salua la mémoire de l'homme à qui l'on devait une première victoire de la liberté.

— La chance de l'Amérique, dit Kenneth, est d'avoir de temps en temps des hommes comme celui-là. Son rapport est le contrepoids — combien plus convaincant ! — de celui des législateurs de Floride. Ils s'y réfèrent, d'ailleurs, et on les sent moins absolus dans leur condamnation de la nature humaine. Ils s'indignent surtout pour les délits d'ordre public. Ils veulent bien reconnaître que, parmi les homosexuels, il y a « des hommes qui sont en apparence d'heureux maris, qui élèvent une famille, qui participent aux offices religieux et aux affaires civiques ».

L'allusion des sept législateurs aux heureux maris et aux bons pères corroborait les propos de Carl.

— Il y a certainement des homosexuels à la législature de Floride, continua Kenneth. Un membre du Congrès, ainsi que d'autres hauts personnages de Washington, n'ont-ils pas été compromis récemment dans un scandale homosexuel provoqué par des détectives maîtres chanteurs ?

Pendant la lecture et les commentaires, Bob regardait avec attention un paquet de photographies en couleurs qui étaient la préparation du film. Kenneth nous dit qu'il photographiait des expressions de physionomie ou des jeux de scène avant de les filmer. Toutes ces images concernaient Bob — on le voyait tantôt à demi nu et le torse couvert de

signes magiques, tantôt drapé de robes extraordinaires ou enveloppé de feux de Bengale.

— « Le Lever de Lucifer », nous dit Kenneth, c'est
le lever du soleil de l'enfance. Bob est toujours un
enfant, mais j'aurai aussi pour acteurs ses deux plus
jeunes frères, qui viendront de la Californie du Sud
l'été prochain. Les enfants sont des magiciens ; et
nous, les magiciens, nous devons les saisir au passage,
car ils ne le restent pas. Je voudrais réhabiliter
l'enfance, qui a été souillée, massacrée par les films
de Walt Disney. Il a été le Hitler des enfants, mais,
de même que le judaïsme est sorti vainqueur de
l'épreuve hitlérienne, il faut que l'enfance renaisse
au grand soleil de Lucifer. Disneyland est la honte
de l'Amérique. Le fait que Khrouchtchev ait regretté
de ne pas visiter cette foire, parce qu'on ne répondait pas de sa sécurité dans un tel endroit, donne
une idée de ses facultés intellectuelles.

— Il voulait peut-être y aller pour nous faire plaisir, dit Jim.

— Quand je parle de l'enfance en me moquant de
Disney, reprit Kenneth, je ne voudrais pas me montrer irréaliste dans un autre sens. Si les enfants sont
des magiciens, ils peuvent, comme certains magiciens, exercer des pouvoirs maléfiques et doivent
donc être tenus en laisse, mais comme des cerfs-
volants. Il faut savoir diriger les forces magiques
dans la bonne direction : celle de la joie et du plaisir. Les excès des gardes rouges en Chine confirment
ce que je dis. En donnant toute licence aux jeunes,
Mao a déchaîné des forces qui le dépassent, et du
reste elles se déchaînent partout. Après la révolution, les Soviets ont été obligés d'exterminer à coups
de mitrailleuses des bandes de jeunes loups à deux
pattes.

Je dis que les hippies étaient le contraire de jeunes
loups et de gardes rouges : ils poétisent, assainissent,
détendent l'atmosphère américaine. Bob m'applaudit.

— Il est plus hippie que les hippies, nous dit Kenneth ; mais puisqu'il est luciférien, c'est tout naturel. Avez-vous mesuré notre chance d'avoir en Californie les plus beaux représentants de la jeunesse ? Il y a les surfers, qui règnent sur la mer comme de jeunes vikings aux cheveux blonds, et il y a les hippies, qui règnent sur la terre. Lorsque Allen Ginsberg a invité dix mille hippies à chanter près de la mer, sur le terrain de polo qui est au bout du Parc de Golden Gate, j'y suis allé avec Bob. Ce fut quelque chose d'extraordinaire : tous ces garçons et toutes ces filles, dans leurs accoutrements de l'autre monde, et, à l'horizon, les surfers nus jouant avec les vagues. C'était l'union de deux jeunesses.

— Ajoute, dit Bob, que lorsque les dix mille se sont retirés, il n'y avait pas dans l'herbe une enveloppe de bonbon.

— L'an dernier à New York, dit Jim, les hippies ont lavé la Septième Rue. Ceux d'Anvers ont sauvé les trésors d'une église en flammes.

— Nous ne sommes ni une anti-société, reprit Bob, ni une sous-société. Nous sommes une sur-société. Nous sommes les surfers de la terre. Nous glissons sur les vagues des rues.

Il se leva pour faire une glissade le long du parquet. Comme nous allumions une cigarette, je demandai à Kenneth ce qu'il pensait des drogues.

— C'est la magie de commande, dit-il : c'est donc le contraire de la magie. Elle correspond à notre goût de l'instantané, qui est notre grand défaut — le café instantané, l'amour instantané, l'art instantané, le génie instantané. Pour moi, qui ai beaucoup vécu en Europe et surtout en France, j'ai appris qu'il faut du temps pour préparer quelque chose, fût-ce une tasse de café. Notre civilisation ne nous a pas habitués à cette idée de durée. Je regrette que beaucoup de hippies s'adonnent à la drogue, mais je crois que c'est un reste de contamination des beatnicks. Plus ils s'éloigneront de ces proches ancêtres, plus ils seront eux-mêmes et, quoi que dise Timothy

Leary, ce n'est pas la drogue qui vous rend conscient. Elle vous rend inconscient.

« Si je la réprouve, je juge assez ridicule que l'on en fasse tant de griefs aux hippies. Ils s'abstiennent de toutes les drogues de la société dite normale, qui devient peu à peu une société de drogués par l'alcool, le tabac, les tranquillisants, les excitants, les soporifiques, la télévision, etc. Ce que les hippies appellent « implication personnelle » et qui est leur but profond rejoint plutôt la vraie magie que la chimie.

« Une autre chose qui contribuera à les éloigner de la drogue, c'est leur réaction croissante aux efforts de certains adultes pour s'instituer leurs chefs. Ceux-ci ont cherché à s'imposer à eux par la drogue : Timothy Leary fut le premier ; l'écrivain Kesey est le dernier, mais il s'occupe plutôt des motocyclistes que des hippies.

— Les vrais hippies détestent les chefs, dit Bob. Ils estiment ridicule qu'on puisse vouloir être un chef. Voyez les étudiants allemands d'extrême-gauche qui se déchaînent parce qu'on a voulu tuer leur chef. Qu'ils soient de droite ou de gauche, ces Allemands ont toujours besoin d'un chef. Et les étudiants français se mettent en mouvement, eux aussi, parce qu'ils ont enfin trouvé un chef.

— Bob a raison, dit Jim : l'Europe veut des chefs — jeunes ou vieux, mais des chefs. C'est une marque de sa mentalité primaire, comme la Chine. L'U.R.S.S. est la seule, avec nous, à repousser le « culte de la personnalité ». Elle est donc plus avancée intellectuellement que vous ne semblez le dire, Kenneth.

Je rappelai à Jim que cette avance intellectuelle comportait l'embrigadement et, au besoin, l'emprisonnement des intellectuels.

— Chez les hippies, dit Bob, chacun est son propre chef. Ce sont les chefs qui vous obligent à vous intéresser aux « grands problèmes » ; les hippies ne s'intéressent qu'à leurs problèmes. Si vous deman-

417

dez à l'un d'eux ce qu'il fait, il vous répond qu'il
« cherche sa chose ».

— Il est comme le sage antique, dit Kenneth : il
cherche un homme, une femme, une fille, un garçon.
Voilà son problème.

Je fis observer que la formule de Timothy Leary :
« Laisse tomber ! » semblait montrer un mépris des
grands problèmes et correspondre à l'idéal des hippies.

Kenneth répondit que ce qu'il fallait laisser tomber, c'était la drogue. Il ajouta que les hippies ayant
la religion de la nature et trouvant dans les phénomènes naturels, comme dans la jouissance du moi,
l'explication de tout, la drogue ne pouvait être pour
eux qu'une solution provisoire. Sans la guerre que
lui fait la police, ils l'auraient déjà abandonnée. Une
preuve qu'ils cherchent autre chose est leur goût
croissant pour l'hindouisme. Cela aussi, ils l'ont hérité des beatniks — mais également de Walt Whitman, qui a chanté la « route des Indes ». La méditation devenait leur procédé pour arriver à cette illumination vantée par l'évêque Pike. Leur prophète
était de moins en moins Timothy Leary et de plus
en plus le yoghi Maharishi Malesj, qui se partageait
entre la Californie et son ashra aux Indes où les
Beatles et Mia Farrow, la femme de Frank Sinatra,
suçaient le lait de sa sagesse. Mais comme dans sa
sagesse, il avait approuvé la politique de Johnson et
même l'action de la C.I.A., Allen Ginsberg venait de
le proclamer « vendu aux impérialistes ».

Bob dit que les hippies en avaient assez de voir
leur idéal exploité par les intellectuels aussi bien que
par les marchands : ils voulaient obliger les bars
de Haight Street à fermer, pour écarter les curieux
et les touristes ; ils allaient ouvrir des boutiques où
tout serait donné gratuitement aux enfants des
fleurs, pour faire échec aux boutiques ordinaires et,
s'ils n'y réussissaient pas, ils quitteraient San Francisco pour se rendre plus loin — à la Mission, à
Potraro Hill, ou à Napa Valley.

— En tout cas, dit Kenneth, ils resteront fidèles à la Californie, qui est leur terre natale. Du reste, leurs pays d'élection se trouvent avoir, comme par hasard, des liens avec l'homosexualité. En Europe, leur capitale est Amsterdam, qui est aussi une capitale de l'homosexualité. Ces liens sont naturels puisque le mouvement hippie et le mouvement homosexuel représentent une libération.

Un coup de sonnette retentit.

— Voilà nos sorciers ! dit Kenneth à Bob. Va leur ouvrir.

Nous le regardâmes, intrigués, Jim et moi.

— Ce n'est pas l'Eglise satanique, me dit-il : c'est l'Eglise luciférienne. Je vous réservais cette surprise. Il y en aura même une autre, mais qui restera incomplète : on vous mènera jusqu'à la porte d'un temple que vous ne pouvez franchir. Mais cela seul vaut le déplacement.

Bob, qui s'était recoiffé de son chapeau et qui avait repris sa canne de majordome, introduisit deux personnages : une femme d'une quarantaine d'années, portant un grand chapeau texan de feutre noir, un corsage rouge couvert de boutons hippies, une culotte de velours jaune et des bottes mexicaines pareilles à celles de Bob ; un jeune homme d'une vingtaine d'années en pantalon de velours jaune et en chemise rouge, un collier de petites perles autour du cou. Ils arboraient l'un et l'autre l'insigne luciférien. On nous les présenta comme deux peintres qui arrivaient de Pasadena : Alan et Cameron. Leurs beaux visages reflétaient une sérénité que l'on aurait pu croire celle de lumières d'en haut.

— Vous ne savez pas, nous dit Kenneth, que vous êtes mêlés à la célébration d'une fête : c'est aujourd'hui l'anniversaire d'une grande amie de nous quatre, une jolie sorcière de vingt ans, nommée Oriane, qui habite à Sausalito et que nous irons trouver après dîner. C'est la seconde surprise.

Nous nous amusions de la manière dont Bob témoignait sa joie de revoir les deux sorciers : il les caressait de haut en bas, devant et derrière, comme pour s'assurer qu'ils étaient bien venus en chair et en os. Cela les faisait rire ; mais, pleins de dignité, ils ne lui rendaient pas ses caresses, soit parce qu'elles étaient un devoir de néophyte, soit parce que nous étions là.

8

La voiture de Bob était une vieille Oldsmobile rouge qui m'évoqua celle de Mr Hunt ; mais le moteur était déficient. Il se mit en devoir de l'examiner, en homme de l'art ; la tenue qu'il avait conservée donnait du pittoresque à ses efforts de mécanicien.

— Peut-être ne connaissez-vous pas une particularité de beaucoup de ces garçons, nous dit Kenneth : ils ont une voiture, moins pour s'en servir que pour passer leur temps à la réparer. Bob a des amis qui n'ont jamais roulé dans la leur ; il y manque toujours une pièce de rechange et pour rien au monde ils ne voudraient la trouver, mais ils la cherchent sans cesse.

— Ils cherchent leur chose, dit Jim.

Ces chercheurs qui ne veulent pas trouver me rappelaient les dropouts dont avait parlé le président de l'université, et ces éternels préparateurs de thèses de doctorat que Sunny avait entendu critiquer à l'U.C.L.A.

Pendant que Bob inspectait son moteur sous les yeux impassibles des deux sorciers, je regardais de jeunes négresses qui faisaient le pied de grue et pensai, dans un éclair, à la cruelle histoire de Narcissa.

— Je suis aux confins du quartier noir, me dit Kenneth qui suivait mes regards, et cela m'inquiète un peu, quand on parle de révolte. Mais j'ai confiance parce que j'aime les Noirs et je sais que ce sont de braves gens. Ils finiront par s'apercevoir que leurs meneurs sont leurs pires ennemis. La presse blanche a souvent sa part de responsabilité : je lisais un article de *Ramparts* sur notre ghetto noir de North Richmond, où l'on disait : « Si North Richmond ne fait pas éruption cet été, ce sera un miracle. » Voilà comment on empêche les miracles et comment l'on produit les éruptions.

J'approuvai la remarque de Kenneth relative aux meneurs des Noirs et qui répondait à ce que j'avais dit dans ma conférence. Une négresse mince et blonde, en mini-jupe rose, passa près de nous.

— Jolie fille, dit Jim.

— Je vois que vous avez l'œil, dit Kenneth : c'est un garçon. Je le connais ; il y a beaucoup de travestis noirs dans le quartier.

Enfin le moteur se mit à tourner ; Cameron et Alan montèrent avec Bob ; Kenneth avec nous deux dans ma voiture. Le cortège démarra.

— Une fois en marche, dit Kenneth, la voiture de Bob n'est jamais en panne. Mais comme elle ne va pas vite, il est plus prudent de la suivre que de la laisser derrière nous.

« Je songe encore à ce jeune travesti parce qu'il y aurait de curieuses réflexions à faire sur l'homosexualité noire. Peut-être savez-vous qu'elle est aussi répandue chez eux que chez les Blancs et même sans doute davantage puisqu'ils sont plus près de la nature. Alors que notre cher Kinsey n'a trouvé que trente-cinq pour cent d'Américains ayant eu au moins une expérience homosexuelle, ce qui est déjà quelque chose, les ethnologues trouvent soixante-quatre pour cent d'homosexuels dans les populations primitives. On peut en conclure que l'homosexualité est un sentiment dont les civilisés devraient rougir, mais non qu'elle est une marque de décadence. Comme je vous signalais ses étroits rapports avec le hippisme et ceux du hippisme avec la magie de l'enfance, j'ajouterai qu'elle est aussi étroitement liée avec la magie et avec les rites d'initiation dans un grand nombre de tribus noires, indiennes et asiatiques.

Me souvenant d'un propos de Sunny, je dis que l'homosexualité dans l'enfance était, comme la masturbation, notre première prise de conscience avec nous-mêmes, mais que l'on y renonçait, comme à la masturbation, par une prise de conscience plus approfondie.

— Quelle idée, s'écria Jim, de croire que l'on ne se masturbe plus dès que l'on se connaît mieux — en d'autres termes, dès que l'on a une date ! Je connais quelqu'un, à New York, qui est marié et qui dit se masturber parfois dans la salle de bains, après avoir eu sexe avec sa femme.

Je répondis que ce devait être un de ces bons maris new-yorkais selon Carl, qui vont aux bains Everard avant de rejoindre leurs épouses.

— Ils vont dans leur salle de bains quand ils ne sont pas allés aux bains, dit Kenneth.

Jim le remercia de ses observations sur les Noirs.

— J'avais toujours cru, ajouta-t-il, que l'homosexualité n'était pour eux qu'une manière de singer les Blancs.

— Certains d'entre eux croient, au contraire, singer les Blancs en la condamnant, dit Kenneth : une république d'Afrique occidentale a interdit l'homosexualité le jour même où cette interdiction était abolie en Angleterre.

— Ah ! dit Jim, si les Noirs se mettent à nous apprendre la vertu !... Mais le Congo ne vient-il pas d'interdire les mini-jupes ? Le jeune nègre que nous venons de voir en mini-jupe rose aurait deux motifs d'aller en prison.

— On ne remarque pas assez, poursuivit Kenneth, que l'homosexualité, en tant que phénomène de liberté et de libération, est un facteur d'antiracisme. C'est pourquoi elle est persécutée dans les pays racistes, comme aujourd'hui l'Afrique du Sud. Et elle l'est dans les pays marxistes parce que leur prétendu

422

internationalisme est un racisme — le racisme du prolétariat. Elle demeure persécutée chez nous, au moins théoriquement, parce que nous sommes encore racistes. Castro, pour se venger de ses danseurs qui vont lever la jambe dans les pays libres, commence à mettre les homosexuels dans des camps de concentration. Hitler faisait de même.

— J'admire vos idées, dit Jim, mais je ne partage pas tout à fait celle-ci : le racisme ne me semble pas la raison majeure de la lutte contre l'homosexualité. Les Grecs ont inventé la pédérastie et ils étaient les plus racistes des hommes.

— L'homosexualité, dit Kenneth, a quatre grands ennemis : Moïse, Jésus, Karl Marx et la Bêtise.

« Je vous ai parlé de l'Institut Kinsey, appelé maintenant Institut des Recherches Sexuelles. Peut-être savez-vous qu'il est à l'université de l'Indiana, dont le siège est à Bloomington, près d'Indianapolis, la capitale. C'est là qu'il y a, non seulement la plus grande collection de livres érotiques du monde, après celle du British Museum et du Vatican, mais la plus grande collection connue de photographies, de manuscrits, de dessins et de films obscènes. (Il va sans dire que cela n'est pas montré à tout le monde et fait tirer la langue aux vingt-sept mille étudiants du campus.) Cette collection est due à la fois aux dons ou aux legs d'amateurs et aux séquestres de la police dont l'institut a obtenu ainsi la collaboration dans la plupart de nos Etats. Ce préambule était pour vous dire qu'une des perles de l'institut est un film tourné par la police de Mansfield (Ohio), dans une salle de repos de cette petite ville et que l'un des épisodes concerne un jeune Noir.

« La police voulait mettre fin à ce qui se passait dans ces lieux publics et n'arrivait jamais à prendre les coupables en flagrant délit. Elle eut l'idée d'installer une caméra derrière la glace sans tain du lavabo et filma tranquillement pendant plusieurs jours une trentaine de scènes qui aboutirent à l'arrestation d'une trentaine de personnes. Le policier cameraman était relié par walkie-talkie avec d'autres policiers du dehors qui, en voiture, suivaient les délinquants jusqu'à leur domicile ou lieu de travail.

— J'imagine, dis-je, la stupeur des policiers de Washington qui suivirent Jenkins jusqu'à la Maison-Blanche, après l'avoir filmé de la sorte.

— Ce film n'est pas à Bloomington, dit Kenneth, mais celui de Mansfield, qui est réservé aux officiers de police pour leur instruction et qui est présenté par le chef de la police locale, à l'ombre du drapeau, illustre tout ce que décrit le rapport des législateurs de Floride. Je vous disais que l'un des personnages est un jeune Noir, d'une naïveté sympathique. Il gesticule tant qu'il peut devant des lieux à l'anglaise où un couple est aux prises, et ensuite, consciencieusement, il efface sur le sol, avec ses sandales, la preuve du délit. Mais hélas ! pour ce Noir si prudent, la police n'en perdait pas une miette. Aussi infortuné fut un monsieur impeccable qui, ses opérations accomplies, se lave les mains au lavabo, puis se rajuste la cravate, le chapeau et les lunettes tout près de la glace sans se douter qu'il est à quelques centimètres de la police. Et l'on entend la voix de Mr Kyler, chef de la police de Mansfield, dire : « Il ne sait pas encore qu'il en a pour vingt ans... » Vingt ans, c'est en effet le tarif dans l'Ohio. Ce film est, à mon sens, le chef-d'œuvre, à la fois comique et tragique, du « cinéma vérité ».

Jim était un peu rêveur.

— Mais enfin, demanda-t-il, comment peut-on savoir si une glace est sans tain ?

Kenneth se mit à rire :

— On assure, dit-il, mais je ne vous garantis rien, que l'éclat est moins net et un peu gris. J'ai un ami assez violent qui, dans une salle de repos où la glace lui semblait un peu grise, y déchargea son revolver. C'était une vraie glace, heureusement.

L'histoire était digne de celle des étudiants de Berkeley perçant des trous de gloire avec un chalumeau électrique, mais elle aurait pu être tragique.

— Revenons au comique, dit Kenneth. Il y a un autre chef-d'œuvre de cinéma vérité et une copie en est promise à l'institut. Son héros n'est plus un anonyme gibier de salle de repos.

« Lorsque le roi Farouk eut été détrôné, il alla en croisière à Capri, mais son yacht était d'un trop grand tonnage pour jeter l'ancre dans le port et restait au large. Chaque jour, à l'heure de la sieste, le roi se mettait nu sur le pont et s'ébattait avec nymphes et nymphettes. Ce qu'il ne savait pas — comme le brave homme de Mansfield —, et qu'il n'a jamais su, c'est que des terrasses de Marina Grande, les estivants le regardaient avec des lunettes d'approche et le filmaient au téléobjectif. On s'invitait même à ce que l'on appelait des « Farouk parties ». Il semble que ce soit le seul spectacle de ce genre qui ait été offert gratuitement par un monarque depuis la reine de Tahiti au temps de Cook et de Bougainville.

Non loin du parc de Golden Gate, Bob s'arrêta devant les pelouses que les hippies surnomment « la queue de poêle » et qui est un de leurs lieux de rassemblement. Un orchestre jouait sur un camion, au milieu d'une allée, et une centaine d'entre eux écoutaient, couchés sur l'herbe ou dansant à leur façon. Nous les observâmes sans descendre de voiture.

— Admirez leur joie, leur fantaisie, dit Kenneth. Vous les appréciez, mais il faut avoir mon âge, c'est-à-dire une vingtaine d'années de plus que vous, pour se rendre compte du changement qu'ils ont apporté dans les traits de la jeunesse et même de l'âge mûr. Ils ont effacé le masque crispant du buveur de whisky, du masticateur de chewing-gum, la silhouette insupportable du « Boobus Americanus », de « l'Homme en complet de flanelle grise », de « l'Organisateur » né, de « l'Exécutif » né, du G.I. mort-né.

Jim, qui était assis derrière nous, me pinça l'épaule pour faire allusion à ma prochaine qualité de G.I. et peut-être de mort, mais j'estimai que la guerre du Vietnam pouvait rester en dehors de notre conversation. D'ailleurs, je m'étais promis de ne plus penser à mon départ : puisque c'est pour des raisons légères que j'avais pris une grave décision, le meilleur moyen d'en diminuer la gravité me semblait précisément de la traiter à la légère.

Notre nouvel arrêt fut devant une des chemiseries les plus connues de San Francisco. Kenneth voulait acheter un cadeau pour son amie de Sausalito.

Il y avait beaucoup de monde dans cette boutique, longue et étroite, et les employés étaient très occupés. La plupart des clients choisissaient eux-mêmes, essayaient eux-mêmes — il y avait, sur un côté, des salons d'essayage fermés par un rideau. Bob avait gardé son chapeau, mais cela n'étonnait personne : on vendait des tenues dignes de la sienne. Cameron et Alan se mirent à fourgonner avec lui dans les piles de foulards et de chemises. Kenneth aurait à faire beaucoup de cadeaux.

Deux jeunes garçons, de treize ou quatorze ans, s'adressèrent à Jim qui les regardait et qui leur parut un commis distingué. Saisissant la balle au bond il leur demanda ce qu'ils désiraient : l'un d'eux montra une coupure de journal où la maison annonçait des chinos très collants, à prix réduit. Sur la publicité de ce pantalon était le mot des hippies : « Love ». Jim, d'un coup d'œil rapide, avait repéré l'endroit où étaient ces pantalons-amour. Imperturbable, il y conduisit le garçon pendant que l'autre s'asseyait sur une chaise. Un employé, qui servait un client à ce rayon, fut persuadé que c'était le frère aîné aidant son cadet à choisir. Jim lui emprunta le centimètre pour mesurer la taille et l'entrejambes. Puis il guida le garçon vers un salon d'essayage dont il écarta le rideau afin de ne pas me priver du spectacle. Sous couleur d'aller vite, il lui déboutonna le pantalon et le lui retira en cinq sec. Il le fit pivoter comme pour une vérification, lui arrangea le slip, lui releva la chemise devant et derrière : il manquait le photographe de Dallas. Le garçon, médusé, se laissait faire, peut-être parce que ces manipulations avaient produit un résultat qu'il cherchait vainement à cacher. Toujours aussi désinvolte, Jim lui passa le pantalon neuf, le lui boutonna, le lui moula des deux côtés, à pleines paumes, et l'amena devant son compagnon qui eut l'air étonné de lui voir une bosse à la cuisse. Kenneth avait fini ses achats et nous sortîmes, laissant les deux garçons, plus étonnés que jamais, avec le pantalon-amour.

Nous amusâmes Kenneth de cette histoire qui m'avait fait admirer la dextérité de Jim.

— Vous en êtes responsable, lui dit celui-ci — ou bien ce sont les législateurs de Floride, ou bien les policiers de Mansfield.

— Et vous, dit Kenneth, vous vous êtes rendu coupable de « molestation d'enfant ». J'ai oublié le nombre d'années de prison qui la sanctionne. Le chef du F.B.I. a ordonné de mettre trente-cinq millions d'affiches dans les écoles pour prévenir les enfants contre les molestateurs. Naturellement, cela n'a fait que multiplier les provocations. Nous avons une activité sociale qui en est, pour ainsi dire, une source permanente : celle des « baby-sitters ». Toutefois, il y a les baby-sitters qui molestent les enfants et il y a les baby-sitters qui sont molestés par les parents des babies. Rien à faire pour échapper à l'érotisme, même dans le « baby-sitting ».

« J'ai lu les instructions, plus complètes que les affiches du F.B.I., données à des groupes scolaires et qui doivent créer chez les enfants, non plus un attrait suspect à l'égard des adultes, mais une véritable panique à l'égard de tout le monde. On leur dit, par exemple : « Des étrangers ne doivent pas vous caresser la tête... Personne, si ce n'est vos parents, n'a le droit de vous donner plus d'un baiser sur la joue... Ne vous aventurez pas dans une église vide... N'entrez jamais dans une chambre de repos (pauvres enfants ! où doivent-ils aller « se reposer » ?)... A la campagne, n'allez jamais seul dans les champs... Ne restez jamais seul avec les personnes de service... Quand on vous laisse seul dans une voiture, klaxonnez si quelqu'un s'approche... Si un automobiliste s'arrête pour vous demander un renseignement, relevez le numéro de la voiture... Méfiez-vous des personnes âgées... »

— C'est le mac-carthysme appliqué à l'enfance, dit Jim.

Je dis que c'était tout simplement l'américanisme : nous ne pouvons rien faire à demi. Nous exagérons dans l'érotique ; nous exagérons dans l'anti-érotique. Nous exagérons dans le baby-sitting.

— Votre histoire de pantalon et de bosse, dit Kenneth, me rappelle une série étonnante des films de Bloomington, intitulés par Kinsey lui-même « Accomplissement sexuel adolescent ». Ils ont été tournés par un amateur de l'Oregon qui les a donnés à l'Institut avant de partir pour la guerre de Corée — et qui n'en est pas revenu. Ses sujets avaient tous de treize à quinze ans. Vous voyez deux garçons en train de lire de courtes histoires, un jardinier tout nu dans un jardin, un fermier tout nu à cheval, deux garçons faisant de la gymnastique, quatre garçons prenant un bain de soleil sur une plage, un Portoricain et un Germano-Américain sur un lit, un Mexicain dans la nature. Détail plaisant, le cinéaste avait la manie de faire pisser longuement les garçons avant leurs exercices. Aussi leur donnait-il à boire beaucoup de bière, en dépit de la loi, et l'on distingue, dans le coin de certaines images, les boîtes vides qui sont comme la signature de ce maître inconnu.

Le restaurant choisi par Kenneth était du genre bohème élégant. Un portique en faisait le tour ; au plafond, pendaient des sacs de dame, des souliers, des filets. Nous commandâmes un menu mexicain.

— Il faut des plats épicés avant les rites de sorcellerie, dit Kenneth.

Le sorcier et la sorcière mangeaient comme tout le monde. Cameron avait gardé, comme Bob, son chapeau sur la tête, et l'on aurait dit un repas dans un studio de cinéma où les acteurs ont le costume de leur rôle. Je lui posai quelques questions sur la sorcellerie à Los Angeles, mais malgré sa courtoisie, elle éluda les réponses. Je parlai alors des hippies que j'avais vus à Devonshire Meadows. Alan eut une moue de mépris : il déclara que ce rassemblement n'avait été qu'une entreprise commerciale et je pensai aux réflexions de certains d'entre eux, qui s'étaient plaints d'avoir à payer l'entrée.

— Lorsqu'il y a, parmi les hippies, des gens qui ne sont pas des hippies, dit-il, ce n'est pas une véritable réunion hippie. Les « love-ins » que vous voyez décrits et même photographiés dans les journaux ne sont pas de véritables « love-ins ». Quand les hippies veulent s'aimer comme seuls ils s'aiment, il n'y a pas d'étrangers, pas de journalistes, pas de photographes. Les hippies sont comme les sorciers : ils peuvent avoir des amis qui ne soient pas des hippies ; mais pour les connaître, il faut être hippie ou sorcier.

— Jack a assisté à une messe chez Anton, dit Kenneth à ses deux hôtes. C'était une vraie messe, mais il y a d'autres messes auxquelles ne peuvent assister que des satanistes ou des lucifériens.

— Je ne savais pas qu'Anton invitait des profanes, dit Cameron d'un air sévère.

— Jack a été introduit par une charmante sataniste de Hollywood dont il est le fiancé, dit Kenneth. C'est comme s'il avait déjà un pied dans la maison.

— Une sataniste de Hollywood ! dit Cameron.

— Jayne Mansfield en était bien une, dit Kenneth.

— Anton a fait mieux, dit Alan : il a consenti une fois à se laisser filmer par la télévision, entre deux conjoints qu'il venait d'unir selon le rite satanique.

— C'était le mariage, me dit Kenneth, de l'écrivain John Raymond, de San Francisco, et de Judith Case, de New York, que vous avez rencontrés l'autre soir et qui se sont tellement réjouis d'apprendre que leur mariage était validé. Il fut célébré, non pas chez Anton, mais chez le marié, dont l'appartement de douze pièces était tendu de noir. La corbeille de mariage contenait un superbe chat noir offert par un petit-fils du président Arthur.

— Anton a un faible pour les mondanités, dit Cameron.

— Lucifer est un prince, dit Kenneth.

— J'aime mieux l'évoquer dans des solitudes que dans des appartements de douze pièces, même tendues de noir, dit Cameron.

Elle parla peinture. Kenneth nous conseilla d'aller voir l'exposition de Pop Art du musée de San Francisco, où il y avait un tableau de Cameron, incrusté de brosses à dents.

Nous reformâmes le cortège vers Sausalito. A l'approche de la baie, la tour Coït nous inspira les plaisanteries ordinaires. Kenneth fit observer que toute grande ville se doit d'avoir un symbole phallique — la tour de Londres, la tour Eiffel, la tour de Néron... Mais aucune autre ne peut s'enorgueillir d'une tour parée d'un si beau nom : c'était le monument élevé par Mrs Coït à la mémoire des pompiers volontaires des premiers jours de San Francisco — on dit souvent par erreur : à la mémoire de son mari —, et elle fut nommée « pompier honoraire » en reconnaissance. North Beach, où se dresse cette tour, ayant été le berceau des beatniks, il pouvait y avoir eu influence de cause à effet sur le caractère sexuel de ce mouvement.

L'immense pont de Golden Gate nous fit faire des réflexions d'une autre espèce. Les journaux venaient d'annoncer le trois cent trente-troisième suicide qui avait eu pour tremplin cette œuvre merveilleuse de l'architecture métallique. Elle détenait le record de suicides des Etats-Unis. Sa dernière victime était un jeune Morgan, de la richissime famille, qui, les nerfs à bout après une heure de stationnement sur le pont au cours d'un embouteillage, était sorti de sa Jaguar et s'était jeté dans l'eau.

— Peut-être les nerfs à bout de drogue, dis-je en pensant à Sunny.

Kenneth nous rappela un suicide manqué de l'an

passé et qui n'avait rien à faire avec la drogue : un jeune garçon de quinze ans s'était précipité, parce qu'il avait été chassé de son école à cause de ses cheveux longs.

— Autre preuve, poursuivit Kenneth, que notre fameuse liberté est loin de régner, même dans ce domaine. Personne n'a fait attention à Bob, au restaurant, mais j'ai appris à les choisir. Il y en a dont on nous a refusé l'entrée.

Je dis qu'à Los Angeles, une amie de Sunny n'avait pu entrer avec nous dans un restaurant parce qu'elle était en blue-jean et, comme elle avait un très long sweater qui faisait mini-jupe, elle alla retirer son blue-jean à l'intérieur de sa voiture et revint s'asseoir triomphalement avec nous.

Nous roulions sur ce pont couleur d'orange, au-dessus de la plus grande baie du monde.

— Ce n'est pas un hasard, dit Kenneth, si l'on choisit cet endroit pour se tuer : c'est l'extrémité du Far West ; on sait qu'il n'y a plus rien au-delà — qu'une langue de terre fallacieuse. On ne passe ce pont que si l'on croit à la vie — à la vie ou à la sorcellerie.

Jim lui reparlant de son film, je lui demandai pourquoi il ne se raccrochait pas à Hollywood et je fis allusion au père de Sunny, sans ajouter qu'elle avait été vainement son avocate.

— Je suis brouillé avec le royaume des stars, dit-il, à cause d'un livre que je lui ai consacré et qui vient d'être publié en édition de poche. Mais je n'oublie pas que mes débuts de tout jeune homme, comme auteur de « Feux d'artifice », furent encouragés par Amos Vogel qui était alors une personnalité de Hollywood et qui provoqua un scandale avec ce film. Il y a encore aujourd'hui des hommes tels que George Cukor et le toujours jeune Jean Renoir, qui sont des amis des parents de Sunny, mais je n'ai plus de contact qu'avec la liberté. La liberté, c'est « le souterrain ».

« N'êtes-vous pas frappé par la vogue de la presse dite souterraine ? Comme le cinéma du même nom l'est pour l'art, elle est aujourd'hui l'expression la plus valable de la pensée parce qu'elle est la plus libre. Elle ne tire pas à vingt-six millions d'exemplaires, comme le *Reader's Digest*, ni à sept millions comme *Life*, ni à deux millions comme le *New York Daily News* mais en tout à cinq cent mille, qui comptent peut-être davantage. En effet, elle est lue par les jeunes et même maintenant par les politiques, curieux de se renseigner.

— Norman Mailer s'est fait connaître grâce à *The Village Voice*, le journal souterrain de New York ou plutôt de Greenwich Village, dit Jim. Dans le *Barb* de Berkeley, l'audace des annonces augmente à chaque numéro. J'y ai vu dernièrement : « Etudiant bien pendu cherche chambre. »

— Je suppose qu'il a trouvé, dit Kenneth.

Nous roulions de l'autre côté de la baie, à quelque distance de la voiture rouge qui ne se pressait pas. Les sorciers de jadis allaient plus vite sur leur manche à balai. Kenneth nous montra au loin les terres d'Oriane.

Il nous demanda si nous connaissions la Maison des Mystères, dans la vallée de San Jose, à deux heures de San Francisco. Je n'en avais jamais entendu parler bien que je fusse californien. Jim dit qu'il ne connaissait que la Villa des Mystères, à Pompéi.

— On appelle cette maison, dit Kenneth, « la plus grande et la plus étrange construction du monde » et ce n'est pas exagéré. Mon Eglise la loue une fois par an pour certaines de nos cérémonies. C'est l'œuvre d'une milliardaire, veuve du fils de Winchester, le fabricant de fusils. Une devineresse lui avait assuré qu'elle ne mourrait pas tant qu'elle construirait cette maison : elle y a mis trente-six ans et elle est morte à quatre-vingt-cinq. Elle passait son temps à faire du spiritisme pour évoquer son mari et pour conjurer les âmes de ceux qu'avaient tués les winchesters. Elle refusa sa porte au président Theodore Roosevelt qui venait la visiter. Dans un petit musée annexe, il y a tous les types de fusils qui lui donnaient des rentes.

J'évoquai le musée de Dallas avec son cimetière, ses revolvers et ses fusils.

— La maison, poursuivait Kenneth, a deux mille portes, dix mille fenêtres, cent cinquante mille vitres. Tous les chandeliers y ont treize branches. La plupart des plafonds ont treize panneaux, la plupart des chambres treize fenêtres, la plupart des escaliers treize marches. Il y a des chambres sans ouverture extérieure, bien qu'elles aient portes et fenêtres. Il y a des escaliers qui ne mènent à rien. Il y a des portes qui s'ouvrent sur un mur et sur le vide. On est effaré de la fortune qui a été engloutie là pour un résultat si nul au point de vue artistique. D'ailleurs, la Maison des Mystères est moins une maison qu'une suite de pavillons ; on dirait même un village chinois, la plupart des toits étant en pagode. Une particularité jette un jour étrange sur Mrs Winchester : il y a, naturellement treize salles de bains, mais celle des domestiques a la toilette au centre de la pièce et des murs de verre.

La nuit était tombée. Nous arrivions à Sausalito, l'hôtel de luxe étalait ses lumières à flanc de montagne ; les hippies de luxe, qui choisissent ce bord de mer pour leur résidence, se promenaient sur les trottoirs. Plus loin, le décor changeait brusquement. On abordait une région ténébreuse, remplie d'usines entre lesquelles on apercevait des files de cargos désarmés. Il s'agissait de prendre un chemin appelé la Cinquième Porte, qui allait de la route au bord de l'eau. Comme il n'y avait aucune indication, Bob se trompa plusieurs fois.

— C'est difficile à trouver, surtout la nuit, dit Kenneth.

Après une nouvelle tentative infructueuse et ne sachant plus où nous en étions dans le compte des portes, il jugea préférable de revenir jusqu'à un poste d'essence pour demander le renseignement.

Nous fîmes demi-tour et l'on nous apprit où nous nous étions fourvoyés.

Un chemin sablonneux et cahoteux, au milieu de voitures garées là étrangement, nous conduisit sur un terrain vague entouré de buissons, non loin de la rive. Il n'y avait que deux maisonnettes de bois ; à l'une d'elles était éclairée une fenêtre, voilée d'un rideau jaune, comme à l'église satanique. Une autre lumière, voilée d'un rideau rouge, brillait sur un bateau où menait un petit pont de planches : c'était le bateau d'Oriane. Il était amarré sous la coque énorme d'un cargo noir. Nous avions éteint nos phares. La lumière rouge et la lumière jaune mêlaient leurs reflets à ceux de la lune.

— Quel endroit pour un film ! dis-je à Kenneth.

— Oui, dit-il, mais on ne fait pas de films avec Oriane.

Nous nous avançâmes vers le pont de planches. Un treillis qu'on pouvait retirer permettait d'isoler le bateau. Kenneth franchit le pont et frappa au montant de la porte, mais il n'y eut aucune réponse. Il écarta légèrement le rideau et appela. On n'entendait que le bruit de l'eau clapotante.

— Oriane est sortie parce qu'il y a la lune, dit Cameron.

— Elle doit se promener le long de l'eau, dit Alan.

Il leva la tête pour moduler un cri d'oiseau, sans plus de succès.

— Elle te reconnaîtra au second appel, dit Cameron.

Il recommença son cri. Un écho guttural nous ramena vers les voitures : Oriane n'était pas allée se promener au bord de l'eau mais dans le bois qui était de l'autre côté de la route. Entre Bob, Alan et elle, ce fut une mêlée indescriptible d'étreintes et de baisers qui fit voler le chapeau de Bob. Cameron y participait plus discrètement. Kenneth était resté avec nous pour laisser libre cours à cette fougue. Les gestes que Bob avait eus pour les deux sorciers à Fulton Street semblaient multipliés par mille bras.

434

Oriane fut roulée par terre vingt fois. J'avais l'impression d'assister à une scène surhumaine, dans cette pénombre et cette solitude. La fenêtre éclairée en jaune étant vis-à-vis, je m'étonnai de ne pas même y voir une ombre attirée par ce tumulte. Les occupants savaient sans doute qu'il ne faut pas se mêler des affaires des sorciers.

Il y eut une accalmie et nous pûmes nous présenter à la jeune sorcière. Assise sur le sable, au milieu des trois autres debout, elle nous regardait fixement de ses yeux étincelants, entre les longues mèches de ses cheveux sombres. Elle était vêtue d'un blue-jean et d'une veste de cuir. Sans doute avait-elle deviné que nous n'étions pas de sa religion car elle ne nous dit pas un mot ; mais elle bondit pour serrer Kenneth dans ses bras, en miaulant comme un chat.

— Nous t'avons apporté un cadeau, lui dit-il.

Elle renversa la tête.

— Un cadeau, fit-elle de sa voix rauque. Je n'ai pas besoin de cadeau quand tu viens.

— C'est ta fête, dit Kenneth.

Bob, qui avait ramassé son chapeau, prit dans la voiture un grand carton attaché par un ruban.

— Tiens ! dit-il à Oriane. Le plus beau pyjama de San Francisco.

La féminité parut vaincre un instant la sorcellerie. Oriane saisit le carton, en arracha le ruban et déplia une veste de soie noire à fleurs rouges. Elle poussa un cri et dansa en agitant ce trophée. Bob, qui avait déplié le pantalon, le lui jeta sur la tête. Elle se laissa tomber, se roula avec le pyjama comme elle s'était roulée avec les deux garçons et demanda une cigarette. Jim et moi eûmes le réflexe de mettre la main à la poche, mais nous comprîmes qu'à nous elle ne demandait rien. Kenneth lui offrit une Marlboro et la lui alluma. Personne d'autre qu'elle ne fumait : on eût dit qu'elle préparait un rite magique. Nous étions muets, en cercle autour d'elle, son joli visage transfiguré regardant les étoiles. Soudain, elle baissa les yeux, prit le pantalon du pyjama, l'étira entre ses genoux et, avec la cigarette, découpa un large trou dans le fond. Elle en éteignait les bords, au fur et à mesure, du bout de ses doigts qui semblaient ne pas craindre le feu. Les quatre sorciers accompagnaient cette cérémonie de grands éclats de rire, mais Oriane restait très sérieuse. Elle tendit ses mains à Bob et à Alan, qui la relevèrent, et elle courut avec eux vers le bateau. Cameron suivait d'un pas tranquille. Le rideau rouge s'écarta. L'eau scintillait, le cargo était toujours aussi noir. La jeune sorcière appela Kenneth qui s'attardait pour observer la scène.

— Je suis navré de vous laisser sur votre soif, dit-il, mais je ne pouvais vous amener qu'à la porte de la Cinquième Porte.

Il leva les yeux vers le ciel, comme avait fait Oriane, et dit :

— Tous mes actes sont pour toi, Lucifer.

Il marcha vers le bateau, monta sur le pont, releva le treillis, écarta le rideau et ferma la porte de la Cinquième Porte.

9

Une république de bananes faisait reparler d'elle. Au Guatemala, miss Guatemala, jeune communiste, avait été violée et assassinée ; deux Américains, le commandant du corps des conseillers militaires et notre attaché naval, avaient été assassinés ; l'archevêque du Guatemala avait été enlevé, puis relâché. Tout ce qui arrivait dans ce pays, étant censé lié aux intérêts de l'United Fruit, on expliquait ces événements les uns par les autres. L'archevêque, qui n'avait été ni assassiné ni violé, n'avait-il pas osé parler de réforme agraire ?

Une autre raison, plus intellectuelle, avait attiré déjà nos regards vers cette république aux bananes agitées : le dernier prix Nobel de littérature, décerné à l'écrivain Asturias, ambassadeur du Guatemala à Paris, avait provoqué parmi nous une indignation qui était encore vive. Quand je dis parmi nous, je fais allusion aux étudiants patriotes et non au Free Speech Movement, pour qui toute liberté était bonne quand elle était cuisante pour l'Amérique, ni au Filthy Speech Movement, qui n'avait pas assez de mots à quatre lettres à l'adresse de l'Amérique, ni au Comité de coordination des étudiants non violents, chargé de coordonner les violences contre les Américains qui n'étaient pas de son avis, ni au club DuBois, qui n'était pas du bois dont on fait des flûtes, mais des fusils pour tirer contre des Américains. Cet écrivain-ambassadeur d'Amérique centrale avait reçu le prix Nobel parce qu'il avait écrit une trilogie « dénonçant les deux maux dont souffre le Guatemala : monoculture à outrance (l'United Fruit) et dictature du capitalisme américain ». A titre d'encouragement, il avait déjà reçu, l'année précédente, le prix Lénine pour la paix. Aussi bien aurait-il pu recevoir le prix Lénine ou Staline pour la littérature et le prix Nobel pour la paix, comme le pasteur Luther King. Tout cela me chatouillait et m'avait donné envie de faire une conférence sur un thème inattendu bien que d'actualité : « l'United Fruit, la banane ».

Je me souvenais de ce que m'avait dit mon père, quand nous revenions de chez Mr Palewsky, sur le rôle de la C.I.A. au Guatemala. Mais ce n'était que le résumé du problème : depuis l'affaire du prix Nobel, j'en avais demandé les éléments à l'United Fruit elle-même, à la Corporation Carnegie et à l'Association du Plan National, qui avaient fait des recherches sur le commerce de la banane, ainsi qu'à l'Organisation Internationale pour l'Alimentation et l'Agriculture, qui en suit les modalités. Muni de ces renseignements, j'annonçai ma conférence sous les auspices des Youth Freedom Speakers : ce serait parler toujours de la défense de la liberté.

Je pris pour enseigne l'une de ces affiches à la mode chez les hippies et en honneur chez Sunny, représentant une avantageuse Chiquita, conforme à la description que j'avais vue chez le photographe de Dallas. Cette affiche ne fut pas lacérée. Et pourtant le sujet était aussi patriotique que la guerre du Vietnam. Je fus étonné d'apprendre qu'il y aurait encore plus de monde : on commençait à se lasser de protester contre la guerre du Vietnam. Je demandai une salle plus grande sans avoir à solliciter des renforts de police. Quelle joie de cultiver les arts de la paix et d'y attirer un vaste public ! Ce n'était pas le casque du guerrier changé en nid de colombes, mais en coupe de fruits — et quels fruits ! Narcissa souriait d'un air malicieux, à côté de Jim, dont la malice était moins pure. Savio pérorait ailleurs sur « la Faim dans le monde ». Le club DuBois y était au complet, mais je reconnaissais parmi mes auditeurs des membres du Free Speech Movement : si ce n'était pas ma victoire, c'était celle de la banane. Le chapelain s'était excusé. Notre cher professeur de français ne m'avait pas fait défaut.

Comme si le sujet n'était pas assez provocant, je débutai par une provocation supplémentaire :

— L'homme le plus riche du monde, Mr H. L. Hunt, m'a appris une chose très importante en m'offrant une Chiquita — le seul cadeau que j'aie reçu de lui en dehors de quelques autres aliments — que la banane est le privilège des pays capitalistes, où elle est d'ailleurs à la portée des prolétaires ; en U.R.S.S., où règne la dictature du prolétariat, ils doivent se passer de bananes. Et en Chine rouge, il ne semble pas que l'on serve des bananes dans les fameux dîners du peuple par petites tables. Cette simple remarque est l'avant-propos de ma conférence sur l'United Fruit.

« Parler d'une grande compagnie américaine, c'est

parler du capitalisme, de ses bienfaits et de ses défauts, les bienfaits étant supérieurs de beaucoup aux défauts. Les grandes compagnies sont le résultat de la liberté, de la libre entreprise, de la concurrence commerciale, de la lutte du plus fort contre le plus faible, comme partout dans la nature et dans les sociétés les plus égalitaires. Elles sont le résultat du « darwinisme social », exposé chez nous par Summer. Ceux qu'on appelle les « barons voleurs » — les Rockefeller, les Carnegie, les Vanderbilt, les Morgan et autres — ont justifié ainsi leur puissance et leur richesse avant d'en distribuer une grande partie dans des fondations d'intérêt public. Mais si les adversaires de ce système sont surtout ceux qui ont échoué ou qui n'ont pas l'intelligence, l'énergie nécessaires pour réussir, il y a également ceux qui estiment que la société américaine doit rester « ouverte » et que l'excès de puissance de quelques-uns empêche le grand nombre de jouir de ses droits. C'est pourquoi notre société a créé d'elle-même un remède ou du moins un frein par les lois anti-trust. Nous verrons qu'il a opéré à l'égard de cette compagnie, comme nous avons vu qu'un autre frein, un autre remède, opère à l'égard de celles qui travaillent au Vietnam ou pour la guerre du Vietnam.

« L'United Fruit est suspecte parce qu'elle exerce son activité dans des pays pauvres, mais ce n'est pas notre faute si les bananes sont un produit tropical. En contrepartie de cette culture — de cette « monoculture », dit l'ambassadeur Asturias —, l'United Fruit accroît la richesse de ces pays en même temps que la sienne. Il est trop aisé de ne montrer que le mauvais côté des choses. Un livre récent a décrit l'« Autre Amérique » sous de sombres couleurs, et a frappé, dit-on, le président Johnson. On pourrait énumérer les titres d'ouvrages — *Comment vit l'autre moitié*, *La Honte des cités*, *La Jungle...* —, qui, depuis plus d'un demi-siècle, traitent ce problème : c'est le problème de toutes les sociétés et il existera toujours. Mais ce qui faisait « la honte

des cités » en 1890, quand le journaliste Riis oppo-
sait les taudis de New York au luxe de la Cinquième
Avenue, ne ressemble plus à ce que nous appelons
aujourd'hui les slums. Par conséquent, il y a une
amélioration constante du niveau général de la vie
pour tous les citoyens. Rien n'est si comique que le
mépris avec lequel les journalistes communisants
parlent de notre « société de consommation ». On
croirait qu'ils définissent la pire des sociétés, un état
voisin de l'anthropophagie. « Société de consommation » signifie au moins qu'il y a des choses à
consommer. Puisqu'on nous dit que c'est en 1975
que les citoyens soviétiques seront au niveau des
citoyens américains, c'est la preuve que les sociétés
de non-consommation qui ont détruit le capitalisme
ne sont pas encore arrivées, après cinquante ans, à
donner à leurs citoyens ce dont jouissent les nôtres.
S'il est vrai, comme le prévoit la Rand, qu'en l'an
deux mille notre revenu moyen aura plus que qua-
druplé, nous verrons alors quel sera celui des citoyens soviétiques. Peut-être mangeront-ils enfin des
bananes.

« De même que Christophe Colomb n'a pas découvert l'Amérique (un professeur soviétique — gloire
aux professeurs et aux astronautes soviétiques ! —
a retrouvé récemment des cartes de l'Amérique an-
térieures au voyage de Christophe Colomb), de même
ce n'est pas le capitaine Lorenzo Baker, commandant
du chalutier « Telegraph », qui a découvert la banane. C'est lui, certes, qui en apporta de la Jamaï-
que à Jersey City (Massachusetts), les cent soixante
premiers régimes en 1870. Il avait payé un shilling
le régime et le revendit deux dollars : c'était déjà
la preuve qu'il y avait de l'argent à gagner avec la
banane. Ce fruit eut tout de suite beaucoup de succès,
mais choqua un peu notre pudeur : à l'exposition du
Centenaire de l'Indépendance américaine à Philadelphie, en 1876, les bananes étaient enveloppées de
feuilles d'étain. Comme tous les cache-sexe, celui-là
n'attirait que mieux l'attention. La liste des prédé-

cesseurs du capitaine Baker est aussi longue que celle des prédécesseurs de Christophe Colomb. Au début du XVIᵉ siècle, le dominicain Berlanga, évêque de Panama, planta à Saint-Domingue un bananier qu'il avait déplanté aux Canaries. Ce fut un des principaux bienfaits du christianisme. La banane, aujourd'hui si florissante dans le nouveau monde, n'y était pas née. Elle vient de l'ancien monde. Elle vient même de l'Asie et, s'il n'est pas sûr que César en ait mangé, il nous est dit qu'Alexandre le Grand et son ami Ephestion s'en régalèrent aux Indes. Pline le Naturaliste nous parle de ce qui fit leur admiration au bord du fleuve Acesine : « Il y a un autre figuier qui l'emporte par la grosseur et la douceur de son fruit dont les sages de l'Inde se nourrissent. Sa feuille imite une aile d'oiseau. Elle a trois coudées de long et deux de large. Le fruit, extrait de son enveloppe, est d'un goût délicieux et un seul suffit pour rassasier quatre personnes. Cet arbre se nomme pala et et son fruit ariena. »

« Nous sommes devenus plus gourmands que les sages de l'Inde, heureusement pour l'United Fruit. Mais enfin, comme il y a eu la route de la soie et celle des épices, il y a la route de la banane : partie des rives du fleuve Acesine, la banane a poussé une pointe en Asie, est redescendue aux Canaries, a vogué vers Saint-Domingue dans la mitre d'un évêque et a été déposée sur la table de nos grands-parents par le capitaine Baker à qui nous n'avons pas encore élevé un monument Telegraph Avenue — ce serait le pendant de la tour Coït. Aujourd'hui, l'United Fruit, à elle seule, exporte trente-six millions de régimes de bananes dont elle vend trente millions aux Etats-Unis, qui en reçoivent deux millions de plus par d'autres compagnies. Cent trente-deux millions de régimes sont la consommation totale du monde — en dehors du régime communiste. On dirait même qu'il y a une incompatibilité d'humeur entre le communisme et la banane : le grand producteur de bananes en Asie est Formose où survit la

Chine libre. La présence de ce beau fruit justifie le nom de cette île, explique l'énergie de Chang Kai-Chek, l'Indomptable, excuse les appétits de Mao Tsé-toung le Penseur !

En ce moment, dans un grand music-hall de Paris (France), se produit notre ancienne compatriote, l'artiste noire Joséphine Baker, qui fut célèbre, entre les deux guerres mondiales, par ses trémoussements et sa beauté, vêtue d'une ceinture de bananes. A la générale de son nouveau tour de chant, elle se démena tellement que sa robe craqua et elle fit rire l'assistance en soupirant : « Où sont mes bananes ? » Elle est toujours belle, toujours trépidante ; elle a toujours du talent et du succès : c'est le résultat d'un long commerce avec la banane.

« Les doctes nous apprennent que la banane est le second fruit le plus riche en carbohydrates, le troisième en théamine, le quatrième en protéine, le cinquième en riboflavine, le sixième en niacine — on dirait des rimes pour le fleuve Acesine —, le septième en vitamine A, le huitième en phosphore, le neuvième en fer et qu'une livre de bananes contient deux cent soixante-quatre calories. Elle offre en outre cette particularité d'avoir le prix le plus bas pour un fruit exotique et la preuve de ses qualités nutritives ne nous est pas fournie seulement par les sages de l'Inde qui la coupaient en quatre : elle a sauvé de la faim une grande partie de l'Amérique latine et de notre population de couleur dans le Sud. Un de nos éminents professeurs m'a cité une phrase de Chateaubriand à laquelle on pourrait conférer un sens économique : « Le nègre se rappelle toujours sa case, son bananier » — Chateaubriand n'a pas osé ajouter : « sa banane ». « La case de l'once Tom » est détruite, mais le bananier est resté. Et si les Noirs se démontrent enfin nos égaux, parfois même nos supérieurs, qui sait si ce n'est pas à la banane qu'ils le doivent ? Le naturaliste Humboldt a remarqué qu'elle était un facteur d'intelligence en Amérique. Que serions-nous sans le capitaine Baker ? Peut-être une société communiste et non une société de consommation.

« J'ai appris, pour vous l'apprendre, que la banane Chiquita, gloire de l'United Fruit, provient de la meilleure variété de bananiers qui porte le nom français de « Gros Michel ». Soit dit en passant, les Français ont également attaché leur langue à la variété « Bout Rond ». Mais toutes ces joyeusetés n'empêchent pas la banane d'avoir une histoire tragique : le président Remón de Panama assassiné, le président Somoza du Nicaragua assassiné, le président Castillo-Armas du Guatemala, assassiné. Ne comptons pas les présidents exilés, les leaders politiques assassinés à l'étranger, comme le colonel Aranda du Guatemala, mort pour la banane à Mexico.

« Si nous en croyons la propagande extrémiste, derrière la banane il y a la C.I.A. Notre éminent professeur m'a également cité un écrivain français, prédécesseur de Chateaubriand, Bernardin de Saint-Pierre, qui a dit : « Le bananier donne à l'homme de quoi le nourrir, le loger, le meubler, l'habiller et l'ensevelir. » Il est probable que, sans la banane, la C.I.A. n'aurait pas de quoi se nourrir, se loger, se meubler et s'habiller. Quant à ensevelir les autres sous les bananiers, elle s'en charge.

« Ainsi ses adversaires nous font-ils observer qu'en 1954, elle renversa le président communiste du Guatemala Arbenz-Guzman, qui avait exproprié deux cent vingt-cinq mille acres de bananeraies appartenant à l'United Fruit. Ils oublient de signaler que le président Arbenz-Guzman, pour prendre le pouvoir, avait fait assassiner à Mexico ce colonel Aranda dont je viens de saluer la mémoire au nécrologe du Gros Michel. La C.I.A. ne fait pas assassiner : elle fait tout ce qu'elle peut pour prévenir les assassinats. Ce n'est évidemment pas elle qui a fait violer et assassiner miss Guatemala, et, si elle a fait enlever l'archevêque du Guatemala, reconnaissez qu'elle l'a fait remettre en liberté sain et sauf. Malgré les habitudes sanguinaires qu'on lui prête, la C.I.A. s'est laissée sans doute attendrir par l'appel radiodiffusé que l'archevêché du Guatemala avait lancé aux ravisseurs : on les suppliait de faire observer à l'archevêque son régime car il est de santé délicate. Et le régime de l'archevêque pesa plus lourd que les millions de régimes de l'United Fruit.

« Comme la C.I.A. fait en sorte de ne pas assassiner les Guatémaltèques, l'United Fruit leur donne à manger autre chose que des bananes. Cette compagnie a investi quarante millions de dollars au Guatemala et il est naturel que la C.I.A. protège ces capitaux, ce qui est aussi une façon de protéger les travailleurs du pays. Les terrains concédés à l'United Fruit pour planter des bananiers sont conquis sur les marécages et assainis par les plantations. Ils représentent souvent le prix d'un marché pour les routes et les chemins de fer construits par elle et qui n'existeraient pas sans elle.

« La vigilance de la C.I.A. ne se borne pas à défendre ces intérêts privés : il pourrait arriver tous les jours, dans cette république bananifère et chez ses voisines, ce qui est arrivé une fois à Cuba, avec les missiles de Khrouchtchev. La C.I.A. s'est décidée à écarter Arbenz-Guzman — elle l'a écarté, mais ne l'a pas assassiné —, quand elle apprit qu'un navire suédois, l'« Alfhem », affrété par la Tchécoslovaquie sous le nom d'une firme anglaise, avait chargé deux mille tonnes d'armes polonaises à Stettin et se dirigeait vers le Guatemala par Dakar et Curaçao. On ignore où le président Arbenz-Guzman reçut la livraison de ces armes d'une provenance si multiple : il s'était enfui du Guatemala avant que l'« Alfhem » fût arrivé. Peut-être vous indignerez-vous de tels procédés ; il est difficile qu'il y en ait d'autres dans des pays charmants, mais peu sérieux. Du reste, comme toujours, nous nous couvrons de chiffons de papier, pour ne pas nous couvrir de feuilles de bananiers : à Caracas, quelque temps auparavant, le secrétaire d'Etat d'Eisenhower, Foster Dulles, avait fait voter

444

par la dixième Conférence Interaméricaine une résolution anticommuniste. Elle fut prise à la majorité de dix-sept voix contre contre une — celle du ministre des Affaires étrangères d'Arbenz-Guzman. Ce diplomate avait fait une sortie contre notre secrétaire d'Etat en l'accusant de créer le « rideau de bananes ». Rendons grâce à la C.I.A. et au département d'Etat d'avoir baissé ce rideau sur l'Amérique latine : il est moins dur et plus nourrissant que les rideaux de fer et de bambou.

« Nul n'ignore ce qui se trame derrière le troisième de ces rideaux marxistes : celui de la canne à sucre. Cuba est une sorte de camp retranché pour l'espionnage, la contrebande des armes et l'entraînement à la guerre civile, non seulement en Amérique latine, mais au Canada, comme nous l'apprit un de nos camarades, Canadien français, et même en Europe. Le séjour récent du triste Carmichael à la Havane, les propos qu'il y a tenus et les appels à l'insurrection que lança longtemps, par la radio cubaine, le non moins triste Noir américain Williams, maintenant en Chine, ne nous permettent pas de douter qu'il n'y ait là le point d'arrivée d'une route tout autre que celle de la banane : celle des armes que l'on saisit sur des « Alfhem » battant tous les pavillons, dans la mer des Caraïbes et eaux circonvoisines. Avec les bananes d'un côté et, de l'autre, ces arsenaux flottants, la C.I.A. a fort à faire. Au Guatemala, pour nous en tenir au pays que représente si dignement à Paris le señor Asturias, il y a trois cents guérilleros — en dehors des ambassadeurs. Ils sont divisés en deux groupes : les Forces Armées Rebelles (une armée de cent cinquante hommes, dans ces pays cela commence à compter) et le Mouvement du 13 novembre (ne me demandez pas quel est ce 13 novembre : il ne semble pas être russe, il est peut-être chinois, à moins qu'il ne soit cubain ou même guatémaltèque).

« Heureusement que la C.I.A. n'a pas seulement de discrets procédés pour tenir ce petit monde en respect : elle a nos glorieux Bérets Verts qui, dans la plupart de ces républiques, font un contrepoids suffisant aux émissaires de Castro. D'autres alliés naturels de la C.I.A. sont les services de contre-espionnage de ces pays qui préfèrent l'ordre au désordre et la banane à la canne à sucre. L'autre jour — un exprès de la C.I.A. vient de m'en avertir —, le service mexicain de sécurité a arrêté le nommé Victor Hugo Martinez, communiste du Guatemala, pour contrebande d'armes. Comme par hasard, on a trouvé chez cet exilé Julian Lopez Diaz, attaché culturel de l'ambassade de Cuba, surveillé depuis longtemps pour la même raison. Les attachés culturels de Castro propagent la culture qu'ils peuvent. Ce n'est pas celle de la banane. Le señor Diaz a été expulsé de Mexico. Il y aura peut-être moins d'assassinats au Guatemala : il n'y aura plus que ceux de la C.I.A.

« Comment la C.I.A. renverse-t-elle les gouvernements derrière le rideau de bananes ? Il semble qu'il faille peu de choses. Arbenz-Guzman, par exemple, donna sa démission dès qu'apparut au-dessus du palais présidentiel un avion d'une nationalité mal définie. Mais il avait ses motifs pour être inquiet : le général qui était son ministre de l'Air avait disparu. Et il est inquiétant pour un président de la république d'être bombardé par son ministre de l'Air. Du reste, cet avion mystérieux ne se contenta pas d'apparaître : il lâcha deux ou trois bombes que les Guatémaltèques appelèrent « les pilules purgatives d'Arbenz-Guzman ». Où se cache cet avion qui fait régner une paix relative sur les bananiers ? Les uns disent qu'il est en Floride, les autres, au Honduras ou au Nicaragua, dans une baie solitaire de la Côte des Moustiques. Peint quelquefois aux couleurs approximatives du pays à calmer, il n'a même pas toujours besoin d'atterrir. Mais quand il atterrit, on en voit sortir, d'un air résolu, une poignée de braves armés jusqu'aux dents et vêtus de l'uniforme — également approximatif —, de l'armée régulière du pays troublé. Souvent, marche derrière eux le futur président de la république, lequel est, d'habitude, un ancien président en exil. Qui trouverait le moyen de se plaindre ? L'un arrive, l'autre part, et celui qui est parti revient un jour, à moins qu'entre-temps il n'ait été assassiné.

« Dieu merci, le señor Asturias est un de ceux qui ont pu revenir, comme il était parti avec Arbenz-Guzman à la recherche de l'« Alfhem » en tenant sa culotte. Les journaux nous ont montré sa photographie dans son ambassade à Paris, le téléphone à la main, l'œil inquiet, le visage décomposé, comme s'il demandait encore où est l'« Alfhem » : le visage d'un prix Lénine de la paix qui a déclaré à l'Amérique la guerre de la banane, le visage d'un prix Nobel de littérature qui est plutôt le prix Nobel de banane. Réjouissons-nous, malgré la C.I.A., de cet hommage indirect rendu à l'United Fruit en la personne d'un de ses illustres ennemis. Le prix Nobel a couronné en lui le Guatemala — que dis-je ? le Honduras, le Costa-Rica, le Panama, qui forment la chiourme de l'United Fruit et de la C.I.A. en Amérique centrale.

« Si ces nobles républiques ne meurent pas de faim, grâce à la banane, elles n'en sont pas seulement redevables à la C.I.A. et à l'United Fruit. De simples particuliers — bien sûr, des Américains —, ont accompli à eux seuls cette tâche double : planter des bananiers, renverser les gouvernements. Je dirai le nom de l'un d'entre eux, pionnier de la banane au Honduras, un vrai citoyen des Etats-Unis, fils d'un pauvre fermier juif de Bessarabie, devenu chez nous milliardaire : Samuel Zemurray. Comme ensuite l'United Fruit, il avança, construisant des chemins de fer et des routes, plantant des bananiers. Son pays d'élection fut le Honduras. Pour construire ces routes et ces chemins de fer, il avait obtenu la franchise des droits de douane sur le matériel, faute de quoi il aurait dû renoncer car ces droits étaient prohibitifs.

« Or, voilà que le président du Honduras, Davila, négociait un emprunt avec des banques américaines et ces banques, indifférentes aux intérêts de Zemurray — vous connaissez les mœurs de la jungle capitaliste —, réclamaient pour garantie de cet emprunt le contrôle des droits de douane. C'eût été la ruine de Zemurray. Il n'hésita pas. Il découvrit aux Etats-Unis un ancien président du Honduras, le général Bonilla, lui acheta une caisse de fusils, le mit sur un yacht et le lança, avec quelques soldats de fortune, vers le Honduras. Davila, au premier coup de fusil, donna sa démission. Comme les grands fauves se retrouvent, Zemurray, plus tard, vendit ses actions à l'United Fruit. Mais je vais vous faire un petit éloge de ce capitalisme dont je viens de dire tant de mal et de dévoiler les horreurs : au moment de la grande dépression, les bénéfices de l'United Fruit étant tombés de quarante-quatre millions de dollars à six millions, Zemurray repartit pour l'Amérique centrale, galvanisa les producteurs, rendit courage à tous les présidents et fit remonter les actions au zénith. Grâce à l'United Fruit, représentée par un de ses principaux actionnaires, l'Amérique centrale avait pu passer une fois de plus le cap dangereux de la faim et nous conserver un futur prix Nobel de littérature.

« Je ne me permettrais pas tant d'aimables plaisanteries sur ces pays heureux et tourmentés si je n'y avais pas été autorisé par nos camarades du Centre-Amérique. Je les aperçois parmi vous et les remercie d'être venus. L'un d'eux, qui est costaricain, m'a rappelé qu'au lendemain de Pearl Harbor, Costa-Rica déclara la guerre au Japon, avant les Etats-Unis. Quelle preuve du patriotisme et du courage de l'United Fruit ! Notre camarade et deux Guatémaltèques, déjà diplômés de notre département d'Economie agricole, viennent de l'Ecole d'Agriculture Panaméricaine de Zamorano, au Honduras, qui a été fondée par l'United Fruit. Ils m'ont fait quelques critiques sur les procédés de cette compagnie, mais ils en vantent les mérites. S'ils deviennent écrivains, ils n'auront pas le prix Nobel de littérature.

14

« Une de leurs critiques et que j'ai vue, d'ailleurs, dans les enquêtes officielles relatives à l'United Fruit, est qu'elle a tenu compte des intérêts de la banane plutôt que de ceux de la population, pour construire ses routes et ses chemins de fer. Le Honduras a fait le même reproche à Zemurray, dont j'ai oublié de vous dire que la compagnie s'appelait Cuyamel, du nom de la rivière qu'il ombragea des premiers bananiers. Ce pays est toujours, en effet, dans cette situation étrange de posséder seulement soixante-trois miles de chemins de fer publics, qui ne desservent même pas sa capitale, et de voir l'United Fruit et la Cuyamel, désormais réunies, faire rouler la banane sur neuf cent quatre-vingt-dix-sept miles de chemins de fer privés. Ajoutons, pour être exact, que les voyageurs sont admis également, quand il n'y a pas trop de bananes. Mais il ne faut pas demander à des compagnies financières, même américaines, d'être plus royalistes que le roi et plus honduriennes que les Honduriens. Elles construisent des chemins de fer là où elles peuvent planter des bananiers et elles attendent que la population s'y transporte. La capitale n'a pu s'y transporter.

« Autre chose contre l'United Fruit : on lui reproche de ne pas avoir construit tous les ports qu'elle avait promis. Elle en a construit là où s'embarquent les bananes. Pas de bananes, pas de port. Il y a eu même des cas où les intérêts de la banane s'opposaient à la construction du port. C'est un des grands griefs du Guatemala contre l'United Fruit : elle s'était engagée, moyennant une concession, à faire un port sur le Pacifique et n'a pas tenu cet engagement. Pourquoi ? Parce que l'International Railways d'Amérique centrale, compagnie qui n'était pas sans relations avec l'United Fruit, aurait perdu la plus grande partie de son trafic, qui est dirigé vers la côte Atlantique. En fin de compte, le gouvernement guatémaltèque eut la générosité de déclarer que la « fourniture » d'un port sur le Pacifique n'avait jamais été une obligation, mais un simple souhait —

il va sans dire que ce n'était pas le gouvernement Arbenz-Guzman.

« Le reproche le plus grave dont on accable l'United Fruit est celui des bas salaires, et l'on devine les effets de style que cela peut procurer à un Prix Lénine-Prix Nobel. Comme chacun sait, il n'y aurait pas de capitalisme sans bas salaires (les salaires sont si élevés en Russie qu'il y a six cent mille voitures pour deux cent vingt-cinq millions d'habitants — j'ajoute cette précision : cent quatre-vingt-cinq mille voitures de tourisme pour un pays qui a la plus grande superficie du monde). Les bas salaires nous sont reprochés même au Vietnam comme je le rappelais l'autre jour. Ils nous sont reprochés partout. Courbons la tête. Les bas salaires en Amérique centrale sont comme les bas salaires au Vietnam : ce sont de bas salaires pour les Etats-Unis, ce sont de hauts salaires pour l'Amérique centrale. Les salaires de l'United Fruit sont plus élevés que ceux des populations agricoles des mêmes régions. Un de nos camarades, dont je loue l'honnêteté, m'a fait observer que les chiffres de salaires publiés par la presse de gauche pour discréditer l'United Fruit, ne tiennent pas compte du supplément que représentent les allocations scolaires, les congés et le logement, qui est gratuit. L'United Fruit est la première à signaler qu'un trop grand nombre de ces logements sont encore de simples baraquements où, du reste, les conditions d'hygiène sont remplies. Mais il y a de nombreuses maisons fort bien construites, des écoles, des églises, des terrains de sport, des piscines. L'United Fruit se mêle aussi de faire restaurer les vestiges de la civilisation maya comme ceux de l'ancienne cité de Zaculeu au Guatemala, et elle a contribué à fonder le Musée National du Costa-Rica.

« Il faut noter que partout elle s'emploie à soutenir et à multiplier les producteurs indépendants plutôt qu'à étendre son monopole : elle leur fait des prêts au lieu de chercher à les ruiner. Que cela soit la stratégie nouvelle du capitalisme américain pour mieux se défendre, c'est bien possible. Mais cela prouve qu'il devient intelligent à force de consommer des bananes.

« N'empêche que le fait d'être riche dans un pays pauvre est une question délicate. Ne nous étonnons donc pas qu'elle soit surnommée en Amérique centrale « la pieuvre » (« el pulpo »), les Américains étant des « gringos » (de « sales étrangers ») et le dollar, « le dollar-banane ». « Gringo, go home ! » est une inscription murale à laquelle les représentants de l'United Fruit sont habitués. Samuel Zemurray, l'ex-roi de la banane, a dit les mots les plus justes sur cette situation qui est aujourd'hui la nôtre un peu partout dans le monde : « Peut-être ne pouvons-nous faire que les gens nous aiment, mais nous pouvons nous rendre si utiles qu'ils nous demanderont de rester. »

« Au Costa-Rica, la principale ressource du budget est l'impôt payé par l'United Fruit. Ce n'est pas tout : sur cinquante-six millions de dollars de recettes, l'United Fruit laisse quarante-deux millions de dollars aux Costaricains (quinze millions de salaires, huit millions d'impôts, etc.). Les miettes du banquet de la banane sont donc assez considérables. Même le président socialiste Figueras, qui nationalisa les banques et fit trembler l'United Fruit, dut en convenir — au moins à l'approche d'une incursion d'exilés. Je ne veux pas quitter le Costa-Rica sans rappeler que le président Kennedy a visité sa capitale pour y rencontrer les présidents d'Amérique centrale et leur promettre de défendre leurs pays contre le communisme. En d'autres termes, il leur a promis que la C.I.A. ne les abandonnerait pas. Ce point fait honneur à un homme qui est le héros de beaucoup de nos camarades d'extrême-gauche parce qu'il leur paraît avoir été l'opposé du président Johnson. Lui aussi, il n'a pas rougi de protéger la banane.

« Au Panama, sur quarante-trois millions de dollars de recettes, l'United Fruit laisse vingt-huit millions dans le pays (dix millions de salaires, etc.). Au Honduras, elle a laissé, une année, le total de ses vingt-sept millions de recettes : aucun dividende ne fut payé. Au Guatemala également, la totalité de ses vingt et un millions de dollars de recettes resta dans le pays, l'année après la purgation d'Arbenz-Guzman, Asturias and Co. La pieuvre a épargné le Nicaragua, où il y a pourtant des bananes, mais elle a déroulé ses tentacules jusqu'en Equateur et en Colombie. En Equateur, l'année que je prends pour exemple, elle a laissé douze millions de dollars de ses quinze millions de recettes et en Colombie, douze millions de dollars sur quatorze millions. Pour les six pays dominés par « el pulpo », nous trouvons cent soixante-seize millions de dollars de recettes sucés aux bananes, mais nous trouvons aussi cent quarante-deux millions de dollars resucés par les six pays (cinquante-six millions sous forme de salaires à quatre-vingt mille employés). Les dividendes ont été de dix-sept millions huit cent mille dollars pour un investissement de cent cinquante-neuf millions et un capital de trois cent quatre-vingt-dix millions. Les connaisseurs disent que cela fait un revenu assez mince et bien inférieur à ceux de l'industrie. On ne peut la tenir pour un Moloch bananivore et asturiophage.

« Je croyais, comme vous, avant de m'être penché sur la banane, que c'était une culture idyllique, transformée en esclavage par les négriers de l'United Fruit. Il en va tout autrement. La banane est sujette à des maladies redoutables qui, chaque année, risquent de laisser les actionnaires sans dividendes et l'Amérique centrale sans ambassadeurs. Les moralistes tireraient des conclusions édifiantes de la lutte de Gros Michel contre la sigatoka qui attaque les feuilles et le fruit ou de celle de Bout Rond contre la maladie de Panama qui attaque les racines et détruit la plante, c'est le cas de le dire, radicalement. A ces deux maladies vient de s'en ajouter une troisième, le moko. Des zones entières sont dévastées en une saison. L'Ecole d'Agriculture de Zamorano, le Centre de Recherches de l'United Fruit à La Lima, également au Honduras, celui de Coto au Costa-Rica, celui de Sevilla en Colombie, travaillent constamment à combattre ces trois maladies, avec la collaboration, aux Etats-Unis, des Universités Cornell (New York) et Purdue (Indiana) et de celle du Wisconsin. Mais nul ne peut combattre les ouragans. Et ils ne mettent pas à moins dure épreuve les capitaux de l'United Fruit. Bref, sans elle, la banane aurait disparu de ces pays depuis longtemps.

« Je ne dirai pas que l'ambassadeur Asturias est l'équivalent, pour l'United Fruit, du moko, de la sigatoka ou de la maladie de Panama, funestes aux bananes. Je le comparerai plutôt à l'un de ces serpents venimeux qui nous arrivent parfois dans un régime de bananes. Mais l'ouragan dont l'United Fruit est préservée jusqu'à un certain point en Amérique centrale par le discret paravent de la C.I.A. est tombé sur elle aux Etats-Unis, où il y a aussi des ouragans. Et cet ouragan était gouvernemental. C'est vous dire que l'United Fruit, qui a certainement un lobby au Congrès pour défendre ses intérêts, n'est pas à l'abri de tout contrôle. Et c'est la preuve que les grandes sociétés, dans notre régime de liberté, ne sont pas libres de faire ce qu'elles veulent, même en Amérique centrale. Le département de la Justice a intenté une action contre l'United Fruit, au nom de la loi anti-trust. Ce fut d'ailleurs pour la compagnie une occasion de détruire sa légende, accréditée par des Asturias qui n'étaient pas toujours guatémaltèques. On lui allégua notamment que, excepté en Equateur, elle contrôlait quatre-vingt-cinq pour cent des terrains propres à la culture de la banane. L'enquête a établi qu'elle ne couvrait que vingt-deux pour cent de ces terres et, en tout, vingt-quatre pour cent, par ses achats à des producteurs indépendants. Toutefois, le département de la Justice lui a enjoint trois choses : de liquider sa participation dans les chemins de fer d'Amérique centrale et de ne pas y réacquérir des intérêts, directs ou indirects ; de céder à une autre compagnie la production, l'achat et la distribution aux Etats-Unis de neuf millions de bananes par an ; enfin, de liquider une société de distribution qu'elle avait installée dans l'Alabama.

« Telle est donc l'United Fruit, ce symbole du capitalisme américain que l'on veut rendre odieux, précisément à cause de ses bienfaits. Ils sont incontestables, ils sont intéressés et ils sont à l'avantage de tout le monde. Comme a dit le fondateur de la Cuyamel, fondue dans l'United Fruit, cette compagnie se rend trop utile pour qu'on ne lui demande pas de rester. D'ailleurs, attendu tout ce que je vous ai révélé de la banane et tout ce qu'elle est pour nous, même quand nous ne sommes pas des hippies, nous ne saurions trahir l'United Fruit. Elle a un défenseur plus sûr que le département d'Etat et le Congrès : la C.I.A. Nous assurer la route de la banane est pour nous une question de vie ou de mort, une question même d'intelligence — et « d'intelligence service ». Le Sénat est sur le point de sacrifier le canal de Panama ; mais le canal de Panama n'est qu'une artère. Sacrifier l'United Fruit ce serait émasculer l'Amérique. »

Le succès de ma conférence, qui ne souleva pas de contradiction, prouvait que la banane était un facteur de fraternisation. Un de nos camarades de Chicago me dit que, dans mes calembours, j'aurais pu faire allusion à Joe Bananas, chef du marché italo-américain de la drogue — drogue qui n'était pas l'innocente poudre de bananes. Les étudiants du Centre-Amérique me dirent que j'avais oublié de traiter l'ambassadeur Asturias de « tête de banane ». Jim trouva que je n'avais pas fait assez de calembours salaces ; Narcissa, que j'en avais fait trop. Je lui dis que j'avais imité les étudiants d'Amérique centrale qui, dans leurs chars de carnaval, mettent toujours l'Oncle Sam en train de titiller une Indienne avec une banane.

10

— Cette fois, dit Kenneth à Jim et à moi, je ne vous laisserai pas à la porte, vous serez à un vrai love-in : nous serons avec les hippies de San Francisco et nous serons dans une église. Bob était seul capable de nous faire inviter, comme Sunny était seule capable de faire inviter Jack chez Satan. Je suis sûr qu'il va se passer des choses extraordinaires. Pourrait-il en être autrement ? Ce sera le bal de Lucifer car il y aura un orchestre — l'orchestre de Bob.

Nous frémissions d'avance. Je dis qu'un pasteur presbytérien de Hollywood avait déjà ouvert son église aux hippies en y étendant des matelas pour leur faire passer la nuit. Jim avait entendu dire que des pasteurs de New York les avaient accueillis de même.

— Pour que ces charités aient continué, déclara Kenneth, il faut que les hippies n'en aient jamais abusé. D'ailleurs, mes chers amis, qu'est-ce que des hippies de New York et de Hollywood ? dirait Cameron. Il est vrai qu'à New York, j'ai vu d'assez drôles cérémonies dans une église, mais elle était désaffectée et servait de lieu de réunion à des motocyclistes. Je me suis inspiré d'une de leurs scènes dans « le Lever du Scorpion ». Ils avaient mis un drapeau hitlérien sur l'autel. Leur culte des chaînes et du cuir annonçait les Anges de l'Enfer de notre Californie.

« L'église dont nous serons les hôtes est celle des méthodistes du Glide Memorial, au coin des rues Ellis et Taylor. J'y ai jeté un coup d'œil l'autre jour, en accompagnant Bob chez le révérend Williams, pour arranger l'affaire ; et, comme ce révérend veut être moderne, la tenue de Bob lui a produit une très bonne impression. Cette église est une des plus belles de San Francisco. Il y aura plaisir à glisser sur ces pavés de marbre qui font briller la mémoire d'un généreux Mr Glide. Vous savez que Bob est un surfer terrestre.

Jim demanda de quel instrument il jouait.

— C'est un « saxer » remarquable, répondit Kenneth. Il est aussi un excellent chef d'orchestre. Son groupe est de dix musiciens hippies. Quand je l'ai connu, c'était au milieu de cet orchestre.

Nous tenions ces propos en sortant d'une exposition du peintre Parrish qui venait de mourir. Une de ses toiles — « Cadmus semant les dents du lion » — nous avait semblé admirable. Ce peintre, lancé maintenant par les galeries, n'avait travaillé que pour les Rockefeller et les Morgan, ce qui était à leur éloge. Le titre du tableau nous fit évoquer le peintre Cadmus qui vivait à New York et dont Kenneth avait vu de très beaux dessins érotiques à l'institut de Bloomington.

Nous descendions à pied Taylor Street vers le Glide Memorial. Sur une boutique fermée, il y avait cette inscription : « Je regrette : je suis à la pêche jusqu'à telle date. » La vue de l'hôtel Hilton nous rappela un fameux piquet des étudiants de Berkeley contre la discrimination. Kenneth avait noté alors un détail comique : on empêchait les clients de sortir, parce que l'hôtel n'engageait pas de serviteurs noirs, et il y avait des clients noirs dans l'hôtel.

Pensant à Narcissa, je demandai si je pouvais venir avec elle au « church-in ». Kenneth réfléchit un instant et répondit que la permission donnée à quatre s'étendrait bien à cinq, mais qu'il déclinait toute responsabilité pour les yeux vertueux d'une jeune Noire.

— La seule chose que je puisse vous garantir, ajouta-t-il, c'est qu'elle ne sera pas violée, à moins qu'elle ne l'exige. Ces histoires de viols de Noires par des Blancs et de Blanches par des Noirs m'ont toujours paru suspectes. Non pas que je les crois fausses, mais je soupçonne beaucoup de filles blanches ou noires de tout faire pour être violées.

Viol à part, j'étais enchanté à l'idée d'amener Narcissa, en espérant la dégeler. Plus je l'aimais, plus je la désirais, mais je me sentais obligé, quand j'étais seul avec elle, de respecter l'esprit et même la lettre de ses confidences — et la lettre n'était pas un « four-letter word ». Bon gré, mal gré elle verrait des coucheries si je me fiais aux promesses de Kenneth mais ce seraient les coucheries des hippies, les coucheries des fleurs.

Au rez-de-chaussée du Glide Memorial, rue Taylor, se tenait une exposition de peinture : « le Portefeuille d'art des enfants des fleurs ». Les hippies étaient chers au révérend Williams. Le contraste était grand entre les œuvres que nous venions de voir et celles-ci. On aurait cru, en vérité, une exposition enfantine.

— Les enfants des fleurs, dis-je, n'ont encore enfanté aucun génie dans aucun ordre de choses. Nous attendons leurs poètes et leurs peintres.

— Vous les attendrez longtemps, dit Kenneth : ils sont tous peintres et poètes ; ils n'ont pas besoin de créer ; ils vivent l'art et la poésie. Leur force est leur faiblesse, comme dans cet égocentrisme. Mais cela va bien avec leur âge. C'est l'âge mûr qui veut durer, se perpétuer, se répandre. La jeunesse ne croit qu'en elle-même ; elle n'a donc pas à se prouver : il lui suffit d'exister.

Sur le mur du Glide Memorial une plaque indiquait que c'était « une maison de prière pour tous les peuples » et une affiche annonçait une conférence du révérend Williams : « Races, rivalités, réconciliation. »

— Voilà un titre de circonstance pour votre amie Narcissa, me dit Kenneth. Du reste, une Noire est tout à fait à sa place dans une église chrétienne puisqu'un des rois mages était noir... et que Belzébuth est noir.

Nous jetâmes un coup d'œil dans la chapelle contiguë à la salle d'exposition, et dont la porte était grand ouverte. On voyait un autel de bois, dressé entre quelques rangées de bancs, et une croix, au-dessus d'un grand bouquet de fleurs.

Nous ne visitâmes pas l'église proprement dite, qui avait son entrée Ellis Street. Du reste, l'escalier qui y donnait accès était fermé ; mais il y avait, nous dit Kenneth, un autre passage par l'intérieur. Fait curieux, elle était située au second étage : nous aurions une noble plate-forme. Tous ces vastes bâtiments, dus aux bienfaits de Mr Glide, avaient un voisin inattendu ; la boutique « Adonis », siège de la revue *Mattachine* et lieu de vente de toutes les publications et photographies homosexuelles. Jim m'avait déjà signalé cet endroit et je m'aperçus qu'il le connaissait mieux que l'église méthodiste.

— Ce n'est pas tout, dit Kenneth : les fameux bains de Turk Street ne sont pas loin. Le Glide Memorial étant au cœur de cette activité, il ne lui restait qu'à recevoir la consécration des hippies. Celle des homosexuels est chose faite. A force de les voir circuler dans le quartier, le révérend Williams et ses confrères de Glide, qui sont de saints hommes, se sont pris de sympathie charitable pour les prostitués. Ils ont ouvert en leur faveur une soupe nocturne dans un local du voisinage. A cette soupe, les clients attardés vont faire leur choix. Et tout le monde bénit Dieu.

— Ces clergymen, dit Jim, sont les piocheurs des prostitués homosexuels.

— Ils ont même créé un Conseil de religion et d'homosexualité, dit Kenneth. Les pasteurs californiens se flattent de comprendre les « perversions ».

Je fis allusion aux trois chapelains homosexuels de Carl. J'ajoutai que l'évêque Pike, dans une conférence à Los Angeles, avait rendu hommage à la compréhension du révérend Smith, de l'église méthodiste de la ville, et à celle de sa propre église.

— Je crois bien ! dit Kenneth, le Conseil épiscopal de Californie vient de demander l'abolition de « toutes les lois de l'Etat limitant les rapports sexuels entre adultes consentants ». Et il a voté une subvention de quinze cents dollars pour le Conseil de religion et d'homosexualité de Glide. Notez bien qu'aucun de ces méthodistes ni de ces épiscopaux n'est connu pour être homosexuel. C'est leur force.

— Ou leur faiblesse, dit Jim.

— Je n'ai pas encore vu d'annonces pour les offices de Glide dans la revue *Mattachine*, dit Kenneth, mais une autre de San Francisco, à la fois homosexuelle et hippie, *Vanguard*, en publie les horaires pour telle ou telle église, avec des articles de clergymen sur l'urgence de réunir Dieu et le sexe. La manchette « Dieu est vivant » y figure à côté de dessins où Dieu, barbu et auréolé, lève le doigt vers le mot « Fuck ».

— En vérité, dis-je, si la Californie n'existait pas il faudrait l'inventer.

Jim demanda à Kenneth s'il était allé aux bains de Turk Street.

— J'y suis allé une fois par curiosité, dit-il.

Ce mot nous fit rire et me rappela l'observation du photographe de Dallas sur les clients qui venaient toujours « pour un de leurs amis ».

— Moi aussi, dit Jim, j'y suis allé une fois par curiosité.

— Par exemple ! m'écriai-je, tu ne me l'avais jamais dit.

— J'attendais l'occasion. Il n'y a pas longtemps, d'ailleurs : c'était à l'époque où tu découvrais Narcissa ; j'ai voulu découvrir Narcisse.

— « L'aventure est pour les aventuriers », dit Kenneth. C'est un mot de Disraéli.

De son brusque échange de souvenirs et de commentaires avec Jim, j'appris de quoi il s'agissait. La fiction de ces bains élégants était d'être un « club privé », ce qui dispensait de surveillance. On vous donnait une feuille où vous deviez noter vos noms et adresse (nom et adresse imaginaires, mais que l'on feignait de lire attentivement) ; on vous remettait une serviette-éponge orange et une serviette-éponge blanche en même temps qu'une chaîne où étaient attachées deux clés, celle du petit coffre où vous laissiez vos valeurs à la caisse et, dans le vestiaire, celle du placard où vous enfermiez vos habits avec la serviette blanche, réservée à la douche finale. Une fois déshabillé pudiquement, vous enrouliez la serviette orange autour de vos reins ; les couloirs, bordés de cabines et à demi éclairés, étaient feutrés d'une riche moquette ; le long de ces couloirs, des messieurs se tenaient debout, ceints de leur serviette orange ; les portes de certaines cabines étaient entrouvertes malgré une inscription qui ordonnait de les fermer et d'y être seul ; les cabines avaient des lits où des messieurs revêtus de leur serviette orange étaient couchés sur le ventre, ce qui indiquait une intention, ou sur le dos, ce qui en indiquait une autre ; lorsque la porte était fermée, c'est que l'une des deux intentions était remplie. L'établissement occupait trois étages et demi ; au rez-de-chaussée, il y avait une vaste piscine ; au premier étage, une salle obscure, occupée par des lits de repos (à la très vague lueur d'une lanterne chinoise, on distinguait beaucoup d'agitation) ; au second étage, outre le vestiaire, les cabines et les douches, il y avait une salle de lecture où des messieurs, entourés de leur serviette orange, lisaient les revues de la boutique Adonis, prenaient des boissons douces et des cigarettes à un distributeur automatique, s'observaient discrètement ; si vous rencontriez là un jeune homme, il ne fallait jamais lui adresser la parole ni lui offrir une cigarette, une boisson douce, une revue homosexuelle, car il s'éloignait en rougissant. Au troisième étage, qui paraissait désert, vous trouviez des salles de gymnastique sans gymnastes, des salles de massage sans masseurs, des salles de jeux sportifs sans joueurs, et enfin, si vous aviez l'idée de prendre un petit escalier au fond d'un couloir, vous arriviez à un supplément de cet étage, dans une pièce ronde, pleine comme un œuf : c'était le couronnement de l'édifice ou, selon le mot de Kenneth, qui était le titre d'un de ses films : « le Dôme du plaisir ».

Une lanterne chinoise y dispense une lumière un peu plus généreuse que celle de la salle de repos. Cela vous permet de voir des messieurs qui se reposent, assis sur une banquette, ou qui font cercle, immobiles, autour d'un groupe. Ces groupes sont formés de jeunes gens debout, les bras croisés, et de messieurs agenouillés à leurs pieds, la tête sous leur serviette. L'impassibilité étant presque totale, le silence absolu, la serviette cachant tout, aucun geste ne trahissant personne, vous pourriez croire qu'il ne se passe rien. Ce serait une erreur. Au bout d'un moment, les jeunes gens debout décroisent les bras et se retirent.

Ces bains étaient ouverts jour et nuit, comme les bains Everard de New York dont m'avait parlé Carl et auxquels je supposais désormais que Jim avait fait une visite de curiosité. La description de ces exercices rappelait l'histoire des officiers des Indes, que l'on avait contée à Jim, et était une nouvelle illustration de notre devise : « Restez froid. »

Lorsque je lui en eus fait la remarque, il dit qu'il avait observé une défaillance chez un des jeunes gens : celui-ci avait décroisé les bras précipitamment pour appuyer une main sur la tête du monsieur chauve agenouillé devant lui. Kenneth avait aussi noté un autre manquement aux règles : un monsieur faisait le tour des messieurs assis et leur relevait la serviette, comme pour prononcer le mot qui vérifiait jadis la masculinité des papes : « Habet ».

— Je ne sais si ces choses sont une preuve d'une civilisation supérieure, ajouta Kenneth, mais c'est notre tempérament qui les autorise — notre tempérament, dans le sens d'ardeur et dans le sens de retenue. A Rome, au lendemain de la guerre, il y eut passagèrement des bains de ce genre : le priapisme latin s'y déchaînait à un point qui mettait en danger la stabilité de la fontaine de Trevi au dos de laquelle ils étaient installés. En France, j'ai connu quelqu'un qui avait loué, un été, une villa sur la côte d'Azur pour en faire une sorte de camp de vacances homosexuel ; le recrutement était choisi — avocats, médecins, professeurs, magistrats... et quelques jeunes gens. Au bout de huit jours, il fut obligé de mettre tout le monde à la porte. Les Européens ne savent pas garder la serviette orange.

Nous remontâmes à Union Square, près d'où j'avais réussi à garer ma voiture. Le petit tram de San Francisco grimpait la rue vertigineuse dans un effroyable bruit de ferraille pour mieux signaler sa survivance, chère aux habitants. Kenneth nous dit qu'il voulait filmer le hangar de la machinerie extraordinaire qui servait à élever ce tram : on y voyait tourner une roue et des câbles qui n'évoquaient pas l'Amérique d'aujourd'hui mais celle de 1900.

Union Square, des jeunes gens étaient allongés dans l'herbe, autour de la colonne qui commémore la victoire des Etats-Unis sur l'Espagne — la république des Philippines et la dictature de Castro étaient les fruits lointains de cette victoire. Au coin de la place, une petite tour Eiffel sert d'enseigne aux grands magasins d'une Française, la comtesse de Tessan. J'évoquai le mot de Kenneth sur les Français qui arrivent à tout en Californie, mais pas nécessairement dans le satanisme. Beaucoup y prospèrent même dans la viticulture.

Un jeune homme qui lisait sur la pelouse se leva pour nous demander quelques *cents*.

— Il a vu que je regardais, dit Kenneth, et il me fait payer mon plaisir. Les hippies ont donné cette habitude à des garçons qui ne sont pas des hippies. Il serait ridicule d'y voir une expression de mendicité : c'est une expression de liberté et aussi une espèce d'insolence. Elle plaît à la jeunesse parce qu'elle est interdite. On récolte trente jours de prison si l'on est pris à mendier. Des policiers en civil ont eu la cruauté d'arrêter des jeunes gens qui leur avaient tendu la main.

— Vous ne croyez pas, lui demanda Jim, que cette

462

façon de tendre la main est une façon de tendre la perche ?

— Dans d'autres pays, ce serait plausible, dit Kenneth ; mais chez nous, je ne suis sûr de quelque chose que quand je vois la serviette orange.

Des pigeons voltigeaient au bas de la colonne ; un évangéliste prêchait, la Bible à la main ; un nègre, qui avait un œillet rouge à l'oreille, jouait de la guitare et chantait en se dandinant.

Nous allions nous séparer.

— Dimanche prochain, à l'Eglise de Glide, faut-il apporter une serviette orange ? demanda Jim.

— Gardez-vous-en bien, dit Kenneth. Sociologues et compagnons d'une jeune Noire, vous devez tenir votre quant-à-soi. Je n'ai donc qu'à reprendre le mot du prince de Talleyrand, ancien évêque d'Autun, à ses secrétaires quand il était ambassadeur à Londres : « Dimanche prochain, à neuf heures, lavés, rasés, habillés, branlés. »

11

Une décision de la Cour Suprême produisait des remous à Berkeley, au moins dans les mêmes cercles que le prix Nobel de banane.

La législature de Californie avait adopté la loi Rumford qui, pour supprimer la discrimination raciale, interdit aux propriétaires de terrains et d'immeubles de vendre ou de louer comme ils l'entendent. Les adversaires de cette loi avaient pris l'initiative d'un référendum demandant le maintien du statu quo et avaient réuni, il y a peu d'années, une majorité de plus de cinq millions de voix. Je savais que mes parents avaient été de ce nombre et que des Noirs même avaient pris ce parti auquel applaudissait la jeune Gwendolyn Kyle, lauréate de la John Birch Society et notre voisine à Contra Costa. Cette attitude de la Californie correspondait à une tradition bien antérieure au problème noir : notre Etat avait voté, après la Première Guerre mondiale, une loi restreignant la possession de propriétés, et qui visait surtout les Jaunes. Cela, du reste, n'atteignait guère de personnes puisque les Jaunes étaient un pour cent de notre population et les Noirs six pour cent. Cependant, les partisans de la loi Rumford attaquèrent la nouvelle loi californienne comme une violation du quatorzième amendement qui a donné le droit de citoyenneté aux Noirs. La cour suprême de Californie soutint leur plainte et la Cour Suprême des Etats-Unis, par cinq voix contre quatre, venait de confirmer cette décision.

Malgré toute la sympathie que j'avais pour les Noirs, malgré le sentiment qui m'attachait à Narcissa et sans céder à des considérations familiales, je jugeais un peu forte cette limitation des droits de propriété et, en même temps, des droits des Etats, garantis par le dixième amendement. « Tous les pouvoirs non délégués aux Etats-Unis par la Constitution, déclarait cet amendement, ou non interdits par elle aux Etats, sont réservés aux Etats ou au peuple. » Le peuple de Californie, qu'il eût raison ou qu'il eût tort, voyait donc sa volonté — cinq millions de personnes —, infirmée par cinq juges de la Cour Suprême. Notre propre cour ayant méconnu cette volonté, le devoir de la Cour Suprême aurait dû être de casser son jugement : c'était elle, en effet, qui avait à défendre la Constitution. Ne se créait-il pas ainsi un Etat au-dessus des Etats et au-dessus de la Constitution ?

A Andover, nous avions été nourris, Jim et moi, dans le respect de la Cour Suprême, égal à celui qu'elle inspirait à nos parents. Olivier Wendell Holmes, un de ses juges les plus célèbres, fils du poète, avait été élevé à la Phillips Academy. La bibliothèque y portait son nom, comme un symbole de sérénité. Mais les temps étaient devenus moins sereins pour le pays et pour les juges.

Une raison, bien différente de la loi Rumford, appelait sur la Cour Suprême l'attention défavorable d'un certain nombre de nos camarades : cinq cent trente-cinq d'entre eux, Savio en tête, avaient recouru auprès d'elle contre les condamnations que leur avait infligées la cour municipale de Berkeley pour les incidents de décembre. Earl Warren, sans se laisser gagner par les flatteries de la gauche nouvelle ou ancienne, avait tout simplement refusé de réexaminer ces condamnations. Les victimes attendaient la fin du trimestre, soit pour payer l'amende, soit pour subir l'emprisonnement. Ainsi, des deux côtés de la barricade, étions-nous tous intéressés par ce haut tribunal.

Je trouvais un écho de mes sentiments sur son arrêt californien dans les articles de Mr Hunt et les commentaires de Melvin Munn à Life Line. Ils s'en prenaient de nouveau au Chief Justice, autant que pouvait s'en prendre Savio. Je ne désirais pas me faire le juge, à mon tour, de ces juges à qui nous devions tant de choses, mais je m'associai à d'autres groupes qui voulaient établir un débat sur ce sujet majeur. Nous choisîmes pour cela le Wheeler Auditorium.

D'un côté de la scène, sur un chevalet, un agrandissement photographique montrait ces neuf juges qui sont les vrais guides de deux cents millions d'Américains. Cinq étaient assis et quatre debout, dans leur toge noire, qui laissait leur cravate à découvert. Le pouvoir de ces neuf hommes est plus grand que celui du président ou du Congrès pour la vie intérieure de notre pays. Peut-être même n'y en a-t-il pas de comparable dans le monde : le Comité Central des Soviets compte onze membres titulaires et huit suppléants ; le pape a sur les bras la curie, le synode et quelquefois un concile. La plus grande démocratie du monde a créé la plus grande oligarchie du monde.

Et cela répond au côté aristocratique de notre démocratie relevé par notre cher professeur de français. En outre, alors que le Comité Central des Soviets est sujet à des conspirations et à des purges qui en changent brusquement les personnages, notre Cour Suprême est inamovible. Son prestige vient de notre Constitution. Et le prestige de notre Constitution vient de ce qu'elle a forgé le sentiment national. De même qu'elle a été le lien d'Etats disparates et de citoyens d'origines, de races et de religions si diverses, elle nous confère cette identité que certains d'entre nous prétendent chercher encore. Ses admirateurs la disent d'inspiration divine. On rappelle également le mot de Gladstone, la saluant comme « l'œuvre politique la plus étonnante accomplie par le cerveau humain ». Les neuf juges nous semblent, à cause d'elle, les garants de notre unité.

En la personne d'un de ses membres, son rôle a éclaté deux fois à notre époque dans des circonstances exceptionnelles au point de vue international et national : le juge Jackson a représenté les Etats-Unis au tribunal de Nuremberg, institué pour les criminels de guerre nazis (deux généraux japonais, condamnés à mort par le tribunal de Manille, firent en vain appel à la Cour Suprême contre ce verdict), et Earl Warren a présidé la commission chargée d'enquêter sur l'assassinat Kennedy. Si le résultat de cette enquête n'a pas satisfait tout le monde, ce n'est certainement pas la faute de Warren.

C'est lui qui attirait nos regards, au milieu de l'immense photographie. Imperturbable sous ses cheveux blancs et derrière ses lunettes, distingué, dédaigneux, il était assis entre ses quatre plus anciens collègues. Cet ami de mon père, ce grand franc-maçon, était né à Los Angeles. Je l'avais vu à Berkeley même, dont il est docteur *honoris causa,* une année qu'il avait participé aux fêtes du « jour de la charte » (la charte qui a fondé l'Université de l'Etat, il y a un siècle). En ce moment, la John Birch Society redoublait d'efforts pour obtenir le million de signatures nécessaires à la demande de mise en accusation. On voyait, le long des routes, de grands placards : « Impeach Earl Warren. » Avec quelques coups de pinceau, des humoristes changeaient « impeach » en « preach » et « Earl Warren » en « Karl Marx ». « Prêcher Karl Marx », c'était bon pour la fille Aptheker. L'ancien gouverneur de Californie avait été candidat du parti républicain à la vice-présidence lorsque Truman fut élu. C'est par Eisenhower qu'il avait été mis à la tête de la Cour Suprême. Son premier acte officiel fut de représenter les Etats-Unis au couronnement de la reine Elisabeth. Tous les arrêts qui avaient changé notre vie publique, grâce à la déségrégation, étaient son œuvre.

Derrière lui se tenait le nègre Thurgood Marshall, dernier nommé. Il était l'homonyme du Chief Justice John Marshall, qui remplit cette haute charge pendant trente-quatre ans, au début du XIXe siècle, et dont les arrêts consolidèrent notre fédération. La « Cour Marshall » n'était effacée désormais que par la « Cour Warren ».

De l'autre côté de la scène, un autre chevalet portait en lettres cubitales ces paroles de Lincoln, lors de son discours d'inauguration : « Si la politique du gouvernement sur des questions vitales affectant tout le peuple était fixée irrévocablement par des décisions de la Cour Suprême, le peuple cesserait d'être son propre maître puisqu'il aurait délégué son pouvoir à cet éminent tribunal. » Le libérateur des Noirs avait deviné le danger représenté par cet aréopage qui avait pourtant achevé de libérer les Noirs. Mais alors, la Cour Suprême était esclavagiste, non moins que ségrégationniste, et avait refusé de modifier un de ses arrêts dans le sens que réclamait le chef du pouvoir exécutif.

Comme il résultait de l'exposé d'un de nos camarades du département de Droit, Lincoln n'avait pas été le premier président à se heurter à la Cour. Jefferson et Jackson furent tenus par elle en échec,

467

comme Theodore Roosevelt, le plus jeune de nos présidents, et surtout son homonyme Franklin Roosevelt, le président élu à la plus grande majorité. Celui-ci, au faîte de sa puissance, voyait son programme économique et social traversé par la Cour, qui le déclarait inconstitutionnel. Il voulut briser la résistance en nommant d'autres juges et en augmentant leur nombre. Le Congrès s'y refusa devant le sursaut du pays.

Les conservateurs ou, comme dit Mr Hunt, les « constructeurs », gardent un souvenir attendri de ces juges qui ont opposé un dernier rempart à la politique socialisante. Néanmoins, le chef de la Cour, Evans Hughes, avait fini par se rallier à cette évolution, soit pour atténuer les injures adressées aux « neuf vieillards », soit pour écarter le danger qui avait menacé la Cour. Mais quatre juges — « les quatre cavaliers de la réaction » — restèrent inébranlables jusqu'à leur mort ou leur retraite.

Désormais, c'est surtout avec le pouvoir législatif que la Cour est en délicatesse, la Chambre et le Sénat ayant à ménager les intérêts des Etats et ceux de groupes que bravent ses décisions. Aussi, le sénateur Dirksen, républicain de l'Illinois, et McCormack, président de la Chambre, démocrate du Massachusetts, préparent-ils une loi destinée à limiter les pouvoirs de la Cour Suprême. Ils l'accusent, comme beaucoup de citoyens, de « réinterpréter » la Constitution au lieu de l'interpréter.

Avant de se faire la championne de l'égalité raciale et d'en être l'exemple complet avec Thurgood Marshall, la Cour Suprême avait commencé par avoir d'illustres membres juifs. Wilson y nomma le jurisconsulte Brandeis ; mais comme ces nominations sont soumises au consentement du Sénat, celle-ci ne fut pas approuvée sans difficultés — sept sénateurs, anciens présidents de l'Association américaine du barreau, y étaient hostiles. Puis Hoover, qui se vit refuser une nomination à la Cour Suprême en la personne du juge Parker, fut plus heureux en nommant Cardozo et Roosevelt nomma Frankfurter, que l'on appela « le vrai président des Etats-Unis ». On ne pouvait qu'admirer la perfection de notre fameux creuset, autant que de notre démocratie, qui donnait tour à tour comme juges à la nation américaine les fils de deux émigrés juifs autrichiens et d'un émigré juif méditerranéen. Arthur Goldberg, nommé par Kennedy et transféré par Johnson aux Nations unies, a été le quatrième grand juif de la Cour Suprême.

Ce n'est pas seulement à l'égard des Noirs qu'elle a eu un rôle bénéfique. Elle a déclaré, à l'égard des Indiens, que si, en dehors de leurs réserves, ils prouvent avoir occupé certains territoires, on doit les leur restituer. C'est ce qui a entraîné dans certains cas ces indemnisations dont Mr Hunt m'avait pompeusement cité les chiffres.

Depuis 1953 qu'il a succédé à Hughes, Warren a poursuivi tambour battant l'œuvre de libéralisation commencée par lui. Une série d'arrêts a allégé le poids que le mac-carthysme avait fait peser sur le communisme : les lois anti-subversives de quarante-deux Etats ont été déclarées nulles ; une personne ne peut être poursuivie pour avoir prôné le renversement du gouvernement par la force, à moins qu'elle n'ait entrepris réellement une action subversive ; le département d'Etat ne peut retirer leurs passeports ou refuser un passeport aux personnes suspectes de communisme ou communistes déclarées (la fille Aptheker nous apprit, d'un air altier, que cet arrêt avait sanctionné une plainte de son père contre le département d'Etat) ; les membres du parti communiste ne peuvent être obligés à s'enregistrer au Bureau de Contrôle des Activités subversives ; un Américain ne peut être privé de sa citoyenneté, même s'il déserte en temps de guerre.

J'intervins pour rappeler que la Cour Suprême, en étendant aux suspects interrogés pour activité subversive, le privilège du cinquième amendement qui interdit d'être témoin contre soi-même, avait d'ores et déjà rendu impossible toute poursuite et sapé le mac-carthysme. On ne s'étonnait pas que la Commission de la Chambre sur les Activités non américaines considérât Earl Warren comme son ennemi personnel et, en fait, Earl Warren ne lui avait pas ménagé les avanies. « Un comité du Congrès, avait-il dit, n'a le droit d'interroger un témoin que sur la préparation d'une loi. » Dans un autre cas, il avait annulé la révocation d'un employé communiste d'une compagnie intéressée dans les affaires de Défense nationale et l'un des juges était allé jusqu'à dire que toute personne a « le droit constitutionnel de connaître les secrets militaires du gouvernement ». C'était évidemment supposer que nous vivions dans la république de Platon.

— N'est-ce pas plutôt Aristophane, ajoutai-je, et sa « ville des coucous dans les nuées » qu'il faut évoquer à propos de la décision qui a réintégré le fonctionnaire du département d'Etat, Stewart Service, révoqué pour avoir transmis à une revue communiste dix-sept mille informations ? Mais à partir du moment qu'il est permis d'être communiste le mot de trahison n'a plus de sens.

Narcissa, ma chère Narcissa, prouva brillamment ses connaissances historiques. Elle prit la parole pour dire que personne ne semblait remarquer combien la Cour Suprême, dans son attitude à l'égard des communistes, imitait son libéralisme à l'égard des « traîtres nordistes » après la guerre civile. Les « Fils de la liberté », les « Chevaliers du Cercle d'or » ou, comme on les surnomma tous, les « têtes de cuivre » (expression que reprit Franklin Roosevelt à l'adresse du colonel Lindbergh pour son attitude pacifiste et qui le conduisit à donner sa démission de l'armée), furent condamnés à mort par les tribunaux de l'Union. La Cour Suprême cassa ces jugements et les fit remettre en liberté.

L'orateur énuméra, par ordre chronologique comme précédemment, les décisions de la Cour Warren pour la procédure criminelle : la preuve obtenue au moyen de recherches illégales ou à la suite d'une arrestation illégale ne peut être utilisée, même si elle est digne de foi ; avant d'interroger un suspect la police est tenue de l'aviser qu'il a le droit de ne pas répondre, d'avoir un avocat (fourni d'office aux suspects indigents) et de différer l'interrogatoire jusqu'à ce que l'avocat soit présent — aucun aveu ne sera valable, si toutes ces règles n'ont pas été observées ; les mineurs ont droit aux mêmes garanties que les adultes ; l'écoute électronique est inconstitutionnelle — cette décision infirmait une loi de l'Etat de New York ; le kidnapping n'est pas punissable de la peine de mort.

C'est dans ce domaine-là que la Cour Suprême provoquait le plus de réactions. Alors que les libéraux applaudissaient aux mesures qui remettaient les communistes sur le même plan que tous les citoyens, des gens de tous les partis et de toutes les classes ne comprenaient pas une telle indulgence envers les délinquants. Même certains de nos camarades qui faisaient campagne contre les « brutalités policières » s'étonnaient de voir donner aux gangsters des garanties et presque des encouragements.

Le cas Mallory avait démontré par l'absurde le danger de cette législation olympienne : il s'agissait d'un jeune nègre de dix-neuf ans, accusé d'avoir violé une femme, et qui avait avoué devant la cour de Washington sans que ses avocats eussent argué de contrainte ni d'erreur. La Cour Suprême, qui siège à Washington et de qui dépend cette cour fédérale, se plut à réexaminer ce jugement : elle innocenta Mallory parce qu'il avait été détenu dix heures avant d'être interrogé. Il ne repassa pas en jugement car, ayant porté un masque pour commettre son viol, on ne pouvait l'identifier sans sa propre confession. Il fut donc libéré et, trois ans après, viola une autre femme à Philadelphie. Cette fois, la cour de Pennsylvanie le condamna à onze ans et demi de prison dans les formes et ce verdict parut un soufflet pour la Cour Suprême. Mais cela ne la troubla pas.

Le chef de la police de Washington publiait que

le nombre des crimes dans cette ville était passé de quinze mille à vingt-deux mille depuis l'arrêt de la Cour ; le F.B.I., qu'ils avaient augmenté de vingt-trois pour cent dans les villes de plus d'un million d'habitants et de quarante-deux pour cent dans les villes moindres ; la sous-commission du Sénat sur la délinquance juvénile, qu'un sur cinq de tous les jeunes Américains de dix à dix-sept ans avait un casier judiciaire — et quatre sur cinq, les jeunes Noirs des ghettos ; le département de police de Los Angeles, que les règles édictées par la Cour « avaient réduit son pouvoir de poursuivre les criminels ». Comme elle avait précisé que toute personne déjà condamnée sans avoir eu d'avocat devait être libérée, des milliers de criminels demandaient leur libération. Or, les statistiques de la police montraient que soixante-dix pour cent des délinquants étaient des récidivistes, arrêtés souvent quelques heures à peine ou quelques jours après leur libération — même pas quelques années, comme Mallory.

L'arrêt concernant le kidnapping modifiait la loi qui avait été votée, il y a plus de trente-cinq ans, à la suite de l'enlèvement et du meurtre d'un fils de Lindbergh. L'année qui avait précédé ce crime et cette loi, il y avait eu deux cent soixante-dix-neuf kidnappings aux Etats-Unis. Seuls étaient passibles de peine de mort les ravisseurs qui avaient transporté l'enfant hors des frontières d'un Etat ; mais cette menace avait suffi pour éliminer à peu près totalement un fléau qui semblait devenu une institution nationale. La Cour Suprême a estimé que la peine de mort ne peut être imposée par une loi, mais seulement sur la recommandation d'un jury. Va-t-elle ainsi rouvrir l'ère des kidnappers ? Les avis sont partagés car certains attribuent leur disparition, non pas à la « loi Lindbergh », mais aux moyens que le F.B.I. a mis en œuvre pour les traquer.

En matière religieuse, les décisions de la Cour Warren sont aussi importantes : les Etats ne peuvent demander à des fonctionnaires de déclarer leur croyance en Dieu ; les fonctionnaires d'un Etat ne doivent pas composer une prière pour les écoles publiques ; la récitation de l'oraison dominicale ou la lecture de la Bible n'y sont pas obligatoires — en fait elles sont supprimées puisque tout parent athée ou d'une religion non chrétienne peut désormais protester.

J'avoue que j'étais moins sensible que Mr Hunt à cette laïcisation de la société américaine et je n'approuvais guère le commentateur de Life Line citant le mot de Penn : « Les hommes qui refusent d'être gouvernés par Dieu seront gouvernés par des tyrans. » La tyrannie de Dieu a été, dans certains pays et à certaines époques, plus terrible que celle de tous les tyrans. Sans le contrepoids de la Cour Suprême, les Etats puritains que nous surnommons « la Ceinture de la Bible », auraient ceinturé toute l'Amérique, plus terriblement que la Ceinture Noire. Même dans l'heureux Texas, aujourd'hui Eldorado des photographes de la nudité masculine, la cinquantième législature avait proposé de condamner « toutes les formes et tous les types de péchés ». La majorité repoussa cette proposition, mais fut prise de scrupule quand on lui fit observer qu'elle avait voté en faveur du péché. Aussi, après un ample débat, la proposition fut-elle retirée et le vote effacé du compte rendu. Il y a quarante ans, l'Etat de Tennessee révoqua six professeurs qui enseignaient le darwinisme. Un septième, Scopes, qui osa continuer, fut l'objet d'un procès mémorable, appelé « le procès du singe ». L'ancien secrétaire d'Etat Jennings Bryan, qui avait dirigé notre diplomatie pendant la Première Guerre mondiale, revendiqua l'honneur de soutenir cette accusation. L'avocat de Scopes arriva à lui faire dire que le monde avait été créé le 23 octobre 4004 avant Jésus-Christ, date qui était admise par quelques sectes protestantes et qui vient à peine de disparaître de nos livres de références bibliques. Et c'est encore tout récemment que le même Tennessee avait prétendu maintenir dans les livres scolaires la doctrine anti-évolutionniste : il n'y a renoncé que sous l'éclat de rire général et la menace d'un nouveau procès. Je pensais à tout cela, en laissant demander par l'un de mes Youth Freedom Speakers trop zélé, si l'on n'allait pas mettre en accusation le président Johnson, qui nous avait tous invités à prier pour le salut de notre pays au moment des émeutes de Détroit.

En politique, la Cour Suprême avait édicté que les deux chambres des Etats devaient être élues selon le principe : « Une personne, un vote », et que les Etats devaient faire un nouveau découpage électoral des districts afin de mieux tenir compte du taux de population. Ces deux arrêts influeraient sur les prochaines élections à la présidence, autant que sur celles qui touchaient les législatures et le Congrès. La Cour Suprême faisait en sorte de modifier une situation illogique qui donnait les mêmes droits aux Etats dépeuplés qu'aux Etats surpeuplés.

Enfin, dans son souci de défendre les libertés individuelles, elle avait adouci les lois relatives aux publications obscènes, comme s'en réjouissaient le photographe de Dallas et une clientèle assez nombreuse pour entretenir un commerce annuel de deux milliards de dollars. Notre orateur rappela que *Playboy* avait fait une enquête à ce sujet : un éducateur aussi vénérable qu'Elmer Barnes, ancien conseiller du Bureau fédéral des prisons, avait répondu que les images sexuelles « contribuent à l'hygiène mentale » et que, dans une éducation mieux entendue, les magazines nudistes auront place. Nous fîmes chorus à cette déclaration, dont l'auteur, qui habite Malibu, est éclairé par la lumière de la Californie.

Je regrettais que celle du Texas n'éclairât pas mieux Melvin Munn. Deux au moins de ses récents discours de liberté étaient dirigés contre la licence artistique et littéraire. Il s'indignait de voir partout des ouvrages traitant « de l'inceste, du viol, de perversions, d'actes sexuels, de flagellation ». Il rapprochait, comme tous les prétendus moralistes, l'accroissement de la criminalité dans la jeunesse et celui des publi-

474

cations obscènes. Il reproduisait les conclusions tendancieuses du F.B.I. qui déclarait trouver des photographies de ce genre chez les jeunes criminels. Assurer qu'ils étaient devenus criminels pour avoir vu des photographies obscènes, c'était dire que l'on devenait criminel parce que l'on avait un sexe.

Ce point particulier montrait quel serait le péril de limiter ses pouvoirs : le représentant McCormack, par exemple, était surtout offusqué par ces questions d'obscénité et le sénateur Dirksen l'était par d'autres. Chacun ayant ses raisons de désapprouver tel ou tel arrêt de la Cour Suprême, on supprimerait peu à peu, si l'on restreignait ses pouvoirs, toutes les libertés qu'elle nous a données. Je retenais une suggestion de Mr Hunt, qui me semblait justifiable. Un grand nombre d'arrêts étaient pris à la majorité de cinq voix contre quatre ; l'unanimité n'était atteinte que dans à peu près la moitié des cas. Mr Hunt suggérait que pour des choses d'importance destinées à modifier l'action fédérale et les droits des Etats, une majorité des deux tiers fût exigible.

Ce qui était remarquable, c'est que l'on rendît publique l'attitude de chaque juge. Pendant plusieurs années, sous l'administration Roosevelt, le dernier des quatre cavaliers de la réaction, McReynolds, fut seul de son avis et les arrêts de la Cour portaient cette note : « Mr Justice McReynolds ne fut pas d'accord. » Le dissentiment de la minorité ou d'un seul, nommément exprimé, fait honneur à notre goût de la liberté et de la franchise. Il est également un hommage à la confiance que des dizaines de millions d'hommes mettent dans l'intégrité de quelques-uns.

Comme on parlait encore du rôle de la Cour Suprême à l'égard de la pornographie, Jim fit remarquer qu'elle ne s'était pas montrée libérale en confirmant la condamnation de Ginzburg, directeur de la revue *Eros*. J'avais trouvé à cette sentence des excuses artistiques lorsque je m'en étais souvenu à Dallas. L'orateur précisa le fond même de la décision : il y avait obscénité si « l'œuvre n'était présentée que sous son aspect sexuellement provocant ». Telle était la « règle Ginzburg », qui allait valoir à celui dont elle portait le nom, des peines si disproportionnées au délit. On lui avait reproché d'avoir poussé la malice jusqu'à expédier sa revue de localités qui avaient des noms équivoques : Middlesex (New Jersey), Intercourse (Pennsylvanie), mais il n'était pas venu jusqu'à la tour Coït. Cet humour spécial avait été considéré comme une « provocation » de plus. La Cour voulait empêcher que la pornographie ne fût que de la pornographie. Dans un cas semblable, où *Fanny Hill* revenait sur le tapis, elle avait déclaré qu'« un livre ne peut être proscrit, à moins d'être absolument privé d'une valeur sociale compensatoire ». Il va de soi que la valeur artistique est la plus sociale de toutes. Celui de mes camarades qui défendait ce point de vue ajouta qu'un des soutiens de la liberté absolue de la presse, garantie par le premier amendement, était le juge Black : il avait exprimé son désaccord dans le cas Ginzburg et affirmé que la Cour n'avait pas à prononcer de jugements d'ordre moral.

Un de nos professeurs, qui assistait à la réunion et qui n'aimait pas la Cour Suprême, dit que le juge Black, lorsqu'il était sénateur de l'Alabama, avant d'être nommé juge, avait reconnu avoir fait partie du Ku-Klux-Klan. Je fus abasourdi : j'évoquai ma conversation avec Mr Hunt qui m'avait fait l'éloge de ce juge, trente-deuxième de la maçonnerie. Mais je me dis que la franchise d'un tel aveu, égale à celle d'un dissentiment formulé, rachetait cette erreur. Je voyais aussi, dans le fait qu'un homme aussi remarquable eût pu appartenir à une société si décriée, la preuve du trouble où les meilleurs esprits du Sud pouvaient être jetés par la prédominance des Noirs.

Il est à relever, pour expliquer le rôle incroyable de la Cour Suprême, que les pouvoirs publics, trop proches de l'électorat, sont heureux de se décharger sur elles des modifications dont ils n'oseraient prendre l'initiative. S'il est naturel que certains en souffrent ou s'en plaignent, c'est le plus grand nombre qui en bénéficie. Le Congrès n'est donc peut-être pas très sincère dans ses intentions de réformer la Cour, et il n'y a guère de chances qu'elles aboutissent, pas plus que n'avaient abouti celles de Roosevelt. Régulatrice des lois, elle est encore davantage une promotrice de lois. Elle traduit en somme l'avis à la fois de l'opinion éclairée et de la majorité. Dans les cas contraires, c'est qu'elle obéit à des vues de haute politique. On interprète généralement son célèbre arrêt esclavagiste comme une des causes de la guerre civile parce qu'il découragea les Etats anti-esclavagistes. Il ne semble donc pas avoir reflété l'avis de l'opinion éclairée. J'aimais mieux l'interpréter comme une tentative hardie de sauver l'union fédérale, menacée de sécession par les Etats esclavagistes. Ce dont tout le monde pouvait convenir aujourd'hui, c'est qu'en forçant les Etats du Sud à accepter la déségrégation, elle nous avait épargné une seconde guerre civile.

Je ne pensai plus à la loi Rumford. Tant pis pour cinq millions de Californiens — tant pis pour la jeune négresse Gwendolyn Kyle, tant pis même pour le vice-amiral et Mrs Nicholas Montague.

12

Une bombe venait d'éclater dans notre ciel politique : le président Johnson annonçait qu'il ne se représenterait pas aux élections présidentielles et qu'il allait entamer des négociations de paix avec Hô Chi Minh.

Rien ne pouvait mieux étonner et ses amis et ses ennemis. Son entourage immédiat disait qu'il avait déjà pris la première de ces résolutions à la fin de l'année dernière et qu'il avait songé à la rendre publique lors de son message du début de l'an au Congrès. Les journaux la saluaient comme « le plus grand acte de renoncement, depuis l'abdication d'Edouard VIII ». En réalité, il y avait eu entre-temps celui de Truman dont le rôle avait été moins considérable, et Theodore Roosevelt avait renoncé, lui aussi, à se représenter. Mais le chapelain, qui partageait notre amour pour Johnson, n'hésitait pas à le comparer à saint Pierre Célestin en nous citant le vers de Dante qui parle de son « grand refus ». Il ajoutait qu'à la différence de saint Pierre Célestin, Johnson ne refusait pas « par lâcheté ». Celui-ci prouvait au contraire, une fois de plus, son courage de Texan autant que son intelligence et son patriotisme. Sa popularité, minée par la canaille marxiste et la propagande pacifiste, remontait en flèche, au point que certains croyaient que son geste n'était qu'une ruse pour se faire forcer la main et rester sur le pavois. Il voulait, disait-il, laisser la place à un président qui pût reformer l'unité de la nation, mais du même coup, il ne permettait plus de dire qu'il n'avait prolongé la guerre du Vietnam que pour assurer sa réélection puisqu'« on ne change pas de président au cours d'une guerre ».

Ce qui n'était pas nouveau, c'était son désir de négocier la paix. Des pourparlers étaient menés depuis longtemps par toutes sortes d'intermédiaires de plus ou moins bonne foi ; mais en donnant à ce désir cette forme solennelle, il coupait l'herbe sous le pied aux membres de son propre parti, Eugene McCarthy et Robert Kennedy, qui se faisaient un tremplin électoral de leur pacifisme. Celui-ci, déconcerté, venait même de se faire huer dans un campus, en tenant tout à coup des propos de faucon : il avait déclaré que, s'il était élu, il ne demanderait pas l'amnistie pour les objecteurs de conscience et les déserteurs du Vietnam. Johnson devait rire dans sa barbe. Il n'avait pas d'adversaires à sa taille, si ce n'est le fantôme de John Kennedy.

Ce fantôme avait pesé sur lui par des personnages dont il arrivait enfin à se débarrasser : à la place de McNamara, il avait nommé secrétaire à la Défense l'un de ses plus habiles conseillers, l'avocat Clifford, directeur de la National Bank de Washington, en lequel il avait une entière confiance et qui était, Dieu merci, un super-faucon ; Sargent Shriver serait expédié comme ambassadeur à Paris, où il pourrait parler bananes avec l'ambassadeur Asturias ; le général Westmoreland, choisi par McNamara et qui avait fait la guerre de McNamara, allait être rappelé pour remplir « de plus hautes fonctions ».

Comme « fans » de Johnson, nous étions à la fois ravis et consternés de sa retraite. Ravis parce que nous n'avions jamais douté des qualités dont il donnait aujourd'hui une preuve si éclatante. Jamais peut-être président des Etats-Unis ne fut si bassement calomnié ni si violemment attaqué. Toute la haine que peut inspirer notre pays par sa richesse et par sa force, toute celle que peut inspirer un homme qui est le maître de ce pays, se sont déchaînées contre lui sous les formes les plus diverses. J'évoquai avec Jim l'une des plus ignobles : la comédie *Mac Bird*, que nous nous étions refusés de voir à New York, mais qui faisait toujours florès. Cette parodie de *Macbeth* mettait en scène Johnson, sous ce nom transparent qui évoquait celui de sa femme : on le dépeignait comme l'assassin de « Ken O'Dunc » et comme un monstre qui n'avait pour réponse que la prison, la chambre à gaz, les coups de fusils et les bombes. Alors que le directeur du F.B.I. avait flétri cette « ordure qui diffamait le président de notre pays », ce dernier avait mieux montré son mépris en ne cherchant même pas à la faire interdire. L'auteur, Mrs Garson, et son mari, gradué de Berkeley, habitaient dans nos parages et avaient soutenu le Free Speech Movement comme s'ils avaient eu à souffrir de la censure. Ne connaissant pas cette descendante de Shakespeare, je n'avais su qu'ensuite sa participation au sit-in de Sprout Hall : elle avait été emmenée à la prison d'Oakland, comme Narcissa, et s'était pourvue contre sa condamnation comme Savio. Mais il y avait eu plus que des « ordures » : certaines pancartes des meetings pacifistes étalaient cette inscription : « Où est Oswald maintenant que nous avons besoin de lui ? » Lorsque cet appel à l'assassinat était arboré en bouton par les hippies, on pouvait le prendre pour une simple plaisanterie, comme l'invitation à « pendre Johnson par les oreilles ». Cela prenait un autre sens dans d'autres milieux.

Si nous étions ravis que Johnson, d'un seul coup, eût démontré ce qu'il était, nous étions consternés de le voir s'éloigner d'un poste où il avait su défendre, contre les ennemis du dedans et du dehors, l'Amérique et la liberté. Sans doute sa seule ruse consisterait-elle à promouvoir comme candidat à la présidence son vice-président Humphrey. En dehors des républicains, qui auraient eu notre préférence (et nous préférions le Californien Nixon, ancien vice-président d'Eisenhower, à Nelson Rockefeller), nous souhaitions une survie de l'Amérique de Johnson plutôt qu'une résurrection de celle de Kennedy. Jim avait un certain mérite à faire passer les intérêts politiques avant les goûts personnels : il s'avouait sensible au charme physique de Bob Kennedy, qui en jouait auprès de tout le monde.

Quant à l'autre candidat démocrate, le sénateur Eugène McCarthy, il n'offrait que par son homonymie avec feu le sénateur Joe un relent de maccarthysme et faisait à Bob Kennedy une surenchère démagogique.

Les circonstances se prêtaient doublement à un exposé sur les projets de réforme du collège électoral qui sanctionne le vote populaire aux élections présidentielles. Je décidai de le faire devant les Youth

Freedom Speakers, à l'image de celui que nous avions entendu sur la Cour Suprême.

Des électeurs nommés par chaque Etat, de la même façon que pour sa législature, choisissent le président et le vice-président des Etats-Unis, chaque Etat ayant le nombre d'électeurs auquel lui donne droit le nombre de ses membres au Congrès. Ce système a été adopté par les auteurs de la Constitution pour deux motifs : protéger les petits Etats et laisser le choix du président et du vice-président à des électeurs mieux informés que la masse du peuple. Ce sont de telles subtilités, marques d'une grande sagesse, qui ont fait dire aux « Américains cent pour cent » que les « Founding fathers » avaient été évidemment inspirés de Dieu. Un peu moins d'enthousiasme permettait de critiquer cet ordre de choses et de comprendre les décisions de la Cour Suprême. L'Alaska, le Nevada, le Wyoming et le Vermont avaient douze votes électoraux avec un total d'un million deux cent trente mille habitants, soit un électeur pour cent mille habitants, tandis que dans l'Etat de New York et en Californie, il fallait environ trois cent quatre-vingt-six mille habitants pour avoir un électeur, ce qui donnait à un habitant du Nevada quatre fois plus de pouvoir de vote qu'à Jim ou qu'à moi. Mais il y avait d'autres considérations que le principe de la Cour Suprême : « Un homme, un vote ». Les soixante-quinze mille trois cent soixante-dix-neuf habitants de l'Alaska, qui mènent encore une vie de pionniers entre les mines d'or, les phoques et les Esquimaux, peuvent prétendre à quelques privilèges. De même le pouvoir électoral des régions agricoles avait été favorisé à titre de compensation. Le Delaware est, après le Rhode Island, le plus petit Etat, « le mouchoir de poche de l'oncle Sam » —, mais il fut le premier à voter la Constitution, d'où son surnom plus glorieux de « premier Etat ». Enfin se posait la question d'étendre le droit de suffrage à des territoires qui ne l'avaient pas encore : le district de Columbia, qui est pourtant le siège du gouvernement fédéral, formé aux dépens du Maryland et de la Virginie, et le « Commonwealth » de Porto-Rico, dont les habitants sont citoyens américains et soldats américains. Peut-être ce district et cette île deviendraient-ils nos cinquante et unième et cinquante-deuxième Etat, comme l'Alaska et Hawaii devinrent le quarante-neuvième et le cinquantième sous Eisenhower. Que de drapeaux et de sceaux à refaire !

Encore la Cour Suprême n'avait-elle pas attenté au droit des Etats de fixer eux-mêmes l'âge requis pour être électeur (elle s'était contentée de déclarer inconstitutionnelles les entraves mises par les Etats du Sud au vote des Noirs, telles que l'analphabétisme ou la taxe de vote) : dans le Kentucky et en Georgie l'âge de vote était dix-huit ans, comme en U.R.S.S. ; dix-neuf ans dans l'Alaska et vingt à Hawaii.

Johnson s'était rendu compte que des changements devaient être apportés au système en vigueur et il avait adressé deux messages au Congrès pour les demander. Celui-ci inclinait à simplifier les choses en supprimant le collège électoral et en se contentant du vote direct. Les partisans de ce vote relevaient qu'il réduirait d'environ vingt pour cent le pouvoir excessif des grandes villes et qu'il préviendrait l'élection d'un président de minorité, c'est-à-dire n'ayant pas eu la majorité du vote populaire. D'autre part, le vote direct augmenterait de dix-huit pour cent le pouvoir électoral de la Californie, de dix-sept pour cent ceux du New York et de la Pennsylvanie, de seize pour cent celui de l'Illinois, de douze pour cent ceux de l'Ohio et du Missouri. Il diminuerait de vingt-trois pour cent celui de l'Alabama, de vingt-neuf pour cent celui du Nevada, de trente-deux pour cent celui du Wyoming, de trente-neuf pour cent celui du Vermont, de quarante-cinq pour cent celui du Delaware, de quarante-sept pour cent ceux de Hawaii et du Nord Dakota.

Les adversaires de ce projet avaient réuni la majorité requise des deux tiers pour présenter, devant la Chambre et le Sénat, une autre proposition de vote électoral, dit « Plan de district » : il réduisait jusqu'à près de quatre-vingts pour cent la part des grandes villes et prétendait empêcher, lui aussi, l'élection d'un président de minorité.

Aux uns et aux autres on objectait que certains présidents, dont l'œuvre avait été la plus importante, furent dans ce cas : Lincoln avait été élu par le collège électoral alors qu'il avait seulement trente-neuf pour cent des votes populaires ; Cleveland, deux fois élu par le collège électoral, n'avait eu successivement que quarante-huit et quarante-six pour cent de ces votes ; Wilson aussi, qui n'en avait eu que quarante et un pour cent, puis quarante-neuf pour cent ; Kennedy, enfin, élu par le collège électoral sans beaucoup plus de votes populaires que Wilson dans sa réélection. Deux de nos présidents étaient le fruit de votes encore plus étranges : Hayes, le dix-neuvième, élu par le collège électoral avec une voix de plus que Tilden qui avait eu deux cent mille voix de plus au vote populaire ; et Harrison, le vingt-troisième, élu par le collège électoral à une majorité de soixante-cinq voix contre Cleveland, qui se présentait pour la troisième fois et qui avait obtenu, au vote populaire, quatre-vingt-neuf mille voix de plus.

Les Etats-Unis, si préoccupés d'être une démocratie, prouvaient ainsi, comme la Cour Suprême, qu'ils étaient une démocratie aristocratique. C'est du reste ce que rappelaient constamment les hommes de droite qui exaltaient le mot de république aux dépens de celui de démocratie. Mr Hunt citait la réponse de Franklin à quelqu'un qui lui demandait ce qu'il préparait quand il travaillait au projet de Constitution : « Une république, si vous êtes capables de la conserver. »

Mr Hunt, qui voulait la conserver, faisait faire une grande propagande par Life Line en faveur de la réforme et avait alerté la sous-commission du Sénat sur les Amendements constitutionnels. Sa longue lettre en cent vingt points, adressée au sénateur Bayh, de l'Indiana, président de cette sous-commission, appuyait le plan de district. Le vote direct ne lui semblait pas plus sacré qu'un autre : on voyait, par ce qui se passait dans les pays communistes, la médiocre estime que ce vote méritait.

Il montrait que les Etats moins peuplés avaient toujours eu la crainte légitime d'être opprimés par les autres : vingt-deux des trente-deux présidents proviennent de quatre Etats (Virginie, Massachusetts, Ohio et New York). Huit des treize Etats primitifs et vingt-huit autres — quarante et un en tout —, n'ont jamais eu de président. Mr Hunt ajoutait que la suppression du collège électoral et son remplacement par le vote direct augmenterait la centralisation du gouvernement, déjà excessive. Il rappelait que le futur président Monroe, qui établit ensuite la charte d'indépendance du continent américain, avait été l'un des artisans du système en vigueur pour l'élection présidentielle. Il rappelait aussi que le président Johnson, en demandant une réforme, avait insisté sur « le maintien de notre nation comme une union d'Etats ». Et il rapprochait ces paroles d'un mot de Washington.

A cette argumentation historique, je préférais ses remarques de bon sens : qu'il serait absurde de nommer le président et le vice-président au vote direct quand on ne songerait pas à nommer ainsi le secrétaire de la Défense ou le chef d'état-major ; que les présidents des grandes sociétés n'étaient jamais élus par l'ensemble des actionnaires ; que les donateurs des grandes universités auraient peu de confiance dans un chancelier ou président d'université élu par les étudiants ; que ni le pape ni le président du Praesidium du Soviet Suprême ne sont élus au vote populaire.

La suppression du collège électoral, disait-il également, ferait disparaître un moyen, à la fois décisif et contrôlable, de l'élection présidentielle. Le contrôle était moins aisé dans le vote direct : à Kansas City (Missouri) et à Chicago (Illinois), le scrutin avait été contesté lors des élections municipales. Il l'avait même été, pour certaines élections présidentielles, dans un ou deux Etats. Avec le vote direct, la suspicion pourrait s'étendre à l'Union entière.

Le plan de district évitait cet inconvénient. En cas d'élection non concluante, le choix serait fait par la Chambre des représentants au vote secret. De plus, un président élu par une majorité océanique serait irrefrénable, sous prétexte qu'il a reçu « un mandat ». Pis encore : un président pourrait être élu malgré l'opposition de quarante et un Etats, la majorité de la population étant représentée par neuf Etats.

J'approuvais entièrement ces idées bien que l'image de Washington et de Franklin fût moins présente à l'esprit de la plupart des Américains d'aujourd'hui qu'à celui de Mr Hunt. Et cependant, je reconnaissais que ces grands ancêtres faisaient toujours impression sur les Américains de nouvelle souche comme il y en avait à l'université. Pour ces jeunes gens, étonnés de tant de lois diverses, qu'elles fussent relatives à l'alcool, à l'homosexualité ou au repos dominical (le dimanche, on ne pouvait faire un match de boxe en Californie, acheter du tabac à New York...) les pères fondateurs dont on riait volontiers étaient comme la Constitution et comme la Cour Suprême : la référence et la garantie d'un idéal de dignité et de liberté.

— Oui, dit Jim, à la fin de mon brillant exposé. Mais ne crois-tu pas que la réforme du collège électoral, si chère à Mr Hunt, est de peu d'importance pour le résultat ? Ce qui compte, c'est ce qui fait de lui et de ses pairs nos éternels pères fondateurs. La lutte n'est pas entre le plan de district et le plan sur la comète : elle est entre les milliards des Kennedy et les milliards des Rockefeller. Bob Kennedy a déjà acheté un million de dollars la radio et la télévision dans chacun de nos cinquante Etats, et ses père et mère, qui ont la vingt-cinquième plus

485

grande fortune de notre pays, ont déclaré que ce n'était pas cher.

Je rappelai le mot de Mr Hunt, dont j'avais amusé nos camarades : « Voilà ce que c'est d'être riche. » Mais j'ajoutai que la victoire de Nixon ou de Humphrey serait peut-être la réponse de l'Amérique à cette compétition de milliards.

13

A neuf heures du soir, ce dimanche, Narcissa, Jim et moi arrivâmes à l'église d'Ellis Street. Kenneth nous attendait devant la porte. Il fut charmant pour Narcissa.

— Si vous étiez arrivés un peu plus tôt, nous dit-il, vous auriez vu une ruée invraisemblable.

— De prostitués homosexuels ? demanda Jim.

— Non, dit Kenneth, car les amis de Bob assuraient un contrôle sévère. Mais le révérend Williams est affolé : il attendait deux à trois cents hippies ; ils sont plus de mille. Cela complique un peu le ravitaillement.

On barricada derrière nous et nous descendîmes au sous-sol, d'où parvenait le tintamarre de l'orchestre. Dans une première salle, le révérend Williams et ses aides, devant des piles de petits pains et de saucisses fumantes, faisaient des chiens chauds qu'ils distribuaient à tout venant ; des fontaines laissaient couler des boissons douces. Cela nous rappelait le sit-in de Sprout Hall.

Dans la salle de l'orchestre, Bob qui se démenait au saxophone, nous fit un clin d'œil et écarquilla les jambes en l'honneur de Narcissa. Tous les musiciens étaient vêtus, comme lui, d'un maillot pailleté ; ils étaient presque aussi chevelus et sans chapeau ; à leur ceinture pendait une banane qui s'agitait à souhait : l'United Fruit était venue jusqu'ici.

Le sol d'une pièce voisine était jonché de crin, en guise de couche. Le révérend Williams et ses aides avaient éventré les matelas, qui n'étaient pas en assez grand nombre : c'était le miracle de la multiplication des matelas pour les enfants des fleurs. Certains s'y roulaient déjà, mais sans intention de dormir. Nous repassâmes devant le révérend Williams et ses aides qui s'épongeaient le front, entre les pains et les saucisses.

Kenneth nous fit prendre l'ascenseur jusqu'à l'église. Trouverions-nous des hippies en train d'avoir sexe sur les bancs, comme nos camarades dans les chapelles de Berkeley ? Je fus édifié : quelques-uns, assis de çà de là, méditaient ou semblaient ravis par une extase mystique. D'autres, pour mieux se recueillir, étaient montés dans la tribune et contemplaient la rosace où brillait le nom de Jésus.

— Ne vous y trompez pas, nous dit Kenneth : ils ne sont pas en conversation avec Dieu, mais avec le L.S.D. 25.

Nous nous assîmes pour admirer le vaste sanctuaire. Il était luxueux, immaculé et confortable. Les bancs étaient garnis de coussins de velours cramoisi et un tapis rouge couvrait le dallage. Quatre grands lustres faisaient scintiller les vitraux. Une immense croix se dressait au milieu d'une estrade où se trouvaient un harmonium et des stalles. Une étoffe de satin rose tombait de l'estrade vers l'autel situé en contrebas. La Bible était ouverte sur un pupitre. On eût dit que le révérend Williams allait apparaître pour célébrer l'office. Dans le casier qui, au dos des bancs, portait des livres de prières, il y avait aussi une enveloppe avec cette inscription : « Mon offrande » et cette citation biblique : « Ils n'apparaîtront pas devant le Seigneur les mains vides. »

Kenneth feuilletait un livre cartonné : l'hymnaire méthodiste. Sous la couverture, un ex-libris au nom d'une demoiselle indiquait que le volume avait été offert « pour la gloire de Dieu, en mémoire de sa mère et de son père, le major X... ».

— J'ai déjà utilisé Jésus dans « le Lever du Scorpion », dit Kenneth — vous vous rappelez, ces images d'un vieux film muet que j'y avais mêlées : on le voit faisant un miracle et l'un de ses disciples tape sur l'épaule d'un autre en hochant la tête de l'air de dire : « Il est fort. » Je devrais mettre des hymnes méthodistes dans « Lucifer ».

Il en fredonna quelques-uns :

— « Que je contemple la croix étonnante !... » « J'ai trouvé un ami, oh ! quel ami !... »

A cet instant, le bruit de l'orchestre se rapprocha d'un coup et les musiciens, entièrement nus, arrivèrent dans l'église. Une foule en délire les suivait, dansante et gesticulante. Kenneth se leva d'un bond.

— Lucifer ! cria-t-il, Lucifer !

C'était autre chose qu'à la Cinquième Porte de Sausalito. Narcissa avait détourné les yeux.

— Je m'excuse, lui dis-je un peu hypocritement ; mais j'espère ne pas heurter ta religion.

— Ce n'est pas de religion qu'il s'agit, dit-elle ; c'est de civilisation. J'ai honte, pour ces filles et ces garçons, de penser que je me sens plus civilisée.

— Tu sais, Narcissa, il y a des Américains qui prétendent que notre érotisme vient en grande partie de ta race.

— L'érotisme, mais pas le sacrilège.

— Si tu regardes bien, tu verras ici deux Noirs et une Noire.

— Ils sont de trop.

— D'après ce que je t'ai dit du Glide Memorial, rien ne peut y être sacrilège. Dans cette église, nous sommes au-dessus de la morale, des religions et des races.

Je lui citai avec ironie le titre de la conférence du révérend Williams.

— J'espère, dit-elle, que lui et ses aides resteront

toute la nuit à faire des chiens chauds. Il serait peut-être gêné s'il venait prier parmi nous.

— Le sacrilège est dans l'intention, dis-je. Les hippies ne sont pas antireligieux : ils sont non-religieux.

— Je suis certaine que l'atmosphère d'une église les excite, dit Narcissa. Il n'est pas possible qu'il en soit autrement.

Bob s'était juché sur l'autel et les autres musiciens sur l'estrade. Je dis à Jim que c'était notre sort de participer à des sit-ins destinés à finir par une intervention de la police. Le révérend Williams et ses aides étaient certainement en train de requérir les officiers de police du comté de San Francisco et la patrouille des hautes routes de Californie. Kenneth, qui s'était renseigné auprès des arrivants, me dit de ne pas m'inquiéter : le révérend Williams et ses aides avaient été enfermés dans une pièce sans téléphone. Précaution inutile d'après lui, car jamais ils n'auraient appelé la police, autant par bonté d'âme que pour ne pas faire constater le scandale.

Alors commença dans cette église une orgie indescriptible. Tous ceux qui étaient déjà là s'étaient mis nus, à l'instar des musiciens. Ceux qui entraient se mettaient nus aussitôt, comme pour respecter une règle. Des couples faisaient l'amour sur le tapis dans toutes les positions. Des garçons se masturbaient sur les bancs pour souiller de sperme les coussins cramoisis. Une fille masturbait Bob sur l'autel, l'obligeant à cesser de souffler dans son saxophone.

— C'est merveilleux ! criait Kenneth. Et dire que je ne peux filmer cela, pas plus que je ne peux filmer Oriane ! Les plus beaux films, comme les plus beaux vers, sont ceux qu'on ne fera jamais. Mais la Bible du Père Eternel est remplacée par la Bible de Tijuana. C'est le signe que Lucifer est avec nous, que nous sommes bien entrés dans l'ère du Verseau. C'est l'écrasement définitif des Poissons.

Il continuait, inspiré :

— Pendant vingt siècles, le phallus antique a pris la forme du poisson chrétien et le voilà qui redevient le phallus ! le symbole, non plus du sacrifice, mais de la jouissance. Voyez Bob : il met sa signature sur l'étoffe qui couvre l'autel. Et le zigzag de cette signature la fait ressembler à celle de Lucifer.

Comme pour lui donner raison, d'autres hippies écrivaient sur les murs, avec des feutres japonais, des mots obscènes et dessinaient d'énormes phallus.

— Regardons sans nous choquer, dis-je à Narcissa, car nous ne verrons pas deux fois un tel spectacle. On en oublie l'impudicité dès qu'il apparaît comme une curiosité.

— Une simple curiosité, dit Jim.

Kenneth se tourna vers nous pour nous montrer deux garçons tout nus qui, allongés sur la moquette, se frottaient l'un contre l'autre.

— Ils pratiquent, nous dit-il, ce qu'on appelle la « méthode de Princeton », parce qu'on l'attribue aux étudiants de cette université de la Ligue du Lierre.

« Bravo, Princeton ! » leur cria-t-il.

Je ne sais s'il avait pris cette érudition chez les législateurs de Floride, mais il ajouta que deux autres hippies, debout contre un banc et qui s'escrimaient entre les cuisses, pratiquaient la « méthode anglaise ». Les bouches étaient aussi actives pour rendre hommage à la « culture française » et une autre partie du corps aussi passive pour illustrer la « culture grecque », mais Kenneth me dit que cette culture passait également pour « turque », ce qui était naturel dans le voisinage de Turk Street. Il continuait ses exclamations :

— Quel triomphe ! le triomphe de la vérité. C'est aussi le triomphe de Kinsey. Il est le vrai libérateur de la jeunesse américaine parce qu'il lui a donné ce qu'il lui faut : des statistiques. On parle toujours de l'influence de la littérature : elle est minime chez nous, par rapport à celle des statisticiens, mais il en manquait un pour le sexe.

Jim fit observer qu'il connaissait à Berkeley des garçons devenus homosexuels par admiration pour

Walt Whitman, d'autres par admiration pour Thoreau, père de notre sociologie et inventeur de la désobéissance civile.

— C'est possible, dit Kenneth ; mais ces garçons seraient devenus homosexuels en lisant Platon ou Horace. Ce sont des « littéraires » qui atteignent leur révélation par des livres. Pour les autres, qui forment la masse, les livres, ce sont les chiffres. D'ailleurs, notre publicité est basée là-dessus, même à propos de littérature : « Achetez tel livre, parce que c'est un best seller. »

Je pensai au gamin de Dallas, tout heureux d'acheter un hamburger, dont on avait déjà vendu trois milliards. Et je pensai aussi à Mr Hunt, qui avançait les milliards comme des arguments sans réplique.

— Tout le monde est instruit, dès l'enfance, des choses du sexe, dit Kenneth ; elle est le royaume du sexe. Mais beaucoup de garçons se calment à l'âge des fortes études, ou cherchent un dérivatif dans l'agitation politique et sociale. Les troubles estudiantins qui surviennent en Europe et qui sont beaucoup plus violents que chez nous prouvent que le sexe n'est pas encore tout à fait libéré de l'autre côté de l'Atlantique. Depuis Kinsey, un garçon américain ne veut plus être des cinq pour cent qui ne se masturbent pas, des six pour cent qui résistent aux avances, des quatorze pour cent qui n'en ont pas tenté ou subi. On veut être de la majorité ; du même coup, on l'augmente et, Lucifer aidant, l'humanité est retournée.

Jim, qui observait de tous côtés, affirma qu'un des chiffres de Kinsey était déjà modifié :

— Il déclare que onze à douze pour cent des garçons se font sodomiser et il me semble en voir au moins deux fois plus.

— Je ne sais ce qu'il dit des filles à cet égard, ajouta Kenneth, mais remarquez le nombre de celles qui se donnent à leurs partenaires comme les sorcières se donnent à Lucifer.

Narcissa lisait l'hymnaire méthodiste.

— En Europe, reprit Kenneth, on cherche à imiter l'élite, les aristocrates, les « happy few » ; le prestige de certains actes, comme ceux qui se font autour de nous, vient là-bas de ce qu'ils passent pour être raffinés. Il y a même des Européens qui voudraient être les seuls à savoir et à faire ces bonnes petites choses. En France, c'est l'esprit de ceux que l'on appelle les « honteuses » et que nous n'appellerions pas des fruits écrasés, mais des « reines de placard ». Je pourrais vous citer le plus grand journal de la bourgeoisie parisienne où un chef de service a été mis à la porte parce que l'on avait « découvert ses mœurs ». Or, dans l'hôtel de ce journal qui a plusieurs étages, il n'y a pas une reine, mais deux reines dans chaque placard.

— La France, dit Jim, n'est un pays libre qu'en apparence. Mais je crois que le sexe est en train de s'y libérer.

— Si nous sommes le pays de la liberté, dit Kenneth, c'est parce qu'il y a, à la base, une jeunesse comme celle-ci. En imaginez-vous un au monde où nous pourrions voir ce que nous voyons en ce moment ? Les Français aussi ont voulu purifier les églises sous la révolution. Qu'ont-ils inventé ? La déesse Raison. La raison est peut-être l'égalité et même la fraternité, mais elle n'est pas la liberté. Seule l'Amérique pouvait installer dans ses églises la déesse Liberté — ou la déesse Luxure : c'est la même chose.

« Cette orgie — c'est le sens chez nous de « culture romaine » —, est la réplique de la scène du bain de Turk Street que je décrivis l'autre jour. Cette scène était encore un compromis entre l'hypocrisie européenne et le puritanisme américain. Sous nos yeux, c'est la jeunesse toute seule qui fait ce qui lui plaît. Aucun adulte ne lui a donné l'exemple : personne ici, en dehors de moi, n'a plus de vingt-cinq ans. Et vous avez une autre preuve du sens de liberté de cette jeunesse : personne n'est venu vous provoquer. Mais vous me permettrez de reprendre ma propre liberté. Lucifer m'appelle. »

Narcissa me demanda de la raccompagner. Jim dit qu'il restait par curiosité. Enjambant des couples qui célébraient tous les aspects de la culture européenne, nous gagnâmes la porte de l'église. Il y avait sexe dans l'escalier. Il y avait sexe dans les salles de repos. Il y avait sexe sous les douches de l'étage. De grands dessins, qui interprétaient le signe des Poissons, décoraient les couloirs. Il y avait sexe dans l'ascenseur.

Au rez-de-chaussée, il y avait sexe sur la litière de crin. Une porte avait été enfoncée. Des hippies tout nus qui buvaient des boissons douces et mangeaient des chiens chauds, nous dirent que c'était celle de la pièce où avaient été enfermés le révérend Williams et ses aides. Ceux-ci avaient enfoncé la porte sous l'effet d'une double crainte : que les hippies ne missent le feu à l'église et que la police ne fût appelée par quelqu'un. On leur avait assuré que tout allait bien dans l'église ; mais ils n'avaient pas eu le temps de le vérifier. Ils avaient couru dehors où l'on signalait un autre danger : les hippies avaient forcé la porte du clocher, avaient sexe sous les cloches et jetaient leurs nippes sur le trottoir.

Nous sortîmes. Le révérend Williams et ses aides ramassaient à pleines mains culottes, pantalons, chemises, blouses, corsages, jupes, slips, soutien-gorge, au milieu d'une ronde de prostitués homosexuels, devant des passants étonnés. Certains montraient aussi quelque surprise au bruit de l'orchestre de Bob, mais ils se rappelaient qu'aujourd'hui les églises ont souvent des musiques bizarres.

— Seigneur, faites que les enfants des fleurs ne se mettent pas à sonner les cloches ! disait le révérend Williams.

Nous repartîmes pour Berkeley sans dire un mot. Comme le silence de Narcissa me pesait, je tentai de la distraire en parlant de ces expéditions que les étudiants de la génération précédente faisaient vers la maison des étudiantes, comme pour la prendre d'assaut en pleine nuit. Et les filles leur jetaient par la fenêtre leurs culottes, qu'ils emportaient, les uns pour en faire un fanion à leurs voitures, les autres pour se cirer les souliers. C'étaient les « raids de culottes ».

Je ne parvins pas à dérider Narcissa. Nous traversâmes le pont d'Oakland, dans un mélange de lumière et de brouillard, qui enveloppait de fantastique l'image des scènes que nous laissions derrière nous.

— Où vas-tu ? me demanda Narcissa quand, arrivé à Berkeley, je conduisis vers un chemin montueux.

Je ne répondis pas : je la conduisais à la petite place où habitait Barbara. Et dans ce lieu solitaire où j'avais fait l'amour avec Sunny au retour de l'église de Satan, il y eut la conclusion de notre visite à l'église méthodiste de la rue Ellis.

14

Etrange lendemain à la nuit hippie et à ma propre nuit : le pasteur King venait d'être assassiné à Memphis (Alabama), sur le balcon de son hôtel. Sa mort, qui secouait l'Amérique, ressemblait à celle de Kennedy : même fusil à lunette télescopique acheté par correspondance, même tir à longue distance, même embuscade patiente, même balle dans la gorge.

L'apôtre de la non-violence avait été victime, définitivement, d'une de ses manifestations de violence. Powell, l'ancien représentant noir au Congrès, avait déclaré : « La patience des Noirs a des limites. » Celle des Blancs aussi. Le pasteur King était à Memphis pour soutenir le syndicat des boueux noirs qui étaient en grève. Il avait passé outre à l'injonction du juge qui lui avait interdit de faire une marche à travers Memphis, et il y avait eu un tué, de nombreux blessés, des incendies et des pillages. C'était la marche du pasteur King. Il en préparait une seconde, malgré une seconde injonction. A la veille de ce nouveau défi, qui aurait entraîné probablement une nouvelle effusion de sang et de nouveaux actes de vandalisme, un inconnu, présumé blanc, l'avait envoyé ad patres. Cette mort, à propos de boueux, du plus funeste des prix Nobel de la Paix, avait un accompagnement digne de ce qui avait été son existence de pacifiste : des émeutes dans quarante-six villes, une trentaine de morts, deux mille blessés, des millions de dollars de dégâts. Soixante mille hommes de troupe avaient dû être appelés pour contrôler la situation. A Washington, il avait fallu décréter le couvre-feu. A Oakland, le groupe, violent et armé, des Panthères Noires avait soutenu un siège de deux heures contre la police et un nègre de dix-sept ans avait été tué — seul holocauste californien aux mânes courroucés du pasteur King. Ce groupe avait absorbé dernièrement celui de la Nouvelle Gauche de notre campus, mais aucun de nos camarades ne fut compromis dans l'échauffourée. Ils s'étaient bornés à apprendre aux Noirs cette pensée de Mao Tsé-toung : « Le pouvoir politique vient à travers le canon d'un fusil. » C'est aussi par-là qu'avait fini le pouvoir du pasteur King.

Le chapelain eut des paroles de commisération, mais trouvait excessives celles du pape :

— Quand le Saint-Père rappelle qu'il a recommandé à ce « prédicateur chrétien » de rester fidèle à la non-violence et que ce dernier lui assura « ne pas faire usage de moyens violents », on doute qu'il lise les journaux pour se déclarer d'autant plus ému de ce crime. Je souffre de voir le chef de mon Eglise faire publiquement profession de duperie — je ne veux pas employer un autre mot —, et se rabaisser au rang des pires démagogues qui se disputent le cadavre du pasteur King. Il a dû se mordre la langue en lisant l'éloge funèbre que lui rend Mao Tsé-toung.

— Mao avait promis au pasteur King l'appui de sept à huit cents millions de Chinois, dis-je : il donne sept à huit cents mots à sa mémoire.

— Il en profite, dit le chapelain, pour exciter à la révolte les nègres américains, « frustrés et opprimés », et voit dans le coup de fusil de Memphis le « coup de trompette » qui annonce la fin du « pouvoir criminel des monopoles capitalistes ». Ce dictateur, à qui nous avons fourni du blé pour que son peuple ne meure pas de faim, en veut toujours à nos monopoles.

— Mais vous avez vu, dit Jim, au dernier gallup hebdomadaire de Life Line, la réponse des auditeurs de ses cent soixante et onze stations de radios : « Si la famine frappe la Chine rouge, les Etats-Unis doivent-ils encore lui envoyer du blé ? » C'est la première fois qu'il y a une réponse unanime : « Non. » Nous commençons à ne pas être gentils.

Certes, tant de gentillesses posthumes à l'égard du pasteur King ne faisaient qu'attester l'hypocrisie générale — le mot que n'avait pas osé dire le chapelain. Le seul sincère était en somme Mao Tsé-toung. Tous ceux qui avaient eu affaire à ce faux Gandhi, tous ceux qui avaient suivi son action, tous ceux qui avaient « lu les journaux » savaient pertinemment qui était le pasteur King : un pasteur, certes, mais un perturbateur, un maître chanteur et un agent communiste. L'éloge qu'avait prononcé de lui à La Haye le Birman U Thant, secrétaire général des Nations unies, faisait écho à celui que son prédécesseur, le Norvégien Trygve Lie, avait prononcé du communiste espion Abraham Feller, conseiller des Nations unies. D'ailleurs, les désordres auxquels ce drame donnait lieu ne se limitaient pas à l'Amérique et témoignaient bien le parti que le communisme cherchait à en tirer. Tout ce qui se passait dans le monde à l'heure actuelle, que ce fût l'assassinat du pasteur King ou un attentat contre le chef des étudiants allemands d'extrême gauche, produisait des cortèges et des assauts, avec des pancartes : « La paix au Vietnam. » Il va sans dire que le pasteur King était un des principaux adversaires, chez nous, de ce qu'il appelait « une guerre injuste et immorale ». Et sa veuve, qui prenait la relève de toutes ses marches, annonçait, afin d'honorer sa mémoire, un rallye monstre au Central Park de New York pour la paix au Vietnam. « Elle serait mieux inspirée de faire prier pour la paix de son âme », avait dit le chapelain.

Deux de ses photographies, l'une publiée dans *New York Times Magazine*, une semaine avant l'assassinat, l'autre republiée ensuite un peu partout, résumaient l'aventure de ce triste personnage. La première, qui étalait son mufle de fanatique, hurlant, la bouche baveuse et pointant deux doigts comme deux cornes vers les auditeurs, accompagnait l'annonce de sa marche des pauvres sur Washington : « Nous bloquerons les hôpitaux, nous boycotterons les écoles, nous occuperons les ministères, nous harcèlerons le Congrès... » avait-il dit — et les incendies de Washington trahissaient les éclaireurs qui l'avaient précédé. Sur la seconde photographie on le voyait, tout sucre, tout miel, l'air angélique, recevant son prix Nobel à Oslo : le président du Comité qui le lui remettait était borgne.

Le pasteur King était la victime de toutes ces photographies. Il ne pouvait plus se passer d'être une vedette et notre presse — presse d'un pays violent —, partageait ses responsabilités en assurant à chacune de ses expéditions les grands titres des journaux et la couverture des magazines. La télévision lui avait promis de suivre sa marche des pauvres. Elle suivait maintenant son cortège funèbre à Atlanta (Georgie).

Le char était traîné par deux mules grises, « symbole de la pauvreté du peuple noir ». Le pasteur King, qui avait réglé lui-même les rites de son enterrement, avait oublié que l'âne est le symbole du parti démocrate. Il avait feint d'oublier également qu'il y a dix milliardaires noirs à Atlanta. Dans l'église, il obligea les assistants à écouter son propre éloge, enregistré sur bande magnétique.

Au moins le premier nègre à avoir eu le prix Nobel de la Paix, Ralph Bunche, était-il là pour prêter quelque justification à ce titre puisqu'il avait effectivement servi d'arbitre entre les Israéliens et les Arabes. Johnson avait délégué le vice-président Humphrey pour faire contrepoids à l'invasion de la tribu Kennedy qui s'était précipitée en quête de suffrages. Les journaux montraient Bob serrant la main des King, grands et petits. Cela nous faisait penser à l'histoire d'une réunion électorale de ce candidat officiel de la jeunesse. « Dix-neuf », dit une jeune fille qui lui serrait la main. Il demanda ce que cela signifiait parce qu'un jeune homme venait de lui dire : « Dix-sept. » « Nous avons fait le pari, lui dit-elle, de compter le nombre de fois que nous vous serrerions la main. » Il poussait son rôle de « baby-kisser » tellement loin qu'à Indianapolis il avait eu une dent brisée en s'interposant dans une bagarre de teen-agers. C'est dans cette ville qu'il avait appris l'assassinat du pasteur King, au moment même où il haranguait les Noirs, et il s'était écrié : « Mon frère aussi a été tué par un Blanc. »

Les Rockefeller étaient presque au complet à Atlanta et leur présence étonnait plus que celle des Kennedy. On apprit à cette occasion que Nelson, le gouverneur républicain de New York, était le plus grand soutien financier de la Conférence de Direction Chrétienne du Sud, fondée par le pasteur King. On en donnait pour explication qu'il était baptiste. Il aurait suffi de rappeler qu'en tant que Rockefeller, il était né généreux, mais que, pour un candidat aux élections présidentielles, sa générosité était mieux placée dans l'apothicairerie du pasteur King qu'au château de Versailles. Cette révélation ne confirmait pas moins le chantage qu'avait exercé celui-ci sur les grandes fortunes américaines liées à la politique.

« Pourquoi l'ambassadeur d'Italie était-il à ces obsèques ? nous avait dit le chapelain. Il n'y a eu que lui d'ambassadeur blanc, avec les immanquables afro-asiatiques, si bien nommés. Il est vrai que le président de la République italienne a télégraphié ses condoléances, comme le pape. Peut-être que l'ambassadeur a tenu simplement à faire entendre qu'il ne s'agissait pas d'un crime de la mafia. » Un journal souterrain de San Francisco, qui avait fait un compte rendu facétieux de ma conférence sur l'United Fruit, avait annoncé, aussi facétieusement, que l'ambassadeur Asturias viendrait de Paris déposer une couronne de bananes et incliner la haute stature d'un prix Lénine de la Paix.

Rap Brown n'avait pu suivre les deux mules grises : il se trouvait par hasard en prison. Son compère Carmichael, créateur de l'armée noire de guérillas et « premier ministre » des Panthères Noires, avait souvent accusé le pasteur King de ne pas être assez violent. Il n'y avait, entre la non-violence de l'un et la violence de l'autre, que l'écart de trois lettres — du reste, le pasteur King avait adopté dernièrement l'expression de « non-violence militante » qui mettait bas le masque. C'est sans doute pour lui en savoir gré que le dit Carmichael, communiste patenté, castriste acharné, maoïste déchaîné, était allé aux obsèques. Il y avait rencontré la plupart des personnalités blanches qu'il avait juré d'étriper.

Forman, chef, après Carmichael et Rap Brown, du Comité de coordination des Etudiants non violents ou non-violents militants, avait déjà fixé le prix de son propre assassinat : « Dix centrales électriques, trente châteaux d'eau et cinq cents policiers blancs. »

Comme si elles avaient voulu répondre aux sentiments du pape, toutes les confessions religieuses avaient dépêché leurs représentants à Atlanta. C'était une manifestation d'œcuménisme, digne de celles dont l'évêque Pike avait parlé à Los Angeles. Jim, qui avait moins de sympathie que moi pour cet homme éminent, fut ravi de m'apprendre qu'il avait fait un prêche sur le pasteur King dans l'église presbytérienne centrale de New York et qu'il l'avait comparé à Jésus-Christ. La suite du prêche le mettait un peu plus bas car il le comparait aussi aux « héros du Vietcong ». Je ne pouvais plus m'étonner que mon ancien évêque eût été mis à pied par la chambre des évêques épiscopaux, mais il avait été beaucoup plus modéré au collège de Los Angeles que dans cette église de New York. J'excusai son hyperbole en rappelant à Jim sa participation à la marche de Selma où l'un de ses amis, pasteur presbytérien du Massachusetts, avait été tué.

— N'empêche, dit Jim, que c'est un peu fâcheux pour un évêque, même épiscopal et californien, de confondre Barabbas et Jésus-Christ.

Certes, il était naturel de verser quelques larmes ou beaucoup de bonnes paroles sur une mort tragique et, comme avait dit le pape dans son télégramme, « prématurée ». En discutant avec Jim, je venais à cette conclusion que le pasteur King n'était pas seulement la victime des magazines et de la publicité, mais de nous tous. S'il était, à en croire l'Association Nationale du Fusil, le huit cent mille et unième Américain, depuis 1900, à avoir été tué en Amérique d'un coup de fusil, il avait été poussé vers son destin par toute l'Amérique. Je pensais à la remarque de George Schuyler, ce Noir si patriote et si intelligent, sur les déplorables conséquences de la faiblesse gouvernementale à l'égard des Noirs. Le pasteur King avait été libre de les persuader qu'ils avaient tous les droits, mais l'attitude officielle le leur confirmait et tendait ainsi à multiplier leurs prétentions.

Nous en avions eu une preuve il y avait quelques semaines, par le rapport de deux cent cinquante mille mots qu'avait publié la commission nationale de Conseil sur les désordres civils — commission d'obédience présidentielle. Ce rapport n'avait pas imaginé de meilleure explication pour blanchir les Noirs que de rejeter toute la faute sur le racisme blanc. Nixon avait protesté, à juste titre, contre cette interprétation, à la fois tendancieuse et outrageante. Il citait un autre rapport, du Dr Luby, sous-directeur d'une clinique de Detroit et professeur de droit et de psychiatrie à l'Université d'Etat Waine (Michigan), dont la conclusion est diamétralement opposée à celle du rapport officiel. On comprenait que pour faire oublier sa protestation, il eût couru aux obsèques d'Atlanta.

Sunny, de Hollywood, m'avait téléphoné les effets de cet assassinat dans l'industrie de son père. Les acteurs noirs avaient boudé le festival de l'Académie des Arts et Sciences cinématographiques, mais cela n'avait pas empêché de décerner les Oscars à des films où était illustrée « la compréhension entre les races ». Gregory Peck, le président, avait fait l'éloge du pasteur King, comme le pape et comme Mao Tsétoung. Rod Steiger, en retirant son prix, avait fait l'éloge du co-interprète absent, le Noir Sydney Poitier, qui « lui avait fait sentir à fond la honte du préjugé racial ». Je ne sais si c'était une plaisanterie de Sunny, mais elle m'assura que George Cukor voulait faire un film sur les rois mages où le rôle essentiel serait donné à Balthazar, et qu'il cherchait déjà, pour l'incarner, un sosie du pasteur King. Son père ruminait, lui aussi, quelque projet noir, mais ne lui avait pas caché que, dans des années qui n'étaient pas encore très lointaines, Sydney Poitier et Dick Gregory en avaient vu de toutes les couleurs à Hollywood.

Il n'était pas moins remarquable qu'en dehors des Panthères Noires d'Oakland, le calme le plus complet eût régné chez les Noirs de Californie. A Watts même, où le Mouvement d'Action Révolutionnaire avait fait ses premières armes, il n'y avait pas eu le moindre incident. La presse européenne d'extrême gauche, prenant ses désirs pour des réalités et les menaces de Forman pour accomplies, publia mensongèrement que des centrales électriques avaient sauté dans notre Etat. Les Noirs, attirés du Sud de plus en plus par le nombre d'usines et la généreuse législation sociale de la Californie, sont maintenant un million sur le territoire du grand Los Angeles. Leur attitude ne faisait pas seulement leur éloge, mais celui du maire Yorty, homme habile et énergique. Il n'avait pas cru devoir se rendre aux obsèques du pasteur King, comme le maire de New York, Lindsay. Mais alors que les Noirs ne représentent que quinze pour cent de la population du grand Los Angeles. où Beverley Hills et Hollywood sont compris, et douze pour cent de celle du petit Los Angeles, ils ont vingt pour cent des conseillers municipaux. Leurs intérêts sont donc bien défendus. J'ignorais s'il y avait un conseiller municipal noir à Dallas car le Texas ne compte guère plus d'un million de Noirs, mais, là aussi, le calme n'avait pas été troublé : Mr Hunt savait gouverner.

J'avais laissé passer quelque temps avant de réunir les Youth Freedom Speakers : je n'aurais pas voulu peser sur la douleur, toute naturelle, que l'assassinat du pasteur King pouvait causer à nos camarades noirs, même s'ils n'avaient guère d'estime pour lui. A notre réunion, où Narcissa n'avait pu se rendre, je commençai par quelques paroles de commisération comme l'avait fait le chapelain et comme tout le monde le faisait.

— Allons Jack, dit un de mes Noirs, ne nous raconte pas d'histoires. Aie le même courage que la John Birch Society. Je n'en suis pas un membre, mais un bircher du campus m'a fait lire son dernier bulletin : elle seule ose écrire ce que nous pensons tous et que ne diront ni Life Line ni Mr Hunt. Elle seule ose s'indigner contre « la glorification de King comme héros et sa sanctification comme martyr ». Elle seule ose protester contre l'aberration qui a fait mettre le drapeau en berne sur les établissements publics, proclamer un jour de deuil, prier les enfants des écoles, bien que la prière soit interdite, et, chose plus incroyable encore, fermer le Stock Exchange. On croirait que cette vaste comédie, qui est allée du président des Etats-Unis aux maîtres des jardins d'enfants, a été montée au profit du communisme, pour encourager dans leur œuvre de subversion les héritiers du pasteur King.

Il m'était difficile de protester contre ces protestations, mais je dis que tous ces témoignages de condoléances avaient, non seulement un côté humain, mais des motifs d'opportunisme : on voulait prévenir des explosions de fureur par des explosions de douleur.

— J'ai pleuré la mort de King, dit le même Noir, mais parce qu'elle allait provoquer d'autres crimes contre mon pays et que cela fausserait encore plus l'idée que l'on a de mon pays à l'étranger et l'idée que l'on a ici des Noirs américains. Jusqu'au bout, cet homme aura été la malédiction de l'Amérique.

Je fis observer que beaucoup d'Américains avaient fini par s'en rendre compte : à Berkeley, le Free Speech Movement n'avait fait que des commentaires, sans même jeter le corps du pasteur King « sur les changements de vitesse et sous les roues pour arrêter la machine ». Cela prouvait que l'aveuglement politique a des bornes dans les milieux d'étudiants.

— Cela prouve surtout, dit Jim, que les faux étudiants étaient occupés ailleurs.

Un Noir déclara que l'agitation des étudiants noirs dans les campus après l'assassinat de King avait été généralement beaucoup moindre que l'on n'aurait pu craindre. A l'Université Howard de Washington, ils avaient amené le drapeau américain et l'avaient remplacé par celui du Black Power, mais tous les drapeaux flottaient aux Etats-Unis. A l'Université de Boston et à celle du Michigan, ils avaient élevé des barrages autour du bâtiment de l'administration pour obtenir quelques faveurs de plus. A l'Université Stanford, près de chez nous, ils avaient fait doubler le nombre de leurs immatriculations. Je me disais, en écoutant notre camarade, que le chantage à l'attendrissement, inspiré du pasteur King, profitait même de sa mort.

— J'ai été enchanté, ajouta le Noir, de ce qui est arrivé à l'Institut Tuskegee en Alabama : les Noirs ont tenu prisonniers les administrateurs, qui ont dû être délivrés par la Garde Nationale. Et l'institut est fermé.

— C'est regrettable pour les Noirs qui vont dans les instituts et dans les universités afin d'étudier, dit celui qui m'avait fait une remarque semblable lors des affaires du Free Speech Movement et qui arborait la touffe de Rap Brown. Le grand Washington Carver a fait justement à Tuskegee toutes ses découvertes. Enfin, espérons que le « libérateur des Noirs » a vraiment fini de s'occuper de nous. Sans le prix Nobel, il serait toujours en vie et resté dans son église d'Atlanta.

Je rappelai qu'il s'était fait connaître parce qu'il était sorti de son église pour diriger des boycotts.

— Oui, reprit notre camarade, mais tout cela aurait fini en queue de poisson, par la force des choses, si le Nobel ne lui avait pas conféré une sorte d'impunité pour son entreprise abominable. Le plus grand ennemi de notre pays était ainsi devenu tabou. Il affectait de se dire en danger, mais il n'y croyait pas, et il n'y croyait pas, à cause du Nobel. Son entourage était encore plus persuadé que lui de son immunité et encourageait son audace pour cette raison.

Un de nos camarades tenta une défense du Nobel en disant que Luther King avait pu sembler un pacifiste à côté de Carmichael et de Rap Brown.

— Carmichael et Rap Brown, déclara le Noir à la touffe, ne représentent pas grand-chose : ce sont des bêtes féroces qu'il est toujours facile de mettre en cage. Le vrai danger, le seul danger possible était représenté par King. Le pire des fanatismes est celui qui n'en a pas l'air et qui cherche à entraîner les doux, les pacifiques, les simples d'esprit et de cœur. Les fanatiques avoués se détruisent eux-mêmes quand ils ne se détruisent pas les uns les autres. Malcolm X a été assassiné dans la mosquée noire de Harlem

504

par un plus fanatique que lui ; Lincoln Rockwell, qui voulait, entre beaucoup de choses, déporter les Noirs américains en Afrique, a été assassiné par un nazi américain plus fanatique que lui. Carmichael et Rap Brown seront peut-être assassinés un jour par des Noirs encore plus fanatiques qui leur reprocheront de ne pas avoir tué Johnson ou dynamité la Maison-Blanche.

Nous éclatâmes de rire.

— C'est dommage, dis-je, qu'on ne puisse pas tuer les fanatiques par le ridicule.

— En tout cas, dit Jim, on ne pourra plus les tuer avec un fusil à lunette acheté par correspondance. Le Sénat vient de voter une loi interdisant la vente des armes... par correspondance.

Ce mot nous fit rire de nouveau, mais nous fit aussi admirer la solidité de notre Constitution : ni l'assassinat de Kennedy ni celui de King n'avaient pu ébranler le second amendement en vertu duquel le peuple a le droit de posséder et de porter des armes. Ni le Congrès ni la Cour Suprême n'arriveront à le supprimer parce que nous savons, même si nous en pâtissons, que la liberté repose sur des armes, au-dedans comme au-dehors. L'arsenal des Panthères Noires et celui des communistes seront toujours peu de chose, au prix des cinquante millions d'armes à feu que possèdent les vrais Américains et qu'ils sont prêts à porter sans être des minutemen. Les cent ou deux cent mille Noirs qui marchaient derrière le pasteur King sont peu de chose, au prix des vingt millions de Noirs américains qui sont de vrais Américains.

— A propos des armes, dit un autre Noir qui ne partageait pas entièrement notre avis, on ignore qu'elles sont beaucoup plus néfastes dans ce qu'on appelle nos ghettos que dans les quartiers blancs. Aussi je me demande ce que ce sera quand tous les Noirs pourront habiter n'importe où. A Atlanta, les crimes sont huit fois plus fréquents dans les quartiers où le revenu est au-dessous de trois mille dollars que dans les autres. C'est bien pourquoi les pauvres Noirs ont tant besoin de la protection de la police et, quand ils ne l'ont pas, ils sont forcés de se protéger eux-mêmes. Dans le « Corps du Travail » organisé par Sargent Shriver (bel organisateur à la Kennedy !), les jeunes Noirs qui refusaient de s'inscrire au Black Power ou chez les communistes étaient attaqués la nuit, dans leurs baraquements, à coups de barre de fer, et devaient mettre des sentinelles armées de fusils.

« La tactique des communistes, secondée par le gang des pasteurs, est de provoquer sans cesse des émeutes de Noirs qui obligent la police à réagir et qui permettent de dire qu'elle est l'ennemie-née du peuple noir. Comme je crois en Dieu, j'ai été très frappé de voir, dans les photographies de la marche de Memphis publiées par *Newsweek* avant l'assassinat de King, celle d'un policier ensanglanté et celle d'un policier assommant un jeune pillard et, entre les deux, King, bien encadré, menant la danse. Son sort a été marqué ce jour-là. »

Les paroles de notre ami noir nous émurent. Elles prouvaient que nous avions tous jugé le pasteur King sur photographies comme sur des pièces à conviction. Je relevai l'allusion au gang des pasteurs en disant qu'elle avait déjà été faite par George Schuyler, qui était inconnu au comité Nobel de la Paix.

— Vraiment, dit celui qui avait la touffe, si le prix Nobel de la Paix est donné au pasteur Abernathy, qui vient d'enterrer King et qui prend sa succession, j'achèterai un fusil à lunette et pas par correspondance.

Je lui répondis que ce n'était pas un langage de Youth Freedom Speaker, mais d'étudiant non violent. Jim proposa autre chose pour le pasteur Abernathy, futur prix Nobel de la Paix : de lui retirer la nationalité américaine et de le transporter à Oslo. Ce serait un cas nouveau pour la Cour Suprême : elle interdisait de retirer la nationalité américaine pour communisme ; le permettrait-elle pour prix Nobel de la Paix ?

— La marche des pauvres Noirs, que feu King était en train d'organiser, dit un autre de nos camarades noirs, va coûter trois millions de dollars. Qui est-ce qui fournit cet argent ?

— Nous le savons, dit Jim en riant : Nelson Rockefeller. Mais, comme Henry Ford II, il a refusé quelque chose à la veuve King : de prendre la tête de la marche des pauvres.

— King avait le sens des affaires, dit un Noir, et sa veuve a le sens de l'humour.

— Un humour dans le sillage duquel on verra bientôt des morts, dis-je.

— Il y a deux manières d'aider les Noirs, dit notre Rap Brown : les faire marcher sur Washington ou leur donner des poubelles. Je suis d'Indianapolis. Deux Noirs, Elmo Coney et sa femme Mattie, se sont juré d'en finir avec les slums. Ils ont fondé une association, le Forum des Citoyens, pour aider les Noirs, en prenant comme devise : « Les slums sont faits par les gens et non par le plâtre et la brique. »

Ce mot ne faisait que confirmer les impressions que j'avais eues en visitant les slums de New York.

— Vous vous rappelez, continua notre camarade, ce que le *Cal Reporter* écrivait sur les Noirs du Sud, qui « vivent avec les rats ». Ceux d'Indianapolis étaient souvent logés à la même enseigne. Mr et Mrs Coney ont eu raison des rats en trois temps : ils ont fait enlever les détritus (cent quatre-vingt mille tonnes en une année et, soit dit en passant, neuf cent réfrigérateurs démodés) ; ils ont donné aux Noirs des poubelles ; enfin, ils leur ont appris à y mettre un couvercle. King est mort sans en avoir appris autant aux Noirs de l'Alabama.

— Et pourtant, dis-je, il est mort pour les boueux de Memphis.

C'était encore à un Noir à avoir le dernier mot :

— King, dit-il, a fait inscrire sur son tombeau qu'il était « enfin libre ». C'est évidemment plus laconique

que tous les titres universitaires et tous les honneurs qu'il énumère dans sa notice du *Who's Who*. Tant pis pour lui s'il n'a pu être libre que de cette façon. Et tant mieux pour l'Amérique.

Qu'est-ce que c'étaient pour moi que le pasteur King et tous les Noirs de la terre ? Ils se résumaient dans un seul être : Narcissa.

Quand elle était encore dans mes bras, à la fin de notre nuit hippie, j'allais lui demander si elle faisait usage de la pilule. A ce moment-là, elle m'avait dit : « Je t'aime... » et j'avais rougi à l'idée de la terrible déception que je lui aurais causée. Puisque nous cherchions l'amour et que nous pensions l'avoir trouvé, il n'était plus question de ses conséquences. Mais cet amour qui était né dans des camps opposés et dans deux races presque ennemies montrait bien qu'il était un amour d'aujourd'hui : un amour qui cherche à vivre au milieu d'une société menaçante et d'une civilisation menacée. Nous nous étions laissés dans les baisers et les délices ; nous nous retrouvions pour parler de l'assassinat du pasteur King.

Elle n'avait pas de mouchoir à la main, mais une grosse enveloppe contenant une lettre et des coupures de presse. Nous allâmes nous asseoir à la même place que la première fois, sous notre arbre.

— Jack, me dit-elle, tu as fait un grand pas pour venir à moi et je veux te montrer que j'en ai fait de plus en plus grands pour être vraiment à toi. J'avais cessé d'être une petite folle anarchisante avant de savoir que tu pouvais t'intéresser vraiment à une Narcissa. Mais enfin, j'étais bien obligée de rester une Noire puisque d'ailleurs tu m'aimais ainsi.

— Je ne sais plus si je t'aime pour cela ou malgré cela, dis-je.

Elle me remercia d'un sourire et poursuivit :

— Tu n'as pas oublié que j'appelais le drapeau des Etats du Sud : « Les étoiles et les barres ». Tu étais du côté des étoiles et moi du côté des barres. Tu m'as fait passer du côté des étoiles.

« Mon père — mon père adoptif —, est le contraire

508

de ce qu'était le pasteur King. Et c'est grâce à des Noirs comme lui qu'il n'y a eu aucuns troubles à Kansas City. Malgré ce qu'il pouvait penser de bien des choses de l'Amérique, il a assez d'intelligence et d'honnêteté, comme ma mère, pour ne pas accabler une civilisation à cause de ses tares et pour en reconnaître la grandeur. Il est d'ailleurs l'exemple, comme ma mère, de ce qu'il est possible de devenir dans notre société quand on veut redresser son destin. Mais, du seul fait qu'il fût contraire à la vraie non-violence, j'étais pour celle du pasteur King et je me moquais de le voir participer au Congrès Baptiste National présidé par le révérend Jackson.

Je demandai qui était le révérend Jackson.

— Voilà ! s'écria-t-elle, tu es un vrai Américain. Toi qui t'intéresses à tout, et d'abord à moi, qui as des idées approfondies sur le problème noir, qui as visité Watts, tu ne sais pas qui est le révérend Jackson et personne ne le sait, sauf peut-être tes demi-amis de la John Birch Society et, en tout cas, les six millions trois cent mille membres du Congrès qu'il préside. C'est la plus grande association noire qu'il y ait aux Etats-Unis. Le révérend Jackson vient d'en être réélu président à l'unanimité et cette réélection n'a certes pas été favorisée par la presse, qui ne s'occupe que des Musulmans noirs (n'est-ce pas curieux, cette mort du pasteur King dans une ville portant le nom de Memphis ?), des Panthères Noires, du Black Power, de Carmichael, de Rap Brown et du pasteur King, mort ou vivant. Quand le révérend Jackson voulut discuter avec King, au stade de Chicago, pour lui inspirer plus de droiture, il fut houspillé et mis dehors.

« J'ai reçu de mon père quelques extraits des discours du révérend Jackson. Sais-tu ce qu'il a proposé au quatre-vingt-septième congrès de son groupe — il faudrait dire de son peuple —, qui réunissait trente mille délégués à Denver (Colorado), en septembre dernier ? De payer le voyage en Afrique, en Russie ou en Chine à tous les Noirs qui crient :

509

« Mort à l'Amérique ! » Les trente mille délégués l'ont applaudi à tout rompre et ont pris l'engagement solennel d'exécuter cette proposition. Personne ne s'est encore présenté pour réclamer un billet.

Je dis à Narcissa que l'un de nos freedomistes avait émis une idée semblable pour le pasteur Abernathy, qui recevrait le prix Nobel de la Paix, dès qu'il paraîtrait assez dangereux pour la paix de l'Amérique. Elle rit et continua :

— Mon père m'a envoyé aussi les discours d'un autre Noir, qui habite à San Diego, en Californie. C'est l'ancien champion du monde de boxe Archie Moore. Il a fondé une association pour l'éducation des jeunes Noirs, intitulée A.B.C. (« Any Boy Can ») : « Tout garçon peut... — peut devenir un homme digne de ce nom. » « Je suis né dans un ghetto, a-t-il dit, mais j'en suis sorti. » Et, faisant allusion à King, il a écrit : « Le diable est à l'œuvre en Amérique. »

« Du même bord, tu trouveras à Chicago le révérend Henry Mitchell, président d'une association de soixante ministres, intitulée les Travailleurs Missionnaires Unis. C'est aussi un ancien boxeur. Tu vois que tous les poings ne sont pas du côté du Black Power. Le révérend Mitchell, lui aussi, n'a pas hésité à tenir tête à King et l'avait prié d'aller se faire pendre ailleurs. A Detroit, il y a le révérend Cleague, de l'Eglise congrégationniste, qui a fondé un Comité d'action de Citoyens, pour prévenir les désordres.

« Je pourrais te citer beaucoup d'autres chefs noirs de cette qualité et tu liras leurs propos dans ces textes que je te laisse. Mais je veux terminer en te parlant du révérend Freeman Yearling, de Harlem, qui est de l'Eglise baptiste, comme le révérend Jackson. Il est le fondateur du Congrès noir national d'Orgueil racial, qu'il dirige dans un sens anticommuniste. Il raconte que son grand-père, mort à cent dix ans, avait été esclave, puis acheta quatre-vingts acres de terre, travaillant à sa propre carrière de pierre et élevant son propre bétail. Il est un peu comme cette Gwendolyn Kyle qui t'amuse parce qu'elle ne veut pas le logement ouvert. Il a eu mille difficultés à Harlem parce qu'il refusait de laisser transporter ses enfants en autobus à des écoles mixtes et demandait à les faire inscrire dans l'école noire du quartier. Mais revenons à King. Jamais, n'est-ce pas, aucun Noir n'a eu de plus belle oraison funèbre ? Ce fut un vrai concours international, du Vatican à Pékin.

— PéKing, dis-je. Mais as-tu vu la dernière nouvelle de Pékin ? Williams, le président en exil de la République soviétique noire des Etats-Unis, vient de se réjouir de l'assassinat de King, comme de celui d'un « traître », pour bien prouver que les hôtes de Mao ont le droit de dire ce qu'ils pensent. On est d'ailleurs porté à croire qu'ils pensent tous la même chose parce qu'on soupçonne de plus en plus ces Chinois, dont quelques-uns sont noirs, d'être les auteurs des troubles et des assassinats politiques qui surviennent dans le monde.

— Drôle de Chine, dit Narcissa. Au début du siècle, il fallut organiser une expédition internationale pour défendre les légations étrangères à Pékin contre les Boxers qui étaient des révolutionnaires chinois, nourris de letchis. Que faudra-t-il faire avec ceux d'à présent, nourris des pensées de Mao ? Mais tu m'as fait observer que, heureusement pour la tranquillité de l'Amérique, les chefs noirs se détestaient. Bill Epton, le leader noir communiste de Harlem, appelait King « le pompier de Kennedy et de Johnson ».

— Le pompier qui allume les incendies, naturellement.

— Je ne sais ce que le pape, Mao Tsé-toung, le secrétaire général des Nations unies, nos politiciens et les jobards diront de Carmichael s'il subit le sort de King ; mais voici comme les a définis tous deux le révérend Yearling : « Des prostitués payés pour faire leur métier. » Et King a payé.

Nous entrions dans le mois des examens. J'allais être interrogé sur les dernières matières de mon programme de licence : sociologie et pensée sociale, organisation des sociétés modernes occidentales, interaction sociale et organisation personnelle. Mon travail écrit était relatif à la sociologie de la vie intellectuelle. Je n'avais pas prétendu courir la carrière des honneurs, mais n'avais pas voulu me contenter du « diplôme du plombier », obtenu par des cours faciles.

Jours de fièvres, nuits blanches, « go pills ». Victoire ! J'avais eu, jusqu'au bout, plus que la moyenne pour tous mes cours. J'aurais embrassé tous mes professeurs, même Mr Selznick, ami du Free Speech Movement. Jim également avait passé. Narcissa eut le même succès aux premiers examens de son diplôme. Mes parents et ceux de Jim devaient venir pour la cérémonie de fin d'études qui s'appelle, par anti-phrase, « commencement ».

Selon l'usage la distribution des diplômes eut lieu au théâtre grec. Sur la scène, entre les deux drapeaux, le président et ses invités : le gouverneur, le secrétaire général des Nations unies, les docteurs *honoris causa* de l'année et Arthur Goldberg. Celui-ci venait juste de donner sa démission de son poste aux Nations unies où il était remplacé par le sous-secrétaire d'Etat George Ball, mais il n'avait pas moins tenu à venir avec U Thant, qui semblait consolé de la mort du pasteur King. Le secrétaire général devait songer moins aux Noirs qu'aux Jaunes, depuis que l'offre de Johnson ouvrait à Hô Chi Minh

512

le chemin encore long de la paix. Des applaudissements frénétiques avaient salué son arrivée, comme celle d'une grosse colombe.

En revanche, quelques murmures avaient accueilli Goldberg : c'était une ultime manifestation contre l'homme qui avait pendant plusieurs années défendu notre politique dans ce que la presse européenne appelle le Palais de verre. (« Quand donc, disait Jim en lisant cette expression dans les journaux étrangers, ces journalistes finiront-ils par s'apercevoir que le Palais de verre est celui du secrétariat et que le siège de l'Assemblée générale et du Conseil de sécurité n'est pas au Palais de verre ? ») Bien fin, cependant, qui aurait pu interpréter les murmures des free-speechistes : il y avait le murmure vietcong de Savio, qui allait entrer à la prison d'Alameda pour purger ses cent vingt jours, le murmure cochon de Weissman, le murmure marcusien de Myerson, le murmure maoïste de Goldberg, le murmure stalinien de la fille Aptheker, le murmure mathématique de Weinberg, qui se préparait à suivre Savio à Alameda pour quatre-vingt-quatorze jours, ce qui lui apprendrait à mieux boiter la prochaine fois. Certes, tous ces murmures étaient des murmures, mais avec la nuance que le sang juif y mettait chez beaucoup. L'ambassadeur Goldberg passait en effet pour avoir quitté les Nations unies parce que le gouvernement se rapprochait des Arabes, afin de ne pas avoir l'air d'encourager le militarisme israélien. Les coreligionnaires extrémistes de notre hôte ne savaient s'il fallait huer l'ex-faucon du Vietnam ou acclamer le faucon d'Israël. Aussi atténuèrent-ils leur désapprobation et leur approbation pour le premier juif qui eût représenté l'Amérique à l'ombre du Palais de verre et l'un des quatre qui eussent été membres de la Cour Suprême.

Autre chose évoquait plus discrètement les tumultes de l'hiver et les campagnes pacifistes : des spectateurs, des spectatrices, des enfants tenaient, par une longue ficelle, des ballons de baudruche où était

écrite, en bleu et en jaune, la devise des hippies :
« Paix et Amour ». Je pensai à Devonshire Meadows.

Une allusion au président Johnson, dans le discours du gouverneur, provoqua une réaction moins nuancée que pour l'ambassadeur Goldberg. Il n'était pas, comme Kennedy, un président aimé des campus. On avait voulu le nommer docteur *honoris causa* de Berkeley au début de sa présidence, mais il avait décliné cette offre quand on lui avait fait observer que le premier et le dernier présidents, nommés docteurs de notre campus — McKinley et Kennedy —, avaient été assassinés. Du reste, il était moins curieux d'une distinction de ce genre que Truman. Celui-ci, docteur *honoris causa* de Berkeley, se ridiculisait un peu par son ambition, toujours déçue, d'être fait docteur *honoris causa* de Harvard. Chaque année, le *Crimson*, journal de cette université, signalait que, quelques jours avant le commencement, le président Truman faisait un voyage en automobile à travers le Massachusetts.

Harvard était représenté ici par les toges rouges de quelques-uns de nos professeurs, comme Yale par des toges bleues. Jim et moi, dans nos toges noires et sous notre mortier à gland, nous tâchions de ne pas rire ; mais nous n'avions pu nous permettre, à cause de nos parents, d'imiter les étudiants « évolués » qui méprisaient ces affublements traditionnels et retiraient leurs diplômes à la chancellerie. Du moins les mortiers, en équilibre instable, ou les diplômes nous servaient-ils à nous abriter du soleil. Le fameux magnat de la presse, Randolph Hearst, dont la veuve faisait partie du bureau de nos régents, avait doté Berkeley de ce théâtre, mais son architecte, choisissant le lieu sans tenir compte de l'orientation, avait mis le soleil dans les yeux des spectateurs. Les autorités étaient à l'ombre sur la scène, mais elles n'abusèrent pas de cet avantage pour allonger leur discours. Le président des alumni annonça, aux applaudissements de l'assistance, les dons qui étaient faits par les anciens élèves à la caisse de l'université. Dans les eucalyptus qui formaient le couronnement du théâtre, sautillaient des écureuils gris. Un geai bleu me rappela celui auquel Sunny donnait des miettes de biscuit à Hollywood. Mais depuis que je suivais une noire Chasseresse, j'oubliais cette blonde Vénus.

Au sortir du théâtre grec, nous reçûmes les félicitations de notre cher professeur de français que nous n'avions pas vu depuis quelques semaines. Son cours étant, en effet, hors de notre programme, nous avions dû nous en priver, tout à la préparation de nos examens : pour notre licence en sociologie, le français avait assumé, comme tant de choses françaises, sa qualité parfaite de produit de luxe. Il nous demanda ce que nous pensions des événements universitaires survenus en France. Malgré notre sympathie, nos études nous avaient empêchés de les suivre avec beaucoup d'attention.

— J'ai vu, dis-je, que les étudiants de la Sorbonne dépavaient les rues pour faire des barricades, selon une tradition très parisienne. Mais comment y a-t-il encore des pavés à Paris ?

— J'ai vu aussi, dit Jim, que les étudiants s'étaient emparés de l'Odéon d'où ils ont chassé « le plus mauvais comédien de France ». Ils y ont organisé une sorte de fête des fous. Mais ils n'ont pu s'emparer du Sénat. Comme les ponts étaient barrés, ils n'ont pu s'emparer de l'Elysée.

Je dis qu'il fallait bien donner raison au chapelain et voir, dans tous ces mouvements, l'action du parti communiste : le Free Speech Movement, né à Berkeley, avait franchi l'Atlantique sous forme de tornade. En Espagne, en Italie, en Allemagne occidentale et en France, c'était une surenchère, parmi les étudiants, à qui ferait le plus de bruit, le plus d'incendies, le plus d'occupations d'édifices publics, le plus d'assauts avec la police et, comme ici dans les manifestations des Noirs, il y avait toujours, derrière les défenseurs de l'idéal, les défonceurs de vitrines.

— Oui, dit Jim, mais le chapelain est resté court lorsque la tornade a gagné les pays communistes. Réflexion faite, il y aperçoit la longue manche de Mao.

— Autant y apercevoir le prépuce de Marcuse, dit en riant notre cher professeur de français. On assure d'ailleurs que Marcuse tout entier a franchi, lui aussi, l'Atlantique et, juif errant de l'anarchie intellectuloïde, a couru de capitale en capitale, le drapeau noir à la main. Dès qu'il eut parlé aux étudiants de Berlin Ouest, ils ont dévasté l'université et en ont brûlé le grand écusson, qui porte un ours, comme le drapeau californien, et la devise : « Vérité, justice, liberté ».

— Je voudrais bien savoir, dis-je, quelle est la devise de l'université de Berlin Est. Est-ce que Marcuse est allé y faire brûler quelque chose ?

— Il voyage de préférence dans les pays capitalistes, dit notre cher professeur. Fait curieux, il avait été précédé à Paris par un autre juif allemand — non pas un sociologue septuagénaire comme lui, mais un étudiant de votre âge —, qui s'est mis à malaxer la bonne pâte française de votre génération avec une énergie endiablée. Notre bon Savio est dépassé.

Je dis que pour le calmer il faudrait le marier, comme Savio. Je me rappelai notre conversation chez Kenneth, où Bob avait fait allusion à ce « chef » des étudiants français et où Kenneth attribuait cette agitation estudiantine de l'Europe à un retard de sexualité. J'en fis la remarque.

— Il se peut qu'il y ait de cela chez beaucoup d'étudiants, dit notre cher professeur, mais ce jeune führer juif allemand, qui semble assez beau garçon, est très couru des filles. Sa maîtresse déclarée est même l'une des filles d'un ministre du général de Gaulle, ce qui explique à la fois son audace et la longue impunité dont il a joui. Je ne dis pas ce détail pour la petite histoire, mais pour la grande ; car vous touchez là le point sensible de cette névralgie de la jeunesse qui n'a certainement rien à voir

516

avec Mao, Marcuse et compagnie, mais dont Marcuse, Mao et compagnie se présentent à la fois comme les excitateurs et les guérisseurs, à base d'acupuncture. Il est très intéressant pour moi, Français qui vais passer mes vacances en France, d'avoir assisté ici au premier accès d'une maladie juvénile nouvelle, qui est brusquement devenue épidémique à travers le monde et qui atteint son paroxysme dans mon pays. Je la définirai « patrophagie ».

— Patrophagie ? répétâmes-nous ensemble.

J'ajoutai, pour briller un peu, que je l'aurais appelée « pathophagie » puisqu'elle était à base de pathos.

— Détrompez-vous, Jack, me dit notre cher professeur : la pathophagie n'y tient, justement, que le rôle secondaire des Marcuse et des Mao ; la patrophagie est le point de départ et le but à atteindre. Cette fille de ministre qui était sur les barricades luttait contre son père tout en se servant de lui pour protéger son amant ; si son père était tombé entre leurs mains ils l'auraient tué, dépecé et mangé. Les étudiants voulaient s'emparer du Sénat, pour manger les sénateurs — les pères conscrits. Si les ponts de la Seine n'avaient pas été barrés, ils auraient pris l'Elysée et mangé de Gaulle, père de la patrie. A cette jeunesse sur-nourrie des sociétés de consommation, il faut maintenant du coriace. Je vous en supplie, mes amis, durant ces vacances ne mangez pas vos pères.

Nous nous mîmes à rire. Jamais semblable prière n'avait été faite à des licenciés de Berkeley encore vêtus de leur robe, coiffés de leur mortier et tenant leur diplôme. Nous avions l'impression d'être des licenciés d'une université du Congo.

— Mais, demandai-je, comment expliquez-vous la patrophagie dans les sociétés de non-consommation, c'est-à-dire les pays communistes ?

Notre cher professeur me regarda en souriant :

— C'est vous qui nous avez donné la clé, dit-il : les étudiants des pays communistes veulent manger leurs pères parce qu'ils ne peuvent manger de bananes. Je me souviens de votre conférence, mais vous avez oublié mon cours sur les prosateurs du XVIᵉ siècle.

Je m'empressai de dire que je n'avais pas oublié son cours sur les poètes de la même époque.

— J'avais fait exprès, continua notre cher professeur, de vous lire, toutefois sans insister, un passage de Montaigne parlant des « nations où, par usage, les enfants tuaient leurs pères, et d'autres où les pères tuaient leurs enfants ». Il y a maints exemples historiques du second cas et nous entrons dans l'ère nouvelle du premier. Je vous disais un jour que la jeunesse française « attend » : elle n'attend plus. La jeunesse n'attend plus nulle part. Les patrophages aux cheveux longs et aux dents longues avancent de tous côtés. En Allemagne occidentale, le fils du ministre des Affaires étrangères est en tête des émeutiers. En Italie, les étudiants promènent des pancartes : « Nous en avons assez de nos pères. » Vous rappelez-vous mes remarques au temps du Free Speech Movement ? Je déplorais la fin de vos campus platoniciens, mais ils ont repris cet heureux aspect, en comparaison de ce qui se passe en Europe. C'est vous dire avec quelle joie je les retrouverai. Une jeune Rockefeller est devenue hippie, le fils du maire de San Francisco, Alioto, est devenu hippie, mais ils ne sont pas devenus patrophages : votre civilisation de barbares est la seule à avoir inventé pour la jeunesse la révolution de la paix et de l'amour. Et vous, mon cher Jack, allez faire cette révolution au Vietnam.

Notre fraternité avait coutume d'inviter à déjeuner les parents de ses membres. Nous nous sentions rajeunis de nous retrouver dans cette maison de Brancroft Way, mais il me tardait de m'échapper pour rejoindre Narcissa.

J'avais voulu l'inviter à ce déjeuner familial. Elle avait refusé et je devinais ses raisons : elle ne tenait pas à faire figure de date, avec mon insigne.

Ce que nous étions l'un pour l'autre était bien différent. Quand nous étions redescendus de la petite place, j'avais pensé à une expression que l'on utilise après un premier acte homosexuel ou après un premier acte sexuel avec une personne de couleur : « Changer sa chance ». J'avais changé la mienne de la seule façon que je fusse heureux de la changer. La retraite et la chasteté qu'avait rendues nécessaires le coup de collier des examens avaient eu pour fond de tableau les souvenirs purificateurs de cette nuit de mai. Narcissa ne s'était pas donnée à moi dans l'entraînement banal de ce que nous avions vu à l'église de la rue Ellis : même si, inconsciemment, elle avait été troublée par ce spectacle, elle ne m'avait cédé que parce qu'elle avait tous les motifs du monde de résister aux appels de l'érotisme. Elle était aussi étrangère à l'amour vulgivague des hippies qu'à l'amour codifié par Kinsey ou mécanisé par Masters et Johnson. Son attitude dans cette nuit unique, comme depuis lors, l'avait distinguée de toutes mes autres conquêtes, sans excepter Sunny. Ensuite, elle n'avait pas eu l'air de se reprendre, puisque aussi bien c'était trop tard, mais de me laisser réfléchir. Ce qui me prouvait que je l'aimais, c'est que je n'étais pas inquiet de mes réflexions.

Je l'étais d'autant moins que j'avais goûté des plaisirs nouveaux. Je ne me demandais pas si c'étaient ceux de sa race : c'étaient ceux de Narcissa. Elle représentait donc pour moi un tout, physique et moral, et j'étais sûr de le représenter pour elle. C'est pourquoi un but que je n'aurais jamais imaginé auparavant me semblait tout à coup désirable. Ces souvenirs heureux et ces réflexions sérieuses se mêlaient à ce déjeuner du commencement de Berkeley où je fêtais ma licence en sociologie, à côté de mes parents.

A mes demi-confidences, Jim avait deviné que la nuit de Glide m'avait fait glisser tout autrement que lui. Il me regardait à la dérobée. Je lui avais dit, ce matin, que ce dernier jour de Berkeley était très important pour moi et non à cause de mon nouveau diplôme en peau de mouton. Ce dernier jour était très important parce que mon premier jour avec Narcissa avait été très important. J'allais la quitter et pouvais la quitter pour toujours. Dans cinq ou six semaines, je partirais pour le Vietnam — j'avais déjà mon engagement de volontaire et n'en avais pas dit encore un mot à mes parents. Quelle autre surprise je leur ménageais peut-être ! Mais les deux surprises étaient liées : de même que j'abandonnais ma vie de confort pour je ne sais quelle aventure, je renonçais aux avantages du Social Register pour la plus belle des aventures — celle de l'amour. L'idée de mon bonheur avec Narcissa me donnait la certitude de revenir du Vietnam.

Jim m'avait invité à aller passer huit jours chez lui à New York. Cela me donnait un prétexte pour rejoindre ensuite Narcissa. Elle ne serait pas à Kansas City, mais à Washington où son père faisait un stage médical. Se doutait-elle de ce que je comptais alors lui apprendre ? La surprise serait aussi grande pour elle que pour mes parents.

J'avais rendez-vous avec elle près des lions chinois, devant le musée du campus. Sa silhouette m'apparut de loin sur l'une de ces blanches sculptures de pierre. Elle était vêtue d'une courte robe rose. Elle avait toujours le même sourire, comme si elle ne voulait pas donner de la gravité à notre séparation. Je fus stupéfait de voir qu'elle ne portait plus mon insigne alors qu'elle l'avait encore ce matin. Je lui en demandai le motif.

— Je n'ai plus à porter ton insigne, dit-elle. Une aventure de campus se termine au campus.

— Une aventure ? Tu n'es pas sincère si tu crois à ce mot et si tu veux m'y faire croire.

Je retirai ma bague de mon petit doigt et la glissai à son annulaire.

— Tu vois, lui dis-je, nos doigts se répondent.

Elle faisait tourner la bague, dont la pierre bleue miroitait.

520

— Tu t'engages beaucoup, dit-elle.

Elle ajouta en riant :

— Il est vrai que tu t'es engagé pour le Vietnam.

Faisait-elle le même raisonnement que moi en unissant les deux choses ? Ou ne s'agissait-il que d'une plaisanterie ?

Je me contentai de dire :

— Avant le Vietnam il y aura Washington.

Jim arrivait, nos deux toges sur le bras, son appareil photographique à la main :

— Ne bougez plus, nous cria-t-il. On se fait toujours photographier devant un lion avec sa date et son diplôme.

Il me tendit ma peau de mouton et s'aperçut que Narcissa avait ma bague à son doigt.

— Diable, fit-il, je ne savais pas que ce serait une photographie de fiançailles.

— Des fiançailles mystiques, dit Narcissa.

CINQUIÈME PARTIE

1

New York brillait de tous ses feux dans la brume à l'heure où nous arrivâmes. Ses avenues de gratte-ciel me faisaient à chaque fois la même impression. Malgré mon amour pour Los Angeles ou San Francisco, je devais reconnaître que c'était vraiment la Ville — la ville la plus réelle et la plus imaginaire, ville de larves et de Titans, ville de nuages et de fer, ville où tout semble flotter et où tout est indestructible, le plus grand cri de l'homme vers le ciel. Peut-être préférais-je les gratte-ciel du Texas ou de la Californie, mais il n'y en avait nulle part une telle variété ni un tel ensemble. Il n'y avait nulle part non plus, dans un même lieu, une telle accumulation de richesses, de peuples (on y parlait quatre-vingt-deux langues), de contrastes sociaux, d'intrigues internationales, de possibilités intellectuelles et artistiques puisque New York a détrôné Londres et Paris.

N'ayant pas trouvé de places dans l'avion que prenaient les parents de Jim, nous avions pris le suivant. Cela nous avait permis de parler librement de la grande nouvelle : mon intention d'épouser Narcissa. Jim ne s'en était pas étonné, mais il ne m'avait pas cru si pressé. Il m'avait prié, toutefois, de n'en rien dire devant ses parents, qui étaient très anti-

Noirs, surtout depuis les émeutes causées par l'assassinat du pasteur King. Aveu pour aveu, il avait ajouté que, s'il devait jamais se marier, il épouserait une juive : il en connaissait d'exquises à New York et leur avait trouvé une compréhension totale pour les problèmes particuliers qui étaient les siens. Comme mes parents étaient tant soit peu antisémites, je lui répondis que je lui demandais la même discrétion lorsqu'il viendrait à Beverly Hills. En effet, il tenait à m'accompagner à Alameda d'où je m'envolerais pour le Vietnam sous les yeux de Savio et de Weinberg, qui seraient en geôle. Je lui dis que nous nous placions au-dessus de tous les préjugés de notre milieu et de notre race, mais que je me croyais pourtant le plus hardi : le noir ne se portait guère en Amérique. Il me promit d'être, non seulement mon témoin, mais le parrain de mon premier enfant pie. J'avais l'impression que j'attendrais un peu plus longtemps d'être son témoin et le parrain de son premier enfant judéo-chrétien.

Dans le taxi qui nous emmenait Cinquième Avenue et qui était conduit par un juif, comme tant de taxis à New York (il est prudent, par rapport à certaines conversations, de regarder le nom du conducteur, indiqué à côté de sa photographie, au tableau de bord), Jim faisait de nouveaux commentaires sur nos doubles projets. Si le chauffeur en avait saisi quelques bribes il n'avait pu qu'être édifié.

Les parents de Jim étaient sortis pour aller à un vernissage nocturne. Nous avions dîné dans l'avion. Avant de me coucher, je téléphonai à Narcissa. Elle était là, tout fraîchement débarquée et toute joyeuse de m'entendre. Je fus étonné qu'elle me redemandât combien de jours je resterais à New York : juste une semaine, lui répétai-je. Je lui dis que je la rappellerais chaque matin.

— Non, dit-elle, car je peux être sortie.

— Eh bien chaque soir.

— Je peux ne pas être rentrée. Rappelle-moi la veille de ta venue.

Le lendemain matin je faillis la rappeler ; mais, après consultation avec Jim, je décidai de faire comme elle avait dit.

— Elle veut te laisser entièrement à toi — et à moi —, pour ces huit jours, dit-il. C'est la semaine de la méditation... à New York.

— Et peut-être aussi à Washington, dis-je.

Selon notre habitude, je prenais mon petit déjeuner dans la chambre de Jim. Nous avions une joie presque puérile de retrouver du thé de Chine dont nous étions frustrés à Berkeley.

— Quelle stupidité de ne pas commercer avec la Chine ! dit Jim. Mais heureusement que la DuPont de Nemours peut arriver à se procurer du Tarry Souchong à longues feuilles. Ce ne serait pas la peine d'être la seizième plus grande compagnie américaine et le trente-septième fournisseur de la Défense, comme dirait mon ami Jack, si l'on ne pouvait se donner cette petite satisfaction.

— Vous avez un avion spécial pour le relais des longues feuilles ? demandai-je.

— Naturellement ; mais, pour chaque kilo de thé, nous sommes forcés de prendre cent kilos de pensées de Mao.

Par la fenêtre entrouverte, nous apercevions les arbres de Central Park, les toits du Metropolitan Museum, les lointains de Harlem.

— Tu as de la chance que le Sénat ait voté la loi du logement ouvert, dit Jim.

Le Sénat l'avait votée, mais déjà, du fond de son tombeau, le pasteur King protestait : les Noirs disaient que cette loi ne leur servait à rien si l'on ne votait également des subventions pour leur permettre d'acheter ou de louer des appartements dans les quartiers blancs.

— Bientôt, dit Jim, ils seront logés gratuitement à côté de nous. « Travailler comme un nègre » signifiera ne plus travailler.

Je lui dis que ces avantages s'étendraient certainement aux époux blancs des Noires et qu'il trouverait chez moi une chambre d'ami pour les mauvais jours.

— Je me demande, dit Jim, si, au lieu d'épouser une juive, je ne vais pas épouser une Indienne : Johnson a demandé cinq cents millions de dollars pour les Indiens, qui ne sont que cinq cent mille.

Je lui conseillai une Nez Percé, tribu à laquelle semblait s'intéresser Mr Hunt.

— Je t'invite d'avance sous ma tente, dit-il : les Indiens sont généreux et pratiquent le logement ouvert, la pédérastie, etc. Et souviens-toi de ce que nous a dit Kenneth : sans eux, nos gratte-ciel crouleraient comme châteaux de cartes.

Notre ami le cinéaste s'était offert de nous conduire à l'aéroport de San Francisco. Mes parents étaient repartis pour Los Angeles avec ma voiture et la vieille Oldsmobile avait bien voulu se mettre en route, avec Bob au volant. Cette année, si bariolée d'événements comiques, tragiques et priapiques, cette année qui m'avait mené vers l'amour et vers la guerre, se devait de finir, pour Berkeley, sur cette image : les deux jeunes licenciés en sociologie, à qui leur professeur de français avait recommandé de ne pas manger leurs pères, étaient raccompagnés par un magicien et par un hippie à haut-de-forme. Comme je regardais le mélange extraordinaire que forment, à un certain point de la route, les pompes à pétrole sur les collines et, dans le lointain, les gratte-ciel de San Francisco, Kenneth nous avait demandé si nous savions pourquoi ces gratte-ciel restaient debout. « C'est à cause des Indiens, nous dit-il. Lorsqu'ils furent dépouillés de leurs vastes territoires, ils se réunirent au haut d'une montagne pour lancer une malédiction sur l'Amérique. Mais quand on bâtit les premiers gratte-ciel, on dut faire appel à eux parce qu'ils sont les seuls à ne pas avoir le vertige et, depuis, les derniers étages sont terminés par eux. Alors ils ont conjuré leur malédiction. »

— Toute plaisanterie cessante, reprit Jim, je salue le logement ouvert, car j'aime mieux que tu puisses habiter Cinquième Avenue avec Narcissa que de m'obliger à aller vous voir à Harlem. S'il y avait Central Park entre nous, ce serait dangereux pour moi : dès le crépuscule, le lieu est un champ de bataille où les homosexuels laissent le portefeuille, l'honneur et même la peau.

Accoudés au balcon, nous regardions ces frondaisons sous lesquelles jouaient des enfants et couraient des écureuils.

— Je me souviens, me dit-il, d'une histoire arrivée dans cet endroit à un ambassadeur français et que mon père m'a racontée pour m'apprendre à éviter certaines mœurs... ou certaines imprudences. C'était le chef de la délégation permanente aux Nations unies et le représentant de la France au Conseil de Sécurité. Un soir, il dit à sa femme qu'il va prendre l'air au Central Park... et s'y fait prendre avec un scout. Il a beau alléguer sa qualité diplomatique, le Conseil de Sécurité, sa grand-croix de la Légion d'honneur, etc., on lui donne le choix ou de partir le lendemain par le premier avion ou d'être envoyé à Sing Sing. Il ne choisit pas d'aller à Sing Sing. On lui permet de téléphoner pour demander à son père de lui télégraphier d'urgence qu'il est à l'agonie. Dès réception du télégramme, on l'accompagne discrètement auprès de sa femme, puis au Conseil de Sécurité, et on l'embarque pour Paris. Il montre le télégramme à son ministre et court chez son père s'enterrer avec lui. Des semaines se passent. Le président de la République et le ministre des Affaires étrangères vont aux Etats-Unis. On téléphone à cet ambassadeur de rentrer à New York pour les recevoir. Que faire ? Il imagine d'emprunter un avion italien qui fait escale en Irlande, déclare une crise de coliques néphrétiques, demande l'hospitalité de son collègue de Dublin et télégraphie à New York pour s'excuser. Il n'est jamais revenu aux Etats-Unis, mais comme il est grand résistant et grand ami du général de Gaulle, cet incident, qui l'obligea de regagner l'Europe, lui mit le pied à l'étrier pour arriver à de plus hautes destinées. C'est la seule personne connue qui doive une promotion à Central Park.

— Hyde Park à Londres, dis-je, a été plus funeste pour un sous-secrétaire d'Etat au Foreign Office qui y perdit... son portefeuille il y a quelques années.

— Sir Ian Douglas Harvey, dit Jim.

— Tu chercherais en vain son nom dans l'article McMillan de la British Encyclopaedia, qui relate l'affaire Jenkins à l'article Johnson, dis-je. Notre bonne grand-mère l'Angleterre...

Comme histoire bocagère plus réjouissante, je racontai celle de Carl avec le père des deux jumelles, nouée dans le parc qui était sous nos yeux.

— Songe, dit Jim, qu'il arrivera peut-être des histoires semblables, tristes ou joyeuses, à ces enfants qui jouent là-bas. Ils ne savent pas leur chance d'être à l'âge où rien n'est encore enlaidi par la vie.

— A moins qu'ils ne soient des scouts surpris avec des ambassadeurs, dis-je.

Nous étions rentrés dans la chambre. Jim prit sur une étagère l'Adress Book de notre dernière année à Andover. Nous le feuilletâmes pour y retrouver nos photographies et celles de nos camarades. Elles paraissaient le commentaire de ce qu'il avait dit de l'enfance. Nous nous rappelions les farces d'un tel, les exploits de tel autre au base-ball, le film qu'avait fait celui-là, président de notre Camera Club, les homards que tel autre, président du Club d'excursion, nous menait pêcher sur les côtes du Maine, la maladie de tel autre, pour qui nous avions chanté, à la chapelle, les chants célestes du révérend Coffin, aujourd'hui Boutefeu du pacifisme à Yale, l'incendie nocturne de ce dortoir dont nous relisions le nom et où nous aidâmes nos camarades à descendre par les échelles, le long des murs couverts de lierre. Jim me fit remarquer les quelques jeunes nègres qui figuraient dans ces pages.

— Tu ne les aimais guère, dit-il. A ton insu, ils

528

ont déposé en toi un sédiment noir qui a fait fleurir un narcisse.

— Si je ne les aimais pas, ce n'est pas parce qu'ils étaient noirs, mais parce qu'ils étaient boursiers, dis-je.

— Les étoiles de ton père t'aveuglaient encore, dit Jim. Maintenant que tu es crowleyen, tu as appris que « tout homme, toute femme est une étoile ».

— Je ne suis pas crowleyen, je suis narcissien.

Sur l'étagère, je pris un bel album à couverture bleue granitée, qui portait, en français, le titre Pot-Pourri et le sceau, magnifiquement gravé, de la Phillips Academy : un soleil luisant sur une ruche, des abeilles et des fleurs. Ce n'est pas seulement en cela qu'Andover avait annoncé la génération des fleurs. Nous préférions ce sceau poétique à celui de Berkeley qui représentait la Bible ouverte, avec l'inscription : « Que la lumière soit ! » Mais enfin, je n'avais pas seulement reçu la lumière de Berkeley : j'y avais cueilli la plus belle des fleurs. Le Pot-Pourri était aussi un souvenir de notre dernière année d'Andover. Mais au lieu que, dans l'Adress Book, il y avait les photographies des huit cents élèves, ce luxueux album ne contenait que celles des seniors, au nombre desquels nous étions. Les autres images montraient les activités sportives, musicales, théâtrales, religieuses ou mondaines de la maison, la remise du diplôme, les physionomies de nos maîtres. C'était le monument annuel dont la Phillips Academy était le plus fière, comme le sont du leur toutes les high schools de qualité. Jim eut un petit rire en me désignant l'annotation qui éternisait, sous la photographie de chaque senior, le nom de son « camarade de chambre ». Je ne répondis pas à ce rire, mais lui fis observer qu'il n'y avait pas un seul Noir dans tout le Pot-Pourri, sauf à une page qui proclamait notre bonne volonté pour l'Organisation des droits civils.

Pendant que nous parlions, deux pigeons s'étaient posés sur le rebord de la fenêtre. C'était le symbole à la fois de l'amitié et de l'amour. Ces souvenirs de collège n'étaient que plus émouvants pour moi, qui allait revêtir bientôt l'uniforme de guerrier. Un de nos camarades, dont le visage souriait gracieusement non loin des nôtres, n'était pas revenu du Vietnam. Cette guerre touchait tous les milieux, tous les Etats. Comme je faisais cette remarque, Jim me montra le numéro pascal d'un magazine nudiste homosexuel : il y avait la photographie nue, mais voilée d'un slip léger, d'un Apollon de studio qui venait de mourir au Vietnam. On le montrait par-devant et par-derrière et la légende se terminait par ces mots : « Il a bien servi son pays. »

— Après tout, dit Jim, cela pourrait être l'oraison funèbre d'un jeune Athénien du temps de Périclès — et la photographie, c'est l'équivalent de sa silhouette nue sur une stèle du Céramique.

Nous descendîmes nous promener au Central Park. Il était difficile de songer aux histoires que nous avions racontées sur le balcon : nous étions au niveau des enfants, au milieu des familles, à portée des écureuils. Un jeune père, qui aurait peut-être suivi Carl, faisait épeler par sa petite fille, en arrêt devant un de ces gracieux animaux, si familiarisés : « Squir... rel, squir... rel. » Les marchands de glaces, de gimblettes et de cacahuètes poussaient leurs petites charrettes. La terrasse de la cafeteria du Zoo était pleine de monde. Des enfants regardaient tourner les animaux dans leurs cages en plein air ; d'autres, les animaux de bronze de l'horloge qui se mettaient en mouvement pour sonner les heures ; d'autres, dans la salle de repos, un paisible exhibitionniste. Un autre métier florissant était celui de professeur instantané de peinture. Sur un petit carton qu'un disque faisait pivoter, enfants ou grandes personnes répandaient des couleurs qui, en se mêlant à toute vitesse, faisaient un paysage, un coucher de soleil, une toile surréaliste : il ne fallait que deux minutes. Sur un banc somnolait un clochard au visage poupin, entre ses baluchons ficelés. Il ouvrit un œil, à l'odeur d'une cigarette encore allumée qu'un passant venait de jeter et il se pencha pour la ramasser. Puis il la rejeta avec dégoût : ce n'était pas sa marque.

Au déjeuner, les parents de Jim nous racontèrent la soirée de la veille que nous avions manquée. C'était le vernissage élégant d'une exposition à la galerie Wildenstein, non pour Versailles, mais pour Florence. Mrs John Kennedy y avait attiré plus d'attention que les tableaux, bien qu'ils fussent magnifiques. Elle était plus brune et plus belle que jamais, vêtue d'hermine, étincelante de diamants. Son suiveur n'était pas le lord qu'on lui prête pour dernier soupirant, mais le richissime Français ou ex-Français, André Meyer, directeur de la banque Lazard. Cet homme, célèbre par ses collections de peinture et ses talents financiers, est, de l'avis général, le plus laid de New York. Le contraste qu'il faisait avec Mrs Kennedy était amusant, mais on ne savait si elle l'avait choisi pour relever encore son éclatante beauté ou s'il pensait ainsi faire oublier sa laideur.

Cela entraîna une petite discussion sur les juifs. Jim expliquait la différence entre le monde juif de New York — première ville juive du monde —, et le monde juif en Europe. Malgré leur sensibilité à l'antisémitisme européen et aux événements d'Israël, les juifs de New York — symbole de tous les juifs américains —, ont cette particularité de se trouver dans la seule grande ville, dans le seul grand pays où ils n'aient jamais été persécutés. De même que nous sommes, avec l'U.R.S.S., le seul pays au monde qui n'ait jamais été vaincu, nous sommes le seul pays où les juifs n'aient jamais été vaincus. Les menaces occasionnelles de groupes politiques inconsistants, comme les nazis américains de feu Rockwell qui prétendait les gazer, ne sont même pas des ombres aux tableaux de la galerie Wildenstein : cela ne sert qu'à inspirer des lignes enflammées aux rédacteurs de l'American Jewish Year Book et à faire cracher au bassinet des associations juives. Si les juifs ont été indispensables à la civilisation européenne, ils l'ont été encore plus à la civilisation américaine : sans eux, elle ne serait pas ce qu'elle est. Peut-être n'est-elle si forte que parce qu'ils ont pu y donner la mesure de leur force.

Ici, ils ont le droit d'être tout à fait eux-mêmes sans choquer personne, parce que chacun de nous a ce droit, et les Noirs sont en train de nous le montrer. Leur champ d'activité est si vaste et ils règnent sur tant de domaines qu'ils ne s'offusquent pas d'être exclus de quelques-uns. Ils ne songent pas à mettre le feu à une ville parce qu'on ne les reçoit pas dans tel ou tel club. Aussi bien ont-ils, comme les Noirs, leurs propres clubs, leurs propres fraternités où ils n'admettent pas de chrétiens. Ils ont commencé par soutenir intégralement les nègres et n'ont pas tardé à s'apercevoir qu'il n'y avait aucun rapport entre les deux cas. D'ailleurs, presque tout le monde pouvant être soupçonné d'avoir une origine juive, un juif ne se sent pas opprimé, là où il est encore tenu à l'écart. Leur aisance et leur assurance ne sont jamais insolentes : elles sont seulement américaines. Le père de Jim nous cita le fameux architecte Louis Kahn auquel on avait demandé de faire les plans d'un centre culturel de cinq millions de dollars. Il répondit qu'il ne se sentait pas inspiré au-dessous de trente-cinq millions de dollars. Jamais un juif n'aurait osé répondre ainsi en Europe. A New York, cela avait paru naturel.

Le juif européen reste sur un perpétuel qui-vive parce que le spectre d'Hitler semble toujours le guetter. A Paris, Jim avait connu des juifs français richissimes qui habitent un superbe appartement, mais ne l'ont pas acheté : ils ne veulent pas investir des sommes trop considérables dans des biens immobiliers pour être prêts à partir. Il est vrai que les juifs européens n'ont pas de chance : que l'Europe occidentale soit menacée d'invasion par la Russie ou par l'Allemagne, ils ne sont pas mieux placés d'un côté que de l'autre. Le général de Gaulle, qui a pourtant, dit-on, du sang juif, qui a été entouré de juifs durant la guerre et qui l'est encore dans son gouvernement, venait de soulever une nouvelle tempête, en France et en Israël, par quelques paroles légères sur les juifs. La presse new-yorkaise n'avait fait semblant de s'émouvoir que par anti-DeGaullisme. Il est du reste fort probable que ces nouveaux propos du chef de la France étaient moins destinés à faire plaisir aux Arabes qu'à nous déplaire.

L'Amérique aura eu la gloire de régler le problème juif. Il n'est réglé qu'ici et ne le sera vraisemblablement jamais ailleurs. Puisque l'Europe, malgré sa vieille civilisation et l'Orient, si hautement spiritualiste, ne sont pas arrivés à le régler, cela prouve les indéracinables complexes que leur ont donnés leurs religions — celle du marxisme comme les autres. Certes, notre pays a eu lui aussi une base religieuse et il est même l'unique à inscrire le nom de Dieu sur les monnaies et sur les timbres. Mais les puritains qui l'ont fondé venaient pour y trouver la liberté parce qu'ils avaient été persécutés, et tandis qu'il y a toujours en Europe un féodalisme latent qui prend des formes successives — le marxisme étant le pire des féodalismes, comme des religions — c'est cet esprit américain de liberté qui a permis de régler le problème juif.

Le philosémitisme de Jim m'amusait, à cause de sa demi-origine allemande. Il n'avait pas réagi dans le même sens que Carl. En regagnant nos chambres, je lui dis que tout ce qui avait été dit sur les juifs pouvait s'appliquer aux Noirs : l'Amérique était aussi le seul pays où ils avaient donné toute leur force pour bâtir une civilisation et c'est cet esprit de liberté qui permettrait de régler leur problème.

— Je me moque comme toi des pères fondateurs, me dit Jim, mais je ne sais pourquoi je relisais ce matin, dans mon lit, le préambule de la Constitution et je n'ai pu m'empêcher d'être ému par une tirade.

Il prit le texte et me lut à haute voix :

« Nous, le peuple des Etats-Unis, en vue de former une plus parfaite union, d'établir la justice, d'assu-

533

rer la tranquillité domestique, de pourvoir à la défense commune, de promouvoir le bien-être général et d'assurer les bénédictions de la liberté à nous-mêmes et à notre postérité, nous ordonnons et établissons cette Constitution pour les Etats-Unis d'Amérique. »

— Avoue qu'ils savaient écrire, les gaillards ! ajouta-t-il. Ces lignes contiennent la clé de tous les problèmes — je veux dire le règlement de tous les problèmes. Il faut les avoir présentes à l'esprit pour comprendre notre politique au Vietnam et ailleurs. Et le monde ne peut nous comprendre parce que nous sommes les seuls à savoir, depuis bientôt deux siècles, et sans interruption, ce que signifie la liberté.

« Pense que la Russie est sortie du despotisme pour tomber dans le marxisme ; la Chine, d'une anarchie de mandarins dans une anarchie de gardes rouges ; et l'Europe occidentale, sauf peut-être la vieille Angleterre, oscille perpétuellement entre la dictature et le front populaire. J'aime follement l'Amérique parce qu'elle est préservée de ces maux. Je voudrais chanter un « Salut à l'Amérique », pareil au « Salut au monde » de Whitman.

— Tu pars avec moi pour la baie de Comranh ? lui dis-je.

Il sourit :

— Tu sais bien qu'il y a aussi à défendre la liberté en Amérique.

Nous allâmes faire un tour au Metropolitan Museum. Il y avait une exposition : « En présence des rois ». Elle était digne de son titre et prouvait, s'il en était encore besoin, que nous sommes devenus les conservateurs des trésors royaux. Le casque de François Ier et le bouclier de Henri II, rois de France, l'armure fleurdelysée du comte de Cumberland, le secrétaire de Marie-Antoinette — miraculeusement échappé aux tentacules de Versailles —, et bien d'autres merveilles portaient, sur les étiquettes, des noms moins illustres, mais qui étaient les nôtres : « Don

Pierpont Morgan, don George Blumenthal, legs Vanderbilt, achat du Fonds Rogers. » Nous trouvâmes un peu théâtrale la présentation, sous des pavillons de velours rouge, qui semblaient vouloir figurer un imaginaire camp du drap d'or.

Une foule d'enfants errait dans les salles, selon l'usage. Un garçon déjà grandet, qui traînait la jambe, dit à l'un de ses camarades, d'un air désabusé : « Culture ! » Cela me fit citer la réflexion d'un étudiant de l'U.C.L.A., que Sunny m'avait rapportée. Nous étions bien d'avis qu'il y avait une culture américaine, mais nous n'étions pas surpris de la remarque de cet écolier à qui l'on montrait surtout une razzia de l'Europe. Culture signifiait pour lui quelque chose d'indigeste et d'étranger. Il était certainement plus à son aise dans l'aile américaine du musée, dans la cafeteria, au patio plein de jets d'eau et de fontaines, et, encore mieux, au Metropolitan des jeunes où il apprenait les rudiments de la culture par des projections, des auditions courtes et faciles qui ressemblaient à un jeu. Ce nous fut une occasion d'évoquer l'Addison Gallery d'Art américain, ornement de notre collège d'Andover. Presque à l'âge de ces enfants, nous y avions appris les noms de nos grands peintres du passé — Whistler, Prendergast, Bellows —, avant de découvrir nos artistes contemporains au Musée d'Art moderne ou dans nos propres familles.

En sortant, nous marchâmes le long du parc. Aux abords de l'hôtel Pierre, un attroupement était contenu par un cordon de police. On nous apprit que Mrs Johnson présidait une fête de charité dans l'hôtel et que des mères venaient protester contre la guerre du Vietnam. Leurs pancartes intercédaient pour les enfants du Vietnam Nord plutôt que pour les soldats américains. C'était un genre de cortège auquel le couple présidentiel devait être habitué, mais l'an dernier, au Century Plaza de Los Angeles, le président avait soutenu le choc plus violent des pères. Les femmes qui manifestaient ici avaient la mine résignée ou harassée de gens qui exécutent un mot d'ordre pénible et qui voudraient bien être ailleurs. La police n'avait aucune peine à contenir leurs élans.

— Mrs Johnson est une femme aussi courageuse que son mari, dit Jim. Quand il y eut l'affaire Jenkins, elle déclara qu'elle gardait toute son amitié à la victime des glaces sans tain.

Au dîner, le père de Jim fit une violente sortie contre la France. Depuis quelques semaines, en effet, les choses se gâtaient sérieusement entre les deux pays. Jusque-là, le nôtre avait pris d'une façon plus ou moins ironique les rodomontades du général de Gaulle, son incursion au Canada, son attitude à propos du Vietnam, son offre aux Soviets (qui l'avaient décliné) de leur laisser installer une base de lancement de missiles à Kourou en Guyane française — défi incroyable à la doctrine de Monroe —, et même son insistance à demander le remboursement en or des dollars que le déficit de notre balance commerciale accumulait en France. Peut-être l'Amérique se disait-elle, comme un journal anglais, que le général de Gaulle ne serait pas éternel et qu'il n'y avait qu'à attendre. Mais une célèbre voyante venant de prédire qu'il resterait au pouvoir jusqu'à l'âge de quatre-vingt-treize ans, nous avions décidé de nous fâcher. Cela avait éclaté du jour au lendemain, par un de ces phénomènes mystérieux qui sont propres à l'Amérique et qui me rappelait une histoire de marins américains dans un bar de Montmartre, racontée par Jim. Naturellement, ils étaient un peu ivres et les Français se moquaient de ces grands gaillards que leur ivresse rendait plus gentils. Et plus on se moquait d'eux, plus ils étaient gentils. Malgré les fumées du whisky, ils se rappelaient qu'ils étaient en France, à Paris, chez ces bons Français qu'ils avaient libérés, relevés. Soudain, ils comprirent qu'on se payait leur tête. En trois minutes, les Français étaient sur le trottoir et le bar en miettes.

Dieu merci, nous ne songions pas à faire la guerre à la France, bien qu'elle eût une bombe et la moitié d'un sous-marin atomique, mais nous faisions savoir, de toutes les manières, que nous étions ulcérés de l'attitude de son chef : l'anti-DeGaullisme se transformait en antigallisme. La clé de voûte du monde libre n'est pas l'or, mais le dollar. Par conséquent, faire la guerre au dollar, c'est se conduire en communiste. Nous avons mis du temps à nous en convaincre, quand il s'agissait du général de Gaulle, mais à présent il nous a convaincus.

A Berkeley, nos camarades français, dans les derniers temps, étaient un peu gênés avec nous, à cause de ces choses auxquelles ils ne pouvaient rien. Nous avions affecté, autant que possible, de nous y montrer indifférents, mais le pays avait des idées moins larges que les campus. Le jour du commencement, mon père m'avait parlé du boycottage des produits français qui s'organisait à Los Angeles et que cherchaient à endiguer les représentants de la France. Il en était navré, mais lui non plus n'y pouvait rien. Je l'étais davantage encore maintenant que je me trouvais à New York. Ici, on ne pouvait plus se contenter de sourire de Gaullefinger, comme au Texas. Le Kentucky, où est le Fort Knox, n'est pas loin de la côte Atlantique. De nos fenêtres de la Cinquième Avenue, nous recevions les effluves de l'Europe.

— Jim a de la chance d'avoir fait son voyage en France l'an dernier, dit son père. Le sénateur Smathers, démocrate de Floride, a déposé un projet de loi demandant d'imposer aux touristes qui vont en France une taxe de mille deux cent cinquante dollars. Cet été, il y aura peu d'Américains aux Folies-Bergères. Moi-même, je me refuserais de porter mes dollars à un gouvernement qui a l'air de les mépriser. Et voyez cette table : porcelaine de Sèvres, cristal de Baccarat, argenterie de chez Christofle, linge de chez Porthault, cuisine française, vins français.

Nous aussi, à Beverly Hills, nous avions toujours quelque chose de français sur la table, mais un pareil ensemble je ne l'avais vu que chez les parents

537

de Sunny. Je savais pourtant qu'il était loin d'être rare.

— Et tu as pu remarquer, Jack, me dit la mère de Jim, qu'il y a toujours des savons Guerlain dans ta salle de bains. La France nous tient même par le savon.

— Il est vrai que Mr Guerlain est président du Comité franc-dollar, dit le père de Jim. Mais, malgré ce titre, où l'on subodore la mainmise du dollar sur le franc, sa parfumerie est une des rares qui, en France, n'aient pas eu besoin de dollars pour faire bouillir leurs alambics. On prétend que nous annexons tout. Mais allons-nous proposer de l'argent à un parfumeur, à un couturier, à un fabricant de biscuits ou de biscottes, à un industriel dont nous n'avons jamais entendu parler, ou viennent-ils nous en demander, pour se renflouer, s'agrandir ? Gaullefinger et ses féaux nous reprochent cette intrusion dans les affaires françaises comme si c'était celle de la C.I.A. Nous faisons seulement ce que Gaullefinger et ses féaux devraient faire à notre place.

— Mais enfin, dit la mère de Jim, que devons-nous faire pour rabattre le caquet à Gaullefinger et ses féaux ?

Jim dit que le sénateur Ames, républicain du Massachusetts et propriétaire du charmant hôtel de brique où est installé le consulat général de France à Boston et où nous étions allés jadis, d'Andover, à une réception, songeait à réclamer le paiement en or du loyer.

— Ce sont vraiment des choses que nul de nous n'aurait imaginées quand il s'agit de la France, dit la mère de Jim. Il a fallu un de Gaulle pour changer cela.

— Le sénateur Hartke, démocrate de l'Indiana, dit le père de Jim, propose quelque chose de plus sérieux : réclamer à la France les quelques six milliards de dollars qui représentent ses dettes de la Première Guerre mondiale. L'Europe nous doit encore près de vingt milliards de dollars pour l'avoir aidée à rester libre une première fois et elle oublie avec une facilité déplorable ce que nous avons fait pour la libérer une fois de plus.

Je citai quelques chiffres que je me rappelai de ma conversation avec Mr Hunt. Je dis aussi quel regard reconnaissant l'homme le plus riche du monde avait eu pour des étudiants finlandais, en m'apprenant que la Finlande était le seul pays à nous payer ses dettes, rubis sur l'ongle.

Jim demanda à son père ce que c'était que ce déficit de notre balance commerciale, qu'il n'arrivait pas à comprendre.

— On lit partout, dit-il, que nous avons vendu l'an dernier à la France pour un milliard deux cents millions de dollars et qu'elle nous a vendu pour six cents millions de dollars. N'étant pas un économiste, j'en conclurais que nous avons sur elle, en dehors des créances de la Première Guerre mondiale, un avantage de six cents millions de dollars — de quoi faire un sérieux trou dans le lit d'or du général de Gaulle.

Son père nous expliqua ces comptes. La France renversait sa position déficitaire grâce à trois facteurs : le tourisme américain en France, qui faisait tomber dans son escarcelle environ cent vingt-cinq millions de dollars par an ; les dépenses de l'armée américaine en France (trois cent cinquante millions de dollars) et le montant des investissements américains en France (plus de cinq cents millions de dollars l'an passé). La France bénéficie donc d'un solde créditeur d'une centaine de millions de dollars, qu'elle prétend percevoir en or. Cet or ne lui servant absolument à rien, sa prétention n'a pas d'autre but que de nous gêner dans un moment délicat.

— La poule gauloise aux œufs d'or risque de déchanter bientôt, ajouta le père de Jim. Les touristes américains deviennent problématiques, l'armée américaine est partie et Johnson met un frein aux investissements à l'étranger. La caractéristique de la

France d'aujourd'hui est de regarder le monde par le petit bout de la lorgnette.

— Si je comprends bien, dit la mère de Jim, ou bien la France nous paiera ses loyers et ses dettes en or, ou bien c'est nous qui lui paierons les nôtres, en envoyant nos alliances à la Monnaie, comme les Italiens et les Allemands sous Mussolini et Hitler. Nous ne garderons que les bijoux de chez Cartier.

Jim déclara que Cartier, Sèvres, Baccarat, argenterie, cuisine et vins français méritaient bien d'être payés en or.

— En tout cas, dit sa mère, ma robe ne vient pas de la boutique de Chanel. Je trouve la mode française ridicule.

— Tu finiras par y aller, dit Jim. Quand j'étais petit garçon, tu m'emmenais chez Tiffany pour t'aider à choisir tes bijoux. Puis, un beau jour, tu es allée chez Cartier et tu ne tournes même plus la tête en passant devant les vitrines de Tiffany.

— Eh oui, dit son père, malheureusement pour les maris américains, les Français ont transporté à New York Cartier, Baccarat et Chanel.

— Après tout, daddy, fit Jim, nous avons bien transporté en France l'I.B.M.

— Plus que cela, dit son père : quatre cent cinquante firmes américaines sont installées en France. Mais les Français ont également ici autre chose que des fabricants de bijoux. Trois de leurs plus grandes sociétés industrielles, Péchiney, Pont-à-Mousson et Saint-Gobain ont maintenant des usines américaines. Celle de Péchiney a même un vice-président français de vingt-neuf ans qui semble enchanté de travailler avec nous. Nous le sommes aussi de travailler avec la France, sans chercher à l'étrangler. C'est bien l'image d'une collaboration où l'égalité est difficile, mais où chacun trouve son compte.

Jim me fit l'honneur de dire que cette remarque lui rappelait la conclusion de ma conférence sur l'United Fruit : la France devenait l'une de nos républiques de bananes européennes ; elle gémissait et récriminait au lieu de voir ce qu'elle gagnait avec nous et ce que nous laissions chez elle. Pour en finir avec Gaullefinger, la C.I.A. ne pouvait-elle envoyer son fameux avion, avec les pilules purgatives d'Arbenz-Guzman ? Pauvre Asturias !

Je dis à Jim que la différence entre la France et le Guatemala, c'est qu'elle nous achetait des Boeing et que nous lui achetions des Caravelle.

— Oui, dit Jim, des Caravelle qui ont un moteur anglais et des composants électroniques américains.

— Ne te mets pas à diminuer la France plus que moi, lui dit son père : les Montague m'ont envoyé un article du *Los Angeles Times* où j'ai appris que la compagnie Air France avait acheté des Boeing pour deux cent cinquante millions de dollars, en a commandé pour cent vingt millions de dollars, et, dans les dix ans qui vont suivre, a un plan d'achat de six cent soixante-dix millions de dollars. L'auteur de l'article ajoutait qu'il fallait vendre beaucoup de parfums pour compenser de tels achats.

Puisque nous étions dans les chiffres, je lui demandai quel était le montant des affaires de la Dupont de Nemours avec la France. Je fus étonné qu'il eût à réfléchir.

— C'est curieux, dit-il. Je sais que nous avons vendu, l'an dernier, pour deux cent dix-huit millions de dollars à l'Europe, contre deux cent trois millions l'année d'avant, mais j'ignore le chiffre des ventes avec la France. En effet, elles y sont faites autant par notre société mère que par ses filiales et nous ne consolidons que par rapport à l'ensemble. Mais je puis te dire que la Corning Glass International, que préside notre ami Robert Murphy, vend en France pour plus de cent millions de dollars, bon an, mal an.

Je ne laissai pas d'admirer la DuPont de Nemours pour qui la France n'était qu'une province de l'Europe. Cela me paraissait illustrer, non seulement notre économie, mais notre psychologie et notre politique. Et je le jugeai d'autant plus curieux que le lointain fondateur de cette compagnie était français. Ce nom était à ajouter à ceux des illustres Français devenus américains. Lorsque j'y eus fait allusion, le père de Jim déclara que plusieurs membres de cette famille figuraient dans les listes des principaux milliardaires américains, dressées régulièrement par les journaux et au sommet desquelles les connaisseurs laissaient toujours Mr Hunt.

La mère de Jim nous demanda si les jeunes Français de Berkeley étaient des chasseurs d'héritières, comme dans d'autres universités. Je répondis que ce fait ne nous avait pas frappés.

— Je crois surtout, dit Jim, que nos héritières ne sont plus à la chasse des Français à particule. Elles en ont eu assez de restaurer des châteaux. Désormais, Versailles suffit pour toute l'Amérique.

Sa mère dit en riant que c'était notre façon de perpétuer, hors des guerres mondiales, le fameux : « La Fayette, nous voici ! » de 1917.

— Une loi du Maryland, dit le père de Jim, accorde les « droits et privilèges des citoyens de l'Etat » aux descendants mâles de La Fayette. Aussi, pour nous catéchiser, la France, dans chaque guerre mondiale, nous envoie un descendant mâle de La Fayette. En 1917, c'était le général de Chambrun, dont la femme était une Longworth, c'est-à-dire une très distinguée Américaine : un Longworth a été président de la Chambre des représentants, une Longworth était la fille du président Theodore Roosevelt. C'était le temps où Charlie Chaplin, faisant l'acrobate sur les épaules de Douglas Fairbanks, déchaînait l'enthousiasme à Wall Street en faveur de l'emprunt de guerre.

— L'emprunt pour Versailles, dit Jim.

— En 1940, continua son père, la France nous délégua le capitaine de Chambrun, fils de ce général et de cette Longworth. J'ai su tous les détails

542

de cette mission assez extraordinaire par Bob Murphy — je réserve pour la fin ce qui la rendait extraordinaire.

La France était envahie et à la veille de mettre bas les armes ; l'opinion prévalait ici que l'invasion et la défaite de l'Angleterre n'étaient qu'une question de semaines. Des centaines d'avions, cinq cent mille fusils, des canons antichars et antiaériens étaient dans nos ports, mais on hésitait à les fournir, croyant que c'était peine perdue. Le capitaine de Chambrun, chargé de mission auprès de Roosevelt à la fois par son gouvernement et par notre ambassade, fut d'abord reçu à la Maison-Blanche où on le fit attendre quelques instants sous le buste de La Fayette. Dans plusieurs entretiens qu'il eut avec le président, et jusqu'à bord de son yacht sur le Potomac, il le persuada que l'Angleterre ne pouvait être ni envahie ni vaincue, grâce à la Royal Air Force, et que, soutenue par l'Amérique, elle battrait l'Allemagne. Roosevelt, qui avait été déprimé par les nouvelles de France, reprit courage et chargea ce Français de convaincre aussi efficacement ses ministres et les principaux membres du Sénat. Ainsi le capitaine de Chambrun déploya-t-il son éloquence probritannique et anti-allemande devant le secrétaire d'Etat Cordell Hull, le ministre du commerce Hopkins, le secrétaire du Trésor Morgenthau, le secrétaire au Travail miss Perkins, l'ambassadeur Averell Harriman et, détail amusant, Roosevelt le chargea surtout de convaincre sa femme.

« Puis le capitaine de Chambrun fut reçu par la commission des Affaires étrangères du Sénat que présidait Pittman. Puis il rencontra le fameux sénateur Taft. Puis il alla à Chicago, à Saint Louis, à Kansas City, à Minneapolis, à Cincinnati et autres lieux pour y rencontrer les principales personnalités politiques, avant de terminer sa tournée à New York. Bob m'a montré le numéro du *New York Times* qui reproduisait sur deux colonnes les déclarations du capitaine de Chambrun affirmant l'invincibilité de l'Angleterre. Et le capitaine de Chambrun repartit avec les remerciements de Lord Lothian, ambassadeur d'Angleterre, pour les services qu'il avait rendus à la cause britannique. C'était en août 1940.

— Où est la surprise ? demanda Jim.

— Le capitaine de Chambrun était le gendre de Laval qui, à la tête du gouvernement de Vichy, avait accepté la collaboration afin de limiter, dans la mesure du possible, les exigences de l'Allemagne. Ce capitaine regagna la France, pour rester fidèle à son beau-père dont, avec sa femme, il poursuit la réhabilitation historique, par les documents qu'il amoncelle à l'Institut Hoover de l'Université Stanford et qu'il publie en volumes.

— Bref, dit Jim, à la dernière guerre mondiale, La Fayette n'a pas sauvé la France, mais l'Angleterre.

— Parmi les Français qui étaient réfugiés chez nous, reprit son père, plusieurs nous ont rendu de grands services dans toutes sortes de choses. Je les résumerai tous dans le seul général américain qui soit d'origine française et qui est aussi un savant : le général Doriot. Il habite Boston, préside plusieurs sociétés américaines et appartient au Harvard Club comme moi. Beaucoup de Français sont devenus américains après la guerre, à cause de l'atmosphère pesante qui régnait en France. Et ce mouvement recommence aujourd'hui, malgré la haute stature du général de Gaulle.

— Au vernissage d'hier, dit la mère de Jim, Daniel Wildenstein me racontait avoir complètement mis en veilleuse sa maison de Paris, qui en était à la troisième génération. L'administration des Beaux-Arts et le ministre de la Culture lui faisaient des tracasseries sans nombre, pour la vente d'un tableau au Metropolitan, et les mêmes laissent filer tous les tableaux qui leur conviennent.

— Il paraît, dit Jim, que ce ministre de la Culture française est un des interlocuteurs préférés de Mao Tsé-toung, et qu'on l'a beaucoup entendu à la radio, déclarant à des interviewers prosternés : « Mao m'a dit... » Il n'a pas ajouté en quelle langue.

Comme nous sortions de table, on appela le père de Jim au téléphone ; dès les premiers mots de sa conversation, il nous fit signe d'attendre. A l'autre bout de la bibliothèque, sa femme avait ouvert la télévision pour regarder un show qu'elle ne voulait pas manquer, mais elle avait réduit la sonorité au minimum. Nous ne pouvions nous empêcher de rire en voyant ces bouches presque muettes qui se démenaient et pourtant, la conversation du père de Jim semblait sérieuse. Au « Good bye, Bob ! » qui la termina, nous devinâmes qu'il parlait à Mr Murphy.

— Grande nouvelle ! nous dit-il : les négociations pour la paix vont s'ouvrir à Paris.

Johnson ayant eu l'imprudence de dire, afin de montrer sa bonne volonté, que nos plénipotentiaires étaient prêts à aller n'importe où, Hô Chi Minh avait proposé successivement Pnom Penh, Giakarta, Kaboul, Katmandu et un navire neutre dans le golfe du Tonkin (ce navire neutre était un croiseur soviétique vendu à l'Indonésie). Nous lui avions proposé Genève, mais il avait déclaré que les hôtels y étaient trop chers, ce qui avait amené une protestation de l'hôtellerie suisse. Il avait contre-proposé Varsovie et nous avions répondu que ce n'était pas assez gai. Finalement il proposait Paris et nous acceptions.

— Paris, le gai Paris... dit Jim.

Ces mots me rappelèrent ma visite avec Mr Hunt à son fils malade et j'ajoutai :

— Paris (France) et non Paris (Texas).

Jim me regardait en souriant parce que je lui avais fait promettre de tenir secrets mes projets guerriers : je voulais éviter les commentaires sur ce point autant que sur mon mariage.

— C'est une victoire pour Johnson, dit sa mère, mais c'est aussi une victoire pour de Gaulle.

— Bob, dit le père de Jim, me citait d'avance la phrase du général à ses ministres : « Messieurs, je gagne la guerre et je fais la paix. »

— Ce sera sa seconde phrase historique, dit Jim.

— Vous avez beau plaisanter, reprit la mère en arrangeant son clip de chez Cartier, on ne peut faire ni la guerre ni la paix sans la France.

— Je suis ravi, continua le père, et Bob ne l'est pas moins parce que cela va suspendre peut-être le divorce franco-américain. Notre gouvernement était désolé des manifestations antifrançaises qui se multipliaient. Mais à Paris, où l'on veut nous montrer que l'on a mangé du lion, on commençait à plastiquer nos banques et nos compagnies de navigation aérienne.

« Bob, qui adore la France et qui aime toute la France, car il fut à notre ambassade pendant dix ans jusqu'à la guerre, puis chargé d'affaires à Vichy, puis en Afrique du Nord, comme il vous l'a raconté, faisait d'autres remarques. Nous avons choisi Paris à cause de sa situation géographique et aussi parce que c'est la vraie capitale pour finir une guerre où nous avons pris la succession de la France, ce qui n'a rien à voir avec de Gaulle.

— Et une guerre, dis-je, où nous avons aidé largement la France quand c'est elle qui la faisait.

— Nous lui montrons, reprit le père de Jim, que nous ne nous soucions pas des mauvais procédés et même des injures de son chef dont l'hospitalité, d'ailleurs, sera certainement magnifique. Mais — et ceci est le plus important aux yeux de Bob —, il y a une sorte de fatalité historique qui rapproche soudain les deux pays, en dehors des grandes guerres, où ils sont forcément côte à côte.

— Cette petite guerre est une forme de grande guerre, dit Jim qui reprenait un de mes raisonnements de tantôt.

— Justement, dit son père. La France a engagé, pour défendre son empire d'Indochine, une armée de quatre cent mille hommes qui se sont glorieusement battus, et nos cinq cent mille y sont encore à se battre. Nous lançons plus de bombes chaque jour qu'ils n'en lancèrent durant les cinquante-six

546

jours de la bataille de Dien Bien Phu ; ils avaient moins de deux cents avions pour toute l'Indochine et nous en engageons autant dans chaque raid. Or, nous sommes au même point que les Français. C'est la preuve que l'on ne peut plus gagner une grande guerre — Jim a raison de dire que c'en est une —, sans employer la bombe atomique.

Je racontai un détail que j'avais su par mon père : l'amiral Radford, alors notre chef d'état-major, avait demandé l'autorisation d'utiliser des armes nucléaires pour défendre la garnison française de Dien Bien Phu. Eisenhower avait refusé, comme il avait refusé l'action contre la Chine demandée par MacArthur.

— Je le comprends, dit Jim : il lui suffisait d'avoir gagné une guerre avec Little Boy. Et maintenant, Johnson va gagner la paix grâce au « grand Charles ».

— Je crois plutôt, dit son père, que notre soin sera de tenir le grand Charles à l'écart des négociations. Bob se réjouit que Johnson désigne, pour chef de nos délégués, Averell Harriman, qui fut, comme lui, le digne collaborateur de Roosevelt, puis de Truman, et qui nous a déjà représentés à Paris auprès de l'Administration de Coopération économique, et ensuite auprès de la N.A.T.O.

— Harriman à Paris, dit Jim, c'est comme un descendant de La Fayette à Washington.

— Il était temps ! reprit son père. Des Américains faisaient exhumer leurs fils des cimetières militaires français parce qu'ils regardaient désormais la France comme une terre ennemie. Les morts français du Vietnam et les morts américains du Vietnam ont ouvert le chemin de la paix à Paris.

— Curieuse coïncidence, dit la mère de Jim : la paix arrive après la mort du cardinal Spellman.

— Souhaitons, dis-je, qu'elle commence à arriver en Amérique après la mort du pasteur King.

2

— Où aller ce soir, mon cher Jack ?

— Pas aux bains Everard, dis-je, même par curiosité.

— Je n'ai jamais songé à t'y emmener. Et pourtant, on y fait des rencontres curieuses. Puisque je n'ai plus de secret pour toi, je peux te dire celle que j'y ai faite durant les vacances de Pâques. A la différence des bains de San Francisco, il y a des trous de gloire dans les cabines. J'étais tranquillement dans la mienne — tranquillité momentanée —, et regardais, par curiosité, ce qui se passait dans la cabine voisine. Un monsieur était nu sur son lit, en état de relaxation. Tout à coup apparaît une main qui entreprend de le faire changer d'état. L'œil appliqué au trou de gloire, je suis, toujours par curiosité, ses mouvements rythmiques pareils à ceux d'un balancier de puits de pétrole. Mon attention est attirée par la bague qui orne un doigt de cette main : ce n'était ni une simple alliance ni une bague universitaire ; c'était une chevalière armoriée. Il n'y en a pas tellement à New York. Et c'était celle du seul prince, ami de ma famille. Avoue qu'il n'avait pas de chance. Mais je suis discret. Drôlerie de plus : il remarqua qu'il y avait un œil au trou de gloire et il boucha le trou avec son mouchoir. C'était trop tard pour m'empêcher de le reconnaître, mais trop tôt pour voir la fin de l'opération.

— Ainsi, dis-je, ta curiosité est restée en l'air.

— Où irons-nous donc pour notre première soirée new-yorkaise de licenciés en sociologie ?

— De Berkeley (Californie), ajoutai-je.

548

— Allons donc à Greenwich Village puisque tu aimes les hippies.

Avant de monter en voiture, nous vîmes briller en rouge au sommet d'un gratte-ciel qui regardait Central Park, les deux mots : « Sex House ». Etait-ce un Institut Kinsey de soixante étages — l'Institut de recherches sexuelles de l'an deux mille cent —, ou cette maison de débauche, propre à satisfaire toutes les fantaisies, et dont un sociologue suédois demande la création urgente pour le salut du genre humain ? C'était l'Essex House, dont les deux premières lettres étaient en panne.

Plus bas, dans la Cinquième Avenue, une autre enseigne au sommet d'un autre gratte-ciel me frappait cette fois plus particulièrement : « 666 ». Ce n'était plus pour moi le numéro d'un building, mais les trois chiffres que j'avais vus écrits sur les insignes de Satan et de l'Eglise de Lucifer. La bénédiction des Indiens compensait tout cela.

Jim bifurqua dans la Quarante-Deuxième rue, pour ralentir, vers Times Square, et me donner un bref aperçu du « filet de bœuf » de New York. Le bœuf étant décidément le symbole américain de la luxure, nous ne le mettons pas seulement en gâteau, pour désigner la tendre chair masculine, mais en filet, pour désigner à la fois la prostitution des deux sexes et le quartier où elle se pratique. Du reste, c'est New York qui a eu l'honneur de fournir ce mot à la langue américaine parce que c'était jadis le nom du quartier dédié à ce commerce. Quelques solides garçons de dix-huit à vingt ans étaient appuyés aux murs, sans avoir l'air de regarder personne, selon le style qui semble de rigueur en tous lieux. Trois autres dansaient sur le trottoir, aux sons d'un gramophone que tenait un quatrième — on eût dit une scène hippie. Un nègre, le seul efféminé, faisait des grâces autour d'un réverbère. De petits Portoricains, accroupis dans une embrasure, offraient le filet de bœuf le plus tendre bien que fumé. Un monsieur respectable les regardait à la dérobée, en agitant sa

549

main au fond de sa poche. Des femmes erraient, très court vêtues. Dans leurs voitures, rangées le long du trottoir comme la nôtre, des messieurs, aussi respectables que le premier, observaient, plus attentivement que nous. Un charmant jeune marin qui passait fit tout à coup déferler sur sa seule personne une tempête de regards et de désirs. Même les jeunes prostitués le regardaient. Les messieurs, dans les voitures, démarrèrent doucement pour le suivre. Mais comme il traversait Times Square, un homme trapu, à blouson de cuir, l'aborda au milieu de la chaussée. Et le piéton l'emmena, au nez des hommes en voiture.

— Le film de la rue me passionne, dit Jim. Je trouve amusant de voir, sous toutes les latitudes, la mythologie homosexuelle du marin. J'ai lu en France un livre érotique de Cocteau, publié sous le manteau, et le marin y règne. Dans un livre de Genet, il y a un marin qui assassine un homosexuel. On m'a raconté l'histoire du patriarche de Constantinople que l'on reçoit sur un bateau amiral — peut-être le bateau de ton père. Le patriarche défile devant les marins qui sont rangés sur le pont ; puis il se tourne vers l'amiral, désigne un des marins et dit en se caressant la barbe : « Celui-là. » Le marin, c'est le côté à la fois poétique et primaire de l'homosexualité. Il y aurait là un sujet de thèse pour un Ferlinghetti.

Nous fîmes un autre arrêt devant les boutiques de ce quartier spécialisées dans les magazines nudistes, les livres homosexuels, les disques obscènes, les photographies et les films semi-érotiques. Ces boutiques étaient pleines d'hommes qui feuilletaient les magazines et les livres, tournaient et retournaient les paquets de photographies, soigneusement cachetées sous cellophane. Il y avait beaucoup de nègres. L'entrée était interdite aux mineurs, mais il ne leur est pas interdit de regarder les vitrines. De jeunes garçons dévoraient des yeux les titres des disques « Erotica », propres à meubler leurs rêves : « J'ai des noisettes chaudes pour vous... Le chanteur au beau derrière... La reine de Fire Island » (Jim me dit que cette île, près de New York, était le rendez-vous estival des homosexuels) « Elle aime Pierre » (Nous savions ce que signifiait ce nom). Un disque s'intitulait : « Nuit d'amour à Lesbos », avec ce commentaire « Intime description des désirs sexuels d'une jeune lesbienne. »

Les hippies de Greenwich Village étaient sur les trottoirs, comme les homosexuels de Times Square et comme les hippies de Haight Ashbury à San Francisco. Mais ils avaient l'air de faux hippies, quoiqu'ils fussent vrais ; ils semblaient plus citadins, par une affectation à ne pas l'être. Ils se savaient tolérés plutôt qu'aimés ; ce n'est qu'à New York qu'ils avaient de vrais conflits avec la police. (Ils venaient de se signaler par une grande bagarre avec elle à la station centrale qu'ils avaient envahie pour célébrer l'été et faire un sit-in contre la guerre.) Enfin, ils étaient plus près de l'Europe, plus côtoyés par les touristes, et donnaient moins l'idée d'une religion nouvelle que d'une bohème rajeunie.

Quelques boutiques nous amusèrent : dans l'une d'elles, on faisait des peintures au gicleur, comme nous en avions vu à Central Park ; dans une autre, mille sortes de slips se présentaient dans les tissus les plus fins, les formes les plus suggestives et les couleurs les plus invraisemblables — il y en avait même de rembourrés.

Des gens, après avoir regardé de tous côtés, frappent à une porte en contrebas : un œil se montre à un judas, comme à un trou de gloire ; la porte s'entrouvre, les gens se faufilent : c'est une séance de marijuana ou de L.S.D. 25 qui se prépare. On ne fume l'opium que dans la ville chinoise.

A Pâques, Jim était devenu membre d'un club de Greenwich Village : Stone Wall. Ce club était à la fois de caractère privé et d'intérêt public, selon la formule des bains de Turk Street à San Francisco.

Jim me jurait qu'il ne s'y passait rien de pareil, mais qu'enfin c'était l'endroit le plus intéressant du village. Ce nom lui avait-il été donné par ironie, en hommage au président Johnson qui était né à Stone Wall dans le Texas, ou bien faisait-il allusion au général Jackson, surnommé « mur de pierre » pour sa fermeté à la tête des armées confédérées durant la guerre civile. Ces plaisanteries faisaient partie du style hippie et homosexuel.

Tout membre du club avait le droit d'amener quelqu'un, dont le nom était soigneusement inscrit. J'entrai fièrement avec Jim, devant deux étrangers qui cherchaient à corrompre le portier : il resta aussi inébranlable que le mur. Une longue salle à demi éclairée, le comptoir à droite, une piste au fond avec un orchestre. Il n'y avait que des jeunes gens et des hommes — une cinquantaine. On buvait de la bière, on dansait. Rien d'équivoque ni même rien d'étonnant.

Jim poussa une porte vers le milieu du bar : quatre ou cinq cents jeunes gens — très rares étaient les filles —, dansaient dans une immense salle. Là, j'éprouvais au moins la satisfaction d'être en Amérique : comme au Cheetah ou dans l'église de Glide, le spectacle était à la puissance américaine. Des serveurs, que l'on payait séance tenante, circulaient, portant des boîtes de bière.

— Dansons, dit Jim.

Et nous entrâmes dans la danse, c'est-à-dire dans la gesticulation. Cette danse également me rappelait Cheetah, mais les souvenirs de mes anciennes libertés avec Jim, même évoquées par l'album d'Andover, ne me poussaient pas aussi près de lui que de Sunny. J'aimais mieux me figurer que je dansais avec Narcissa et je n'avais pourtant jamais dansé avec elle. Ces jeunes gens n'étaient pas des hippies : c'était la jeunesse gaie de New York et d'ailleurs. Jamais encore je ne m'étais trouvé au milieu de quatre ou cinq cents homosexuels en train de danser. Il avait

fallu les événements de cette année pour que mon cher Jim me fît franchir toutes ces portes, et je lui en avais fait franchir quelques-unes de plus difficiles à ouvrir. Mais il avait raison : un policier, caché derrière une glace sans tain, n'aurait pu filmer rien d'indécent. Certes, il y avait de petits baisers dans les coins ; il y avait des couples qui parfois se joignaient étroitement ; il y avait des yeux dans les yeux, des mains dans les mains, mais les mains n'étaient pas autre part. On devinait que ces garçons pouvaient se contenter de cela, par le seul fait d'être ici en liberté et en communion d'esprits, de goûts et de sentiments. Ils étaient unis par la musique et n'avaient même pas besoin des lumières stroboscopiques ni psychédéliques. C'était en somme le contraire de Glide : on ne faisait rien parce qu'on aurait pu tout faire. Cela aussi, c'était une libération de la jeunesse américaine et qui suffisait à la plupart. Un étranger aurait été surpris de tant de discrétion ou aurait demandé à quelle heure l'orgie commençait. Je reposai la question à Jim. Il me répondit qu'à trois ou quatre heures du matin, en sortant du club, certains de ces cosmopolites (le cosmopolitisme si excitant de nos cinquante Etats...) seraient prêts à se coucher dans n'importe quel lit, mais surtout pour dormir. Il heurta un danseur qui se mit à nous parler sous l'empire de la bière et nous quittâmes la piste avec lui pour écouter les confidences dont il débordait. Il nous avait dit qu'il était Canadien français, mais il ne songeait pas ce soir au général de Gaulle.

— Je cherche l'amour et je ne le trouve pas, nous dit-il d'un air triste, sa boîte à la main. Souvent je crois l'avoir trouvé et je couche ou je fais semblant de coucher. J'habite à l'Y.M.C.A. C'est facile pour le sexe, mais ce n'est pas ce que je veux. Je passe la nuit avec un garçon et le lendemain il s'en va : il ne sait même pas ce que nous avons fait. Peut-être n'avons nous rien fait. Je ne le revois plus. Il y a ici trop de beautés. C'est pour cela que tout le monde est tenté de changer. A Québec, j'ai eu un ami pendant un an, au séminaire. Car je veux être prêtre — prêtre anglican de la Haute Église. Mais je n'ai plus d'ami. Si j'en avais un, je ne serais pas ici. Du reste, ce qui est ridicule, c'est d'être venu en chercher un ici. Je ne reviendrai pas, si ce n'est pour boire de la bière. Aucun de ces garçons ne pense à l'amour. Ils ne savent pas ce que c'est. Ou ils ne pensent rien ou ils pensent sexe. Celui qui dansait avec moi est un Canadien anglais. Il habite avec moi à l'Y.M.C.A. Quand nous nous promenons dans la rue, nous nous tenons par la main et tout le monde croit que nous avons sexe. Mais nous n'avons jamais eu sexe et nous n'aurons jamais sexe. Il est comme moi : il cherche l'amour. C'est dommage que nous ne nous aimions pas tous les deux, puisque nous cherchons la même chose. Il est amoureux de ce garçon qui est là-bas et qui danse avec un autre. Ce garçon n'aime pas mon ami, mais voudrait avoir sexe avec lui. Mon ami refuse parce qu'il sait bien que, dès qu'ils auront eu sexe, ce garçon ne le verra plus. Ah ! nous les connaissons à présent, les garçons de New York.

Nous nous mîmes à rire et Jim lui dit qu'il en connaîtrait désormais un de plus. J'ajoutai que la vie était compliquée pour tout le monde dès que l'on avait quitté le séminaire. Comme nous allions sortir, le Canadien, qu'une nouvelle bière rendit encore plus loquace, s'accrocha à nous pour nous dire :

— L'amour, je ne l'ai pas cherché seulement ici ou aux douches de l'Y.M.C.A. : je l'ai même cherché dans la maison qu'habita Fenimore Cooper, à East Village, et où il y a des bains ouverts nuit et jour. On m'avait dit qu'ils étaient plus fréquentés de la jeunesse que d'autres dont on m'a parlé et où je n'irais pour rien au monde. Je n'y ai pas trouvé l'amour.

Il avait presque des larmes aux yeux en nous disant cela.

— Fenimore Cooper ! reprit-il. Quand j'étais enfant, j'étais amoureux de Cerf Agile, le jeune Indien du *Dernier des Mohicans*. Cela m'a égaré.

— Voilà un Canadien français qui m'apprend quelque chose sur New York, me dit Jim en sortant. Cela te montre que mes débuts dans l'homosexualité active sont récents.

— Cela te montre aussi, dis-je, où il est inutile de chercher l'amour. Et maintenant, fais-moi finir la soirée à Harlem.

Jim parut stupéfait.

— On voit que toi, tu n'es pas de New York, dit-il. Sais-tu que nous risquons d'être volés, assassinés ? Rappelle-toi qu'après l'assassinat de King, il a fallu sept mille hommes de troupe pour y maintenir l'ordre.

— Je me rappelle également, dis-je, qu'il n'y a eu qu'une demi-douzaine de magasins saccagés et qu'un petit nombre de blessés. Dans le ghetto des ghettos, l'ombre de King n'a pas réussi à faire un seul mort. Tant pis si je suis le premier. Je ne t'oblige pas à m'accompagner. J'irai seul.

— En temps normal, beaucoup de chauffeurs blancs refusent d'y aller, au moins la nuit. Mais puisque tu vas au Vietnam, je peux bien aller avec toi à Harlem.

Je le remerciai en lui disant les raisons d'une telle visite. C'était une dernière épreuve à laquelle j'avais voulu soumettre mon amour : si je ne m'étais pas senti assez fort pour me rendre à Harlem en pleine nuit, c'est que je n'aurais pas aimé vraiment Narcissa. J'étais sûr du contraire, mais je tenais à me le prouver. Cela ne regardait que moi et Jim aurait pu fort bien s'en dispenser, mais sa présence me serait doublement chère.

— Et l'on prétend que nous ne sommes pas sentimentaux ! dit-il en riant. Il faut que je le sois autant que toi : sinon, je t'aurais embarqué et serais revenu au Stone Wall. Tu es plus heureux que le futur prêtre de l'Eglise anglicane : tu as trouvé l'amour. Il lui reste l'amour de Dieu, qui n'a pas l'air de lui suffire. Mais si l'amour de Narcissa nous protège à Harlem, il vaudra mieux pour vous ne jamais y paraître ensemble : les couples mixtes sont peu appréciés du Black Power.

— Qui vivra verra, dis-je.

La très longue avenue d'Amsterdam, au cœur de Harlem, ne semblait pas très accueillante. Elle était moins éclairée que celles de New York ; on se sentait dans une autre ville. Alors que, malgré l'heure tardive, les quartiers que nous venions de traverser étaient encore assez animés, ici tout semblait désert et les quelques Noirs qui bavardaient sous les arbres ajoutaient au sentiment d'insécurité. Jim nous arrêta devant un des principaux cabarets.

La salle était aux trois quarts pleine. Des couples dansaient sur une estrade au fond de laquelle était l'orchestre : c'était un peu comme à Devonshire Meadows. Un coup d'œil avait suffi pour nous faire constater que nous étions les seuls Blancs. Nous avions pris notre air le plus débonnaire, le plus confiant, le plus heureux d'être là. De même qu'on nous avait donné notre ticket d'entrée avec un large sourire, on nous servit en souriant. Un plus ample examen, quoique discret, nous permit de découvrir une Blanche en compagnie d'un Noir. Je dis à Jim que l'observation qu'il m'avait faite était inexacte.

— N'en crois rien, reprit-il : tu seras du mauvais côté. Un Noir avec une Blanche, cela flatte toujours le Noir ; mais une Noire avec un Blanc, c'est pour eux l'image de la jeunesse négresse esclave, obligée de se prostituer à son maître. Il vous faudra porter de grosses alliances qui attesteront la légitimité de vos liens et te donneront l'auréole d'un apôtre de la déségrégation et non pas la sombre apparence d'un négrier.

— Un Noir avec une Blanche, dis-je, il se peut que ce soit bien vu à Harlem ; mais, à Washington, c'est comme un Blanc avec une Noire à Harlem. Souviens-toi du tintamarre qu'a fait, l'an dernier, le mariage de la fille de Dean Rusk avec un ingénieur noir des recherches spatiales. Le secrétaire d'Etat offrit sa démission à Johnson, de peur de le gêner par ce mariage — et nous prétendons avoir fait triompher les droits civils !

— Johnson repoussa la démission, dit Jim. Je suppose que Rusk n'en doutait pas.

Nous regardâmes un moment danser les Noirs et la Blanche. Celle-ci faisait de son mieux pour soutenir l'honneur de notre race, mais une jeune fille, qui ressemblait vaguement à Narcissa, attira surtout mes regards.

Nous n'étions venus que par une espèce de gageure et repartîmes bientôt.

— Revenez ! nous dit le vendeur de tickets.

Nous remontâmes en voiture sans être assaillis ; les pneus n'avaient pas été crevés ni les glaces brisées. Le communiste Epton, le Mouvement d'Action Révolutionnaire, les Frères de Sang, les Musulmans noirs, les Nationalistes Noirs, les Panthères Noires, l'Armée noire de guérilla, le Pouvoir Noir, Carmichael, le pasteur King nous avaient épargnés. A notre connaissance, Rap Brown était toujours en prison.

3

Nous avions rendez-vous pour déjeuner au Harvard Club. Le père de Jim avait saisi cette occasion de me faire rencontrer Robert Murphy.

J'étais ravi de connaître un homme aussi considérable, qui avait tenu l'un des premiers rôles de notre diplomatie pendant la dernière guerre mondiale : envoyé spécial de Roosevelt en Afrique du Nord, il avait préparé le débarquement qui avait amené la libération de l'Europe. Il avait négocié l'armistice avec l'Italie, installé le contrôle allié en Allemagne, été ambassadeur au Japon durant la guerre de Corée, sous-secrétaire au département d'Etat, membre du Bureau de « Foreign Intelligence » de Kennedy ; bref, il était le plus brillant de nos très rares « ambassadeurs à cinq étoiles ». Après avoir si bien prouvé que la haute diplomatie n'a pas besoin de casser les vitres, il présidait maintenant cette grande affaire de Corning Glass qui revêt de cristal les gratte-ciel de New York où elle en possède un des plus beaux de la Cinquième Avenue.

Ce n'est qu'en Amérique, à ce que m'avait dit le père de Jim, que l'on voyait cet échange de dirigeants entre les grandes fonctions publiques et les grandes affaires. Cela déconcerte les Européens qui ont l'habitude de bureaucratiser et de compartimenter. Jim lui-même m'avait déjà fait remarquer, après son voyage en Europe, que l'habitude contraire est un des secrets de notre supériorité et de nos réussites. Nous sommes orgueilleux de réussir dans les affaires, comme nous le sommes de remplir une charge importante, et cette réussite a son prix parce que les affaires ne sont jamais chez nous une sinécure — la sinécure, espoir notamment des Français ! Ainsi, un poste comme celui de Mr Murphy représenterait, en France, pour un homme de sa qualité, de simples jetons de présence, tandis qu'il exigeait de sa part un travail aussi astreignant que pour n'importe quel « executive ». Un autre Murphy, chancelier de l'U.C.L.A., venait de quitter l'université pour devenir président du conseil d'administration du *Los Angeles Times*. Certes, ces échanges, où Jim voyait une des raisons de notre éternelle jeunesse, n'étaient pas toujours une réussite absolue. Mr Gluck, voisin des parents de Jim, était un grand homme d'affaires, resté célèbre par sa piteuse attitude, lorsqu'il fut entendu par le Sénat qui devait approuver sa nomination comme ambassadeur à Ceylan, sous Eisenhower. Il ne put dire ni ce que représentait pour lui son rôle d'ambassadeur, ni qui était Premier ministre de l'Inde, ni qui était Premier ministre de Ceylan. Mais ce que j'admirais le plus, comme une nouvelle preuve de notre force américaine, c'est qu'il ne fut pas moins envoyé comme ambassadeur à Ceylan.

Nous étions arrivés bien avant l'heure, Jim et moi, pour attendre son père et Mr Murphy. Les chasseurs en livrée bleue à boutons d'or et à col rouge, les serveurs à veste blanche bordée d'un galon jaune et rouge, les larges divans et fauteuils de cuir rouge, le tapis rouge attestaient le luxe de ce club et, d'une façon ou d'autre, rappelaient la couleur de Harvard. Les gentlemen que l'on voyait là étaient les représentants de l'aristocratie américaine, mais d'une aristocratie qui remontait tout au plus à quelques générations et qui avait encore l'intrépidité de l'âge des conquêtes. Les portraits d'ancêtres accrochés aux murs n'étaient que ceux d'anciens présidents du club et tous d'assez fraîche date. Nous avions fait un tour dans la magnifique librairie et, en voyant sur un rayon plusieurs livres consacrés à Alger Hiss, l'espion honni de Mr Hunt, je me dis que ce gradué de Harvard avait dû hanter ce club et même cette bibliothèque, ainsi que William Burroughs, l'écrivain beatnik, apôtre de la drogue et de l'obscénité, fils de milliardaire et gradué de Harvard. Comme toute chose en Amérique, le Harvard Club avait ses contrastes.

Quand nous revînmes dans le hall, Jim me présenta à un homme distingué, mince, de très haute taille et droit comme une flèche malgré son âge : le colonel Hamilton Fish. Je savais le nom de cet ancien député républicain qui avait été pendant plus de vingt ans président de la commission des Affaires étrangères de la chambre. Il nous félicita lorsque Jim lui eut appris que nous venions d'obtenir notre diplôme de licence à Berkeley. Mr Hunt m'avait parlé de lui, à propos de l'ordre de La Fayette qu'il avait fondé, et je racontai ma visite à Dallas. Le colonel fit un éloge de celui qu'il appela « un des grands défenseurs de la liberté ». Nous lui dîmes que nous avions milité toute cette année sous le drapeau des Youth Freedom Speakers.

— Good boys ! s'écria-t-il en nous donnant une tape sur l'épaule. Je vous invite au dîner que je donne, de demain en quinze, à l'hôtel Commodore, pour la remise de l'ordre de La Fayette au général français Martin. Cravate noire, naturellement.

Le père de Jim arrivait avec un homme d'aussi haute taille que le colonel, mais plus étoffé et d'allure encore très jeune ; ses manières étaient moins sèches que celles de l'ancien officier ; il unissait la grâce de l'homme du monde à l'aménité du diplomate : c'était Mr Murphy. Nous voyant en conversation avec le colonel, le père de mon ami lui demanda s'il déjeunait seul.

— Oui, dit-il, et je n'ai qu'à traverser la rue puisque les bureaux de mon ordre sont en face. Mais je me joins à vous avec plaisir. J'en profite pour vous annoncer mon mariage.

Les deux hommes le regardèrent, étonnés, car c'était un vétéran.

— Oui, reprit le colonel : j'épouse une charmante fille de vingt-six ans — une blonde platinée. Vous voyez que la valeur ne craint pas le nombre des années.

— La lutte contre le communisme garde vert, me dit Jim à voix basse.

Quelqu'un se détacha d'un groupe pour venir saluer nos trois compagnons.

— Eh ! lui demanda Mr Murphy, comment va votre gratte-ciel ?

— Il commence à sortir de terre, mais il y en a pour deux ans.

— Et pour combien de dollars ? demanda le père de Jim.

— Exactement cinquante-huit millions quarante-cinq mille. J'ai eu quatre cent mille dollars d'excavations et l'on fait maintenant le soubassement de granit.

— La belle affaire ! dit le père de Jim. Tout New York est bâti sur le granit. Les lignes de votre maquette sont superbes.

— Comptez-vous garnir les fenêtres de vos cinquante étages avec des vitraux de Tiffany si vous ne les éclairez pas avec les vitres de Corning Glass ? demanda Mr Murphy.

Cette réflexion fit rire Mr McGrath, propriétaire de ce futur gratte-ciel qui s'édifiait à la pointe de Manhattan, près de Wall Street. Personne ne voulant d'apéritif, nous allâmes au restaurant.

Il y a une galerie où l'on peut s'installer pour être isolé, mais nous choisîmes une des grandes tables de la salle. Le colonel, qui avait fait mine de se servir au buffet, parut de bonne humeur en sachant que c'était un repas dans toutes les règles.

— Je vais même avoir l'audace, dit le père de Jim, de commander le meilleur vin français.

— Espérons qu'il en reste encore, dit Jim.

Ce matin, nous avions vu avec effarement quelques manifestations intempestives de la gallophobie provoquée par le général de Gaulle : au milieu de cercles en train d'applaudir, des parfumeurs versaient dans le ruisseau des parfums français, des restaurateurs versaient dans le ruisseau des vins français. Comme les ruisseaux n'ont pas de bouches d'égout, ces vins et ces parfums faisaient des mares stagnantes d'odeurs capiteuses.

— On dit même, ajouta le père de Jim quand son fils eut donné ces détails, que des femmes rapportent dans les magasins des robes françaises.

Sur certains, une affiche nouvelle apparaissait pour attirer les clients patriotes : « Ici on ne vend pas de produits français. » Un journal annonçait, près d'un an à l'avance, que le grand bal printanier de New York, « Avril à Paris », était d'ores et déjà supprimé. Qu'allait devenir Versailles ? Débaptiseraiton les noms des rues ? Et baptiserait-on encore de noms français tant de nos automobiles ? J'avais mangé mon pain blanc le premier avec ma Ville du Mans.

— J'ai lu pourtant, dit Mr Murphy, que les couturiers de New York hésitent à boycotter les étoffes françaises et que le président de Magnin de San Francisco, en se déclarant fidèle à la France pour les produits de luxe, disait : « Il n'y a pas le choix. » Voilà un beau mot, le mot des bonnes affaires et de la bonne diplomatie : « Il n'y a pas le choix. »

— Il n'y a pas le choix, répéta le père de Jim en montrant le Haut-Brion qu'apportait le maître d'. (curieuse abréviation américaine de « maître d'hôtel »). La Californie produit tous les grands crus français, mais pas celui-là.

— La France, dit Mr Murphy, n'a pas compris notre susceptibilité à son égard. Il ne nous est jamais venu à l'esprit d'avoir des difficultés avec elle et encore moins d'être défiés et provoqués par elle. L'an dernier, quand des manifestants parisiens brûlèrent notre drapeau lors du voyage de Humphrey, il y eut dix mille réservations annulées d'Amérique dans les deux hôtels Hilton à Paris. Mais les événements se précipitent et dépassent le cadre du tourisme.

— Je le regrette, dit le colonel, parce que moi aussi, j'ai une faiblesse pour la France.

— Les raisons de ce qui se passe doivent être mystérieuses pour ces jeunes gens, dit Mr Murphy en nous regardant, et je les leur expliquerais volontiers si ce n'était une trop longue histoire.

— Je les ai amenés pour cela, dit le père de Jim.

— Ce mystère, qui n'en est pas un, est dans la psychologie du général de Gaulle, reprit Mr Murphy.

Je crus pouvoir dire qu'un de nos professeurs de Berkeley, qui était français, nous avait déclaré, au moment de l'affaire du Québec libre, que seul un diplomate pouvait expliquer « le phénomène du général de Gaulle ».

— Un diplomate et un psychiatre, précisa Jim.

Mr Murphy sourit :

— Vous vous contenterez du diplomate, mais pour être un bon diplomate, il faut être un peu psychiatre. Le général de Gaulle ne nous a jamais pardonné de n'avoir reconnu son existence qu'après le débarquement en Afrique, de l'avoir tenu à l'écart de ce débarquement, de ne pas l'avoir averti du débarquement en France, de ne pas l'avoir invité aux conférences de Téhéran et de Yalta.

— Avouez, dit le colonel, que l'on pourrait s'offenser à moins. Vous appelez orgueil ce qui était le sentiment de l'honneur français. Je connais assez bien les Français et je ne m'étonne pas qu'ils se laissent bluffer par le général de Gaulle. Un pays rabaissé, mais qui a un tel passé, s'est cru restauré dans sa grandeur par un tel homme, comme il s'était raccroché au maréchal Pétain après la défaite. Absurde ou non, la foi que le général de Gaulle a en lui et en son pays me bluffe moi-même. Son patriotisme et son nationalisme nous sont contraires, mais tout ce qui est patriote et nationaliste force mon respect.

« Lorsqu'il est venu à New York, en 1960, je représentais l'une des organisations qui lui offrirent un magnifique dîner au Waldorf Astoria — et j'ai fait encadrer la photographie où on le voit décorer Eisenhower. J'essayai sans succès de persuader le général MacArthur de quitter sa tour d'ivoire, dans ce même hôtel où il habitait, et de descendre saluer de Gaulle. Le colonel Blaik, son intime, me seconda aussi vainement. J'étais navré et je trouvais un peu faible l'excuse que donnait MacArthur d'avoir mal à la tête. Mais quand, plus tard, je présentai à de Gaulle l'amiral Nimitz et qu'il se borna à lui serrer la main, je me félicitai que MacArthur fût resté dans sa chambre. En dehors de moi, il y a manifestement une antipathie réciproque entre lui et l'Amérique. Vous venez de m'en expliquer l'origine. Et je ne suis pas surpris qu'elle remonte à Roosevelt si vous permettez que je le dise.

J'échangeai un coup d'œil avec Jim : la conversation se corsait.

— Je n'oublie pas, cher colonel, dit Mr Murphy, que vous détestiez mon cher président et que vous défendiez l'isolationnisme. C'était d'ailleurs votre droit de patriote et vous le partagiez avec le président Hoover.

— Puisque vous citez Hoover, dit le colonel, je vous rappellerai son allocution radiodiffusée à la veille de notre alliance militaire avec les Soviets : « Une guerre aux côtés de Staline pour imposer la liberté est plus qu'une comédie : c'est une tragédie. » La tragédie, vous l'avez aujourd'hui un peu partout dans le monde. Mais je vous rends la parole, mon cher Bob.

— Le peu de considération et de confiance que Roosevelt avait dans celui qu'on appelait alors le chef des Français libres, reprit Mr Murphy, venait des Français libres eux-mêmes. Parmi les représentants de la France aux Etats-Unis, un seul avait pris parti pour la résistance : l'attaché commercial Garreau Dombasle. Le reste de l'ambassade, où figurait d'ailleurs le futur ambassadeur de France à Washington, Alphand, tout le personnel consulaire, la Chambre de commerce française de New York, les associations d'Anciens combattants, presque toutes les Alliances françaises restaient fidèles au gouvernement de Vichy. Et parmi les Français réfugiés aux Etats-Unis, l'enthousiasme envers ce général qui avait lancé de Londres son courageux appel était plus que mitigé. Il envoya aux Etats-Unis un de ses futurs ministres, Pleven, pour constituer une délégation. Personne ne voulut en faire partie : Jean Monnet, l'un des meilleurs hommes politiques de la France, se déroba ; le futur ambassadeur Henri Bonnet aima mieux aller travailler à l'Université de Chicago; Francis Perrin, l'actuel haut-commissaire à l'Energie atomique, aima mieux être professeur à Columbia ;

564

l'écrivain Maritain, qui fut ensuite ambassadeur au Vatican, aima mieux aller enseigner à Princeton ; l'ancien secrétaire général du Quai d'Orsay, Léger, aima mieux rester bibliothécaire du Congrès à Washington ; l'académicien Maurois était pétainiste ; l'ancien président du conseil Chautemps faisait, lui aussi, bande à part.

« Après bien des difficultés, Pleven trouva cinq personnes : le journaliste Roussy de Sales, Boegner, fils d'un des chefs de l'Eglise protestante française, Siéyès, agent de Patou, le syndicaliste Tixier et Aglion, ex-attaché libre au Caire. Boegner donna sa démission avec fracas quelques mois plus tard en revenant de Londres : il avait vu le général et déclara que sa conscience ne lui permettait pas de suivre un homme ambitieux et autoritaire. Roussy de Sales était lié avec Frankfurter, qui rapportait à Roosevelt les propos de ce délégué du général : il disait avoir accepté de faire partie de la délégation par patriotisme, mais détester celui qu'il représentait. Dans son journal, publié après sa mort, et qui, dit-on, a été édulcoré, il proclame plusieurs fois qu'il n'est pas DeGaulliste et nous n'en doutions pas. Imaginez donc les sentiments que pouvait avoir Roosevelt pour le général de Gaulle. Ajoutez que le chef de la délégation fut Tixier, qui avait plus les manières d'un briseur de grèves que d'un diplomate, et c'est lui qui incarnait de Gaulle à Washington. Ses gaffes étaient heureusement réparées à New York par Aglion, petit bonhomme de la plus grande valeur, qui arriva peu à peu à contrôler toute la colonie française malgré la présence de l'ambassadeur de Vichy, et que je n'ai plus revu depuis la conférence de San Francisco.

« Nous avions un autre informateur : Henri de Kérillis, ex-député de la Seine, qui a publié à Montréal, juste à la fin de la guerre, un livre terrible dont le titre est prophétique : *De Gaulle dictateur*, et le sous-titre : *Une grande mystification de l'Histoire*.

Ces derniers mots me rappelèrent notre cher professeur de français parlant du mythe et de la mythologie du chef actuel de la France.

— Roosevelt, reprit Mr Murphy, était le contraire d'un dictateur et d'un mystificateur.

— Vous m'amusez en me rappelant le nom de Roussy de Sales, dit Hamilton Fish ; on m'a montré son livre où il me juge « plus bête que méchant ».

— C'était une réplique à votre isolationnisme, dit l'ambassadeur. Kérillis raconte ses efforts inutiles pour engager de Gaulle à venir voir Roosevelt, durant la guerre, comme le firent tous les chefs d'Etat, de gouvernements ou de comités réfugiés à Londres. Le général refusa parce qu'on ne lui reconnaissait pas les prérogatives de chef d'Etat. Roosevelt n'avait aucune qualité pour créer des chefs d'Etat imaginaires. De Gaulle n'a jamais pu le comprendre. Ce qu'il ne comprenait pas davantage et n'a pas encore compris, c'est que, pour nous, la France de Vichy et l'Afrique du Nord qui en dépendait, étaient infiniment plus importantes que lui et son Comité de Londres. Sans lui et sans son Comité, nous aurions gagné la guerre ; mais nous aurions peut-être mis dix ans de plus à la gagner, sans nos relations avec le gouvernement de Vichy et sans ce que j'ai pu faire en Afrique. Je ne dis pas cela pour me vanter, car n'importe quel autre diplomate américain, connaissant la France et connaissant la situation européenne, aurait fait la même chose.

— Ne soyez pas si modeste, Bob, dit le colonel. John Lardner, l'ancien correspondant de *Newsweek* à Alger a écrit à juste titre que vous étiez un de ces diplomates qui font l'Histoire.

— Et vous avez dépeint votre rôle avec une admirable modestie dans votre livre, *Un diplomate parmi les guerriers*, dit le père de Jim.

— Dans mon livre, je n'ai pu tout dire, continua l'ambassadeur. Par exemple, je n'ai pas voulu citer le mot de Roosevelt à de Gaulle lorsqu'ils se rencontrèrent à Casablanca : « Enfin, choisissez, qui voulez-vous être ? Clemenceau ou Jeanne d'Arc ? »

566

Je n'ai pas dit que nous interceptions les télégrammes du général de Gaulle et que nous étions peu flattés de nous voir appelés « les étrangers ». Le mot est fâcheux pour un général qui devait rentrer en Afrique du Nord et en France « dans les fourgons de l'étranger ».

— Oui, dit le colonel. J'ai publié deux ou trois articles intitulés : « De Gaulle est-il anti-américain ? » Je n'ai pas cité les paroles de Roosevelt, qui n'étaient pas faites pour rendre de Gaulle pro-américain, mais le texte d'un mémorandum de Roosevelt à Churchill où il est qualifié de « prima donna ». Nous lui avons multiplié vraiment les amabilités.

— Prima donna et Jeanne d'Arc, dit le père de Jim, c'est beaucoup pour un seul homme.

— Pour nous, dit l'ambassadeur, il n'était qu'un agent de l'Angleterre et j'ajouterai : un agent dont les Anglais avaient par-dessus la tête. McMillan m'avait même avoué qu'il leur coûtait cher : soixante millions de livres sterling, si j'ai bonne mémoire, mais il les a remboursés. Son attitude d'aujourd'hui est celle d'un homme qui passe son temps à jouer de mauvais tours, soit à ses anciens bailleurs de fonds, soit à ceux qui lui ont fait faire antichambre. Non seulement il avait refusé de venir à Washington, mais, ce qui était le plus extraordinaire pour un général, chef des Français libres, il refusa de venir en Afrique du Nord au lendemain du débarquement et Churchill dut lui en donner l'ordre. La vanité blessée n'a jamais été mise à si haut prix. En cela, de Gaulle est français plus que personne. Nous oublions constamment cette remarque de Stendhal, que « la passion nationale, en France, c'est la vanité ».

« Il est vrai que, si de Gaulle nous appelait « les étrangers », ce n'est pas lui que nous appelions dans notre code « le vieux gentleman ». C'était le surnom, tour à tour, du général Weygand et du général Giraud, avec qui je menais des négociations secrêtes pour ce qui fut « l'opération Torche ». L'amiral Darland me fut aussi utile jusqu'au jour où on l'assassina — et le général Giraud échappa de justesse au même sort. De Gaulle, quand il finit par arriver, ne me cacha pas qu'il était beaucoup plus intéressé par la politique que par la guerre. Et sa politique, quand il fut reconnu par nous à Alger sur les supplications de Churchill, parvenait même à nous gêner pour la guerre. J'ai raconté comment Churchill le menaçait du doigt en lui disant, dans son français particulier : « Mon général, il ne faut pas « obstacler » la guerre. »

« Son entreprise sur Saint-Pierre-et-Miquelon fut le premier exemple de son égocentrisme. Nos principaux services d'information étant liés à notre présence auprès du gouvernement de Vichy, nous devions faire observer notre promesse de ne pas laisser passer sous une autre suzeraineté les possessions de la France dans notre hémisphère, non plus qu'en Afrique. Par conséquent, la ridicule opération de prestige qui établit les Français libres à Saint-Pierre-et-Miquelon pouvait donner à la France un prétexte pour laisser établir les Allemands aux Antilles et changer le sort de la guerre. Cette nouvelle causa l'une des grandes fureurs de Roosevelt. Il fut sur le point de faire chasser les DeGaullistes qui venaient de débarquer, mais une partie de la presse américaine ne comprenait déjà pas la subtile raison de nos rapports avec Vichy, et de plus cela aurait fait sursauter l'Angleterre. Aglion suggéra un plébiscite qui apaisa les sentiments démocratiques de Roosevelt.

« Le maintien du statu quo jusqu'au moment décisif était d'autant plus nécessaire qu'il y avait, partagés entre la Martinique et Dakar, les dépôts d'or de la France. Nous avions la garantie de l'amiral Robert, gouverneur de la Martinique, et celle de Boysson, gouverneur de l'Afrique occidentale française, que ces dépôts ne seraient pas livrés aux Allemands.

— Il ne faut pas s'étonner, dit Jim, que Gaullefinger nous en veuille de l'avoir laissé si longtemps haleter après cet or.

— Il s'est fait un complexe auripète, dis-je.

— Ces jeunes gens pour qui je parle, dit Mr Murphy, ne manquent pas d'esprit.

— Vous parlez aussi pour nous, dit Hamilton Fish.

— Notre politique avait un double but, reprit Mr Murphy : alléger les souffrances du peuple français et préparer sa libération. Lorsque j'ai conclu un accord économique avec le général Weygand pour établir un commerce entre l'Afrique du Nord et les Etats-Unis, l'application en fut retardée et ensuite rendue impossible par l'acharnement du général de Gaulle qui influait sur Churchill. Il ne voulait pas que l'on ravitaillât la France et prétendait, malgré les précautions que j'avais prises, que cela irait aux mains des Allemands. Du reste, ses bavardages aboutirent au rappel du général Weygand, alors représentant de Vichy à Alger. Celui-ci était bien le contraire d'un général politicien : il déclina l'offre que le fils de MacArthur alla lui porter dans le midi de la France, de prendre la tête d'un gouvernement libre à Alger.

« Après la libération, de Gaulle, qui avait refusé de venir voir Roosevelt pour des questions de prestige, consentit à venir voir Truman pour des questions d'argent. Ce dernier lui accorda un emprunt de six cent cinquante millions de dollars, négocié par Monnet. Alors de Gaulle célébra l'amitié franco-américaine.

— Il déposa une couronne sur la tombe de Roosevelt, dit le colonel.

— La joie de voir son ennemi mort... dit Mr Murphy — c'est un mot historique. Quand Roosevelt, malade, avait fait escale en Algérie à son retour de Yalta, de Gaulle ne s'était pas dérangé pour aller saluer le libérateur de l'Europe. Mieux encore : la presse de la France libérée se mit à nous traiter à peu près comme celle de la collaboration. Le président du conseil, Bidault, osa dire : « Je n'ai pas le moindre doute que le président Roosevelt soit un grand ami de la France, mais... » C'était le 6 octobre 1944, six semaines après la libération de Paris. On ne peut pas dire de la gratitude, je ne dis pas de la France, mais de l'équipe DeGaulliste, ait duré longtemps.

— Il faut reconnaître que ce « mais » était un peu fort, dit le colonel.

J'avais visité l'an dernier, avec Jim, le musée de West Point et je n'y avais pas admiré seulement les trophées de Gœring et de Mussolini auxquels notre cher professeur de français avait fait allusion. Je parlai des drapeaux français qui garnissaient toute une vitrine et qu'avaient signés les maires des villes libérées par l'armée américaine. Ils y avaient écrit : « Vive l'Amérique ! » ou bien : « Honneur et gloire à la vaillante armée américaine ! » Jim étonna beaucoup nos hôtes en disant, d'après un de ces drapeaux français, que Verdun avait été libéré par nos troupes le 31 août 1944. Son père diminua le mérite de sa mémoire lorsqu'il précisa que le 31 août était la date de sa naissance.

J'ajoutai combien nous avions été frappés de voir que les enfants qui se trouvaient là en visite ne s'intéressaient qu'aux vitrines de la guerre du Vietnam : c'était leur guerre, celle qu'ils voyaient à la télévision, celle que faisaient leurs frères aînés — et je me dis in petto : celle que j'allais faire. Dans les vitrines du Vietcong, ils contemplaient les armes de nos ennemis, ornées de cette inscription : « French made », à côté des modèles chinois ou russes.

— Cela ne nous empêchera pas de délivrer Verdun une troisième fois, dit le colonel.

— La France, dit le père de Jim, a été une des principales bénéficiaires du plan Marshall. J'étais à la fête du commencement de Harvard, en juin 1947, où le général Marshall annonça, dans son discours, le plan qu'il venait d'imaginer pour aider l'Europe.

— Dix-sept milliards de dollars, dis-je, me souvenant du chiffre que m'avait lancé Mr Hunt.

570

— Et sur lesquels il y eut trois milliards de dollars pour la France, reprit le père de Jim. Je ne suis pas fâché que *Time* ait publié ces jours-ci la photographie du premier bateau du plan Marshall arrivant à Bordeaux.

— De plus, dit l'ambassadeur, la France a reçu en son temps une avance d'un milliard de dollars de l'Export Import Bank. Notre ami George Ball, qui va certainement faire merveille aux Nations unies, et qui est très fier de citer sa Légion d'honneur dans ses notices biographiques, fut le conseiller général de l'Aide à la France dans ces années où le général de Gaulle disait beaucoup de « mais » et demandait beaucoup de millions de dollars.

« L'Europe qui, à l'exemple de la France, se met à repousser le dollar alors que notre aide de guerre avait été déjà de quarante milliards de dollars, avait, comme la France, une soif dévorante de dollars après la guerre : elle nous demandait à tout instant de différer ses paiements en dollars de ce que nous lui fournissions pour l'aider à se reconstruire. La politique de l'or que lance de Gaulle représente un retour au passé, au goût de la thésaurisation, à tout ce qui est le contraire de ce qui a fait notre prospérité et qui pouvait accroître celle de l'Europe. Il est vraiment incroyable que le chef d'un grand pays ou au moins d'un pays ayant une grande tradition, se fasse le promoteur d'une telle politique.

« Nos industries se sont relevées de la crise et amplifiées à l'infini parce que Roosevelt, en 1934, nous a interdit d'acheter de l'or. Chez nous, les seules personnes qui s'intéressent à l'or sont les bijoutiers et les dentistes ; en Europe, ce sont les spéculateurs et les économistes attardés. On en a une nouvelle preuve par ce qui se passe : les Américains restent indifférents à cette spéculation, même s'ils réagissent contre son principe, et de Gaulle est devenu le roi Midas de la France. C'est parce que les Français cachent six milliards de dollars d'or improductifs dans leurs coffres, leurs bas de laine, leurs jardins ou leurs greniers, qu'il y a tant d'affaires américaines installées en France. Dire que c'est moi qui, en 1940, ait fait transporter l'or français — quinze mille tonnes —, par un croiseur américain de Bordeaux à Dakar ! et que je menai cette opération avec Jacques Rueff, alors vice-gouverneur de la Banque de France, aujourd'hui inspirateur de cette folle politique ! et que je recommandai Couve de Murville à Morgenthau pour les négociations financières françaises en Afrique du Nord ! et que j'ai fait son éloge dans mon livre alors qu'il est devenu l'un de nos plus farouches adversaires. (« Je suis allergique aux Américains », a-t-il dit gracieusement devant Mrs Sulzberger, comme s'il ne savait pas ce qu'elle est au *New York Times*.) J'ai appris qu'il avait sa part, avec Rueff, dans cette politique de l'or. Et le voilà qui, de ministre des Affaires étrangères, redevient ministre des Finances ! La prétention des ministres DeGaullistes stupéfie et amuse nos représentants. Lorsque Katzenbach a été envoyé à Paris pour discuter avec Debré, le ministre des Finances, ce dernier lui parlait comme à un petit garçon, au nom de la France éternelle. Et le voilà, de ministre des Finances, devenu ministre des Affaires étrangères !

— Il est amusant, dit le père de Jim, de voir la France douter de la solvabilité de l'Amérique qui fait huit cents milliards de dollars d'affaires par an. Un économiste disait récemment que nous étions dans le cas d'un homme qui aurait huit mille dollars de revenu dans son pays et cinquante dollars de dettes à l'étranger. Mais l'étranger veut lui faire payer ses cinquante dollars en or. De Gaulle fait semblant d'ignorer que le dollar est plus sûr que l'or.

— De Gaulle, Hô Chi Minh, nous avons vraiment contre nous tous les grands de la terre, dit Jim.

— Ils ne sont pas grands, dit le colonel, mais ils savent tirer.

— De Gaulle nous tire dessus avec un beau pistolet en or, dis-je.

— Je me permets de répéter, dit le colonel, qu'il

ne fait que nous rendre la monnaie de notre pièce. Eden a qualifié de mesquine l'hostilité de Roosevelt envers le chef des Français libres. Et, si Roosevelt était le contraire d'un dictateur, bien qu'ils nous eût mis en guerre après avoir juré qu'il ne le ferait pas, de Gaulle est le contraire d'un homme mesquin. Vous avez achevé de l'irriter en l'excluant des secrets atomiques et le général Twinin, ancien président des chefs d'états-majors unis d'Eisenhower, a déploré publiquement cette exclusion. Il y a donc ici des partisans de cet homme impossible.

— Je m'étonne, colonel, dit Mr Murphy, que le chef d'un ordre qui récompense les adversaires du communisme et dont je m'honore de faire partie, prenne tellement la défense du meilleur ami des Soviets.

— Comment, le meilleur ami des Soviets ? répliqua le colonel. Il vient, pour réveiller la France, de faire une philippique contre le communisme qui me donne envie de lui décerner l'ordre de La Fayette.

— Eh oui, dit l'ambassadeur, et c'était justement à son retour d'un voyage triomphal dans un pays communiste. C'est un homme qui a passé son temps à soulever le rideau de fer, pour montrer qu'il a des muscles. Le courant d'air a failli l'emporter. Aussi, alors qu'il laissait attendre Sargent Shriver, notre nouvel ambassadeur, depuis plus de trois semaines, pour la remise des lettres de créance, il l'a reçu, avec des compliments pro-américains, dès que les affaires ont mal tourné. C'est toujours la même chose : il nous aime quand il a besoin de nous. Avez-vous remarqué son brusque changement de ton envers les Français aussitôt après cette entrevue ? Ce n'est pas seulement, comme on l'a écrit, parce qu'il s'était assuré l'appui des chefs de l'armée française pour faire tête à une éventuelle insurrection communiste. Il avait eu l'assurance — je vous supplie de me garder le secret —, que nous ne laisserions pas un régime communiste s'établir en France.

— En somme, dit le colonel, Roosevelt voulait

désarçonner de Gaulle et Johnson l'a remis en selle. A mon avis, ce n'est pas ce qu'il a fait de plus mal.

— Il pratique mieux que de Gaulle le pardon des injures, dit le père de Jim. Il n'y a pas si longtemps que nous avons vu, dans les journaux, en quels termes inouïs le chef de la France s'exprimait à l'égard de notre président. Il le définissait « un cow-boy qui, né au pays du colt, a fait son chemin jusqu'à la charge de shérif et qui, né en France, aurait dû aller chasser le buffle en Afrique ». Il ne sait évidemment pas que le grand-père de Johnson a fondé Johnson City (ce n'est ni Houston ni Dallas, mais enfin c'est une ville) et je ne sache pas que de Gaulle ait fondé nulle part une ville, même en Afrique.

— Il ne sait pas non plus, dis-je, qu'un de nos présidents, Cleveland, s'est honoré d'avoir été shérif et, en cette qualité, d'avoir pendu un meurtrier.

— Mais, dit Mr Murphy, quand nos présidents étaient des généraux, c'étaient de vrais généraux.

Je dis que j'avais été heureux de voir l'historien anglais D. K. Adams, professeur d'études américaines à l'Université de Keel, dans le Staffordshire, saluer le président Johnson comme « un grand génie politique ».

— De Gaulle est un grand brouillon politique, dit Jim.

Je demandai à Mr Murphy si les accords de Yalta n'interdisaient pas, de toute façon, l'établissement d'un régime communiste en Europe occidentale.

— Oui, en principe, dit Mr Murphy, mais la signature des régimes totalitaires est toujours sujette à caution. C'est pourquoi nous avons créé la N.A.T.O. De plus, le monde jaune et ses alliés de toutes couleurs font feu des quatre fers pour provoquer la rupture des accords de Yalta.

— N'est-il pas étrange, dit le père de Jim, que les agents des services secrets français commencent à s'enfuir, comme ceux des services secrets soviétiques ? On a beaucoup parlé ces temps-ci de l'ancien agent des services secrets français, le colonel Thiraud de Vosjoly, réfugié aux Etats-Unis, qui dénonce la présence d'espions soviétiques dans les ministères français et jusqu'à l'Elysée.

— Sans doute, dis-je, la C.I.A. veut-elle persuader le général de Gaulle que, s'il se vante d'avoir chassé les « espions américains », la place a été prise immédiatement par les espions soviétiques. « Il n'y a pas le choix. »

— Le général de Gaulle, dit Mr Murphy, a toujours eu des liens mystérieux avec le pays du général Hiver. La Russie fut la première à reconnaître son existence quand il était à Londres, et dans des termes si flatteurs et si catégoriques que nous en fûmes étonnés. Son premier voyage, comme chef du gouvernement d'Alger, fut à Moscou, mais sa jactance énerva Staline et nous eûmes du mal à faire admettre par l'oncle Joe le droit de la France à occuper l'Allemagne. Enfin, il prit les communistes dans son premier gouvernement à Paris. Il n'y a pas d'autres motifs pour notre répugnance à livrer nos secrets atomiques à cet homme-là.

« Le Canard Enchaîné, qui est, avec Le Monde, le seul journal sérieux qu'il y ait en France, a publié un bien amusant écho de Budapest. La radio hongroise a demandé à ses auditeurs, après la visite à Paris du chef du gouvernement hongrois, qui était le général de Gaulle. Vingt-cinq pour cent ont répondu : « Le secrétaire général du parti communiste français. » Sans commentaires, comme on dit...

— Il est certain, dit le père de Jim, que la politique actuelle de la France semble dictée par le Kremlin. Un diplomate soviétique disait récemment à l'un de nos délégués aux Nations unies, qui me l'a répété : « Nous n'avons plus besoin de prendre la parole dans les réunions internationales : la France le fait pour nous. »

— Ce qui est bouffon, reprit l'ambassadeur, c'est que cette politique de sujétion envers la Russie et d'agressivité à notre égard s'inspire d'une prétendue neutralité de la France. S'il y avait une troisième guerre mondiale, la neutralité de la France durerait vingt minutes.

— Je suis de votre avis, dit Hamilton Fish, mais elle veut nous faire payer ces vingt minutes.

— De Gaulle parle beaucoup trop de moi dans ses *Mémoires*, continua Mr Murphy. Il va sans dire que c'est en termes peu sympathiques. Pour lui, je n'étais qu'un vulgaire conspirateur du moment que je ne conspirais pas avec lui. Lorsqu'il eut débarqué en Afrique par force, il me reprocha d'avoir sous-estimé les appuis dont il y disposait. Pendant longtemps, ils ne furent pas plus nombreux à Alger qu'à New York. Le principal DeGaulliste était un professeur de droit nommé Capitant, qui a été ministre après la libération et qui l'est redevenu dans le tout dernier cabinet. C'est pourquoi j'ai été fort intéressé de recevoir, d'un ami parisien, un « Manifeste pour l'indépendance de l'Europe », qui est un appel à secouer « l'hégémonie américaine », source d'« oppression », de « guerre » et même de « famine » (ce mot inattendu y figure en toutes lettres), et une invitation à se jeter dans les bras des démocraties populaires, de l'Union soviétique et de la Chine, à qui nous envoyons du blé. Parmi les premiers signataires de ce manifeste figurent l'académicien Mauriac, porte-coton du général, et le Pr Capitant.

Jim me lança un regard féroce et murmura entre ses dents :

— Mauriac, prix Nobel !

— Oui, dit Mr Murphy, et le grand homme du journal officiel et de l'hebdomadaire officiel de la bourgeoisie française. C'est une preuve entre mille de la confusion des esprits qui règne en France. Et le manifeste parle de nos « contradictions » ! Celles du général entraînent celles des autres. Mais quelle confiance aurions-nous en lui, cher colonel, en le voyant condamner le communisme et, le lendemain, prendre pour ministre le signataire d'un manifeste pro-soviétique et pro-chinois ?

« Le département d'Etat publie, en ce moment

même, les documents diplomatiques auxquels Truman fait allusion dans ses *Mémoires* et qui ont trait à ses difficultés avec de Gaulle. Roosevelt était mort et il ne s'agissait donc plus de venger des blessures d'amour-propre. Truman dut menacer de suspendre toute fourniture aux troupes françaises pour les obliger à évacuer Stuttgart et la vallée d'Aoste. Et de Gaulle, qui contrevenait là aux accords stipulés avec Eisenhower, se plaignait toujours des « humiliations » de la France. Truman, aussi exaspéré que l'avait été Roosevelt, voulut faire un coup d'éclat en révélant que le commandant français dans la vallée d'Aoste menaçait, sur les instructions du général, d'ordonner à ses troupes de tirer contre les Américains. Churchill le supplia de n'en rien faire car cela aurait renversé de Gaulle. Et pourtant, lui dit-il, cet homme « est le pire ennemi de la France dans ses troubles et l'un des plus grands dangers de la paix européenne ». Je crois qu'il n'y a rien à ajouter à un pareil jugement : le département d'Etat a encore la courtoisie de ne pas le révéler, mais Truman s'en est fait un devoir parce que c'est le jugement de l'Histoire.

On se leva pour aller prendre le café dans un salon. La devise de Harvard, « Veritas », que l'on voyait briller par-ci par-là, avait été illustrée par les confidences diplomatiques que nous venions d'entendre, mais elles me rappelaient maintenant le calembour des étudiants de Harvard : « Demi-tasse. » Tel n'était pourtant pas le cas avec les tasses du club, qui sont célèbres par leur dimension, car elles contiennent cinq ou six tasses ordinaires. C'est le président Theodore Roosevelt à qui on les doit : il avait fait observer que la seconde tasse de café n'avait jamais le même goût que la première. A l'américaine, on avait sextuplé. En remuant le sucre dans sa tasse, Jim dit connaître le fils du créateur des « cuillères des trente-six présidents » dont cette idée avait fait la fortune. Le succès de ces trente-six cuillères d'argent qui représentent, ciselés en relief, nos présidents et un souvenir de leur administration, était une preuve amusante de notre nationalisme et de notre patriotisme.

— Je voudrais bien savoir, dis-je, si un Français ferait fortune avec des cuillères portant la tête du général de Gaulle.

4

— « Culture ! » me dit Jim, comme l'écolier du Metropolitan Museum, quand nous eûmes pris congé de nos trois compagnons, au seuil du Harvard Club.

— Oui, dis-je, mais culture vivante. J'aime mieux rencontrer des hommes comme ceux-là que de visiter des musées de cire.

L'ambassadeur et le père de Jim tournaient au coin de la Cinquième Avenue ; Hamilton Fish s'engouffrait dans l'immeuble où l'ordre de La Fayette luttait contre le communisme. Quelqu'un qui descendait l'escalier derrière nous interpella Jim.

C'était un jeune homme élégant, strictement vêtu de noir. Jim nous présenta. Fred Koch était l'un des fils du grand pétrolier du Kansas, membre du comité de la John Birch Society et dont m'avait parlé Mr Hunt. Décidément, je trouvais partout à New York les références de l'homme le plus riche du monde et toujours dans la lutte contre le communisme. Lorsque je fis allusion à ce qu'il m'avait dit de son père, le visage du jeune homme eut un voile de tristesse.

— Oui, dit-il, mon père était un « chic type » et un grand patriote, mais vous n'aurez pas le plaisir de le connaître : il est mort au printemps.

Nous exprimâmes nos condoléances.

— Il a eu une belle fin pour un homme qui n'aurat pas aimé mourir dans son lit, reprit Fred Koch. Bien que malade, il voulut aller chasser en Utah. Il était assis dans une hutte pour la chasse aux canards, en vit un, se leva, le tira et dit à son rabatteur : « C'est le plus bel oiseau que j'aie tiré de ma vie. » Et il tomba mort.

Après avoir fait les réflexions que méritait ce récit, Jim prit un air plus gai pour dire :

— Et te voilà accablé, mon cher Fred, d'un déluge de millions de dollars.

— Oh ! relativement. Ce qui me plaît, c'est que le dernier acte de mon père, peu avant sa mort, ait été un geste de charité. Il avait déjà créé une fondation à son nom, qui doit durer cent ans et à laquelle il laisse dix millions de dollars. De plus, il a stipulé que, pendant le même temps, ses héritiers devront donner cinq cent mille dollars par an à des institutions charitables.

— Cela me confirme, dit Jim, que tu n'es à plaindre que... relativement.

— Je suis venu déjeuner avec un ancien camarade de Harvard ; nous étions dans la galerie d'où je vous ai vus en importante compagnie. Puis je suis resté pour écrire quelques lettres et je rentrais chez moi. Où allez-vous donc ?

— Nous sommes en vacances, Jack et moi, frais émoulus de notre licence en sociologie à Berkeley, dit Jim. Pour lui, ce sont des vacances qui comptent : il va nous défendre au Vietnam.

— Bravo ! dit Fred. Bravo pour le Vietnam et pour la licence ! Vous me rappelez mes beaux jours à Harvard où, par chance, il n'y avait aucun pays à défendre ; mais quand j'étais dans ma high school, je rêvais d'aller vous défendre en Corée. Venez donc chez moi ; j'attends des amis qui vous intéresseront.

— Tu habites toujours au Plaza ? demanda Jim.

— J'ai choisi la liberté. Mon appartement est près de Greenwich Village.

— Je comprends pourquoi des coins de Greenwich Village sont maintenant si recherchés, dit Jim. D'un côté, les hippies, de l'autre, Fred Koch. Voilà encore de nos contrastes, Jack.

Un taxi nous déposa bientôt non loin de la place où commence Greenwich Village. La maison où nous entrâmes était cossue, mais n'annonçait pas la résidence d'un milliardaire. Il habitait au premier.

— Quoi ! dit Jim, tu n'as pas, comme tout le monde, un appartement sur le toit, avec jardin suspendu ?

— J'ai pourtant un appartement où l'on voit les étoiles, dit Fred.

Ce mot mystérieux m'évoqua la phrase d'Aleister Crowley que Jim m'avait rappelée et le luminaire de Kenneth Anger, qui faisait tourner des étoiles. L'appartement, très vaste, était meublé avec un goût raffiné à l'extrême, mais sans luxe ; des tapis épais, quelques beaux tableaux modernes, une immense bibliothèque.

— Cette bibliothèque est une partie de ma vie, nous dit Fred. J'ai une collection peu banale de livres sur le théâtre et le cinéma parce que c'est surtout cela qui me passionne. J'irai bientôt à Londres pour étudier à la Ligue britannique du drame. Je voudrais renouveler, galvaniser Broadway et Hollywood. Quelle prétention ! Mais je pense que la proximité de Greenwich Village donne la vraie note intellectuelle et artistique de notre temps.

Je lui demandai s'il s'occupait de la John Birch Society.

— À mes yeux, dit-il, la politique, c'est la génération de mon père. Je ne me soucie que d'art et de beauté. Mais ce que je trouve excitant, c'est de vivre ici, tout près de l'étrange, du perpétuel inattendu. Hier au soir, dans un bar du Village, il y avait un jeune homme tenant un autre jeune homme par une laisse, avec un collier de chien au cou. « Je promène mon ami avec une laisse, disait-il, parce qu'il m'a trompé. » Et si vous poussez jusqu'au bar des amateurs de cuir, à East Village, vous voyez les clients timides regarder en dessous les gros camionneurs en blouson, les motocyclistes vêtus de cuir de la tête aux pieds, et qui écoutent une musique triste. Puis les motocyclistes disparaissent dans la nuit, sur leurs machines pétaradantes, avec leurs proies en croupe. Au bord de la rivière sont arrêtés les camions qui servent d'alcôves aux camionneurs et aux camionnés. Et de temps en temps passent les voitures de la police, qui inspecte, avec des lampes-torches, l'intérieur des camions. Quelquefois les camionneurs accrochent sur la bâche la pancarte qui annonce des travaux sur les chaussées : « Hommes au travail. » Et la police, disciplinée, respecte ce signal. Le symbole de tout cela est l'Arc de triomphe de Washington Square dont le jardin est le rendez-vous des hippies : sous la prohibition, le maire de New York avait fait installer un salon à l'intérieur de la voûte, pour boire de l'alcool avec ses amis.

« Dans tel restaurant de Greenwich Village, vous devez réserver plusieurs jours d'avance la place où l'un des gangsters de Cosa Nostra a été criblé de balles par trois de ses associés du marché de la drogue. Mais vous n'avez plus à rêver devant la maison du faux baron ou faux comte allemand, chirurgien esthétique très particulier, qui vient de se tuer à Hollywood.

Je demandai si ce n'était pas celui qui avait eu un procès pour avoir manqué les seins d'une doublure d'Elisabeth Taylor.

— Exactement, dit Fred ; mais il lui était difficile de faire des seins avantageux : à Greenwich Village, il faisait surtout les seins mignons des travestis.

Je dis à Jim que Sunny m'avait parlé de ce suicide, dans un de ses derniers coups de téléphone à Berkeley : il semblait d'ailleurs qu'il y eût à Hollywood une épidémie de suicides.

— Hollywood, dit Jim, c'est un autre pont de Golden Gate. On sait qu'on ne peut aller plus loin.

— A Greenwich Village, reprit Fred, ce douteux

personnage passait pour baron et à Hollywood pour comte. Il se disait d'origine allemande et, en fait, portait un nom allemand, mais on croit qu'il était américain. Il avait beaucoup d'argent, le dépensa avec des garçons, protégea un danseur qui est devenu célèbre, épousa une juive qu'il croyait riche et qui le croyait comte ou au moins baron, la conduisit à Haïti où elle mourut mystérieusement, fut accusé de meurtre, mais acquitté parce qu'une femme a le droit de mourir mystérieusement à Haïti.

« Une autre fois, la police le surprit en train de faire un avortement : il fut acquitté de nouveau parce qu'on était entré chez lui sans mandat de perquisition. Enfin, on venait de le condamner par ici pour cinq avortements et il se trouvait en liberté provisoire sous caution de vingt-cinq mille dollars, quand il a préféré quitter ce monde, dans le voisinage des vrais seins d'Elisabeth Taylor.

« Sa jolie petite maison de Greenwich Village, toujours éclairée de lumières roses, intriguait les promeneurs nocturnes. On voyait entrer ou sortir des garçons qui étaient peut-être des filles, des filles qui étaient peut-être des garçons. Les lumières roses ont brûlé pendant huit jours après sa mort. Puis tout s'est éteint. J'avais envie d'acheter la maison, mais c'était un peu macabre. »

Le valet noir, qui nous avait déjà servi des boissons, fit entrer les quatre plus beaux êtres que j'eusse vus de ma vie : deux jeunes gens et deux jeunes filles autour de la vingtième année. C'était à croire qu'ils sortaient d'un tableau classique, mais retouché par une palette moderne et américaine : leur mélange de grâce et d'énergie, de naturel et de distinction, de hardiesse et de froideur, était aussi ravissant que leurs traits.

— N'est-ce pas ? dit Fred en nous les présentant, j'ai des amis de choix, en dehors de ceux que je trouve au Harvard Club. Ils sont mes livres, mon théâtre, mon cinéma et je me demande ce que je vais faire à Londres quand je n'ai qu'à les étudier.

— Et nous, dit l'une des jeunes filles en montrant Fred, nous l'étudions.

J'étais aussi hypnotisé par ces deux filles que Jim par les deux garçons. Nous élargîmes le cercle autour de la table chinoise où étaient les cigarettes, les verres et les boissons.

— J'ai mis deux ans, nous dit Fred, à découvrir, dans New York, ces quatre personnes. Elles ne se connaissaient pas et se sont connues par moi. Vous vous doutez, j'espère, que je ne les ai pas rencontrés dans la rue. Elles viennent des plus hauts échelons de la société ; mais le fait d'y être plus ou moins soi-même ne vous permet pas toujours d'y joindre ceux que vous désirez. Pour mon théâtre personnel, je ne voulais pas de simples stars. Les étoiles du ciel social ne sont pas celles de la foule. Mais vous voyez, par l'endroit où j'habite, que je tiens à vivre au bord du fleuve de la vie. Le père de chacune de mes étoiles est lui-même une étoile de sa profession. Celui de Ronald le blond est une des têtes de la General Motors (chiffre d'affaires de cette année : vingt milliards de dollars) ; le père d'Anthony le brun, de la Standard Oil (quatorze milliards de dollars) ; le père de Mavis la brune, de l'American Telephone (treize milliards de dollars) et le père de Maryen la blonde, de la Ford (dix milliards de dollars).

Nous étions obligés de rire devant cette réunion de vedettes d'un nouveau genre, représentant les quatre plus grandes affaires américaines.

— Devinez comment je m'y suis pris, nous demanda Fred.

— Je vois, dis-je, des relations possibles entre la Koch Oil et la Standard Oil, mais le reste...

— Cela ne met pas sur le chemin des étoiles, dit Fred.

— Tu as dû mobiliser des armées de détectives, dit Jim — peut-être l'Agence Bishop.

— Il n'y a pas de détectives de la beauté, dit Fred. Je ne pouvais écrire non plus aux administrateurs de ces compagnies pour leur demander de m'envoyer les photographies de leurs enfants, ayant au moins dix-huit ans.

« Bien que notre pays soit immense, les enfants d'une certaine société vont presque toujours dans les mêmes collèges. Je me suis donc procuré des livres d'adresses et les albums de fin d'année de nos principales high schools, où l'on peut se livrer à ce genre de recherches. Le reste a dépendu de mon entregent. »

J'échangeai un sourire avec Jim, en pensant à notre Address Book et à notre Pot-Pourri d'Andover.

— Je ne suis pas arrivé du premier coup à Mars, Sirius, à Vénus et à la Vierge, reprit Fred. Parfois, les photographies sont trompeuses ; d'autres fois, la situation des familles a changé. Je fus impitoyable : la plus grande beauté du monde ne m'intéressait pas, dès qu'elle avait quitté la hauteur où je la voulais fixée ; la hauteur sociale ne m'intéressait pas davantage, dès que les canons de la beauté n'étaient pas remplis. C'était ma façon de rendre hommage au capitalisme, à l'anticommunisme, à la société américaine, à tout ce que mon père a fait durant sa vie et que je transposais à ma façon. Il va de soi que je demandais à mes partenaires d'épouser mes idées sur ce point. Grâce au ciel, il n'y a eu qu'une élimination : le fils d'un des « tops » de la General Electric, qui avait la niaiserie de vouloir être un apôtre. Notre rôle et même notre devoir est de faire des charités, mais de ne vivre que pour nous.

— Votre réussite est grande, dis-je.

— Elle a consisté d'abord à éviter les malentendus, dit Fred. J'ai passé l'âge de mes étoiles et, même si j'avais eu le leur, mes empressements pouvaient leur paraître suspects. La vraie beauté a quelque chose de virginal.

« Quand j'étais enfant, j'aimais les miroirs. Je les baisais même parce que je me croyais beau. Ils sont froids, comme l'amour et la vérité. Les êtres que l'on aime parce qu'ils sont beaux doivent rester

584

froids comme des miroirs. Si vous échauffez un miroir, l'image se brouille et même s'efface. Nous formons une espèce d'académie platonicienne où nous sommes tous amoureux les uns des autres et où nous ne faisons rien. Puisque nous sommes à l'époque de la révolution sexuelle de l'Amérique, il fallait, pour illustrer mes principes, une contre-révolution.

— Oh ! dit Maryen, j'ai appris quelque chose de très amusant, Fred : un cas de narcissisme qui ne ressemble guère au nôtre.

Jim me regarda au mot de narcissisme. L'étoile de la Ford poursuivait :

— C'est un homme très beau, qui a été le modèle de plusieurs artistes et affichistes. Il possède une maison, entourée d'un grand parc, dans le New Jersey, et il vit seul tout nu, devant des miroirs. Je ne vous dirai pas ce qu'il y fait, en combinant les jeux de miroirs, surtout dans l'escalier. Chaque week-end, il héberge son neveu orphelin, qui a dix-sept ans et qui est pensionnaire dans une high school du voisinage. Le garçon a pris les habitudes de son oncle et se promène tout nu, comme lui, mais ils n'ont aucun rapport sexuel ensemble : ce que l'oncle fait devant les miroirs, le neveu va le faire dans les arbres.

5

Nous laissâmes Fred Koch à ses miroirs vivants et à ses étoiles : ils avaient à répéter une comédie qu'il venait d'écrire et nous devions rentrer assez tôt pour accompagner les parents de Jim à un concert.

C'était l'heure de sortie des bureaux, où il est

quasiment impossible de trouver un taxi. Il n'y en avait pas plus dans le bas de la ville, où nous nous trouvions, qu'il ne devait y en avoir dans le quartier élégant que nous avions à rejoindre : la seule différence est que, là-bas, on entendait siffler, pour les appeler en vain, les portiers galonnés des grands hôtels et des immeubles de luxe, sous les dais qui vont de la porte au trottoir. Comme nous aimions la marche, cette course ne nous gênait pas. Nous commentâmes les plaisirs raffinés de Fred Koch.

— Les milliardaires s'épurent, me dit Jim. J'en connais un autre dont le seul plaisir est d'introduire des glaçons dans le derrière de ses amis ; un autre qui les oblige à s'asseoir sur des cornes de rhinocéros. Mais c'est surtout la classe déjà montée en graine qui donne dans les extravagances conjugales ou extra-conjugales. Pense à Barbara Hutton ; à Tommy Manville, mort récemment, et qui avait eu onze femmes ; à une telle qui vient de tuer son amant en Californie — on fait croire à un accident de voiture et, en effet, c'en est un, mais elle a lancé la voiture contre lui pendant qu'il ouvrait la grille du parc. Naturellement, il n'y aura pas d'enquête : il faut bien que les milliards servent à quelque chose. L'ancienne génération ne valait pas mieux mais elle se rattrapait sur des fondations.

« Je ne sais si on t'a raconté l'histoire de... qui, sur son yacht, tira un coup de revolver contre Charlie Chaplin, qui couchait avec sa maîtresse, mais il tua quelqu'un d'autre. Il n'y eut pas d'enquête... mais il y eut une fondation. J'aime mieux le père de Fred qui fait aussi une fondation, mais qui n'a tué que des canards.

Devant Madison Square, tournaient en rond quelques étudiants qui arboraient des pancartes dénonçant les brutalités de la police contre les étudiants noirs de Houston. Cela me rappelait à la fois mon séjour chez ma sœur et les manifestations du Free Speech Movement. Des voitures de police étaient au bord du trottoir et les policiers surveillaient paisiblement ce groupe de garçons et de filles dont les placards les insultaient.

— Des idéalistes ou des imbéciles ? me demanda Jim en montrant les étudiants.

— Des étudiants, dis-je.

— Ils commencent d'exagérer, les étudiants, dit Jim.

— Ta licence te fait déjà passer de l'autre côté ? dis-je.

— Non, mais je n'imaginerais plus de te faire grimper le long des murs de Sprout Hall et d'y grimper après toi. Les étudiants de Columbia nous ont imités pour saccager des bureaux. Au Brooklyn College, ils sont en insurrection ; dans l'Ohio, idem ; les Noirs de l'Université du Maryland font comme si l'on avait tué un autre King. En Europe, c'est pis encore : on brûle les universités ou l'on s'y retranche comme dans une forteresse pour préparer des assauts contre la société. Ce n'est plus l'Amérique du Nord que l'on imite : c'est l'Amérique latine. Dans chaque capitale, la république des Patrophages est proclamée, au siège de l'Alma mater. Un ami américain m'écrivait aujourd'hui de Paris qu'il est normal à présent de se demander le matin, quand on se téléphone : « Combien d'étudiants tués la nuit dernière ? »

— Tu vois comme tu es passé du côté des pères en retrouvant le tien, dis-je. A Berkeley, tu te serais indigné d'une pareille question et tu m'aurais fait observer que, dans cette prétendue république des Patrophages, ce sont toujours, comme par hasard, les fils qui sont mangés.

Chassant ces images de cannibalisme, je montrai à Jim une affiche qui représentait un Indien mangeant une galette de seigle : « Vous n'avez pas à être juif pour aimer la galette de seigle Levi », disait la légende.

— Voilà les juifs et les Indiens réunis en ton honneur, lui dis-je.

— En France, dit Jim, cette affiche serait lacérée

comme antisémitique. Avoue que nous sommes une belle démocratie. Et comme elle est astucieuse, cette affiche, qui dénote l'intelligence juive ! Elle rappelle à tous les Américains, qui pourraient avoir un soupçon d'antisémitisme, qu'ils sont, comme les juifs, dans un pays qui ne leur appartient pas. Donc, chacun doit laisser les autres tranquilles.

Nous avions tourné à la Trente-Neuvième Rue, vers la Troisième Avenue, au coin de laquelle Jim voulait me faire voir quelque chose.

— Aux dernières vacances, il y avait là un ensemble de contrastes comme tu les aimes, me dit-il, et rien n'y a encore changé.

Une petite place, où était un parking de voitures cabossées, avait pour toile de fond une maison qui menaçait ruine, l'entrée bouchée d'un souterrain, une maison en brique, et au-delà, les superbes gratte-ciel de la Socony et de la Pan American, du haut duquel s'envolait un hélicoptère. La pointe dorée du gratte-ciel de la Chrysler s'élevait au-dessus de la coupole aztèque de la Socony. A droite, de l'autre côté de l'avenue, les murs de glace du gratte-ciel de la Burroughs.

— J'aime les gratte-ciel, dis-je, mais j'aime aussi que les petites maisons résistent. Je trouve admirable qu'il y en ait une en ruine et une autre bien modeste sur un terrain où chaque centimètre carré vaut tout l'or amassé par de Gaulle. Tu m'as montré, derrière le Rockefeller Center, un petit restaurant de deux étages, encastré dans l'énorme base de cet édifice vertigineux : la photographie du propriétaire souriant est dans la vitrine — et c'est le sourire d'un homme qui, pour le plaisir de continuer son métier à l'endroit où il l'a entrepris, a tenu tête aux Rockefeller... et tiendrait tête à de Gaulle.

Plus loin, nous vîmes un autre exemple de ce farouche individualisme : dans cette même Troisième Avenue, une maison de quatre étages soutenait le choc d'un gratte-ciel que l'on construisait.

— Parfois, dit Jim, le capitalisme est le plus fort. La marquise de Cuevas, née Strong Rockefeller, qui habite sur le Central Park, a été réveillée un matin par un bruit de perforatrices et de bulldozers. Elle a demandé ce que c'était. On lui a dit que les deux hôtels voisins du sien venaient d'être vendus et que l'on commençait à les détruire. Aussitôt elle donna l'ordre d'acheter ces deux hôtels à n'importe quel prix. Il y eut deux coups de téléphone ; un quart d'heure après elle pouvait se rendormir. Il va de soi que les deux hôtels vont être transformés en fondations.

Toujours sans taxi, nous tournâmes vers Madison Avenue, pour trouver un autobus qui nous rapprochât. Un attroupement attira notre attention devant l'archevêché catholique. On mettait en berne le drapeau du Saint-Siège et celui des Etats-Unis : le cardinal Spellman venait de mourir.

— Paix à son âme ! dit Jim.

L'émotion des gens qui nous entouraient, attestait ce qu'avait incarné un tel homme. Il nous semblait voir tourner une page de l'histoire américaine. Je n'avais pas oublié ce que m'avait dit le chapelain de son rôle dans notre vie politique et dans la guerre du Vietnam. Au fond, ce n'est pas à cause de Savio que j'allais partir pour le Vietnam, mais à cause du cardinal Spellman.

— Son anticommunisme était bien sympathique, dis-je. C'était un vrai cardinal — un cardinal du Moyen Age, botté et battant monnaie, transporté dans le monde moderne et dans le nouveau monde.

— C'était aussi un cardinal de la Renaissance, dit Jim. J'ai entendu plusieurs petites histoires sur lui. Il était la terreur des scouts dans les collèges catholiques. De plus, il avait un ami attitré à New York — un beau jeune homme, que l'on rencontrait dans les bars gais et l'on vous disait à l'oreille : « C'est la pâquerette du cardinal Spellman. »

— Paix à son âme ! dis-je.

Ce décès affecta les parents de Jim ; mais ils dirent que ce n'était pas une raison de renoncer au concert. Comme pour toutes les grandes manifestations musicales de New York, les billets étaient pris des mois d'avance et Jim m'avait déjà demandé depuis longtemps si je serais bien là pour le concert Stokowski au Lincoln Center. Les amateurs de musique sont encore plus nombreux que ceux des restaurants de gangsters.

Le maestro eut un double triomphe, dû à son âge — il a plus de quatre-vingts ans —, et à sa qualité. L'orchestre qu'il dirigeait avait été créé par lui, ce qui ajoutait à la ferveur de la salle et des interprètes. Une des œuvres exécutées était un concerto de Boris Pregel, ami des parents de Jim. Mais c'est seulement à cette occasion que je rencontrai cet ex-savant atomiste, membre de l'Académie des Sciences de New York, président de plusieurs affaires et personnage important de la franc-maçonnerie. Ses talents étaient aussi variés que son curriculum. Né en Russie, il était devenu citoyen français après la Première Guerre mondiale et, réfugié aux Etats-Unis peu avant la seconde, s'y était fixé. Lui et sa femme étaient juste au rang devant nous. Les parents de Jim leur donnèrent rendez-vous au bar de l'hôtel Pierre pour finir la soirée.

Pendant que nous les attendions, je vantai le noble visage de Mr Pregel. Jim me fit observer que je rendais hommage à une race qui, apparemment, n'a pas toujours des stigmates. Sa femme était la nièce d'un ancien ministre du tsar. Bien qu'il fût au-dessus des races comme des religions, il s'était déployé en faveur d'Israël durant le conflit israélo-égyptien. Il avait envoyé une ambulance et raflé instruments chirurgicaux et pansements dans les magasins de New York.

— Ce fut ici une véritable hystérie du soutien racial, dit la mère de Jim.

— On le comprend, dit Jim, si l'on se rappelle ce qu'est Israël pour les juifs : un rêve millénaire.

— Et si l'on oublie ce que la Palestine était pour les Arabes, dis-je.

Jim me menaça amicalement du doigt à cette pointe. Sa mère reprit :

— Mrs Pregel nous a dit qu'à deux soirées de bienfaisance pour Israël, données au Stade du Bronx, les femmes jetaient leurs bijoux dans des corbeilles. Et c'étaient souvent des bijoux de chez Cartier.

— Et les juifs riches jetaient des chèques, dit le père de Jim.

— Des millions et des millions de dollars. Je comprends que les Arabes se soient plaints d'une pareille contribution car ils ne sont arrivés à ramasser que deux cent mille dollars.

Je pensai à Mr Hunt qui m'avait vanté les générosités pro-israéliennes de Marcus, le milliardaire juif de Dallas, et qui, pour sa part, n'avait pas oublié les blessés arabes, à cause de ses intérêts en Lybie.

— Nos écrivains ont établi ce lieu commun que New York est un géant aux membres très vigoureux, mais qui n'a pas de cœur, dit la mère de Jim. Il est vrai que les gens évitent d'intervenir dans les crimes de la voie publique dont on ne sait jamais le vrai motif, et qu'ils ferment leurs portes et leurs fenêtres quand ils entendent appeler au secours. Mais il n'y a pas de ville plus généreuse ni où les œuvres de charité soient plus prospères, dans toutes les religions.

— L'an dernier, dit le père de Jim, les « charités » ont reçu quatorze milliards de dollars.

— Les deux tiers du budget de la France, dis-je. Comment pourrait-elle nous aimer ?

— Et ces sommes énormes, reprit le père de Jim, ne viennent pas en premier lieu des grandes compagnies, mais de l'ensemble des contributions de simples particuliers. La Société américaine du Cancer, l'Association américaine du Cœur en sont les principales bénéficiaires.

Jim refit allusion à la mort du cardinal Spellman.

— Nous enverrons un mot de condoléances au chapelain, me dit-il. La dernière fois que je l'ai vu, il était déjà tout triste parce que l'une des religieuses du Cœur Immaculé de Marie avait donné un récital de danse à San Francisco.

— De quelle danse ? demanda sa mère.

— De danse classique, dit Jim.

— Tant que ce ne sera que de danse classique !... dit-elle.

— Pregel, reprit le père de Jim, est l'homme le mieux renseigné que je connaisse. Il nous a annoncé à l'entracte que Mgr Cooke, qui est un de nos évêques auxiliaires, succéderait à notre pauvre cardinal.

Je me rappelai que le chapelain m'avait déjà cité ce nom à Los Angeles.

— Bob Murphy est catholique comme nous, continua le père de Jim. Il a donné l'hospitalité au cardinal tout le long de sa carrière — à Alger, en Italie et au Japon, lorsque Spellman visitait nos troupes en Corée. Il le savait condamné et m'avait dit que son successeur serait Fulton Sheen. Je parierai demain cent dollars avec lui sur Cooke.

Les Pregel arrivèrent, en s'excusant d'être un peu en retard.

— Je suis allé embrasser Stokowski, dit le compositeur atomiste. Imaginez ce que cela doit être pour nous, épaves d'un autre monde...

— Epaves brillantes, dit le père de Jim.

— ... De nous retrouver à New York, lui né à Londres et moi à Odessa. Il habite Cinquième Avenue, un peu plus haut que chez vous.

Je dis qu'il avait été naguère chef d'orchestre au Hollywood Bowl.

— Reconnaissez, dit Mr Pregel, que, sans la Russie, vous manqueriez de musique. Nous vous donnons Stravinski, Arthur Rubinstein, Milstein, Horowitz. Nous autres, Russes, nous avons la musique dans le sang. Et peut-être qu'il y a un rapport subtil entre la musique et l'atome. Tout est mathématique. Mais je préfère la mathématique de la musique ; celle-là ne tend pas à nous détruire : elle nous récrée et nous recrée. Le vrai savant a horreur de détruire car la science, pour lui, ne peut consister qu'à créer. La science, c'est Dieu, c'est le Grand Architecte de l'Univers : c'est la perpétuelle création du monde.

« Je dis à Einstein, après une de ses premières conférences : « Je vous félicite, vous avez détruit les lois de Newton. » Il se mit en colère : « Mais non, docteur Pregel, je n'ai rien détruit du tout, je m'en voudrais d'avoir détruit les lois de Newton. » Il les avait détruites, mais il ne voulait pas en convenir. Sa réponse me fait songer à une histoire russe du temps de la révolution. Kiev vient d'être pris par les bolcheviques, qui ont fusillé beaucoup de monde. Le lendemain matin, un homme dit à un autre : « Tu sais, Simonov a été fusillé. — Quoi ? — Oui. » A cet instant apparaît Simonov : « Tu vois bien qu'il n'est pas fusillé, dit l'autre. — Si, mais il ne le sait pas encore. »

Comme on félicitait Mr Pregel de son concerto, je lui demandai si d'autres savants avaient été musiciens. Il répondit qu'il y en avait eu au moins un, Borodine, à la fois grand compositeur et grand ingénieur. Einstein jouait du violon, modestement, mais passionnément. La reine Elisabeth de Belgique, qui était musicienne et qui aimait Einstein, l'invitait à faire de la musique avec elle quand il venait à Bruxelles. Un jour, Einstein, dans le petit hôtel où il descendait, demanda qu'on le réveillât à telle heure parce qu'il devait se rendre au palais royal. Le prenant pour un fou l'hôtelier alerta la police. Deux agents attendirent Einstein à la sortie et furent tout ébahis de voir arriver une voiture du palais.

— Cela me fait penser, poursuivit Mr Pregel, que demain arrive mon vieil ami Francis Perrin, haut-commissaire français à l'énergie atomique, à qui nous allons remettre le prix Lasker.

— Bob Murphy nous a parlé justement de lui au Harvard Club, dit le père de Jim.

— La distinction qu'il reçoit en ce moment de l'Académie des Sciences de New York, dit Mr Pregel, prouve que la science est au-dessus de la politique. Le prix est une statuette de la Victoire de Samothrace en argent doré.

Jim cita la réflexion d'un Américain, étonné de voir que la statue du Louvre n'avait ni tête ni bras : « Je me demande ce que serait une statue de la Défaite de Samothrace. »

— Il avait raison, s'écria Mr Pregel avec flamme. Nous avons trop l'habitude des Victoires décapitées. Ce sont des victoires de la force et non pas de l'humanité. La victoire de l'humanité, ce sera le jour où l'atome ne sera employé que pour des buts pacifiques. L'inutilité des guerres est démontrée. On ne peut plus gagner aujourd'hui une guerre parce que tout pays a une idée pour le défendre et que l'on ne peut tuer une idée.

— On ne peut détruire une idée, dit le père de Jim, mais on peut détruire un pays.

— Je lisais aujourd'hui, continua Mr Pregel, un article antisoviétique de la *National Revue* et un article antiaméricain de la *Pravda*. Et je me disais, en songeant à l'histoire que je vous ai racontée : « Tous ces gens-là ne savent pas encore qu'ils sont morts. » Le capitalisme et le communisme luttent l'un contre l'autre, sans savoir qu'ils sont morts et que quelque chose de nouveau est en train de naître. Ce sera une Victoire avec une tête et des bras.

6

Sous nos fenêtres, Central Park était devenu un vrai parc : au lieu d'être sillonné de voitures, il ne l'était que de tranquilles promeneurs ou de familles entières roulant sur des bicyclettes de toutes les dimensions. Pour le jour du dimanche, le maire de New York avait accordé ce plaisir à ses administrés. Cela faisait partie de la campagne contre la pollution de l'air. Jim me dit un détail amusant qu'il avait vu à Noël : il avait neigé et la radio signala aux promeneurs que le sel jeté sur la neige de Central Park pour la faire fondre était nuisible aux pattes des chiens. On voyait des messieurs et des dames qui tenaient leurs chiens en l'air à côté des arbres. C'était un Brueghel new-yorkais. La veille, nous avions relevé une drôlerie sur un des panneaux qui indiquent, le long des avenues : « Retenez votre chien » (invitation discrète à le faire aller dans le ruisseau). A la place de « chien », on avait écrit « de Gaulle ». Il est vrai que les ruisseaux de New York roulaient des parfums français et des vins français. Nous avions entrevu le général à la télévision, l'avant-veille, interviewé par un valet de chambre (« Toujours des valets ! ») avec des gestes et des intonations de vieux cabot qui n'est plus sûr de ses effets.

On nous arracha à ces commentaires : Sunny me demandait au téléphone. Je l'avais appelée avant de quitter Berkeley pour lui dire que j'allais chez Jim à New York. Elle avait tellement de choses à me raconter, en me pressant de revenir, que je me sentais plus détaché d'elle : ses parents avaient offert l'hospitalité à Jason, fatigué de Carl ; elle avait forcé les portes de l'Abbaye de Thelema ; elle et Jason seraient admis incessamment dans l'Eglise crowleyenne ; ils prenaient des leçons de peinture avec Alan et Cameron ; son père faisait un film sur le savant noir Washington Carver, qui avait trouvé trois cents emplois de la pomme de terre et cent dix-huit de l'arachide (ou le contraire) ; sa mère avait rendu deux robes de Dior ; la femme de Cary Grant, dans leur procès en divorce à Los Angeles, l'accusait de prendre du L.S.D. 25 une fois par semaine ; les suicides continuaient à Hollywood et revêtaient une forme balnéaire : le fils de Charlie Chaplin avait été trouvé mort dans sa baignoire ; le fils de l'acteur William Powell s'était tué à coups de couteau sous sa douche ; l'acteur Dekker s'était pendu à la sienne, après s'être mis des menottes et peinturluré le corps de dessins obscènes ; elle faisait du surf avec une religieuse du Cœur Immaculé de Marie ; elle était un peu amoureuse du champion noir de basket-ball de l'U.C.L.A., Lou Alcindor. Je souris de cette dernière nouvelle qui la rapprochait de moi à son insu. J'avais vu, au Harmon Gymnasium de Berkeley, les exploits de ce joueur qui était maintenant à la tête de nos équipes californiennes et passait même pour le meilleur « basketeer » de toutes nos universités. Etant plus qu'un peu amoureux de Narcissa, je n'avais jamais fait allusion à elle avec Sunny et j'y songeais encore moins aujourd'hui, malgré l'occasion que me donnait Alcindor. Je me contentai de répondre à ce flot d'histoires par des paroles banales. Alcindor, Narcissa... Où donc les Noirs prenaient-ils de si jolis noms et prénoms, eux qui prenaient quelquefois pour nom une simple initiale ?

Quand j'eus fini de téléphoner, Jim glissa dans une fente de l'appareil un des cartons perforés qui étaient sur un classeur et me pria de décrocher : le numéro se composa tout seul, suivant les perforations du carton. Surpris et même confus, je me trouvai en communication avec Mr Pregel. Je m'excusai en disant que c'était une attrape électronique de Jim et il me pria lui-même d'admirer ce dernier gadget I.B.M. Ces perfectionnements me faisaient penser à ceux qui se succédaient dans la salle de bains de Sunny.

— Nous sommes vraiment le pays de l'efficiency, dit Jim. La chose nous appartient comme le mot, puisque notre professeur de français a renoncé à nous le traduire. Et l'efficiency est à tous les niveaux, depuis ce petit carton jusqu'à la construction d'un building. Je me le disais, hier, quand nous passions rapidement devant le gratte-ciel de la General Motors que l'on termine en face du Plaza (Ronald le blond pourra cueillir des étoiles) : je regardais l'ascenseur extérieur qui transporte les matériaux jusqu'au quarantième ou cinquantième étage et qui redescend d'un trait, comme une balle, pour s'arrêter à un mètre du sol. Il nous faut deux ans pour construire un gratte-ciel. Je me demande combien d'années il faudrait en Europe. Des amis de Paris me disaient que dans leur immeuble près du Bois, une dame faisait faire et défaire des cloisons dans son appartement depuis deux ans et demi.

— Mrs Winchester a bien mis trente-six ans pour construire sa maison des mystères, dis-je.

— Mais sa maison a dix mille fenêtres, dit Jim.

— La France travaille au rythme de l'art, repris-je, et ce n'est pas celui de l'efficiency. Nous cherchons les raisons de notre mésentente avec elle : c'est que nous avons des bottes de sept lieues et qu'elle a des talons Louis XV.

— Il y a autre chose, dit Jim : l'ignorance. J'y pensais lorsque nous parlions de psychologie, de psychiatrie et de diplomatie, à propos du général de Gaulle. Malgré tous les moyens d'information que l'on a, et tous les voyages que l'on fait, les préjugés restent les mêmes et chaque pays vit en vase clos. Les seules communications assurées sont les épidémies de violence. Les Français nous jugent à travers de Gaulle et nous jugeons les Français à travers Cavelier de La Salle.

« A Paris, l'an dernier, quelqu'un de l'ambassade m'a raconté que des Américains venaient de bâtir une usine en France et y avaient fait mettre de magnifiques appareils distributeurs de lait. Le directeur français leur demanda pour qui tout ce lait. « Pour les braves ouvriers français, dirent nos ingénieurs. — Mais ils boivent du vin et non pas du lait... des litres de vin et pas une goutte de lait. — Comment ? Mais ne savez-vous pas qu'il est interdit de boire de l'alcool dans une usine américaine ? — C'est une usine américaine en France, avec des ouvriers français et un directeur français. Si vous empêchez les ouvriers de boire du vin, ils se mettront en grève. » Aujourd'hui, il aurait pu ajouter que même les étudiants se mettraient en grève, par solidarité avec les ouvriers qu'on empêche de boire du vin. Nos Américains étaient tellement consternés qu'ils ont pensé démolir l'usine et repartir avec leurs distributeurs et leurs computers.

Des coups de canon et les échos d'une musique militaire nous attirèrent à la fenêtre : c'était le début d'une parade organisée pour soutenir nos soldats au Vietnam — la contre-parade aux manifestations pacifistes qui se déroulaient à travers le pays et dont la dernière, en ce même Central Park, avait été présidée par la veuve King, trois semaines après l'assassinat de son mari.

C'était un défilé prodigieux d'hommes, de femmes, d'enfants, de scouts, de hippies (transfuges de la génération « Paix et Amour »), de Noirs, de Portoricains, d'associations patriotiques de toutes sortes, de groupes nationaux, d'exilés (« les Lituaniens de New York... »), de fanfares, de drapeaux, de camions carnavalesques, de pancartes bellicistes et anticommunistes : « A bas les Vietcongs ! » « Bombardez Hanoï ! » avec une image représentant le champignon de la bombe atomique. L'humour n'était pas exclu de ces inscriptions : « Hô Chi Minh fume les bananes » — peut-être une réclame insidieuse de l'United Fruit. La férocité non plus n'était pas absente ; un grand portrait de Che Guevara, le guérillero castriste assassiné en Bolivie, avait cette légende : « Morte la bête, mais pas le venin. »

— Chaque parti a ses bêtes et ses morts, dis-je.
Jim se mit à rire :

— Nous sommes tous morts, mais nous ne le savons pas.

Au-delà de ce fleuve guerrier où les vétérans étaient mêlés aux impubères comme dans les armées de Lincoln, il y avait toujours, se promenant à pied ou à bicyclette sous les frondaisons, regardant les animaux du Zoo, prenant des glaces à la cafeteria, d'autres enfants, d'autres familles. Et j'étais aux premières loges pour ne rien perdre de l'ensemble du spectacle. Cette doublure martiale de l'idyllique Central Park du dimanche était l'aboutissement de tout ce que j'avais vu, fait, dit et entendu depuis un an. Ma rencontre avec Mr Hunt, les photographies de Dallas, les jeux de guerre de la Rand, mes ébats avec Sunny vêtue d'une robe-drapeau, l'orchestre de Cheetah, les computers de Mr Palewsky, les tours de Watts et les trois surfers, l'évêque Pike, le chapelain catholique, la nuit du L.S.D. 25, les conférences des Youth Freedom Speakers, les bagarres avec le Free Speech Movement, la messe de l'Eglise satanique, la leçon de français, l'orgie des hippies, l'assassinat du pasteur King, l'ambassadeur Murphy, la mort du cardinal Spellman, recevaient ici une réponse. C'était une transposition de la « Réponse humaine sexuelle » de Masters et Johnson, réponse purifiée et embellie par Narcissa. Mais ce n'était pas tout :

— Ce que nous voyons, dis-je, est la réponse de l'Amérique au monde qui la sait divisée et qui la croit affaiblie. Nous sommes les seuls à pouvoir nous permettre à la fois le pacifisme et le nationalisme. Ils se servent de frein mutuellement. C'est ce qui nous empêche d'être un pays prêt à suivre un dictateur ou à verser dans l'anarchie. Tu te rappelles les craintes de certains, il y a deux ans, à propos du général Westmoreland, qui allait revenir du Vietnam à la tête d'une armée victorieuse et balayer les institutions ? Cette éventualité semble définitivement exclue.

« Rien n'arrive chez nous qui ne se termine par une leçon d'optimisme. Mon père me disait à Berkeley qu'une délégation financière française, venue dernièrement à Los Angeles, avait été ébahie de trouver le pays en ordre et les gens occupés à travailler. Ces Français n'étaient pas moins surpris qu'on leur parlât avec modération des Noirs qui avaient célébré la mort de King par tant d'incendies. L'un d'eux fit cette réflexion, quand on lui précisa les ravages qu'avait subis Washington : « Je me demande ce que les Parisiens auraient dit des Arabes, pendant la guerre d'Algérie, si ces derniers avaient incendié treize blocs d'immeubles à Paris. » Mais ce sont les Français qui nous traitent de racistes.

— Un optimisme qui m'a fait plaisir, dit Jim d'un ton ironique, c'est celui du général Zais, dont je t'ai fait lire les déclarations. Ce vétéran du Vietnam, qui dirige le service d'Entraînement individuel pour l'armée, affirme qu'il n'y a « aucune baisse de la résistance physique et morale de la jeunesse américaine et que jamais, depuis trois guerres qu'il a combattu, il n'a vu de meilleurs soldats. »

— Oui, dis-je, et il se félicite que le taux des réformés pour maladies mentales soit tombé, de treize pour cent durant la guerre de Corée, à dix pour cent. Les guerres nous améliorent.

— Je ne voudrais pas offenser en toi un fils d'officier et un futur soldat sans maladie mentale, dit Jim, mais n'y a-t-il pas quelque chose de vrai dans la propagande antimilitariste, même si elle est faite par les représentants d'un autre militarisme ? Les leaders noirs n'ont-ils pas raison de dire, comme nous le disions nous-mêmes un jour avec Narcissa, qu'il est absurde d'assumer des devoirs internationaux quand on a tant de problèmes à régler chez soi ? C'est dans ton intérêt que je parle.

— Tu ne raisonnes même pas comme Brejnev ou Kossyguine, dis-je : quand ils nous comparent à l'empire romain, pour nous taxer de décadence, ils nous reconnaissent implicitement des devoirs.

« En quatre ans de guerre au Vietnam, où nous soutenons une forme limitée de troisième guerre mondiale, nous avons eu moins de victimes qu'il n'y en a chaque année sur nos routes. L'un n'excuse pas l'autre, mais cela montre que la civilisation est meurtrière, comme la barbarie.

Jim se dirigea vers sa discothèque.

— Il faut mettre une petite sourdine à ces musiques et à ces conversations, dit-il. Je cherche ton amie Joan Baez.

Je me mis à rire. La Muse du Free Speech Movement de Berkeley venait d'épouser un étudiant pacifiste de Stanford. Le mariage avait été béni à l'église épiscopale de Manhattan par le révérend Haves, président de la Société épiscopale pour la paix. Où était donc l'évêque Pike ce jour-là ?

Je fus charmé tout à coup en entendant, sur un thème imprévu, la voix que j'avais associée aux gesticulations de Savio. Elle chantait des paroles mystérieuses de Phil Fochs, auxquelles chacun pouvait donner son interprétation :

« Là, par hasard... — Montre-moi une clé. — Et moi je te montrerai un jeune homme — Avec beaucoup de raisons pourquoi... — Montre-moi un vagabond — Qui désire de la pluie — Et moi je te montrerai un jeune homme — Avec beaucoup de raisons pourquoi... — Montre-moi le pays où il fallait — Qu'une bombe tombât... — Et moi je te montrerai un jeune homme — Avec beaucoup de raisons pourquoi... »

— C'est dommage qu'elle ne nous ait pas chanté cela à Berkeley, dis-je. Cela me l'aurait rendue plus sympathique.

— Ah ! tu mords à l'appât, dit Jim. J'ai cru que tu allais me demander, avec ta goutte de cartésianisme français, ce que signifiait ce « pourquoi » qui n'a pas de sens. C'est parce qu'il ne signifie rien, qu'il signifie tout. Il renferme tous nos rêves et toutes nos révoltes, exprimées ou non. Il y a toute la jeunesse qui voit tomber la pluie ou la bombe, qui lance la bombe et sur qui elle tombe. Je suis certain qu'après avoir entendu ces petits vers décousus, tu ne serais pas de ceux qui ont écrit sur le portrait de Che Guevara : « Morte la bête... »

— Je te croyais rentré dans ta classe sociale à New York.

— J'en sors quelquefois, sinon pour épouser une Noire, au moins pour épouser une idée. Nous devons épouser une idée de toutes les idéologies : une idée de Mr Hunt ou de la John Birch Society, mais pas les idées de la John Birch Society ni de Mr Hunt ; une idée de Che Guevara, mais pas les idées de Che Guevara. Peut-être même y a-t-il à recueillir une pensée de Mao, une demi-pensée de Marcuse. Ainsi nous resterons toujours jeunes — et toujours intelligents. Nous serons toujours de l'âge de ceux qui tuent ou qui se font tuer, mais pas de ceux qui les regardent faire.

— Il y a autre chose que tuer ou se faire tuer, dis-je : il faut construire, comme dit Mr Hunt.

— C'est pour cela que tu vas au Vietnam ?

Je montrai l'horizon :

— J'y vais pour défendre ces constructions.

Jim mit un autre disque et ces alternances me rappelaient, de bien loin, les disques érotiques de Sunny, appropriés aux films secrets de son père.

— Puisque tu es si martial, dit-il, écoute Marlène Dietrich chanter « le Petit tambour ».

Ce n'était pas une chanson mystérieuse, mais une chanson pacifiste. Le refrain « Pan pan pan... » que martelait cette Germano-Américaine était destiné à donner l'horreur des coups de fusils, entraînés par les innocents coups de tambour. Je lisais, sur la notice de la pochette, qu'elle avait reçu la médaille de la liberté du département de la Défense « pour les services rendus en exaltant le moral des combattants américains de la Seconde Guerre mondiale, bien au-delà des devoirs d'une nouvelle citoyenne ».

Mais j'avais lu aussi, dans un journal, qu'elle se demandait « s'il ne fallait pas tuer le président Johnson ». Tant de zèle chez une ex-concitoyenne de Hitler réfugiée aux Etats-Unis me semblait excessif.

— Assez de sottises, dis-je à Jim. On ne fait pas le monde en se berçant de musiquettes et de pan pan pan. Ces chanteurs et ces chanteuses ont besoin d'applaudissements populaires et abusent des moyens de les provoquer. Même Bob Dylan qui s'en mêle ! Le plus drôle est que ces pacifistes de la roulade entonnent des chansons militaires dès que la guerre est déclarée. Ce n'est pas en chantant « Pan pan pan » que Marlène Dietrich exalta le moral des combattants américains.

— Réjouis-toi, dit Jim : la chanson des Bérets verts a eu la troisième place au concours des chansons. Mr Hunt a consacré tout un article à cet événement.

La parade était finie. Jim mit un disque militaire.

— Toi aussi, dis-je, tu as mordu à un appât.

— Non, dit-il, mais comme tu pars demain au soir pour Washington, je veux finir sur ce disque-là. Il faut te soutenir un peu.

Il était évidemment trop spirituel pour me faire entendre « le Pavillon semé d'étoiles », bien que j'eusse fait ma première conférence de Youth Freedom Speaker sur le drapeau. Le disque était l'« Hymne de batailles de la république » — l'hymne des armées de Lincoln luttant contre les onze Etats confédérés. C'était à la fois l'hymne de l'Amérique et l'hymne de la délivrance des Noirs. C'était à la fois un hymne de bataille et un chant religieux. Le refrain « Alleluia », qui était le contraire de celui de la Marseillaise, prouvait combien la religion avait imprégné ce pays. Il réveillait en moi des fibres plus profondes que je ne l'aurais cru. J'avais répudié tout ce qui me rattachait à ce passé de la foi et je sentais qu'on ne pouvait le répudier tout à fait sans se répudier soi-même. Etait-ce parce que j'étais à la veille d'accomplir deux grandes résolutions ? Je n'aurais pu rire du cardinal Spellman ni même du pasteur Luther King. Quelles que fussent leurs faiblesses ou leurs fautes, ils appartenaient à un domaine qui est au-dessus de tous les autres et qu'il est trop aisé de qualifier d'hypocrisie. Je n'allais pas me précipiter à Saint-Barthélemy, église épiscopale de Park Avenue, ni prier dans la cathédrale Saint-Patrick à l'intention du futur archevêque de New York, ni chez les baptistes du Sud, qui croient en Dieu à quatre-vingt-dix-neuf pour cent et qui croyaient cent pour cent au pasteur King. Mais j'étais heureux, pour ma dernière soirée à New York, d'entendre cet Alleluia, chanté par des soldats, à côté de mon vieil ami Jim. Il me semblait retrouver l'âge où je chantais avec lui dans la chapelle d'Andover. Comme il avait dit, ce sont les idées qui nous gardent jeunes.

Nous dînâmes en famille, commentant les nouvelles du monde et de la ville. Nous admirions la fermeté de Johnson qui ne cédait pas au chantage communiste et continuait la guerre en négociant la paix. Puisque l'ennemi semblait n'attendre de ces pourparlers que la reconnaissance de ses prétentions sur le Sud-Vietnam, il fallait le persuader que le partage de l'Indochine était aussi intangible que celui de la Corée — et que celui du monde. Nous parlâmes du général de Gaulle, qui reparaissait sur la couverture de nos magazines, dans des attitudes songeuses. Je racontai les suicides de Hollywood. Cela nous rappela que les élections primaires, pour les candidatures à la présidence, avaient lieu aujourd'hui en Californie : Bob Kennedy était à Los Angeles et devait faire rage au milieu des teenagers. On me dit que j'étais un mauvais citoyen de ne pas être allé voter : je répondis que mes parents voteraient plutôt deux fois qu'une. Comme sociologue, je me plaçais au-dessus de la mêlée. Puis Jim et moi allâmes traîner dans quelques bars dont la gaieté, vraie ou symbolique, ne suffit pas à me distraire : mes pensées étaient ailleurs.

Quand nous rentrâmes, un peu avant minuit, il n'y avait personne dans la bibliothèque.

— Tiens, dis-je, ta mère n'est plus devant son poste.

— Elle en a un dans sa chambre, dit Jim.

Nous fûmes curieux de prendre la chaîne de télévision qui transmettait les résultats des élections de Californie. Jim apporta des « rocks » et le meilleur whisky, pour nous laver la bouche de ceux qui nous avaient été servis durant notre tournée. Il fredonna une des chansons de Berkeley :

Oskie, Wow-Wow ;
Whiskey, Wee-Wee...

Et nous voici à l'hôtel Ambassador de Los Angeles. Le speaker annonçait à l'instant le triomphe de Bob Kennedy.

— Oui, dis-je ; encore faut-il qu'il gagne à la convention et qu'il achève de gagner dans le pays.

— Au fond, dit Jim, pourquoi nous est-il si antipathique ? C'est encore une preuve que nous tenons de nos parents. En bons Américains, nous ne croyons pas qu'un homme si jeune, malgré les précédents de son frère et de Theodore Roosevelt, puisse être un bon président.

— Ce préjugé n'est pas seulement le nôtre, dis-je. Khrouchtchev a tenté le coup de Cuba parce qu'il avait pris Kennedy pour un playboy sans importance, après l'avoir rencontré à Vienne.

— Et Kennedy réagit en vrai Américain et en vrai président des Etats-Unis, dit Jim. Chez nous, la jeunesse n'est donc pas un handicap, même en politique.

Bob Kennedy lui-même succédait enfin au speaker sur le petit écran. Il était plus séduisant que jamais, plus playboy, lui aussi, que jamais, avec ses cheveux en désordre, acclamé par une foule en majorité juvénile, dans le grand salon de l'hôtel. Il remercia, prononça quelques mots d'espoir pour la suite de sa campagne et s'éclipsa par un couloir de service, accompagné des cameramen et de nombreux enthousiastes.

— Voilà ce que c'est d'avoir acheté la télévision, dit Jim : elle vous accompagne jusque dans les couloirs de service.

Soudain, nous nous crûmes le jouet d'une illusion ou à un film de gangsters : des coups de revolver claquaient, Bob Kennedy s'écroulait, des femmes hurlaient, des bras et des jambes s'agitaient, on appelait un médecin, la police. Et le speaker qui, un quart d'heure auparavant, annonçait la victoire de Bob Kennedy, nous disait, d'une voix oppressée, qu'il avait reçu deux balles dans la tête. L'assassin, un jeune homme au teint basané, était arrêté. Bob Kennedy avait acheté la télévision pour faire assister l'Amérique à son assassinat. De même l'Amérique avait-elle assisté, cinq ans plus tôt, à l'assassinat de son frère, le président Kennedy, dans une rue de Dallas.

7

Mon hôtel, à Washington, était en face de la Maison-Blanche. C'est là que j'étais descendu avec mon père quand je l'avais accompagné, il y a quelques années, à une séance du Collège de la guerre navale. Ce n'était pas un Sheraton, mais nous l'aimions pour sa position unique devant le square La Fayette, au-delà duquel s'élève le palais de la présidence. Malgré la distance qu'il y avait de ma fenêtre à ce portique éclatant, j'aurais pu, avec un fusil à lunette, remplir le vœu de Marlène Dietrich et de certains hippies, si le président Johnson était venu y prendre l'air. « Pan pan pan... »

J'avais encore dans l'oreille le pan pan pan qui avait terminé la carrière d'un autre Kennedy. Ce nouveau drame m'avait bouleversé, comme tous les Américains. Le meurtre du pasteur King dont le présumé assassin, un évadé de prison, venait d'être arrêté à Londres, faisait pendant à celui du jeune sénateur de New York. Si le premier avait été l'artisan de sa propre perte, rien ne semblait destiner le second au même sort. Mais la violence dans les luttes raciales avait entraîné la violence, et l'assassinat d'un premier Kennedy avait donné l'idée fixe à un fanatique anti-américain qu'il fallait tuer un second Kennedy. L'assassin, un Arabe venu de Jordanie gagner sa vie dans notre pays, nous remerciait de cette façon et prétendait avoir voulu venger le monde arabe qui n'y était évidemment pour rien. Mr Hunt, chiffres en mains, lui aurait prouvé qu'il n'avait pas le droit de se plaindre : notre balance des comptes était presque en équilibre entre les pays arabes et Israël. Les Arabes avaient reçu de nous plus de dix-huit cents millions de dollars et, si nous avions l'air plus généreux pour Israël, qui avait reçu deux milliards cent millions, c'est parce que les associations de bienfaisance lui avaient versé sept cents millions. La presse soviétique voyait dans ce crime l'œuvre des racistes et le poétereau Evtouchenko, qui s'était fait dorloter chez nous un peu avant la fille de Staline, Alliluyeva, s'était levé à l'aube pour pincer sa lyre et insulter l'Amérique —, l'Amérique qui « tirait sur King », « tirait contre Kennedy » et « bombardait le Vietnam ». Le Vietnam est mis à toutes les sauces de la Russie, mais il est plaisant de la voir nous accabler pour des crimes, elle qui a commis le plus de crimes à l'égard de ses propres nationaux que l'on eût vu dans l'Histoire, jusqu'à la Chine de Mao Tsé-toung.

L'assassin de Bob Kennedy n'était pas un raciste, mais un communiste. L'assassin de John Kennedy n'avait pas été un raciste, mais un communiste, entraîné même à Moscou. Les affiliations de cet Arabe prouvaient où étaient ses sympathies et sa haine. En les dénonçant, le maire de Los Angeles avait fait allusion au club DuBois. A Chicago, un jeune juif noir avait tué aussitôt un pacifique épicier jordanien, pour venger Kennedy. Où s'arrêteraient ces vengeances ? Le F.B.I. annonçait que huit Canadiens français avaient pénétré aux Etats-Unis pour tuer Johnson. Il était aussi vain de rejeter sur une race le geste d'un déséquilibré qu'il l'était de l'attribuer à un système politique. Les meurtriers du président Lincoln et du président Kennedy avaient des noms anglais ; le meurtrier du président Garfield, un nom français ; le meurtrier du président McKinley, un nom slave. L'Amérique avait été faite par tous les peuples. Tous les peuples nous ont envoyé le meilleur et le pire. Mais que le revolver de l'Arabe de Los Angeles soit de marque Johnson, cela doit frapper Mrs Garson, l'auteur de *MacBird !* et lui inspirera sans doute un nouveau chef-d'œuvre. Plus frappant me semblait le fait que le second président Johnson fût, selon notre expression, un président « accidentel » comme le premier — vice-présidents élevés à la présidence par la mort tragique d'un président. Déjà l'on disait que Humphrey, s'il était désigné comme candidat démocrate à la présidence, proposerait au dernier frère Kennedy, Edward, sénateur du Massachusetts, d'être son co-listier pour la vice-présidence. Les combinaisons de la politique profitaient même des drames.

De ma fenêtre, je devinais, au-delà de la Maison-Blanche et du Potomac, le cimetière national d'Arlington où reposait John Kennedy et où reposerait dans quelques jours Bob Kennedy. L'acharnement du destin contre une famille dont un fils avait été victime de la guerre et deux autres, victimes de la folie meurtrière, lui conférait un caractère sacré, comme à celles de la mythologie grecque.

Avant de descendre pour aller à mon cher rendez-vous, je contemplai une dernière fois ce paysage, ce décor, ce va-et-vient d'une existence paisible où l'on avait peine à imaginer toutes ces tragédies, non moins que les incendies et les troubles d'il y a quelque temps. J'évoquai, non seulement la commémoration pyromancienne et vandalique du pasteur King, mais l'assaut contre le Pentagone qu'avaient mené, à l'automne dernier, cinquante mille « marcheurs de la paix », entraînés par la voix de Joan Baez. Maintenant, Washington commençait à recevoir les marcheurs de la pauvreté, guidés par le pasteur Abernathy et la veuve King. Les marches, les assauts, les troubles, les incendies, les tragédies n'auraient pas raison de l'Amérique.

Ce matin, j'avais lu dans le *Washington Post*, apporté avec le petit déjeuner, une déclaration de Sartre : ce prix Nobel, digne de tant d'autres, était en retard pour nous parler de Bob Kennedy, mais avait déclaré à des émissaires du Comité de coordination des Etudiants non violents, que les Noirs américains devaient résoudre leurs problèmes « à coups de fusil ». Je me demandai si Carmichael allait engager ce bigle parmi ses tireurs. Mais Carmichael épousait la chanteuse noire Miriam Makeba. Les nouvelles des mariages étonnants cherchaient à distraire les esprits. Je voyais, dans le journal même de ce matin, si rempli de tristesses et de menaces, que la fille du sénateur noir Brooke, républicain du Massachusetts, épousait un étudiant blanc du New Jersey. C'était la préfiguration de mon propre mariage.

Après les rencontres de la violence et de la violence, de la force et de la force, du fanastisme et de la liberté, il y aurait la recontre de l'amour et de l'amour.

J'avais téléphoné de New York à Narcissa, mais n'avais pas voulu lui dire quel avion je prenais, afin qu'elle ne se dérangeât pas en venant à l'aéroport. J'avais tenu à être seul avec moi-même, pour cette première soirée à Washington qui serait aussi ma dernière soirée de « fiancé » de Sunny : j'avais résolu, en effet, d'aller, dès aujourd'hui, voir les parents de Narcissa pour la demander en mariage. Cette formalité de politesse, qui est si vaine chez nous, me semblait indispensable à l'égard de cette famille et par respect même pour Narcissa.

La gracieuse silhouette se détachait sur le piédestal du monument de La Fayette. Nous éclatâmes de rire en nous embrassant.

— Quel endroit tu m'as fixé pour une rencontre sentimentale ! dit-elle.

— Plus que sentimentale, dis-je.

Et je lui montrai, sur le monument, les deux Amours qui lisaient l'inscription commémorative. Le parfum du narcisse se mêlait à une voix qui me charmait, à un regard qui m'enveloppait, à une robe légère d'une sage longueur.

Nous nous assîmes sur un banc du square. J'étais ému à l'idée de ce que je me préparais à lui dire. Nous avions déjà commenté, au téléphone, l'événement de l'avant-veille et nous nous étions promis de ne plus en parler. L'assassinat du pasteur King avait suivi notre nuit d'amour ; l'assassinat de Bob Kennedy précédait de peu notre mariage. Nous appartenions à une époque qui n'est pas de tout repos, mais nous devions la bénir parce que nous y avions trouvé notre bonheur.

Lorsque je dis à Narcissa que je voulais voir ses parents le jour même, elle me demanda pourquoi. Je lui montrai l'insigne de ma fraternité qu'elle avait remis en mon honneur mais elle n'avait pas remis ma bague.

— Tu as la clé de mon cœur, lui dis-je, et tu as aussi la bague de nos fiançailles, qui ne sont pas mystiques.

Elle ouvrit son sac pour me la montrer. Je lui dis que je voulais la lui mettre au doigt en présence de ses parents.

— C'était donc sérieux ? dit-elle.

— Très sérieux.

De nouveau elle éclata de rire :

— C'est l'entraînement du mariage de la fille du sénateur Brooke ? dit-elle.

— C'est moi qui l'ai entraînée.

— Pense à Dean Rusk qui offrit sa démission lorsque sa fille épousa un Noir. De quoi ton père va-t-il être obligé d'offrir sa démission ?

— Elle sera repoussée, dis-je. Mais nous ne nous marions pas pour les autres ni contre les autres : nous nous marions pour nous.

Elle se pencha, me saisit une main et la couvrit de baisers. J'y sentis la chaleur d'une larme. Je promenai mes lèvres sur ses cheveux. Après quelques instants, elle se redressa et me dit :

— J'ai à t'annoncer une autre nouvelle : je pars, moi aussi, pour le Vietnam.

— Quoi ?

— J'ai fait ma demande pour un service civil ; elle est agréée. Nous partirons ensemble.

— Et si je n'étais pas venu ? dis-je. Et si je ne partais plus ?

— Je serais partie... et ne serais pas revenue.

Je baisai sa bouche :

— Tu es ma femme, lui dis-je.

Elle renversa la tête pour me contempler ; puis elle sourit :

— Nous nous étions mis d'accord sans le savoir. Aujourd'hui est à nous ; tu verras mes parents demain... et je te quitterai après-demain.

— Quelle est cette folie ?

— Voyons, Jack. Tu m'avais dit que tu resterais huit jours à New York et je l'ai cru, car j'ai toujours cru ce que tu m'as dit. Si tu étais resté là-bas plus longtemps, j'aurais été obligée de conclure que tu avais réfléchi et que Narcissa, même avec sa bague et son insigne, s'estompait à l'horizon. Rien ne devait retarder un rendez-vous comme le nôtre, qui est très particulier. Alors j'avais pris mes dispositions : ou bien tu tenais ta parole, ou bien je serais partie pour tâcher de t'oublier. C'est parce que je t'aime de toutes mes forces que je n'aurais pu attendre.

« Tu vois bien, ajouta-t-elle en souriant : même ce matin, c'est moi qui étais en avance. Pourtant j'habite loin d'ici et ton hôtel est en face.

A mon tour, j'avais les yeux humides. Je la baisai de nouveau sur les lèvres, comme pour respirer ses paroles.

— Mais c'est fou ! m'écriai-je ensuite. J'aurais pu te téléphoner que j'étais retardé par un cas de force majeure — une obligation envers les parents de Jim, la venue de mon père... que sais-je ?

— Je t'aurais dit à ce moment-là ce que j'avais décidé et tu aurais agi à ton gré. Il ne faut qu'une heure pour aller de New York à Washington : tu aurais eu le loisir de me voir, ne fût-ce qu'un jour, et je t'aurais attendu au Vietnam.

— Après un accord si parfait, tu vas me faire regretter que nous n'ayons pas poussé le roman d'amour jusqu'au roman d'aventures. Je ne t'aurais pas téléphoné, tu serais partie pour le Vietnam et nous nous y serions retrouvés par hasard. Je t'aurais enlevée aux services civils, comme je t'ai enlevée au Free Speech Movement. Nous ne pouvions nous perdre.

— Il n'y aurait pas eu de roman d'aventures, dit-elle, car je ne suis pas une aventurière. Ce n'est qu'ici à Washington, ou à Beverly Hills, que ta décision prenait toute sa valeur à mes yeux. Je me suis donnée à toi à Berkeley parce que nous nous sommes connus à Berkeley. Mais je me donnais pour la vie. Chaque minute a resserré en moi le lien qui nous avait unis. Si, en toi, il n'avait pas résisté à notre première séparation, ce n'était pas la fin de mon amour, mais c'était la fin de nos relations. Je t'ai aimé parce que je n'ai pas douté de toi. Le jour du commencement, je t'ai dit que je te considérais comme libre, mais j'avais la certitude d'entendre ce que tu m'as répondu. Toutefois, ta promesse ne t'engageait pas encore à grand-chose : l'épreuve finale était celle-ci. Elle fait de moi la plus heureuse des femmes.

Je la regardai droit dans les yeux, comme en d'autres circonstances, et lui dis :

— Je suis le plus heureux des hommes.

Nous nous levâmes pour faire quelques pas dans le square. Les deux superbes policiers qui montaient la garde devant la grille de la Maison-Blanche, de l'autre côté du boulevard, nous regardaient, farouches et impassibles. Ce devaient être des Irlandais ou des Texans. Ils représentaient bien un ordre établi qui n'avait à craindre aucune secousse sérieuse. Le chef du plus grand pays du monde était le moins gardé. J'avais vu citer, dans la revue de presse d'un de nos journaux, un journal communiste européen disant que Johnson était tellement haï par ses concitoyens que ses déplacements étaient tenus secrets et qu'on ne savait où il était allé que lorsqu'il était revenu dans son blockhaus de la Maison-Blanche. Ses déplacements étaient d'autant moins secrets qu'il ne sortait guère que pour aller dans son ranch ou pour présider des banquets et des congrès. Comme tous les chefs des pays libres, il y a nécessairement une opposition ; mais il n'avait pas, comme Staline, à se faire servir par un judas à travers une porte blindée et à ne jamais laisser savoir dans quelle chambre il dormait.

Narcissa me parla d'une bande dessinée où l'on moquait spirituellement Johnson, sa « Grande Société » et ses démêlés à travers le monde, sans oublier Gaullefinger qui l'enfermait à la Bastille avec la Gaullbomb — bombe qui était une bouteille de Bordeaux munie d'une hélice. Je dis que Jim, à Paris, avait été effaré des précautions dont s'entourait le général de Gaulle — il l'avait vu par hasard sortir de l'Elysée comme la Gaullbomb, accroché aux accoudoirs de sa voiture, dans un démarrage sur les chapeaux de roues.

Il est vrai que si l'on ne voit que deux policiers devant la Maison-Blanche, il y en a plusieurs centaines à l'intérieur, mais enfin les apparences sont sauves. La démocratie est poussée plus loin : nous apercevions tout à coup une cohorte de visiteurs sous la colonnade. Le matin, en effet, presque chaque jour le peuple américain a le droit de visiter la maison historique de la présidence, comme pour vérifier l'emploi des fonds destinés à l'entretien et aux embellissements. Le président se réfugie alors au premier étage. Où se réfugierait donc le président de Gaulle ? Il assure pourtant avoir instauré en France le système présidentiel américain. Dans le parc de la Maison-Blanche, Jacqueline Kennedy n'avait pu faire planter des rhododendrons pour masquer l'enclos où jouaient ses enfants, mais qui auraient empêché les promeneurs de voir les fontaines. Même les deux policiers étaient à l'image de notre démocratie : ils n'avaient pas de tuniques, mais des chemises à manches courtes qui laissaient nus les solides biceps. La crosse du revolver apparaissait hors de l'étui, sur la cuisse. Jim aurait prononcé le mot d'efficiency.

Nous montâmes dans la voiture que j'avais louée. J'avançai au hasard des longues avenues désertes. Nous étions frappés de ce vaste désert d'hommes qu'est Washington. Ces ministères gigantesques semblaient vides, mais tous les sanctuaires de la culture étaient pleins. Narcissa me disait qu'à la National Gallery, des gens s'arrêtaient devant le tableau de Léonard de Vinci, acheté dernièrement au prince de Liechtenstein, et demandaient au garde : « Combien de dollars ? » — « Cinq millions huit cent mille », répondait-il.

— Nous sommes des visiteurs de musées, dis-je : j'étais au Metropolitan avec Jim pendant que tu étais à la National Gallery. Et j'ai visité la National Gallery deux fois avec mon père.

Je fus enchanté que Narcissa eût admiré, comme moi, « la Dernière Cène » de Dali. Elle n'était pas plus baptiste que je n'étais épiscopal, mais elle avait été troublée par cette peinture. Jusque-là, elle avait eu peu de considération pour l'auteur. Un homme qui se fait faire un costume en or, qui annonce qu'il soufflera des bulles de savon carrées, qui arrive dans un restaurant en troïka, qui voyage sur un éléphant ne lui paraissait pas pouvoir être un grand peintre. Elle avait entendu dire aussi qu'il avait envoyé, à une exposition de l'Académie des Beaux-Arts de New York, un dessin représentant quatre membres virils. Ce tableau de la National Gallery était, pour elle, le plus étonnamment religieux de notre époque.

Je ris de bon cœur quand elle me dit qu'elle avait été également au Musée de cire. Dans celui-là, elle m'avait devancé. Je lui déclarai qu'elle suivait les pas de Mr Hunt, qui avait été si intéressé d'y apprendre le prix payé à la France pour l'achat de la Louisiane. Elle l'avait été davantage par les choses relatives aux Noirs. Naturellement, il y avait là Washington Carver, héros noir des musées de cire. En revanche, il y avait également, dans un même stand, Ralph Bunche, que l'inscription, antérieure au règne éphémère du pasteur King, appelait « le nègre américain le plus connu », et Robert Weaver, le premier nègre membre du gouvernement, avec notre premier vice-président de descendance indienne, Curtis (sous Hoover), et notre premier sénateur d'ascendance japonaise, Inouye. Un autre stand montrait la négresse Marian Anderson, « la voix du siècle », qui avait été l'objet, il y a une trentaine d'années, d'une des premières manifestations en faveur des droits civils : l'usage d'une salle de concert lui ayant été refusé, Mrs Franklin Roosevelt l'avait fait chanter au Mémorial de Lincoln.

Force était de parler du pasteur King, bien qu'il ne fût pas encore au Musée de cire.

— C'est quelque chose de terrible que cette famille King, dit Narcissa. Elle nous accable plus que jamais. As-tu vu dans les journaux papa King, veuve King, frère King, petits King, King par-ci, King par-là, King partout ?

— Pour un King de perdu, cinq de retrouvés, dis-je.

Naturellement, force était de reparler aussi du malheureux Kennedy.

— Et Jacqueline, à la veille de ce nouveau drame, dit Narcissa, cherchait d'ajouter quelque chose à la publicité Kennedy en faisant un procès à sa cuisinière !

— Bientôt, dis-je, nous entendrons parler de la cuisinière des King.

— Il y a déjà le poulet à la King, dit Narcissa.

Nous fîmes le tour du froid Capitole. En passant devant la Cour Suprême, Narcissa me dit que, le soir, ce quartier était redoutable à l'égal de Central Park et je jugeais assez ironique, autant qu'assez admirable, cette ténacité de nos plus hauts magistrats à défendre les droits des criminels au milieu d'une jungle. Un détail qu'elle me donnait, m'abasourdit. Des commerçants de la ville, ayant à témoigner récemment devant une sous-commission du Sénat sur certaines activités criminelles, avaient demandé à être entendus masqués afin de ne pas encourir de représailles. Je n'étais pas surpris que Johnson eût signé une loi d'exception pour défendre la sécurité de la capitale. Narcissa n'ignorait évidemment pas qu'il s'agissait avant tout de se défendre contre les Noirs.

Nous vîmes les baraquements et les tentes où les premiers marcheurs de la pauvreté s'installaient. En réalité, la plupart « marchaient » jusqu'à Washington en autobus ou en carriole. Ceux qui avaient traversé Boston avaient poignardé un réfugié polonais, échappé aux prisons communistes, qui arborait cette pancarte sur leur passage : « Je lutte contre la pauvreté en travaillant. Avez-vous essayé ? » Les adeptes de feu King ne semblaient pas préparés à répondre à une telle question.

Narcissa me raconta la dernière histoire des rapports entre Blancs et Noirs à Washington et qui n'était heureusement pas tragique : la femme d'un des plus hauts personnages du département d'Etat, étant sortie un matin pour promener ses chiens sous les arbres de Georgetown, avait été violée par quatre Noirs. Le même jour, elle donnait un grand dîner, qui ne fut pas contremandé bien que la nouvelle du viol eût été diffusée, et, dans la soirée, tous ses amis vinrent lui apporter leurs condoléances. C'était l'Amérique.

Le père de Narcissa, par le stage qu'il faisait dans le principal hôpital de Washington, était à une bonne source de renseignements. Il lui avait appris autre chose d'aussi extraordinaire, mais qui ne concernait que nègres et négresses : on avait été obligé de cadenasser, la nuit, les portes du département d'Etat, qui était nettoyé à ces heures-là par des négresses ; des nègres s'y introduisaient pour les violer et les couloirs du plus noble de nos ministères étaient le théâtre de scènes dignes de celles auxquelles nous avions assisté dans l'église méthodiste de San Francisco. J'espérais que les secrets de Dean Rusk étaient mieux gardés que ses couloirs. Nous repassâmes devant le monument de George Washington, symbole phallique de la capitale — plus glorieux que la tour Coït de San Francisco et plus caractérisé que l'Empire State Building, où Jim voyait le symbole phallique de New York.

Nous nous arrêtâmes pour déjeuner, non loin de mon hôtel, dans un restaurant français où j'étais allé avec mon père. Nous n'étions pas de ceux qui boycottaient la France à cause de sa politique. On nous accueillit avec un empressement marqué. Sur la carte des vins, je choisis le même Haut-Brion que j'avais bu au Harvard Club. Ce restaurant, lui non plus, n'avait pas vidé ses bouteilles dans le ruisseau. En voyant les noms d'autres crus américains d'origine française — Chablis, Sauterne (sans s)... —, je songeai à leur principal producteur, également d'origine française, devenu l'un des grands milliardaires de la Californie. Ce n'était pas un milliardaire à la Hunt : il n'avait été bruit, pendant des années, que de ses splendides réceptions — celle qu'il avait donnée en l'honneur de Johnson et à laquelle mes parents étaient allés, était restée fameuse. On annonçait qu'il était ruiné et cela me rappelait une remarque de Mr Hunt, dont les milliards étaient plus nombreux et plus solides : que les très grandes fortunes durent rarement au-delà de trois générations. C'était le signe de ce perpétuel brassage et de cette vie intense qui empêche l'argent de s'endormir et, du faîte des milliards, précipite vers le sol, à la vitesse de cet ascenseur que Jim avait admiré, dans les travaux du gratte-ciel de la General Motors à New York.

Je demandai à Narcissa ce qui avait valu à son père l'avantage de ce stage important à Washington.

— La maçonnerie de Prince Hall, répondit-elle.

Cela m'amusa : nos pères nous avaient mis du même bord, avec le Grand Architecte de l'Univers. Je lui dis que, si le mien ne m'avait pas fait voir le Musée de cire, il n'avait pas manqué de m'emmener au siège somptueux du Suprême Conseil de Washington (« mère du monde » de la maçonnerie écossaise), qui est la copie du tombeau de Mausole. Je me rappelai l'atrium de marbre, la salle du temple et surtout la bibliothèque, où étaient les photographies et les diplômes des grands maçons américains. Le souvenir qui m'avait le plus touché était le joyau de 33e, porté par l'astronaute Leroy Gordon Cooper dans son vol de huit jours autour de la terre, à bord du Gemini V. Mais Narcissa avait un peu l'impression, comme moi, que la maçonnerie, ainsi que disait Fred Koch de la John Birch Society, c'était « la génération des pères » — des pères intelligents.

Ses parents n'étaient venus à Washington qu'après les derniers troubles et, comme Johnson, attendaient de pied ferme les prochains. Toutefois, ils avaient acheté un fusil. Je ris à cette nouvelle, qui me fit penser à la remarque d'un de nos camarades noirs des Youth Freedom Speakers après la mort du pasteur King. Les parents de Narcissa n'étaient pas les seuls à user de ce droit, garanti par le deuxième amendement et que l'assassinat de Bob Kennedy allait remettre en cause : la vente des armes à feu avait doublé dans toutes les villes où il y avait eu des émeutes. Sartre trouverait à qui parler. Un rapport de la commission de la chambre sur les Activités non américaines prévoyait l'emploi de gaz paralysants et de tanks « mange-nègres ».

— Souhaitons, dis-je à Narcissa après lui avoir rapporté le mot de notre cher professeur de français, que l'on n'ait pas besoin, pour lutter contre les Patrophages, de construire des tanks « mange-étudiants ».

A Newark (New Jersey), ville chaude à laquelle étaient promis les « chauds étés » du pasteur King, s'était constitué un Comité de citoyens, fort de quatorze cents hommes, qui avaient résolu de patrouiller en casques, en armes et en autos blindées, dans tout quartier où éclaterait une émeute. Le maire de Chicago avait déclaré que les individus, noirs ou blancs, pris en train d'incendier ou de piller, devaient être abattus. La sagesse et la modération avaient dicté l'attitude du gouvernement, après l'assassinat du pasteur King : les pompiers avaient éteint les incendies ; mais la police, la garde nationale et l'armée s'étaient bornées souvent à regarder, plutôt qu'à réprimer. Les mesures qu'adoptaient de simples citoyens, et les avertissements des autorités laissaient entendre qu'il ne s'agissait pas de recommencer. En fin de compte, le pasteur Abernathy serait peut-être obligé de pratiquer vraiment la non-violence et réhabiliterait enfin, lorsqu'il en serait couronné à son tour, le prix Nobel de la Paix.

Ce qui était plus rassurant, c'était la volonté quasi unanime des Blancs et des Noirs d'arriver à une entente sincère et complète. Toutes les Eglises (protestante, catholique, juive) poussaient à l'intégration, malgré tous les obstacles. Et le gouvernement avait témoigné du reste la même décision. Narcissa me citait quelques chiffres concernant Washington où venaient d'avoir lieu tant de ravages. Les Noirs, qui représentent soixante-cinq pour cent de la population du district et quatre-vingt-douze pour cent de sa population scolaire, reçoivent la plus grande partie de son budget d'assistance sociale de vingt-quatre millions de dollars, soit près d'un dixième de la dépense fédérale pour les pauvres.

— Je t'adore, dis-je à Narcissa : c'est la première fois que je t'entends parler de statistiques et de millions de dollars. Tu cites des chiffres et tu crois que tout est réglé. Tu es une vraie Américaine.

Nous remontâmes en voiture pour aller vers le Potomac. La vue du département d'Etat, qui semble une forteresse, me rappela ce que j'avais entendu dire des aménagements faits par Dean Rusk : il n'était pas sur son balcon à air climatisé où l'on servait du thé en plein hiver et des glaces à la canicule, mais il aurait pu y montrer aux foules un jeune couple blanc et noir, image de la réconciliation de l'Amérique.

Quand nous traversâmes Georgetown, qui avait été gardé militairement jour et nuit durant les troubles, je songeai que ces belles villas, entourées de jardins sans barrière, offraient l'image d'une sécurité bien trompeuse. Le quartier élégant n'était pas plus sûr que celui de la Cour Suprême. Dès que la nuit tombait, ni une femme ni un enfant ne sortaient seuls et on lâchait des molosses. Les gens s'accompagnaient aux voitures, l'œil aux aguets, sinon les armes à la main. Cela donnait à Washington un frisson de Léopoldville ou de Nairobi. Cependant, à Dallas, l'une des capitales du crime, la maison de l'homme le plus riche du monde restait ouverte et n'avait aucun garde. D'autre part, Georgetown était la dernière citadelle du racisme dans le logement. C'est là que persistaient, avec le plus de rigueur, les dispositions illégales qu'interdisait la loi du logement ouvert. L'élite de la capitale agissait donc, par ses comités de rues, non seulement comme les gens de la Cinquième Avenue et de Park Avenue à New

York, mais comme la population des Etats du Sud, que l'on critiquait si volontiers pour son peu de lumières. Les Arabes eux-mêmes étaient tenus en suspicion et l'ambassadeur d'Algérie avait regardé comme une victoire d'avoir pu y établir sa résidence. Fait curieux, on admettait les Jaunes. Mais, après la brèche arabe, il y aurait forcément la brèche noire. Dean Rusk, en achetant une maison dans ce quartier bien avant le mariage de sa fille, avait refusé de souscrire à l'engagement que lui demandait le comité ad hoc. Il avait eu du flair.

— Mes parents, dit Narcissa, habitent de l'autre côté de la ville, près de l'Université Howard, et ils sont très contents.

Nous nous étions arrêtés sous un arbre fleuri, dans un endroit solitaire. Nous nous embrassions, nous nous désirions.

— Si tu te voyais en moi, dit-elle, tu saurais ce que représente ton image. Nulle femme au monde ne pouvait t'aimer plus que moi. Ce n'est pas parce que tu es blanc : c'est parce que tu es toi.

« Tous les mariages sont des problèmes. Crois-tu que ce n'en est pas un pour moi que d'épouser un Blanc ? Il est si commode de rester avec les siens ! Mais il est impossible d'être soi-même sans être contre soi-même. Pour posséder quelque chose de supérieur, il faut renoncer à tout un acquis, à toute une société. Tu es quelque chose de supérieur à moi et je suis quelque chose de supérieur à toi. Cette supériorité n'a rien à faire ni avec la couleur ni avec la condition. »

Ses paroles m'enivraient. Il y avait en elle un parfait unisson de délicatesse, d'intelligence et de charme. J'applaudissais l'instinct qui m'avait attiré vers elle et qui m'y avait retenu : les trois lettres d'argent épinglées sur son corsage avaient été bien placées. Mais tout à coup, l'idée que notre bonheur était en question, à l'instant même qu'il était atteint, me révolta :

— Ne sommes-nous pas stupides d'aller au Vietnam

quand personne ne nous y oblige ? Il doit y avoir un moyen pour deux jeunes mariés de se libérer d'un engagement volontaire aux armées. Je demanderai à mon père de nous aider. Nous provoquerons tant de commentaires à la rentrée, qu'un peu plus ou un peu moins, c'est égal. Je me moque de ce que j'ai pu promettre comme chef des Youth Freedom Speakers. Du reste, j'aurai passé l'âge de les diriger et je vais écrire à Mr Hunt pour lui proposer le noir à la touffe. Tu feras ta seconde année d'histoire et moi mon doctorat en sociologie. Et Savio enragera parce qu'il n'a épousé qu'une Blanche.

— J'ai pensé à ces choses, moi aussi, dit Narcissa. J'y pensais en misant sur ta venue et sur ta parole. Mais nous ne pouvons pas plus reprendre notre parole envers notre pays que tu n'as repris la tienne envers moi. Je me suis engagée à partir, du fait que tu partais. Ce qu'il y a de beau, c'est notre communion, à la fois secrète et publique. Après être arrivés à ce résultat, nous aurions l'air de reculer et presque de nous dédire. Même si nous nous moquons d'autrui, il me serait désagréable de paraître avoir été épousée pour te fournir une échappatoire. Nous semblerions nous abriter derrière les droits civils. Il ne nous manquerait que de faire bénir notre union par le pasteur Abernathy.

Je baisai de nouveau ses lèvres qui distillaient le miel.

— N'oublie pas, dit-elle, que je t'ai aimé, entre autres choses, pour ton courage.

Afin de mieux juger encore Narcissa, je ne pus m'empêcher d'évoquer Sunny. Je croyais entendre son éclat de rire si je lui avais annoncé ma résolution héroïque. Elle aurait déchiré elle-même mon engagement et m'aurait entraîné dans le sous-sol de sa maison ou dans quelque église hétérodoxe pour me changer les esprits.

— Bien ! dis-je, nous sommes et serons des héros, mais accordons-nous quelques jours. Je ne peux imaginer de te voir partir après-demain, comme si je n'étais pas venu à Washington — et j'y viens pour faire de toi mon épouse. Demain je vois tes parents, après-demain nous nous marions. Jim et l'un de ses cousins qui habite ici seront mes témoins. Nous irons ensuite chez mes parents qui feront la tête qu'ils voudront. Et nous partirons enfin pour Alameda, d'où nous nous envolerons peut-être ensemble. Ton père n'aura aucune peine à t'obtenir ce sursis matrimonial — et quel mariage ! un mariage sous le drapeau.

— Stars and stripes, dit Narcissa.

Elle accepta bien volontiers de nous accorder cette grâce.

Des voitures passaient. Quelques curieux nous dévisageaient et, dans certains regards, il y avait la réprobation muette de cette présence d'une Noire sur le sol sacré de Georgetown.

Une voiture de la police me fit penser à la fin de ma soirée chez Carl avec Sunny. Si nous étions dans le voisinage de la C.I.A., il devait y avoir des microphones dans les arbres. Narcissa ignorait où se trouvait Langley, siège de cette honorable institution.

— Je n'ai pas encore visité la Maison-Blanche, dit-elle, mais le F.B.I., au département de la Justice. Cela en vaut la peine. Après que vous avez admiré les armes de gangsters fameux, comme à ton musée de Dallas, on vous mène dans la salle de la lutte contre le communisme. Les photographies de Staline, de Khrouchtchev, de Brejnev, de Kossyguine y sont exposées comme celles d'autres gangsters. Enfin vous voyez tirer à la mitraillette contre un mannequin. L'agent du F.B.I. vous fait constater qu'il a bien touché le cœur. Et l'on vous remet en souvenir la douille d'une balle de revolver.

— C'est sublime, dis-je. Comment veux-tu que nous ne soyons pas fiers d'être américains ?

Pour notre dîner, je choisis un autre restaurant français que fréquentaient les hauts personnages du département d'Etat. Peut-être y rencontrerions-nous la fille de Dean Rusk et son mari. Comme nous repassions non loin de mon hôtel, Narcissa me montra la jolie petite église à coupole dorée qui en est voisine.

— Je la regardais ce matin en t'attendant, dit-elle. J'avais les Amours derrière moi et l'église en face.

— Eh bien, dis-je, nous allons y entrer : c'est l'église épiscopale de Saint-Jean-le-Divin, « l'église des présidents ». J'y suis chez moi, même si je ne deviens pas président, comme Mr Hunt me l'a prédit.

Narcissa eut un geste d'effroi.

— Ce n'est pas le moment de rêver à la présidence, dit-elle.

Elle leva le bras dans la direction du Mémorial de Lincoln et du cimetière d'Arlington. Le président Kennedy nous accueillait même ici : une inscription nous avertissait, dès l'entrée, qu'il avait assisté à un office dans ce temple. Nous étions seuls. L'élégance du lieu, le damas rouge des bancs évoquaient l'église méthodiste de Glide. Cette visite inattendue, par rapport à nos sentiments religieux, rachetait l'autre. A l'instant que nous nous assîmes sur un banc, la musique d'un orgue s'éleva. Nous sourîmes de cette coïncidence, comme d'une consécration de notre amour. Nous nous laissâmes bercer un moment par cette mélodie d'un organiste invisible. Je me souviens tout à coup d'une chose stupéfiante que mon père m'avait fait noter dans le vitrail au-dessus de l'autel et priai Narcissa de bien observer ce vitrail.

— C'est saint Jean dans les bras de Jésus, dit-elle.

— Oui, mais Jésus l'enlace du bras droit et bénit de la main gauche.

Elle se mit à rire. Je ne lui cachai pas à qui je devais cette découverte.

— Je suis impatiente de connaître mon beau-père, dit-elle : il a l' « œil américain » — l'œil qui n'est pas dupe. Mais il faut croire que les autres Américains laissent leurs yeux à la porte. Je suppose que, si l'on avait relevé une pareille énormité dans l'église des présidents, le vitrail aurait été changé depuis longtemps.

— N'empêche, dis-je, que, pour un pays dont la devise est « In God we trust », c'est un peu drôle d'avoir un temple officiel où Jésus soit gaucher.

— Après tout, dit-elle, puisqu'un Américain sur vingt est gaucher, Jésus n'en bénit pas moins dix millions.

Au restaurant, qui était déjà presque plein, on nous mit à côté d'une table occupée par une dame et son fils. Comme elle parlait haut et sans arrêt, nous fûmes obligés de savoir que ce garçon venait d'être gradué de l'Université de Georgetown et qu'il se rendait en France. Les mesures prises pour freiner les voyages à l'étranger leur conféraient un attrait de plus. Mais, au lendemain des manifestations anti-françaises de New York, j'étais heureux de voir le pays de mes ancêtres rester cher aux Américains d'une certaine classe. Ses vins aussi. La dame les avait appréciés, car sa voix était pâteuse. Elle entremêlait ses discours de mots français, pour faire la leçon à son fils qui ne disait mot, et sa leçon, d'ailleurs, était à base d'œnologie. Toutefois, ce n'est pas le Haut-Brion qui excitait son éloquence :

— Retiens bien ce qui est inscrit sur cette étiquette, disait-elle : « Château Mouton... Baron Philippe... Cuvée 1962... » Quand tu seras en France, tu diras aux petits Français : « Votre pays, votre cuisine, votre Château Mouton, vos châteaux de la Loire, c'est... c'est... magnifique. » Répète-le en français, Harry. Et n'oublie pas Versailles...

Son fils buvait, mais ne disait toujours rien. Sans doute était-il habitué aux divagations d'une mère œnophile.

— Répète, Harry, disait-elle obstinément. Répète ce que tu diras aux petits Français... Répète, Harry.

Il finit par répéter d'un trait :

— Quand je serai en France, je dirai aux petits Français : « Votre pays, votre cuisine, votre Château

Mouton, vos châteaux de la Loire, votre Versailles, c'est magnifique. »

— C'est magnifique, redit la mère avec enthousiasme. Mais n'ajoute plus rien... plus rien. Tu entends, Harry ?... Plus rien.

Nous souriions discrètement.

— C'est avec toi que je ferai mon premier voyage en France, dis-je à Narcissa.

— Ce sera... magnifique, dit-elle. Et il y aura le voyage de noces au Vietnam.

Je dis l'inscription que j'avais vue à Devonshire Meadows : « Passez vos vacances au Vietnam. »

— Mais il va y avoir la paix ! s'écria Narcissa. La paix à Paris, la paix chez les petits Français. Finalement, c'est nous qui aurons eu raison : le Vietnam va se transformer de camp retranché en camp de vacances.

— Je crains, dis-je, que la paix ne soit pas très proche si elle prend les mêmes détours que pour la guerre de Corée. Mais ne soyons qu'à la joie.

J'avais remarqué, à quelques blocs du restaurant, une boîte de nuit que Jim m'avait recommandée car il connaissait Washington mieux que moi. Nous décidâmes d'y aller un moment. C'était une simple boîte à matelots — matelots dant la plupart étaient en civil et tous déjà à moitié ivres, comme la dame que nous venions de quitter.

Cette immense salle offrait, sauf la tenue des assistants, le spectacle d'un saloon de western : sur une estrade centrale, une femme sans jeunesse et sans beauté, vêtue d'une robe à fanfreluches, coiffée à l'espagnole, chantait ou plutôt hurlait, devant un microphone, des airs que martelait au piano un musicien caricatural, en canotier, le cigare au bec. Et des centaines d'hommes, avec leurs rares compagnes, rythmaient ces chants par des battements de mains ou des coups de baguette qu'on vous apportait en même temps qu'un énorme pot de bière. Ces pots étaient tellement lourds et tellement grands qu'il était impossible de les soulever pour boire :

on en versait le contenu, au fur et à mesure dans un gobelet. Nous nous étions installés à une table occupée par deux marins et j'étais sur mes gardes. Ils nous avaient salués, mais ce fut leur dernier acte de lucidité : l'un s'endormit et l'autre glissa sous la table. La chanteuse vociférait :

— « Happy birthday to you ! »

Sa consigne était de chanter n'importe quoi, sans interruption, pour entretenir l'atmosphère. Epoumonée, elle tendit le microphone à une autre, sa sœur par l'âge, la laideur et la tenue, et qui, à la même seconde, entonna un retentissant :

— « God bless America !... »

Aux accents de cette chanson, qui n'était pourtant pas l'hymne national, mais qui était patriotique, tous ces marins se levèrent comme un seul homme, les uns figés dans une attitude martiale, les autres au garde-à-vous. Même nos deux voisins et ceux qui étaient aussi ivres arrivaient à se tenir debout.

Nous en profitâmes pour nous éclipser. Au drugstore tout proche qui était encore ouvert, Narcissa voulut acheter quelque chose.

— J'y vais seule, dit-elle.

Mon imagination, exercée par mes désirs de cet après-midi me persuada qu'elle allait faire provision de moyens anticonceptionnels. J'étais impatient de recouvrer mes droits : ceux de l'amant n'avaient pas à attendre ceux du mari. Je me rappelai un petit dialogue que j'avais surpris, dans un drugstore de Berkeley, entre deux étudiantes du campus. Elles discutaient des gelées anticonceptionnelles. « J'aime bien celle-ci, disait l'une, parce qu'elle chatouille. — Moi je préfère celle-là, disait l'autre, parce qu'elle est rose. »

Narcissa revenait, deux petits drapeaux à la main : celui du Missouri, avec son cercle d'étoiles, et celui de la Californie avec son ours. Je lui demandai si je devais chanter : « Dieu bénisse l'Amérique !... » ou imiter le grondement de l'ours, qui était le refrain d'un de nos chants universitaires :

— « Gr-r-r-r-r-rah... »

Gr-r-r-r, R-r-r-r, R-r-r-r-rah. »

Elle se contenta de sourire et, quand nous fûmes repartis, elle me pria de m'arrêter près de la statue de La Fayette où nous nous étions rencontrés ce matin. Nous descendîmes. Elle n'oublia pas les deux enseignes.

— Asseyons-nous sous les deux Amours, dit-elle : ils m'ont porté bonheur, ils nous ont unis. Je n'ai pas pris les deux drapeaux pour les leur mettre à la main, mais pour te faire un discours — comme on place deux drapeaux sur l'estrade d'un conférencier.

« Tu m'as rendue tienne et tu es devenu mien. Dans quarante-huit heures, je serai Mrs Jack Montague. C'est pour moi un rêve inouï qui va s'accomplir. Mais comme je te le disais cet après-midi, on accomplit toujours un rêve, sinon contre soi, au moins contre quelque chose de soi. Je ne sais si tu t'es bien rendu compte que tu m'avais fait renoncer à toutes mes idées. Tu m'embarques avec toi sur le même vaisseau, qui a un pavillon étoilé. Il serait trop vulgaire de brûler ce pavillon, comme le font nos pacifistes, et on ne brûle pas un vaisseau car on ne pourrait pas revenir.

« Tu vas faire la guerre et je vais aider les combattants, mais n'allons combattre personne, même pas une idée. Tu m'as cité les paroles de ce Russo-Américain de New York : on ne tue pas une idée. Il est ridicule de vouloir abattre le communisme, quelque mal que l'on en pense. Les Américains qui détestaient les Noirs, n'ont pu ni les tuer, ni les garder en esclavage, ni les empêcher de conquérir leurs droits. Mais le monde est violent et nous impose de participer à sa violence, du côté où nous a rangés le sort.

« Nous partons parce que nous nous aimons. Nous ne partons donc pas pour la guerre, mais pour l'amour. Il faut que l'amour succède à la guerre, comme notre amour est venu d'une lutte et sans

628

égard de la couleur. Le monde nous déteste pour cette guerre et il a raison : toutes les guerres sont détestables, mais elles sont le seul moyen que les peuples aient inventé pour arriver à l'amour. La génération des fleurs et de l'amour est née de la bombe atomique.

« Il ne sert à rien de brûler le drapeau soviétique ou le drapeau américain. Mais tout ce qui est le symbole de vains particularismes, de nationalismes dépassés, de préjugés inutiles, même s'ils sont respectables, c'est cela qu'il faut brûler. Il ne faut brûler que cela ; sinon, il faut se brûler vivant, comme les bonzes du pays que nous allons voir ou comme cet Américain dont je parlais à ta première conférence, et qui s'est brûlé devant le Pentagone.

Elle me tendit le drapeau californien et, avec son briquet, alluma les trois bandes, bleue, blanche, rouge, du Missouri.

— As-tu remarqué, dit-elle, que le blason central est soutenu par deux ours ?

— Et toi, lui dis-je en allumant le drapeau blanc de mon Etat, as-tu remarqué l'étoile rouge au-dessus de l'ours ? C'est le seul des cinquante drapeaux américains où il y ait une étoile rouge.

Cette lente incinération, que nous devions entretenir avec nos briquets, fit passer dans mon esprit la jeune sorcière Oriane, brûlant le fond d'un pantalon de pyjama sur la rive de la Cinquième porte. Symbole de Lucifer, un policier de la Maison-Blanche surgit devant nous.

— Qu'est-ce que vous brûlez ? demanda-t-il d'un air sévère.

Il fit jaillir le faisceau lumineux d'une grosse lampe torche.

— Des drapeaux ! s'écria-t-il, menaçant.

Son visage mafflu m'aurait inspiré quelque crainte si je ne m'étais senti protégé contre les brutalités policières par la Cour Suprême, qui n'était pas loin. Mais nous éclatâmes de rire, à la fois pour prouver notre innocence et pour achever de le déconcerter.

— Le drapeau de la Californie et le drapeau du Missouri, lui dis-je. Ils ne sont pas protégés par les lois fédérales.

— Mais pourquoi devant la maison du président ? demanda le policier.

— Nous sommes derrière le piédestal de La Fayette, dis-je. Une idée de deux fiancés, qui sont de deux Etats et qui n'ont besoin que d'un drapeau, car ils vont partir pour le Vietnam.

Je lui montrai mon certificat d'engagé volontaire et Narcissa son engagement dans les services civils. C'était évidemment trop pour la compréhension de ce gardien. Il examina les deux papiers à la lumière de sa lampe et nous les rendit. Puis il s'éloigna sans dire un mot, après nous avoir salués.

Les deux drapeaux achevaient de se consumer. Je pris Narcissa dans mes bras en riant, comme ce matin, et je riais de mon bonheur aussi bien que de l'incident. Il nous fallait finir à Washington avec la police puisque nous avions commencé avec elle à Berkeley. Mais nous avions désarmé un policier de la Maison-Blanche.

— Mark Twain avait raison, dis-je : « La meilleure des armes, c'est le rire. »

— Non, dit-elle, c'est l'amour.

ROMANS-TEXTE INTÉGRAL

J'AI LU LEUR AVENTURE

L'AVENTURE MYSTÉRIEUSE

L'AVENTURE AUJOURD'HUI

EDITIONS J'AI LU

*35, rue Mazarine, Paris-VI*e

Exclusivité de vente en librairie :
FLAMMARION

23.590. — Imp. « La Semeuse », Etampes. — C.O.L. 31.1258
Dépôt légal : 4e trimestre 1969
PRINTED IN FRANCE